KB213045

살아남은 자의 글쓰기

살아남은 자의 글쓰기

ー제주4·3과 한국전쟁의 제노사이드문학사

초판 1쇄 발행 | 2025년 5월 19일

지은이 | 김요섭
펴낸이 | 황규관

펴낸곳 | (주)삶창
출판등록 | 2010년 11월 30일 제2010-000168호
주소 | 04149 서울시 마포구 대흥로 84-6, 302호
전화 | 02-848-3097
팩스 | 02-848-3094

ISBN 978-89-6655-189-7 03800

"이 저서는 2023년도 제주4·3평화재단의 지원을 받아 수행된 연구입니다."
(This book was supported by the 'Jeju 4·3 Peace Foundation' in 2023.)

살아남은 자의

글쓰기

김요섭 지음

제주4·3과 한국전쟁의 제노사이드문학사

삶창

이름 없는 것과
정명正名의 사이에서

그녀는 내게 귓속말로 물었다(거기서는 모두가 귓속말을 했다) :

―당신은 이 모든 것을 쓸 수 있습니까?

나는 대답했다

―네.

그러자 미소와도 비슷한 어떤 것이

한때 그녀의 얼굴이었던 그 부분을 스치고 지나갔다

―안나 아흐마또바,

―「레퀴엠」 중[1]

한때 그것은 '이름 없는 범죄'라고 불렸다. 제2차 세계대전이 한창이었던 1941년 영국의 총리 윈스턴 처칠은 유럽 전선의 동부, 소련으로 진격하는 나치 독일이 저지른 만행이 결코 그곳에서만 끝나지 않으리라고, 그리고 결국 우리 모두를 향해 오고 있다고 말했다. "우리는 지금 이름 없는 범죄A Crime without a Name에 직면해 있"[2]다고 말이다. 그 범죄의 이름은 라파엘 렘킨이라는 법률가, 이름 없는 범죄로 인해 조카 한 사람을 제외한 모든 가족을 잃은 폴란드 태생의 유대인에 의해 만들어졌다. 그는 나치가 점령한 유럽에서 이름 없는 범죄가 조직적으로 자행되어왔음을 증명하는 자신의 책, 『점령된 유럽에서의 추축국 통치』(1944)에서 그 참혹한 만행에 '제노사이드Genocide'라는 이름을 붙였다.

렘킨은 나치가 자행한 이름 없는 범죄, 제노사이드를 전쟁과 다른 성격을 가진 폭력이라고 주장했다.[3] 전쟁은 한 집단이 다른 집단에 대한 승리를 목표로 하는 것이지만, 제노사이드는 적대하는 집단을 파괴하려는 행위였기 때문이다. 렘킨에 따르면 제노사이드는 언제나 전쟁의 형태로만 실행되지 않았고, 꼭 살인을 수단으로 삼은 것도 아니었다. 세계를 다른 방식으로 살아온 이들, 그들이 쌓아온 역사와 문화 그리고 그들의 사회를 파괴하려는 일련의 행동이 제노사이드의 실행이었다.[4] 렘킨의 제노사이드는 제2차 세계대전 이후 새로운 국제질서, 국가의 잔혹 행위를 처벌할 수 있도록 하는 국제법의 한 축으로 자리 잡게 되면서 이제 이름 없는 범죄에는 그 죄의 성격에 부합하는 이름과 그에 대한 정당한 처벌이 생긴 것처럼 보였다. 그러나 그 범죄의 많은 죄악이 그 이름의 갈라진 틈으로 빠져나오고야 말았다.

제2차 세계대전 이후 제노사이드는 더는 낯선 말이 아니며, 이름 없는 범죄는 더더욱 아니다. 홀로코스트로 대표되는 제노사이드에 대한 인식은 전후에 즉각적으로 전세계로 확대된 것이 아니라, 1950년대 지난한 기억 투쟁의 성과였다. 국제법의 제도로서나 기억 문화로서나 제노사이드라는 이름의 각인은 피 흘린 자들, 그 거대한 죽음에서 살아남은 자들의 헌신적 노력 속에서 가능했다. 그러나 그 노력에도 불구하고 제노사이드라는 이름을 새기기 위해서 파내어야 했던 현실의 벽은 견고했다. 제노사이드에 대한 법 제도는 새로운 국제질서를 만들 국가들 자신의 죄는 비켜가도록 했고, 문화적 기억에서는 재현될 수 있는 몇 가지 대표적 사건들을 중심으로 기억[5)되었다. 이로 인해 제노사이드라는 폭력의 성격 역시 다르게 인식되었다. 이러한 기억의 조건은 제노사이드를 '대량 살육Mass Murder'이나 '인종 청소Ethnic Cleansing'와 동일한 것으로 받아들이게 했다. 그래서 이름 없는 범죄에 이름을 붙인 우리의 세계는 실상 여전히 그 범죄가 무엇인지, 그리고 그것을 어떻게 막아야 할 것인지 분명하게 이해하지 못했거나 제대로 대비하지 못했다.

이름 없는 범죄였던 제노사이드 사건 중에서도 아직도 그 이름을 가지지 못한 것들이 있다. 1948년 이스라엘 건국 과정에서 팔레스타인 지역 대다수를 점령하고 수십만 명의 팔레스타인인을 추방한 '나크바'*는 수십 년간 국가폭력으로 인정받지 못했을 뿐 아니라, 제2의 홀로코스트를 막기 위한 시도로 합리화하기까지 했다.[6] 국제사회에서 나크바와 그 이후의 이스라엘의 팔레스타인에 대한 정착식민주의가 제노사이드로 본격적으로 논의되기 시작한 것은 2023년 가자전쟁 이후의 일이다.** 그러나 이름 없는 제노사이드의 사례를 먼 곳에서 찾을 필요는 없다. 나크바가 자행되던 시기 한반도에서 일어난 참혹한 일들 역시 오랜 시간 이름을 가지지 못했으니 말이다.

한국전쟁을 전후한 시기 한반도에서는 전투와 폭격으로 사망한 이들을 제외하더라도 최소 수십만 명이 권력 집단이 기획한 학살에 희생되었다. 대구10월사태, 제주4·3, 여순사건, 거창양민학살사건, 노근리사건, 국민보도연맹원 학살 등 해방 이후 수년간 한반도에서는 수십만 명이 적대적인 세력 혹은 그들로 의심되는 집단, 더 나아가 그들의 가족이라는 이유만으로 조직적인 학살의 표적이 되었다. 한반도에서 자행된 학살들은 냉전기라는 시대를 고려해도 상당한 규모의 사건이었지만, 해외에서는 제노사이드 연구자조차 이 사건에 대해서 거의 알지 못한다. 한국사회 안에서 수십 년에 걸쳐서 이 제노사이드에 대한 침묵과 망각의 질서가 공고하게 형성되었기 때문이다. 이 사건 중 대부분은 87년의 민주화 이후에야 망각의 강을 건너 다시 이름을 얻을 수 있었다.

---

* 아랍어로 '대재앙'을 뜻하는 말이다. 이스라엘에서 홀로코스트를 히브리어로 '쇼아'라고 부르는데, 이 역시 대재앙을 뜻한다.
** 남아프리카공화국이 가자전쟁을 국제사법재판소에 이스라엘의 제노사이드로 기소했고, 이후 유엔의 기구 등에서 제노사이드로 판단하는 보고서를 발표하기도 했다.

민주화와 이후 과거사 청산의 지난한 과정을 거치면서 한반도에서 자행된 그 이름 없는 범죄와 피해자들의 존재가 인정받을 수 있었다. 그러나 이름 없음의 곤경은 단순히 기억됨과 잊힘이라는 이분법으로 쉽게 나눌 수 없는 다층적인 현상이었다. 한때 끔찍한 가해자였던 국가가 잘못을 인정했을 때조차도, 이름 없이 남겨지는 사건들이 있기 때문이다. 제주4·3평화기념관 안에는 아무런 글자도 씌어 있지 않은 거대한 비석이 누워 있다. '백비白碑'라는 이름의 이 비석은 이름 붙이지 못한 사건을 기억하기 위한 기념비다. 백비 앞에 쓰여진 "언젠가 이 비에 제주4·3의 이름을 새기고 일으켜 세우리라"는 문구는 이름 없는 기억을 짊어진 이들의 비장함을 보여준다.

1947년부터 1954년까지 계속된 제주4·3은 해방 후 한반도에서 자행된 대규모 제노사이드 사건 중 하나다. 2000년 '제주4·3사건 진상규명 및 희생자 명예회복에 관한 특별법'이 국회에서 제정되고 그 이후 이루어진 정부 차원의 진상조사를 거치면서 제주4·3은 국가가 책임을 인정하고 추모하는 사건이 되었다. 그런데 대통령의 사과로까지 이어진 근거가 된 국가 차원의 공식 보고서의 내용을 보면 어딘가 석연치 않은 점이 발견된다. 2003년 당시 국무총리였던 고건은 4·3진상조사위원회 위원장 자격으로 『제주4·3사건 진상조사보고서』의 서문을 썼다. 그의 글에서 '제주4·3사건'이라는 호칭이 어떤 의미에서 쓰였는지 명확하게 드러난다. 서문에서는 보고서가 사건의 역사적 실체를 조사하고 희생자의 명예를 회복하기 위한 것임을 분명하게 밝힌다. 그러나 동시에 "4·3사건 전체에 대한 성격이나 역사적 평가를 내리지 않았"다고 설명하는데, 이 일은 자신들이 아닌 "후세 사가들의 몫"이기 때문이다.[7] 보고서는 각각의 폭력들에 대해서는 사실관계를 확인하여 희생자들의 명예회복 및 보상을 진행하는 근거가 되었다. 그러나 4·3이 가진 역사적 의미에 대해서는 함구한다. 4·3의 백비에 어떤 글자도 쓰이지 못한 이유는 바로 이 판단중지에 항의하기 위해서다.

'제주4·3사건'이라는 호명은 이름이 아닌 이름이다. 이 호명은 사건의 의미에 대해서 말하지 않기 위한 침묵이다. 제주4·3은 독재정권 시절 지속적으로 '공산 반란'으로 규정되었고, 이는 살해된 자와 살아남은 자 모두에게 찍힌 낙인이자 폭력을 정당화하는 근거가 되었다. 민주화를 거치며 이러한 낙인과 은폐에 대한 시민의 저항으로 국가는 폭력에 대한 책임을 인정했지만, 결코 그 폭력의 논리로부터 자유로워진 것은 아니었다. 의미에 대한 판단을 배제한 '사건'이라는 호명은 독재정권의 공식기억이었던 '공산 반란'이라는 규정에 맞서면서도 동시에 대안적 상상력을 제시할 수 없는 타협 안에 갇힌 국가의 시각을 보여준다. 제주의 피해에 대해서는 인정하지만, 그 폭력에 짓밟힌 제주 사람의 의지와 정치적 상상력에 대해서는 판단을 내리지 않는다. 역사적 의미를 지우고 만 이 결정은 제주를 역사의 주체가 아닌 무력한 희생자로 남겨놓았다.[8]

백비로 상징되는 제주4·3의 이름 없음은 '정명正名'의 과제라 불린다. 제주4·3에 대한 담론은 민간인의 피해 문제를 강조하는 '양민학살론'과 '국가폭력론', 그리고 해방 이후 제주사회의 정치적 주체성을 강조하는 '항쟁론' 등 다양한 목소리가 존재했다. 정치적 주체성을 강조하는 항쟁론은 4·3의 작가, 현기영이 강하게 주장해왔다. 그는 '민란의 전통'에서 기원하는 항쟁의 역사를 통해서 냉전의 이념적 이분법을 넘어서는 제주 공동체의 주체성을 문학을 통해 보여주었다. 항쟁론은 국가의 폭력을 고발할 뿐 아니라, 항쟁의 주체들 역시 (흔히 공산주의자라 낙인찍히고 마는) 반체제적인 것이 아니라 다른 사회적 맥락 속에서 설명할 수 있었다.[9] 그러나 반공주의적 국가 서사가 아직 강력한 힘을 발휘하던 2000년대에는 진상규명을 위한 사회적 타협을 위해 항쟁론의 많은 부분은 4·3에 대한 새로운 공식기억을 만드는 과정에서 탈락하고 만다. 정명이라는 과제는 바로 이러한 타협 과정에서 회복되지 못한 제주 공동체의 주체성을 복권하기 위해 던져진 질문이다.

제노사이드는 막강한 권력을 가진 집단이 자행한 거대한 파괴의 과정이다. 그러나 동시에 이 폭력은 권력에 의해 일방적으로 집행된 것이 아니라, 복잡한 사회적 관계망 속에서 수많은 힘과 주체들이 뒤엉키는 과정을 거치면서 극단화된 것이다. 그래서 사회학자 강성현은 제노사이드를 사회적 관계망 속에서 일어난 사건으로 바라보아야 한다고 주장한다.[10] 사회적 관계에 대한 강조는 제노사이드라는 폭력이 가진 위험한 성질을 고발한다. 제노사이드는 무수하게 많은 개인들이 살해당한 사건이 아니라, 수많은 사회적 관계 위에 만들어졌던 문화와 상상력, 그리고 감정의 죽음이다.

그리고 이 사회적 관계의 존재는 다시 질문하게 한다. 그 개별의 죽음들에 대해서 기록하고 기억하는 것만으로 정녕 충분한 일인가 말이다. 제노사이드라는 폭력이 사회적 관계 속에서 이루어졌다면, 그에 맞서는 일 역시 사회적 주체에 의해 이루어진다. 그 저항이 끝내 가공할 힘 앞에 무너졌다 하더라도, 그들이 무력하게 짓밟힌 자가 아니라 또 다른 삶과 사회를 꿈꾸고 만들어가려고 했던 이들이라는 점을 밝히는 것이야말로 상처를 회복하는 과정이다.

문학은 제노사이드의 기억을 이야기하는 중요한 형식 중 하나였다. 제노사이드 개념이 형성된 역사적 계기였던 유럽에서의 홀로코스트, 그 끔찍한 폭력의 기억을 세계의 다른 이들에게 알리기 위해서 생존자들의 회고와 증언을 문학적 형식을 통해 그려왔다. 프리모 레비, 엘리 위젤처럼 전후 얼마나 지나지 않아 활동했던 이들부터 임레 케르테스처럼 냉전의 구조 속에서 뒤늦게 목소리를 낸 작가까지, 그들의 증언문학은 제노사이드를 알리는 데 중요한 역할을 했다. 그러나 한편으로 홀로코스트, 그중에서도 수용소 공간에 집중된 재현은 역설적으로 제노사이드의 피해자들 사이에 재현의 격차를 만들고 말았다.* 개별 인간의 신체가 주권에 의해 포획되는 수용소 공간을 통해 제노사이드를 포착할 때, 실상 그 앞

---

* 미국의 역사학자 티모시 스나이더는 전체 홀로코스트 희생자의 절반가량이 발생한 수용소 외부에서의 죽음이 잊히면서 "아우슈비츠는 기억되었지만, 홀로코스트의 대부분은 대체로 잊혔다"고 강하게 비판했다.(티모시 스나이더, 조행복 옮김, 『블랙 어스』, 문학동네, 2018, 293쪽)

에 선행하는 집단에 대한 파괴 행위들이 잘 보이지 않는다. 많은 작품에서 집단을 파괴하려는 제노사이드의 속성, 그리고 죽음 앞에 선행하는 '부드러운' 제노사이드는 잘 보이지 않으며, 집단의 문화와 연대의 측면보다는 개인이 경험한 극한의 고통을 포착하려 했다.[11] 물론 이러한 경향이 나타나는 데는 개인이라는 단위 위에 세워진 근대문학의 본연적 특성도 영향을 끼쳤을 것이다. 이름 없는 범죄에 붙은 제노사이드라는 이름에는 개인이라는 단위와의 불화가 내재해 있기 때문이다.

제노사이드 사건과 그에 대한 재현에 대해 논의하는 글들을 살펴보다 보면 종종 제노사이드와 '인도에 반한 범죄'The Crimes Against Humanity'를 혼동하는 사례를 발견하게 된다. 제노사이드와 함께 홀로코스트와 같은 행위를 처벌하기 위해 제시된 국제법은 나치의 전범 아돌프 아이히만 등을 처벌하는 근거가 되면서 많은 이들에게 알려진 개념이다. 홀로코스트에 대한 처벌과 예방을 위한 국제법이라는 점에서 유사하기에 그 둘을 혼동하는 일이 그리 이상하지는 않다. 하지만 두 국제법은 전혀 다르다. '인도에 반한 범죄'는 개인을 보호하려는 것인데 반해 '제노사이드 방지협약'은 집단에 대한 파괴를 막고자 한다.[12] 렘킨은 제노사이드의 과정에서 개인이 희생되었다고 하더라도 "개별 자격의 개인이 아니라 민족 집단의 성원으로서의 개인"[13]을 향했다고 주장한다. '인도에 반한 범죄'를 입안한 법률가 라우터파히트가 집단에 대한 보호가 개인이라는 단위 위에 서 있는 근대법의 체계와 맞지 않는다며 제노사이드 개념에 부정적이었던 것처럼, 제노사이드의 문학적 재현과 근대문학이 서 있는 개인이라는 단위 사이에는 미묘한 어긋남이 존재한다.

한국문학에서 제노사이드의 재현에 대한 연구와 담론들 역시 이러한 어긋남에서 그리 자유롭지 못했다. 김승옥, 김원일, 박완서, 이청준, 임철우, 현기영 등 한국문학사의 주요 작가들이 한국전쟁기 제노사이드 사건에 대한 다수의 작품을 남겼다. 그러나 이러한 작업은 개별 작가의 성과 중 하나로 여겨지거나, 전쟁이라는 거시적 사건을 구성하는 장면들로 묶여서 다루어졌을 뿐이다. 제노사이드의 폭력에 의해서 훼손된 사회적 관계와 그 폭력에 맞서서 다시 새로운 사회를 꿈꾸었던 역사적 과정이 충분히 연구되었는가에 대해서는 회의적이다. 작가가 마주해야 했던 폭력의 사회적 구조는 근대사회에 대한 너무나 거대한 전망 속에서 사소한 것이 되거나, 아니면 작가 개인의 비극적 경험으로 흩어지고는 했다. 제노사이드와 그에 맞서는 문학의 응전은 존재하지만, 이름 없는 것으로 남겨진 셈이다.

이 책은 '정명'의 과제를 향한 응답이다. 나는 이 책에서 제노사이드에 대한 문학적 재현을 '제노사이드문학'이라고 부를 것이다. 홀로코스트로 대표되는 제노사이드가 20세기 세계문학에서 중요한 사건으로 인식되었음에도, 국내외의 연구들에서는 제노사이드문학이라는 개념을 사용하는 사례를 거의 찾아볼 수 없다. 홀로코스트에 대한 문학적 재현들은 아우슈비츠로 상징되는 절멸수용소에 대한 서사가 다수를 차지해서 '수용소문학'으로 엮이거나*, '비교될 수 없는 제노사이드'로서 홀로코스트만을 단독적으로 다루는 경우가 대다수를 차지한다. 한국문학 속 제노사이드의 재현 역시 한국전쟁이나 분단, 냉전이라는 거시적 구조에 대한 문학들 사이로 흡수되거나, '빨갱이 가족'의 천형을 짊어진 작가들 개개인의 비극적 체험으로 흩어진다. 그래서 제노사이드라는 20세기의 중요한 현상은 역설적으로 문학적 논의의 주요 대상이 되지 못했다. 이는 동시에 홀로코스트의 절대적 위상과 이를 뒷받침하는 서구의 문화적 헤게모니를 반영하고 있는 것이기도 하다. 서경식은 문학의 제노사이드 재현에서 홀로코스트가 양적 다수를 차지하게 된 원인이 서구의 문화적 헤게모니의 관심에서 밀려나 있던 주변부 국가들이 지워진 결과임을 날카롭게 지적했다.[14) 하지만 또 다른 이유도 있다. 경험하고 기억하고 있는 것을 말할 수 없던 사회적 조건 말이다.

홀로코스트는 20세기의 제노사이드 중에서 예외적인 사건이다. 규모나 잔혹성이 아니라, 기억의 조건에서 말이다. 제2차 세계대전이 끝나고 나서야 홀로코스트는 멈춘다. 그리고 전쟁에서 패배한 나치는 뉘른베르크 전범재판에서 심판받는다. 이처럼 제노사이드의 중단이 가해자의 몰락과 단죄의 과정으로 연속된 사례

---

* 홀로코스트에 대한 문학적 재현은 솔제니친 등 소련체제의 수용소문학과 함께 묶여서 논의되는 경우가 많았다.

는 거의 없다. 대다수 제노사이드 사건에서는 가해자들은 계속 권력을 유지했고, 수십 년이나 살아남은 자들에게 침묵하도록 막강한 힘을 휘둘렀다. 그래서 제노사이드의 재현은 수용소가 닫히고 몇 년이 지나지 않아 증언과 수기가 발표된 홀로코스트의 사례와 달리 길게는 수십 년의 시차를 가지고 있었다. 홀로코스트의 기억이 사회적 무관심과 저항을 뚫고 각인되는 과정도 수십 년의 지난한 시간을 견디는 일이었지만, 다른 제노사이드들은 긴 시간 동안 말하면 안 되는 사건을 쓰기 위해 수많은 도전과 실패를 마주해야 했다.

홀로코스트 이외의 다른 제노사이드에 대한 기억이 쏟아져나온 시기는 거의 비슷하다. 냉전이 끝나가던 1980년대부터 2000년대까지는 '이행기 정의Transitional Justice'라고 불리는 주변부 국가들의 체제 전환기로서 과거사 진상규명과 해결의 노력이 이루어지고 있던 시기였다. 학살이 멈춘 직후 가해자가 처벌받은 홀로코스트와 달리, 대다수 제노사이드 사건은 긴 침묵의 시간 끝에 말할 기회를 얻었다. 한국사회에서 과거사에 대한 재현이 변하게 된 기점이었던 87년의 민주화는 일국적 현상이 아니라, 탈냉전기의 세계적 전환의 한 장면이었다. 이 이행기 정의의 국면에 이르기 전에는 공개적으로 이러한 사건들에 대해서 말하기란 너무나 힘겨운 일이었다. 과거의 공포를 떨쳐내야 할 뿐 아니라, 현재의 폭력과 마주해야 하는 일이었으니 말이다. 한국의 제노사이드문학이 제대로 평가받지 못해온 데는 이러한 구조적 제약과 난관을 빼고는 설명하기 어렵다. 그러나 역설적으로 그렇기에 찾아냈던 문학의 길 역시 존재한다. 폭력을 가하고, 그 기억을 말할 수 없게 했던 구조와 맞서면서도 끝내 글을 써온 이들이 있다. 그들의 문학은 재현이 아니다. 문학을 누르고 있던 그 끔찍한 무게를 견디고 다시 새로운 기억과 사회적 연결을 만드는 고통스러운 과정이다. 그리고 그럼에도 끝내 해낸 일이다. 그들의 문학은 분투이며, 저항이고, 다시 기억과 세계를 쓰는 일이다. 그래서 살아남은 자의 글쓰기다.

서론

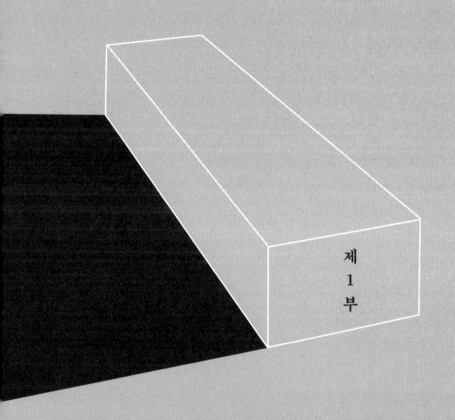

제
1
부

1장

분단문학에서
제노사이드문학으로

이 책에서는 한국전쟁을 전후한 시기에 자행된 제노사이드 사건에 대한 소설적 재현을 '제노사이드문학'이라고 정의한다. 제노사이드문학이라는 새로운 개념의 설정은 한국의 분단 상황과 한국전쟁 및 제주4·3, 이산, 반공주의, 민족통일 등을 포괄하는 분단문학이라는 광위의 정의와 제노사이드 재현을 구분하기 위함이다. 분단은 오랜 시간 한국 현대문학을 결정한 주요한 사회적 조건이자, 민족적 현실로 인식이 되어왔다. 한국문학 역시 이러한 분단의 구조에서 자유로울 수 없었다. 한국문학에서 분단에 대한 사유를 형성하는 데 지대한 영향을 끼친 이들은 분단체제론을 주창했던 평론가 백낙청과 분단문학을 실증적 연구의 대상으로 만든 국문학자 김윤식이었다. 이들은 각자의 방식에서 분단이라는 거대한 구조에 맞서 문학적 응전을 이어가면서 현재 분단과 한국문학의 관계를 사유하는 주요한 틀을 구축했다. 그러나 어떠한 이유에서인지 김윤식과 백낙청 모두 분단과 한국전쟁의 과정에서 자행되었던 제노사이드의 문제를 문학이 해명해야 하는 역사적 과제로 주목하지는 않았다.

근대의 주변부인 한국에서 근대문학을 만들어내려고 했던 그들의 작업에서 역설적으로 근대의 정상성을 의문시하게 만드는 제노사이드라는 '근대적 폭력'은 독립적인 연구 영역으로 확립되지는 못했다. 백낙청은 분단체제론을 주창하면서 이를 냉전체제나 반공체제로 이해하는 시선들을 경계하였다. 그는 분단을 냉전적 세계질서의 산물이 아니라 자본주의 세계체제론의 하위구조로 설정[1]하면서 "세계체제, 분단체제, 남북한 각 체제라는 세 가지 다른 차원의 체제의 연관된 복합구조"[2]로 규명하고자 했다. 이러한 거시적 구조 속에서 아시아와 같은 주변부 냉전의 주요한 양상으로 나타난 제노사이드의 문제는 충분히 주목받지 못했다. 이 책은 분단문학에 대한 기존의 논의에서 벗어나 제노사이드와 이에 대한 문학적 재현이 한국문학사에서 해명되어야 할 주요한 문제 중 하나라 주장한다. 이를 위해서 분단문학과 구분되는 제노사이드문학이라는 개념을 제시하고, 기존의 분단문학 연구가 주목하지 못했던 제노사이드와 한국문학 사이의 긴장 관계를 해명할 것이다.

분단문학이 한국문학 비평과 연구의 영역에서 하나의 개념으로 정립된 것은 1970년대 이후였다.[3] 김승환에 따르면 이 시기 분단문학에 대한 이해는 두 방향으로 형성되었다. 바로 "실증주의적 입장에서 분단문학의 실상을 전반적이고도 객관적으로 분석하려는 태도와 민족통일에의 이상주의적 관점에서 문학의 역할을 강조하고 창작방법론을 지도해 나가려는 목적지향적 태도"[4]로 말이다. 전자는 분단 상황의 문학적 재현, 그 자체에 의미를 부여하는 데 반해서 후자는 민족통일에 대한 문학적 기여를 중심으로 작품을 평가한다. 전자의 시각에서 바라본 분단문학은 분단과 한국전쟁, 이산 등의 문제가 한국사회와 문학에 끼친 영향을 분석하는 데 초점을 맞춘다. 반면 후자의 시선에서 분단문학은 문학적 실천이 도달해야 하는 최종적 심급으로 민족통일이라는 목표가 자리한다.

1980년대 이후 분단문학에 대한 이해는 민족통일의 운동적 성격을 내세우던 입장에서 점차 분단과 전쟁의 구조와 영향에 대한 실증적 연구로 이동하게 된다. 1990년대 이후 리얼리즘 문학이 그 지배적 위치를 상실해가는 상황[5]에서 민족·민중적 입장의 실천적인 분단문학 개념은 학제적인 개념에 주도권을 내주게 된다. 민주화와 사회주의권의 붕괴, 냉전의 종식 등이 맞물리면서 1990년대에 분단의 극복 가능성에 대한 문학적 재현이 크게 감소한[6] 상황에서 분단 상황 극복을 위한 문학적 실천이라는 입장은 1990년대에 백낙청이 세계체제론의 하위구조라고 주장한 '분단체제' 개념을 중심으로 재편되었다. 이러한 흐름 속에서 김윤식으로 대표되었던 한국전쟁과 분단 상황이 문학에 끼친 영향을 실증주의적으로 분석하려는 경향이 분단문학 연구의 주류적인 접근법으로 자리하게 된다. 그러나 역설적으로 분단문학 연구의 태도가 단일해지면서 분단과 전쟁은 문학사를 구성하는 정치·사회적 요인의 일부로만 간주되어 개념의 구심력을 상실함에 따라 개별의 작가와 작품 연구로 파편화되는 결과를 가져왔다.

1990년대 이후 분단문학 혹은 분단소설 등의 개념을 내세운 연구의 상당수는 한국전쟁기와 분단 상황과 관련된 소재들을 포괄하는 개념으로 넓어지면서 오히려 개념적 구체성을 상실해간다. 특히 간과되어 온 문제는 분단문학의 소재로 묶이고 있는 개별의 사건과 요소가 놓였던 정치·사회적 맥락이 제대로 반영되지 못했다는 점이다. 이를 잘 보여주는 것이 탈냉전기 민주화를 달성한 국가들이 공통으로 직면했었던 폭력적 과거사에 대한 사회적 극복 과정인 '이행기 정의'의 문제다. 폭력적 과거사에 대한 청산과 해결의 노력은 분단 구조의 지속성과는 다른 방식에서 전개되었다. 폭력 경험의 차이들을 정밀하게 살피지 못한 기존의 분단문학 연구는 제주4·3과 국민보도연맹사건 등 전쟁이나 분단 그 자체와 동일시할 수 없는 또 다른 형태의 폭력인 '제노사이드Genocide'*의 문제를 충분히 설명하지 못했다. 이로 인해 분단 그 자체의 극복과

---

* 한국문학 연구에서 제노사이드는 흔히 분단과 한국전쟁을 구성하는 사건 중 하나로 여겨지거나 '인도에 반한 범죄'와 혼동되어왔다. 최초의 현대적 제노사이드로 이야기되는 아르메니안 제노사이드가 발생했을 당시부터 이 사건은 전쟁과는 또 다른 형태의 폭력으로 인식되어 왔으며(사만다 파워, 김보영 옮김, 『미국과 대량학살의 시대』, 에코리브르, 2004, 32~34쪽) 처음 이 개념이 제안되었을 때는 전쟁과 같은 물리적 파괴가 아닌 다른 형태로 집단을 파괴하려는 행위들까지 포괄하는 개념이었다.

는 또 다른 궤적으로 진행된 사회적 변화, 즉 이행기 정의의 문제가 제노사이드문학에 대한 연구들에서 제대로 다루어지지 못했던 것이다.

한국 분단문학 연구에서 1987년의 민주화는 분단 현실과 전쟁 체험에 대한 문학적 재현에 있어 주요한 분기점이 되었다. 이를 기점으로 민주화 이전 반공주의의 억압이라는 조건이 급격하게 해소되었다는 인식이 널리 퍼졌기 때문이다. 김윤식은 1990년대에 김원일의 『노을』에 대한 문학사적 평가를 새롭게 내려야 한다고 주장하면서 민주화로 인한 문학사적 단절의 한 양상을 주목한다. 그는 『노을』이 발표된 1970년대에는 반공주의의 억압 속에 '아비는 남로당이었다'는 명제가 시대정신일 수 있었으나, "남로당 최후 잔당의 석방 그러니까 '완전한 석방'이 89년에 이루어졌으며, 남로당을 깡그리 숙청한 김주석과 악수하기 위한 분위기가 팽배한" 1990년대에 그 명제는 "어느새 후일담으로 아득히 사라진"[7] 것이라 단언한다. 『노을』에 비추던 시대의 후광이 사라지자 소설 역시 새롭게 평가해야 한다고 말이다. 김윤식은 민주화로 인해 분단문학의 정치적 유효성을 보장해주던 시대적 조건이 사라졌다는 점을 강조한다.

반공주의 지배 담론과의 긴장 관계를 거두어내고 『노을』을 다시 읽는 김윤식의 시선에 포착된 것은 분단과 전쟁이라는 이데올로기의 문제를 사유하는 대신 윤리와 논리적 판단을 '생물학적 수준'으로 격하하는 '핏줄의 물신화 현상'이었다.[8] 김윤식은 분단과 한국전쟁에 관한 서사를 분석할 때 이데올로기적 분석과 가족 관계를 근대와 전근대라는 대립적 체계로 설정한다. 그는 매장과 제사, 가족 모티프가 나타나는 김동리, 윤흥길, 임철우의 작품을 샤머니즘적 시선이라고 규정하고 이러한 접근으로는 근대 이데올로기의 산물인 분단을 분석할 수도, 극복할 수도 없으면서 화해의 환각을 보여줄 뿐이라고 비판한다.[9] 가족 문제를 사건의 중심에 둔 분단문학이 분단을 비근대적 세계관으로 설명한다는 김윤식의 시각[10]은 역설적으로 분단의 과정에서 반공국가의 지배 담론과 대립했던 정치적 장소, 즉 '정치적으로 금지된 친족 관계'를 비가시화한다. 그러나 역설적이게도 민주화 이전인 1984년에는 김윤식도 분단문학에서 가족사의 문제를 중요시했다는 점이다. 그는 한 대담에서 "전쟁과 관련된 가족 구조로 시야를 확대하는 것이 6·25 문학의 의미망을 넓히는 것"[11]이라면서 당대 분단문학의 대표 작가들이 쓴 가족 서사에 관심을 기울인다. 하지만 이때도 김윤식이 가정한 가족사의 문제란 결국 전쟁과 국가폭력에 의해 근대적 가족 구조로 변동을 겪는 근대사회의 기획과 연관된 범위로 한정된다. 그러나 제사와 같은 전근대적 가족의례의 재현은 근대적 폭력의 트라우마를 이야기하는 중요한 형식이었다.

김윤식이 샤머니즘적 세계라 부른 제사와 무속, 무덤과 가족 추모의 풍경들은 분단과 전쟁, 학살의 상흔을 직시하는 소설 속에서 반복해서 등장한다. 폭력적 과거사를 재현하는 소설이 포착한 가족의 생활세계는 근대적 국가가 자행한 폭력의 실체에 맞닿아 있었다. 한국전쟁에서 가족은 근대적 정치체계의 외부가 아니라 "불안정한 사회정치적 환경에서 국내와 국외의 강력한 국가권력이 주장하는 상충하는 이념적 전망의 격렬한 각축장"[12]이었으며, 제사와 같은 가족의례와 전통의 문화는 국가와 긴장 관계를 이루었다.[13] 이는 한반도 이남의 반공국가가 자행한 폭력이 전쟁 행위와 구분되는 제노사이드적 성격을 가졌기 때문이다.

제주4·3과 거창양민학살, 국민보도연맹원 학살과 같은 한국전쟁을 전후한 시기에 자행된 제노사이드 사건들은 분단문학 연구에서 전쟁이나 분단 상황 일반을 구성하는 경험 중 하나로 인식되어 왔다. 그러나 제노사이드적 폭력은 전쟁의 산물이 아니라 전선의 배후에서 작동하고 있던 또 다른 정치를 보여주는 사건이었다.[14] 학살은 단순히 생명을 살해하는 것이 아니라 특정한 사회를 구성하기 위해서 양육할 것과 그렇지 않은 것을 분리하는 사회공학적 행위[15]였기 때문이다. 제노사이드적인 파괴 행위는 피해자들을 사회적 의무를 다해야 하는 대상에서 축출한다는 점[16]에서 사회적 권리와 그 자격을 박탈하는 폭력이었다.

제사와 굿은 폭력에 의해 사회적 권리를 빼앗긴 희생자들에게 가족 관계 내에서라도 온전한 구성원으로 인정받도록 하는 문화적 장치[17]였다. 이는 동시에 제노사이드의 기억을 은폐하는 국가의 공식 담론에 맞선 대항 담론을 구성하는 장[18]이기도 했다. 무속과 같은 가족공동체의 '샤머니즘적' 문화들이 민주화의 과정에서 억압적 국가에 맞서는 정치적 저항의례로 자리를 잡았다.[19] 가족은 한국전쟁을 근대적 이데올로기를 통해 분석하지 못하게 막아서는 환각이 아니라, 근대적 폭력이 가장 선명하게 드러나는 공간이었으며, 소설 속 가족의 재현이란 이러한 조건을 반영한 것이었다. 가족과 친족 관계에 대한 정치적 불법화와 그에 대한 문학적 대응의 문제는 반공국가가 자행한 근대적 폭력을 보여주는 중요한 사례로 다시 읽어야 한다.

김윤식은 반공국가에 의해 그 사회적 자격을 박탈당한 가족 성원을 복권하려는 문학적 재현의 문제를 근대 미달의 상태, 샤머니즘적 세계관으로 규정함으로써 중요한 정치적 주제를 놓치고 말았다. 그리고 그가 『노을』을 재평가하기 위한 전제로 제시했던 1990년대적 단절이라는 구분 역시도 동일한 문제를 반복한다. 과연 김윤식의 주장처럼 1990년대는 '아비는 남로당이었다'는 명제가 후일담이 되어버린 시대였는가? 한국사회에서 민주화는 폭력적 과거사 문제를 종결하는 기점이 아니었다. 오히려 민주화를 계기로 억눌려 있던 기억이 분출하며 사회적 기억 연구가 본격화되었고, 이는 4·3과 5·18 같은 폭력적 과거사의 문제와 긴밀히 얽혀 있었다.[20] 1988년의 광주청문회를 시작으로 과거사 청산의 시도가 본격화되었으나, 4·3과 5·18을 제외하면 1990년대 중후반에야 유족들이 나설 수 있었고[21], 전쟁기 사건의 법적 해결 시도는 1990년대 말엽에나 본격화되었다.[22] 제노사이드와 같은 폭력에 의해 사회적 권리를 박탈당한 피해자들을 복권하는 과정은 남로당 잔당의 석방이나 남북교류의 분위기 조성만으로 달성할 수 있는 사안이 아니었다. 오히려 민주화 이후 폭력적 과거사의 극복을 통해서 새로운 민주적 사회를 창출하려는 '이행기 정의Trasitional Justice'의 장기적 국면이 형성되면서 제노사이드 사건을 해결하기 위한 다른 과정이 시작되었다.

한국에서 과거사 청산으로 더 많이 불리는 이행기 정의는 남아프리카 공화국, 칠레, 한국 등 아시아·아프리카·라틴 아메리카의 주변부 국가가 탈냉전기에 민주화 과정을 거치면서 진행한 폭력적 과거사 문제에 대한 사회적 해결 과정을 의미한다. 한국문학 연구에서 과거사 문제에 대한 이행기 정의 국면은 1987년의 민주화가 가져온 은폐되었던 사회적 기억을 발화할 수 있는 사회적 변화 정도로만 논의되었다. 그러나 제도화된 영역에서의 이행기 정의 과정만 하더라도 1988년의 광주청문회를 시작으로 2010년 활동을 종료하는 과거사위원회까지, 20여 년 이상 지속된 장기적인 국면이었다.

이행기 정의의 과정을 문학에서 찾아본다면 이 국면은 훨씬 일찍부터 시작된다. 1972년의 7·4남북공동성명을 기점으로 작가들은 좌익 가족사를 소설로 쓰려고 했다.[23] 좌익 가족사를 가진 작가들이나 전쟁기 국가폭력을 체험한 작가들은 1970년대 초부터 직간접적으로 과거사의 문제를 다루기 시작했으며 이 흐름은 1980년대에도 이어진다. 즉 정치적 민주화 이후의 이행기 정의 국면이 국가·제도적 차원에서 이루어졌다면 문학과 같은 문화의 영역에서 이행기 정의 국면은 1970년대 초부터 시작되었다.

이행기 정의 국면과 분단문학의 관계는 복합적이다. 이행기 정의 국면은 반공국가에 의해 금지되었던 과거사에 대한 재현을 가능하게 해주었다는 점에서 분단문학의 전개에 영향을 끼쳤다. 그러나 동시에 남북 간에 해결해야 할 분단 문제와 한국사회 내에서 문화와 제도를 통한 이행기 정의의 대상이 된 사건들은 점차 다른 흐름 속에 놓이게 되었다. 기존의 분단문학 연구들이 분단의 하위 범주로 파악했던 '제주4·3'의 경우 2000년의 제주4·3특별법과 같은 이행기 정의의 제도 속에서 논의되고 있다. 이는 민족분단의 극복과 이행기 정의의 과정이 별개의 사회적 과정으로 분기될 수 있음을 보여준다.

이행기 정의 개념을 적용하게 되면 제주4·3이나 보도연맹원 학살과 같은 제노사이드를 분단 극복과는 별개의 사회적 해결의 과정으로 설정한다는 점에서 기존 분단문학의 논의들과 구별된다. 특히 민족분단의 극복을 목표로 한 분단문학론의 연장선에 있는 분단체제론과 이행기 정의 개념의 대비는 더욱 선명하다. 1990년대에 들어서 백낙청이 주장한 분단체제론은 남북의 분단 상황을 단일한 체제로 규정한다. 그는 분단체제를 남한 내부의 '반공체제' 혹은 '냉전체제'로 이해할 수 없다고 주장하면서 남북의 두 국가의 체제를 가능하게 하는 중간항[24]으로 설정한다. 백낙청은 한반도의 분단체제를 "현존 자본주의 세계체제가 한반도를 중심으로 작동하는 구체적인 양상"[25]이라고 설명한다. 분단체제론은 한반도의 분단을 세계 냉전체제의 문제로 바라보지 않는다.[26] 이행기 정의 개념이 국제적 탈냉전 흐름을 중요한 변화의 축으로 가정하고 한국사회의 폭력적 구조를 해결해가려고 한다는 점을 고려할 때, 분단체제론에서 주목하는 분단 모순과는 해결 양상을 더 세분화해야 할 것으로 보인다. 이행기 정의 과정은 한국사회 내부의 정치적 민주화 기획을 통해서 '분단모순'으로 인식되었던 폭력적 구조를 재편하려고 했다.

한국문학 연구에서 제노사이드의 문학적 재현에 대한 가장 체계적인 분석이 이루어진 영역은 제주4·3문학 연구다. 국내의 제주 출신 작가들뿐 아니라 김석범, 김시종 등 일본에서 활동하는 이들에 의해서도 활발하게 창작된 제주4·3에 대한 문학작품은 분단문학을 넘어서 '4·3문학'이라는 독자적인 범주로 호명되고 있다. 4·3문학 연구를 대표하는 주요한 연구자와 평론가는 고명철, 김동윤, 김동현, 홍기돈이다.

평론가이자 국문학자인 고명철[27]은 비평과 연구 양 측면에서 4·3문학을 분석해왔다. 그는 현기영과 같은 국내의 4·3문학의 대표적 작가와 그들의 작품에 대한 비평과 연구를 이어왔으며, 김석범으로 대표되는 해외의 4·3문학에 대한 연구 역시 활발하게 진행해왔다. 고명철의 4·3문학에 대한 논의가 가진 주요한 특징은 그가 4·3을 탈식민의 문제와 결합하고, 이를 통해 해외의 탈식민주의 문학과 연결함으로써 대안적인 세계문학의 가능성을 찾는다는 점이다. 고명철은 '제주-대만-오키나와'라는 냉전체제의 경험을 공유하는 동아시아와 식민성으로서의 근대를 경험한 아시아, 아프리카, 라틴아메리카를 연결하는 '트리컨티넨탈리즘'의 연대를 통해 4·3문학을 대안적 세계문학의 형식으로 제안한다. 김동윤[28]은 2000년대 초부터 제주의 지역 문학을 체계적으로 정리하고 연구해온 대표적인 학자다. 그는 김석희, 현기영, 현길언 등을 4·3문학으로 그 범위를 한정하지 않고, 해방 이후부터 2000년대에 이르기까지 제주문학의 흐름 속에서 4·3에 대한 재현을 상세하게 분석한다. 제주문학에 대한 김동윤의 작업에서 주목해야 할 것은 4·3문학을 문단과 육지의 한국문학 연구자들이 주목하지는 않지만 2000년대 이후에도 활발하게 창작되고 있는 현재적인 작업임을 보여줌으로써 제주문학, 4·3문학의 전개를 독립적인 지역문학사로서 체계적으로 정립해왔다는 점이다.

평론가이자 한국문학 연구자인 김동현[29]은 제주4·3의 경험을 로컬리티와 개발의 기억과 연결하는 흥미로운 논의를 전개해왔다. 그는 자신의 박사학위 논문에서 제주가 한국의 '내부 식민지'였다고 비판하면서, 4·3문학에 있어 로컬리티가 가진 의미를 체계적으로 분석한다. 2010년대 후반부터 그는 반공국가의 '개발'을 제주4·3을 지속되게 하는 반공주의적 폭력의 기획으로 비판적으로 분석하면서 4·3과 냉전 근대성 사이의 관계를 설명해오고 있다. 역시 평론가이자 한국문학 연구자인 홍기돈[30]은 제주4·3에 대한 문학적 재현을 다양한 시기와 작가, 작품을 통해서 연구해왔다. 제주4·3에 대한 홍기돈의 연구에서는 공동체로서의 제주, 공동체 의식을 구성하는 제주의 전통과 문화라는 조건이 끼친 영향을 주목한다. 그는 제주에 대한 육지의 차별을 전근대 왕조 시기부터 이어지는 역사적 연속으로 설명하면서, 4·3문학이 제주의 문화적 특성과 역사를 배경으로 한 이유를 근대적 민족국가의 형성과 그에 의해 배제와 포섭의 대상이 된 제주의 경험과 연결하여 분석한다는 점에서 공동체주의를 전면에 내세운 현기영의 문학론에 가까이 닿아 있다.

한국사회의 이행기 정의와 문학의 관계에 대한 연구는 2020년대에 들어서 젊은 연구자들을 중심으로 나타났다.[31] 양순모는 「이행기 정의와 비극」에서 5·18문학의 대표작 중 하나인 최윤의 「저기 소리 없이 한 점 꽃잎이 지고」를 한국사회의 이행기 정의 맥락과 연결하여 분석했다. 그는 국가가 주도하는 제도적 이행기 정의 국면이 화해와 진상규명에 초점을 맞추었으나, 개인적 차원에서는 부채의식과 용서의 문제를 '비극성'이라는 관점에서 살펴봐야 한다고 주장했다. 김주선은 「소설에 나타난 5·18과 사적 복수」에서 가해자에 대한 처벌이 좌절된 이행기 정의의 경험이 소설에서 사적 복수라는 형태로 해소되기를 원하는 흐름을 분석한다.

최선영은 「한국소설에 나타난 5·18 이행기 정의의 흐름과 소외 양상」에서 90년대에서 2010년대까지 이행기 정의 국면의 전개와 5·18소설의 변화를 살핀다. 최선영은 가해자 처벌에 대한 기대가 조성되어 있던 시기부터 응보적 정의의 실현은 좌절되고 이후 광주의 기억이 역사화되며 남긴 후유증을 보여주는 소설들은 분석한다. 이들의 이행기 정의 국면과 문학에 대한 연구는 제도화된 정의와 개인의 기억 사이의 간극과 실현되지 못한 응보적 정의의 문제를 5·18을 중심으로 검토한다. 5·18소설을 중심으로 한 이러한 연구들은 이 책이 주목하는 한국전쟁기 제노사이드의 재현을 다루고 있지는 않으나 이행기 정의 국면이 문학의 과거사 재현에 끼치는 영향을 보여주는 연구들이다.

민주화 이후인 80년대 후반에서 90년대는 국가의 제도적 이행기 정의의 문제가 전면으로 부각된 시기이자 동시에 한국문학장의 구조 변동이 이어지던 시기였다. 최근 80~90년대 연구들에서는 바로 이 시기 문학장의 변화를 주목한다. 이중 김명훈, 배하은, 허민의 연구는 민주화 이후 문학적 재현과 주체 변화의 문제를 문학장의 변동과 연결하여 살핀다.[32] 배하은은 『1980년대 문학의 수행성 연구』에서 노동자와 여성 글쓰기, 르포 등 새로운 문학적 주체와 형식이 등장하면서 사회변혁에 대한 문학적 상상력이 다 변화되었던 시기로 의미화한다. 그의 작업 중 5·18의 르포와 소설 재현의 사례에 대한 분석이 이 책의 논의와 연관성이 큰데 그는 이 역사적 사건의 재현이 '증언-재현 불능'의 문제와 어떻게 연결되어 있었는지를 최윤과 임철우의 작품을 통해 분석한다. 그러나 홀로코스트의 재현을 둘러싸고 제시된 증언-재현 불능의 명제를 상이한 이행기 정의의 과정을 경험한 한국사회에 그대로 적용하면서 과거사 재현과 사회적 변화의 역동성을 설명하는 데는 한계를 보였다.

김명훈의 「'87년체제'와 지연된 전향의 완수」는 김원일, 이문구,

이문열이라는 대표적인 좌익 2세 작가들이 냉전 종식 이후 한국사회와의 갈등을 끝내고 체제의 국민으로서 '전향'을 완수했다고 보았다. 그는 이러한 변화가 87년 체제를 통해 한국사회의 생존주의 레짐이 이데올로기적인 것에서 신자유주의적인 것으로 교체되는 과정을 보여주는 것으로 보았다. 연좌제의 공포에 시달렸던 좌익 2세 작가들을 옥죄던 이념의 공포가 탈냉전과 민주화 과정에서 단절적으로 정리되었다고 바라본다. 김명훈의 주장은 좌익 2세 작가가 반공국가의 억압으로 얻게 된 문학적 자율성을 짚어내지만, 이를 연속적인 과정이 아닌 단절적인 것으로 바라봄으로써 이행기 정의의 사회적 흐름을 논의에서 배제했다.

허민의 『민주화 이행기 한국소설의 서사구조 재편 양상 연구』는 민주화 이행기를 문학장의 구조 변동과 서사 구조를 재편한 주요한 원인으로 제시한다. 특히 월북작가 해금 등이 문학장의 재구조화로 이어지는 과정에 대한 그의 실증적 분석은 이행기 정의 국면이 한국문학의 재현에 끼친 영향에 대한 이 책의 논의와도 이어진다. 그는 배하은과 마찬가지로 이 시기 노동자 글쓰기 등 문학장에서 주변화되었던 주체를 조명함으로써 1980~90년대의 전환기의 이해를 갱신하려고 한다. 하지만 그 과정에서 정치적 정체성으로 인해 억압받았던 이들의 문학적 재현의 문제에 대해서는 큰 관심을 기울이지 않고 민주화 이행기를 제도 정착의 시점으로 한정한다.

이 책은 분단문학 연구에서 분단과 전쟁 체험의 한 부분으로 취급되어온 제주4·3과 국민보도연맹사건 등을 제노사이드로 규정하고 이를 극복해가는 사회적 기획으로서 이행기 정의 국면이 형성된 과정을 살핀다. 제노사이드문학과 이행기 정의의 연속적인 과정을 통해 분석함으로써 분단문학을 구성하는 두 가지 관점, 통일을 지향하는 문학적 실천과 분단의 영향에 대한 실증적 연구가 가진 한계를 극복하는 것을 목표로 한다. 전쟁과 분단이라는 포괄적인 범주에서 제노사이드 문제를 분리하게 되면 기존 분단문학 연구가 설명하지 못했던 반공국가의 폭력과 그에 맞선 정치적 경합의 장을 보여줄 수 있다. 또한 김윤식, 이동하 등이 제시했던 작가의 전쟁 체험 여부를 중심으로 한 세대론적인 구분보다 더 세밀하게 사회적 경험의 층위를 나눌 수 있다. 좌익 2세나 4·3의 체험 등으로 동질적으로 분류되었던 작가들이 이행기 정의 국면에서 보였던 태도나 재현의 양상을 살핌으로써 사회적 실천의 차원에서의 분화 과정을 규명할 수 있으리라 기대된다. 예를 들어 제주 4·3의 주요 작가로 꼽히는 현기영과 현길언의 행보는 4·3특별법 제정과 진상규명이라는 이행기 정의의 과정을 거치면서 엇갈리게 된다. 이 책에서는 제노사이드문학이 이행기 정의의 과정과 연결되어 나타나는 복잡한 역동을 통해서 국가폭력에 시달렸던 작가들이 어떻게 새로운 주체성을 획득해 갔는지 살펴볼 것이다.

제1부 서론

2장

무엇을
제노사이드문학이라
부를 것인가

이 책에서 제노사이드는 전쟁·분단과 구분되는 또 다른 주요한 역사적 사건이라 정의한다. 제노사이드는 전쟁과 분단에 필연적으로 일어난 사건도, 폭력의 구성 요소도 아니다. 2차 대전 중 제노사이드를 '이름 없는 범죄'라고 불렀던 것처럼 이 폭력은 전쟁과는 또 다른 작동 방식과 특징을 가지고 있었다. 그러므로 제노사이드 사건의 문학적 재현을 연구할 때도 전쟁을 중심으로 한 분단문학 연구와는 다른 방법론이 필요하다.

이 책에서 분석하는 제노사이드의 범위는 1945년의 해방 이후 한반도 이남에 반공국가 대한민국이 형성되었던 1940~1950년대에 발생한 사건으로 제한한다. 구한말 식민지화 과정에서 발생한 피해와 식민지 시기 일본의 식민 지배와 그 과정에서 발생한 물리적·문화적 제노사이드 사건과 그 구조, 그리고 1980년의 광주민주화운동에 대한 신군부의 대학살Massacre의 경우 주요 분석 대상에서 제외했다.* 이는 한국전쟁을 전후한 시기에 반공국가가 자행한 제노사이드를 폭력을 이용해서 국가와 국민을 창출하는 사회공학적 행위라고 바라보고 있기 때문이다. 이 책에서는 한국전쟁을 전후한 시기에 자행된 제노사이드의 과정에서 국민의 구성적 외부로서 '빨갱이'라는 적대적 타자의 형상이 등장하고 이를 통해 다시 (반공) 국민의 형상이 국가에 의해서 구성되었다는 사실을 주목[33]한다. 이는 독립 이후 한국사회를 만들어가는 과정에서 해당 사건들이 중요한 역사적 기점이자, 그 핵심적인 수단이었음을 보여준다.

국가와 국민 형성의 사회공학적 수단인 제노사이드는 한반도에서 반공국가가 자행한 여러 국가폭력의 양상 중에서도 독립적인 분석을 필요로 한다. 그래서 이 연구에서는 논의를 한국전쟁을 전후한 시기에 발생한 제노사이드 사건에 대한 소설적 재현으로 한정한다. 이 범위에 속하는 제노사이드 사건의 유형은 제주4·3, 여순사건, 거창양민학살, 한국전쟁기 부역자 및 재소자 학살, 국민

---

* 광주민주화운동과 그에 대한 문학적 재현은 한국현대문학에 있어 주요한 연구 주제이며 이 책이 주목하는 이행기 정의 국면의 형성과 전개에서도 중요한 사건이었다. 하지만 여기서는 4·19혁명과 7·4남북공동성명 등 민주화 이전 장기적인 문화적 이행기 정의 국면과 반공주의 국가의 폭력적 수단을 통한 국민 형성과 이에 대한 문학적 응전의 과정을 통시적으로 추적하기 위해 한국전쟁을 전후한 시기 제노사이드 사건의 재현으로 그 범위를 제한한다.

보도연맹원 학살 등이며 이 사건과 연관된 생존자와 유가족 등을 향한 전향의 압력과 연좌제, 가족 갈등, 진상규명 등을 다룬 작품 역시 함께 묶을 수 있다. 다만 그 사건들을 개별적으로 나누지 않고 한국전쟁을 전후한 시기의 제노사이드의 연속적 과정, 즉 강성현의 표현을 빌리면 "하나의 제노사이드 내 여러 '에피소드적 사건'들"이라고 가정한다.[34] 이 책에서 주목하는 제노사이드 사건의 경험은 전쟁기의 직접적인 물리적 폭력뿐 아니라 사건 이후 반공주의 사회에서 경험하는 2차, 3차 피해의 양상을 포괄할 것이다.[35] 이 책은 한국전쟁을 전후한 시기에 발생한 제노사이드라는 국가폭력의 기억과 그에 대한 문학적 재현을 연구한다. 민주화 이후 시민사회와 유족, 학계가 중심이 되어 제도화된 이행기 정의의 과정을 열어갔지만, 이는 민주화라는 정치적 급변에 의해 돌출적으로 등장한 상황이 아니었다. 민주화 이전에도 은폐된 기억을 재현하려고 했던 문학적 시도가 치열하게 전개되어왔으며, 이는 재현의 범위를 확장하거나 축소하기도 했던 한국사회의 여러 굴절에 호응하거나 저항하기도 했던 지난한 글쓰기의 과정이었다. 그래서 이 연구는 민주화 이후의 정치적·사회 제도적 차원의 이행기 정의만이 아니라 그에 앞서거나 다른 방향으로 전개된 문학적·문화적 이행기 정의의 장기 국면을 살필 것이다.

이 책에서는 제도적 이행기 정의보다는 더 긴 시기의 이행기 정의 국면을 가정한다. 이를 '문화적·문학적 이행기 정의' 국면으로 명명한다. 문화적·문학적 이행기 정의 국면은 정치적·제도적 차원에서 과거사에 대한 은폐와 억압이 계속되는 상황 속에서도 폭력에 대한 재현과 다른 해석 작업이 이루어지면서 이후 사회적 변화와 연결되거나, 그 정치적 타협과 한계를 넘어 다른 가능성을 상상했다. 이러한 장기 국면은 1960년 4·19혁명 직후 짧은 1년 기간 동안 진상조사와 책임자 처벌의 요구, 냉전기 데탕트 국면에서 이루어진 7·4남북공동성명과 87년의 6월항쟁 등 여러 역사적 사건과 연결되어 있다. 하지만 이 역사적 흐름과 문화·문학적 차원에서의 이행기 정의가 동일한 궤적을 그린 것은 아니다. 7·4남북공동성명이 정치적으로 남북 간의 냉전적 대결과 대립의 긴장을 완화했던 것은 일시적이었던 데 반해서 문학에서 이를 기점으로 한 과거사 재현의 확대와 변화는 다시 위축되지 않고 점진적으로 진전되어 갔다. 문학과 문화에서의 이행기 정의의 흐름은 정치적·제도적 차원에서의 이행기 정의와 공명했지만 같은 궤도를 그리지는 않았다는 점을 주목해야 한다. 그래서 이 책에서 민주화 이전인 1970년대에 문학의 이행기 정의가 본격화되었다고 주장한다.

이 책에서는 1970년대부터 2010년대까지 (문학·문화적 차원과 법적·제도적 차원이 교차하는) 이행기 정의의 장기 국면에서 제노사이드 문학의 변화를 통시적으로 살핀다. 김승옥, 김원일, 김성동, 문순태, 박완서, 이창동, 이청준, 임철우, 현기영, 현길언 등 제노사이드를 소재로 한 소설을 써왔던 주요 작가들과 그 작품에 대해 분석한다. 이 다양한 작가 중에서도 특히 논의의 중심을 이루는 이들은 김원일, 박완서, 임철우, 현기영, 현길언이다. 이들은 한국 분단문학의 대표적인 작가들로 손꼽히며, 1954년생인 임철우를 제외하면 모두 어린 시절이나 사회 초년생 시기 전쟁을 체험한 유년기 체험세대 작가로 분류된다.[36) 이 작가들은 대부분 전쟁과 학살의 경험 속에서 성장했다. 즉 반공국가에 의한 폭력적인 국민 형성의 사회공학적 수단에 때로는 순응하고 때로는 저항하면서 작가로서, 그리고 독립된 주체로서 자기 정체화를 한 이들이었다. 임철우는 전쟁을 직접 경험하지는 않았지만, 지역에서 발생한 제노사이드 사건을 추체험하고 아버지의 좌익 경력으로 인한 연좌제를 의식하면서 작가적 자의식을 키워갔다. 이 작가들은 가족이 반공국가의 폭력에 희생되고 이후 적대적 시선 속에서 국민으로서 자기 증명해야 하는 위태로운 환경 속에서 폭력의 역사와 가족사의 문제를 소설로 재현해왔다. 그래서 이들의 재현 전략은 긴 시간에 걸쳐서 다양한 방식으로 변화하면서 한국사회의 이행기 정의 국면과 연결되어 있었다. 이들의 작업은 제도적 이행기 정의보다 앞서 이루어졌을 뿐 아니라, 현기영의 경우처럼 제도적 이행기 정의의 진행에 직접 관여하기도 했다. 때로는 그 한계를 지적하거나 이에 대립하는 등 서로 다른 방향에서 이 문제에 접근했다. 이들의 작품 변화를 통해 한국사회의 이행기 정의 국면 속에서 제노사이드문학의 변화를 살펴보고자 한다.

이 작가들 중 가장 연장자인 박완서(1931~2011)는 그의 등단작인 『나목』(1970)부터 말년의 단편 「빨갱이 바이러스」(2009)에 이르기까지 40여 년간의 작품 활동 기간 동안 한국전쟁과 전쟁 중에 발생한 제노사이드, 그리고 그 이후에 살아남은 자의 문제를 꾸준히 소설로 써 왔다. 박완서의 소설에서 주목하는 지점은 크게 두 가지다. 하나는 그가 가족사를 비롯해 전쟁 체험과 그 기억을 비교적 비슷한 형태로 반복해왔다는 사실이고, 다른 하나는 그가 전쟁과 학살을 여성의 문제로 파악했다는 점이다. 박완서는 전쟁 시기 자신과 가족의 체험을 여러 차례 소설로 써왔는데, 자전적 이야기를 매번 각기 다른 재현의 맥락 속에서 배치한다. 특히 『나목』부터 『목마른 계절』, 「엄마의 말뚝 2」, 『그 산이 정말 거기에 있었을까』에서 반복하여 변주되는 오빠의 죽음에 대한 재현은 이행기 정의 국면과 그의 소설 쓰기가 맞물리는 지점들을 보여준다. 「복원되지 못한 것들을 위하여」에서 민주화 이후 과거사에 대한 증언을 시도했다가 이내 여전히 그 권력이 지속되고 있다는 생각에 단념하는 한 노인의 이야기처럼 박완서의 과거사 재현은 당대 사회가 만들어둔 경계와 한계를 강하게 의식하고 있었다.

박완서의 제노사이드문학에서 주목할 만한 또 다른 지점은 바로 여성이 경험하는 전쟁과 제노사이드의 문제다. 그는 전투 행위가 아닌 생존의 문제로서 전쟁을 여성들이 어떻게 체험했는지, 전후 생계 부양자 여성들을 국가가 가정으로 재귀속하려고 했던 사회적 통제가 어떻게 폭력의 기억과 결합되어 있는지 잘 보여준다. 제노사이드에 대한 재현뿐 아니라, 여성이 경험한 폭력 자체가 제도적 이행기 정의 국면에서 주변화되어 있었다. 이를 생각할 때 박완서의 소설은 제노사이드문학과 이행기 정의 국면을 더욱 다층적으로 바라볼 수 있게 해준다.

김원일(1942~)은 1972년 「어둠의 혼」을 시작으로 2010년대 후반까지 한국전쟁과 좌익 가족사, 제노사이드 사건에 대한 다수의 소설을 발표해온 작가다. 그의 이력에서 한 가지 특이한 사실은 그가 1979년에 장편 『노을』을 통해 대통령상인 '제4회 반공문학상'을 수상했다는 사실이다. 월북한 좌익 지식인의 아들로서 반공국가의 두려운 시선을 의식하며 살아야 했던 그에게 대통령상의 수상은 모범적 국민으로 승인받았다는 안도감을 주는 경험이지만, 동시에 반공주의에 순응해 아버지를 부정적으로 재현해야 했다는 죄의식의 원천이었다. 김원일과 같은 좌익 2세나 한국전쟁기 학살 유족 등 반공국가로부터 의심의 시선을 받아야 했던 이들은 국민으로 인정받기 위해 더욱 적극적으로 자신을 증명하려는 과잉적응의 양상으로 나타나기도 했다.[37] 이러한 혼란 속에서 김원일은 소설쓰기를 통해 아버지의 존재와 폭력의 역사를 반공국가*의 규

---

* 이 책에서 '반공국가(Anti-Communism States)'는 해방 후 한반도 이남에 형성된 반공주의적인 국가체제와 정권을 지칭한다. 이는 한국사회가 민주화를 전후하여 국가체제의 성격 전환이 이루어졌음을 강조하기 위함이다. 이승만 정권은 반공민족주의를 내세워서 한국사회의 성격을 반공주의로 규정했고 이러한 경향은 군부독재가 이어지는 5공화국까지 나타난다. 민주화 이후에도 반공주의는 한국사회에서 여전히 강력한 이데올로기이지만, '반공을 국시'로 내세우며 제노사이드를 정당화해왔던 반공국가와는 명백하게 다른 관점에서 과거를 바라본다. 이는 김대중-노무현-문재인으로 이어지는 민주당 정부에 의해 주도되었지만, 민주화 이후 형성된 이행기 정의에 대한 시민사회의 운동과 함께 맞물린 성과였다. 책의 4부 2장에서 자세히 다루겠지만, 민주화와 이행기 정의의 과정을 거치며 반공주의적인 공식기억을 대체하는 '신(新) 공식기억'이 나타났다는 점 역시 이러한 구분을 필요하게 된 주요한 이유다.

율에서 벗어나 그려낼 수 있는 재현의 전략을 끈질기게 모색했다. 1991년『노을』의 개작을 시작으로 2010년대까지 꾸준히 이어진 그의 소설 개작은 이전 시기에 접근하거나, 직접 말할 수 없던 과거에 대한 재현의 확장이기도 했지만, 무엇보다 반공국가로부터 낙인찍힌 자신과 가족의 주체성을 회복해가는 복원의 서사였다. 김원일은 제노사이드문학의 재현이 마주했던 포섭과 배제가 교차하는 반공국가의 규율과 민주화 이후 과거사 증언이 가능해지는 시기의 복잡한 사회적 맥락이 어떻게 결합되었는지를 선명하게 보여준다.

현기영(1941~)은 제노사이드문학의 작가 중에서 가장 고유한 지위를 확보한 이다. 제주4·3문학의 일대 전환점으로 평가받는 단편「순이 삼촌」(1978)은 제노사이드의 참상을 고발함으로써 망각해온 기억을 복원했다. 소설집『순이 삼촌』(1979)의 출간 이후 그는 보안사에서 고문당하고 책이 판매 금지가 되는 등 많은 고초를 겪었다. 정치적·사회적 활동을 자제해온 좌익 2세 작가들과 달리, 현기영은 '창비'로 대표되는 민족문학 진영의 주요 작가로 활동했다. 또 6월항쟁 직후에는 4·3연구소의 초대 소장을 역임하는 등 이행기 정의 국면에도 적극적으로 참여한 작가였다. 현기영은 그의 적극적인 사회 참여 이외에도 스스로를 공동체주의자라고 정의한다는 점에서 다른 작가들과 구별된다. 현기영의 제주4·3 재현은 개인을 향한 폭력이 아니라 '제주 공동체'라는 집단이 경험한 폭력이라는 점을 분명히 한다. 그가 4·3의 전사前史로 구한말과 식민지기의 민중 투쟁을 다룬 장편소설들인 『변방에 우짖는 새』와 『바람 타는 섬』을 통해 공동체라는 단위를 통해 역사를 해석하는 작가적 시선을 확립했고 이후 자전적 장편인 『지상에 숟가락 하나』로 제주 공동체를 4·3의 역사적 주인공으로 세우는 작업을 완료한다. 공동체주의라는 현기영 문학의 특징은 집단에 대한 파괴라는 제노사이드의 성격을 잘 보여주며, 이행기 정의 국면에서 기억의 회복을 넘어 역사와 사회를 새로운 관계 속에서 재구성하려는 문학의 정치에서 전면에 선 작가였다.

현길언(1940~2020)은 현기영과 같은 제주 출신 소설가로 제주4·3을 어린 나이에 체험했다는 경험을 공유한다. 그러나 그는 2000년대 이후에는 현기영과는 뚜렷이 상반되는 행보를 보였다. 한국문학 연구자이자 제주민속학 연구자이기도 했던 현길언은 제주의 토속성과 지역성을 중시했다. 「우리들의 조부님」(1982)으로 대표되는 현길언의 초기 4·3소설은 국가폭력과 그로 인한 평범한 개인의 희생과 수난의 문제를 살폈으며, 민주화 직후 발표된 「집 없는 혼」 같은 작품에서는 희생자를 위령하고 진실을 규명하려는 유가족과 과거를 은폐하려는 반공국가의 탄압의 문제를 다루기도 했다. 그는 80~90년대 현기영, 오성찬과 함께 제주4·3을 대표하는 작가로 명성을 얻었지만, 2000년대 4·3특별법과 이후 진상조사 결과를 담은 『제주4·3 진상조사보고서』가 등장한 이후 급격히 우경화된다. 현길언은 현기영과 마찬가지로 군경의 가족이면서 동시에 무장대에 가담했다가 진압군에 희생된 가족이 있던 작가였다. 그러나 그는 스스로를 4·3의 우익 유족으로 정체화했고, 이행기 정의 국면에서 자신과 같은 이들이 소외되었다고 여겼다. 그는 이행기 정의 국면에 저항하는 보수정치 세력의 역사부정론에 편승했다. 2010년대 그의 소설과 저술 작업은 4·3을 제노사이드로 바라보는 새로운 사회적 기억, 즉 신新 공식기억에 맞서서 '공산 반란'이라는 반공국가의 구舊 공식기억을 내세워 저항한다.

현길언의 사례는 제노사이드문학을 이해하기 위해서는 공식기억과 대항기억 사이의 관계가 유동적일 수 있음을 고려해야 한다는 점을 확인해준다. 현길언은 제주4·3을 반란으로 규정하는 구 공식기억을 권력에 맞서는 대항기억이라는 형태로 구성하려고 했다. 이는 그가 동조했던 2000년대 뉴라이트 진영의 역사부정론도 마찬가지다. 이행기 정의 국면에서 신 공식기억과 경합하게 된 구 공식기억의 존재는, 공식기억과 대항기억의 대립을 이분법적 구도로 나눌 수 없음을 보여준다. 두 공식기억의 충돌이 항쟁론으로 대표되는 제주4·3의 대항기억을 주변화시켰다는 사실을 생각한다면 말이다. 현길언의 2000년대 이후 작업은 폭력을 정당화하려는 탈냉전기 역사부정론의 대두라는, 이행기 정의에 대한 반동적 상황을 보여준다.

임철우(1954~)의 제노사이드문학은 다른 작가들에 비해서 시대에 따라 소설 변화의 폭이 매우 크다. 임철우의 소설은 그의 고향 완도 지역에서 자행되었던 한국전쟁기 학살 사건인 나주부대사건과 그가 청년 시기에 경험했던 광주민주화운동의 참상을 다루는 작품이 다수를 차지한다. 홍미로운 점은 그의 소설이 시기에 따라 과거사를 재현하는 방식을 다양하게 활용하고 있다는 점이다. 민주화 이전에는 「직선과 독가스」(1985) 같이 암시와 은유, 추상화를 통해 광주에 대한 죄의식과 상처를 다루었고, 「아버지의 땅」(1984)에서는 낙인찍힌 좌익 유족의 고통과 학살의 문제를 매장 받을 권리를 박탈당한 주검의 문제로 재현하기도 했다. 그런데 민주화 이후 임철우의 재현 방식은 극명하게 달라진다. 나주부대사건의 가해자를 찾아가 인터뷰하는 소설인 「물 그림자」(1991)나 광주민주화운동의 진압을 다큐멘터리적으로 그리려고 했던 『봄날』(1997) 등에서 과거사를 객관적이고 사실적으로 그리는 데 집중했다. 하지만 몇 년 지나지 않아 장편 『백년여관』(2004)을 기점으로 그의 과거사 재현은 무속과 같은 환상성을 중심으로 한 방식으로 변화한다. 임철우의 재현 전략이 이처럼 다양하게 바뀐 데는 과거사에 대한 문학적 재현 앞에 놓여 있던 검열과 같은 제도적 조건뿐 아니라, 이행기 정의 국면의 진행에도 영향을 받음을 보여준다. 폭력적 과거사에 대한 재현이 역사학이나 저널리즘, 국가의 보고서 등 비문학적인 공식적 서사화로 중심이 옮겨가고 있던 상황이 임철우의 소설에 변화를 가져온 원인이었다. 임철우 소설의 재현 전략의 변화는 폭력의 계보화로 이어졌는데, 제노사이드나 광주에서 자행된 대량살육을 개별적 사건으로 나누어놓는 것이 아니라 이를 비극적 역사의 계보로 묶어서 해원을 추구했다는 점에서 차별화된다.

제노사이드문학에 대한 분석은 구체적인 제노사이드 사건뿐 아니라 그로 인해 파생된 개인과 가족, 집단의 위기 상황에 대한 재현을 포괄해야 한다. 이는 민주화 이전 반공국가의 정치적 조건 속에서 제노사이드 사건들에 대한 직접적인 발화가 불가능했던 역사적 맥락을 반영해야 하기 때문이다. 제노사이드 사건에 대한 문학적 재현이 처한 곤경은 80년대 중반, 박완서의 발언에서 확인할 수 있다. 박완서는 문학 월간지 『한국문학』의 한 대담에서 그동안 자신의 소설에서 한국전쟁기에 목격한 모든 살인을 인민군의 행위로 꾸며서 서술했다는 사실을 고백한다.[38]

역사적 사건과 소설적 재현 사이에 존재하는 선명한 불일치의 경계선은 제노사이드 사건에 대한 소설적 재현 과정에서 적지 않게 반복되었다. 한국 분단문학의 주요한 전환점으로 평가받기도 하는 김원일의 『노을』[39]에서도 소설의 내용과 지역의 실제 역사 사이의 간극이 존재했다. 김원일이 자신의 고향인 김해시 진영읍에서 발생한 가상의 좌익 봉기를 다룬 이 소설은 흔히 당대의 반공주의적 검열의 시선을 의식하여 아버지를 폭력적인 좌익으로 그렸다는 작가의 고백[40]이 잘 알려져 있다. 그러나 동시에 소설의 배경이 되는 가상의 좌익 봉기는 한국전쟁기 진영읍에서 자행되었던 국민보도연맹원 학살에 대한 기억을 지우는 재현의 장치로 사용되었다.[41] 제노사이드문학에서 사건이 파편적으로 나타나거나, 변형되어 재현되는 양상은 당대의 정치적 상황이 소설에 끼치는 영향을 보여주는 사례로 적극적인 해석이 필요하다. 이를 위해 기존의 분단문학 연구에서 이데올로기로서의 전쟁과 분단에 대한 분석을 가족의 문제로 환원했다는 비판[42]을 받아온 제사와 매장, 가족 관계라는 소재를 적극적으로 분석할 것이다. 이는 분단문학 연구에서 이데올로기적 설명의 외부로 인식되었던 제노사이드 피해에 대한 사회적 기억이 구성되고 또 반공국가의 공식기억에 맞서는 대항기억이 창출되는 장으로 기능했다는 점을 주목하는 인류학계의 전쟁과 제노사이드 연구의 관점을 도입한 것이다.[43]

한국 분단문학 연구에서 가족 관계와 가족의례의 문제는 분단을 초래한 근대적 이데올로기의 대립에 대한 재현이 아니라는 관점이 지배적이었다. 김윤식은 한국전쟁이 초래한 갈등을 가족주의를 통해 해결하려는 소설들을 근대적 소설에 미달한 한국문학의 단계를 보여주는 것으로 보았다. 김승환은 분단문학에서 전쟁과 분단을 가족적 단위에서 체험으로 재현하는 것이 이데올로기로서의 전쟁을 피해 서사로 단순화하는 측면이 있다고 지적했다.[44] 이러한 경향은 2000년대 이후의 연구에서도 유사하게 반복되는데 전쟁 체험에서 가족 관계에 대한 강조가 정치적 이데올로기로부터 벗어나 인간성을 회복하려는 휴머니즘의 표현으로 분석되었다.[45] 이러한 분석은 가족과 친족 관계가 한국전쟁기의 이데올로기가 충돌하는 근대적 정치의 장소가 아니라는 전제에 기초한다.

그러나 가족과 친족 관계에 대한 포괄적인 금지와 제한이 남한의 반공주의 국가에 의해서 이루어졌다. 이는 반공국가가 가족과 친족 집단 같은 전통적 관계들을 정치적으로 불온한 대상으로 파악하고 이념적으로 단일한 사회를 구성하기 위해서 이를 불법화했기 때문이다.[46] 이러한 가족 관계에 대한 근대국가의 개입과 불법화는 한반도에서만 발견되는 지역적 사례가 아니라 폭력적 내전 상황을 경험한 주변부 국가들의 냉전에서 공통으로 나타나는 양상이었다. 베트남 민간의 제사와 국가적 추모 사이에서 발생하는 사회적 갈등의 문제[47]나 1940년대 그리스 내전에서의 전향자 관리정책 등에서 이러한 사례를 발견할 수 있다. 즉 한국의 분단문학 연구에서 비정치적 재현의 문제로 인식했던 사례들은 오히려 반공국가의 제노사이드적 폭력이 가해지고 지속되는 정치적 공간을 조명한 것으로 재평가되어야 한다.

한국전쟁을 전후한 시기에 자행된 제노사이드로 인해 가족과 친족 집단이 경험한 주요한 위기는 제사와 매장에 대한 반공국가의 금지였다. 제노사이드로 인해 살해된 자의 무덤을 만들고 장례를 치르는 과정은 친족 의례의 질서에 따라서 이루어졌다. 자연히 이를 주도하는 것 역시 살해당한 이의 가족과 친족이었다. 하지만 제노사이드로 인해서 살해된 이의 유해를 수습하는 문제는 가족만의 문제로 한정되지 않는다. 반공국가에 의해서 살해된 가족 구성원이 무덤을 가질 수 없도록 폭력적으로 금지된 경우가 적지 않았기 때문이다. 매장에 대한 반공국가의 금지는 희생자에게 국민의 자격을 박탈하고, 그 유가족들의 사회적 위치 역시 불안하게 만드는 조치였다. 그러므로 제노사이드 과정에서 살해된 가족의 무덤을 만들고 제사를 지내는 일은 죽은 자와 살아남은 자 모두가 자신의 사회적 위치를 회복하는 수단이었다. 이와 같은 죽음에 대한 격하와 금지는 제노사이드가 전쟁과 같은 다른 집단적 죽음과 구별되는 주요한 지점이다.

제노사이드 개념을 성립하게 했던 주요한 사건인 홀로코스트에서도 이와 같은 죽은 자에 대한 의례의 금지와 격하가 발견된다. 홀로코스트에서 핵심적인 학살 수용소였던 아우슈비츠·비르케나우*에서 살해된 이들은 죽은 자로서 누려야 할 존엄을 박탈당했다.[48] 아감벤의 표현처럼 제노사이드의 피해자들은 추모받고 애도되어야 할 죽음이 아니라 그저 국가가 다루어야 할 '생산된 시체'[49]에 불과했다. 이러한 제노사이드 희생자에 대한 격하는 국가가 주도하는 죽은 자에 대한 숭배, 즉 근대국가의 시민종교로서 국민 창출의 수단으로 기능하는 전사자 의례와 대비되었다.

근대국가는 '전사자 숭배Cult of the War Dead'라는 세속적 종교의 례를 통해서 국민이 따라야 하는 사회적 구성원의 자격을 제시한다. 전쟁 중 사망한 전사자는 프랑스혁명 이후의 근대국가에서 사적 죽음이 아니라 국가 차원에서 관리해야 하는 시민종교의 중심

---

* 흔히 아우슈비츠라는 이름으로 알려진 폴란드의 소도시 오시비엥침에 나치가 건설한 절멸수용소는 아우슈비츠(아우슈비츠 I)와 비르케나우(아우슈비츠 II), 모노비츠(아우슈비츠 III)라는 3개의 수용소로 구성되어 있었다. 그중에서 노동 수용소인 모노비츠와 달리 아우슈비츠와 비르케나우는 살인을 위한 공장, 가스실과 대규모 화장장이 설치된 절멸수용소였다. 그래서 이 두 수용소를 합쳐서 '아우슈비츠·비르케나우'라고 표기하기도 한다.

적인 숭배의 대상으로 인식되었다.[50] 근대국가는 전사자라는 국가적 숭배의 대상을 통해서 국민을 동원하고 구성해낼 수 있었다. 죽은 자에 대한 매장과 애도는 오히려 근대국가의 핵심적인 정치적 행위였다. 한국의 전사자 숭배는 한국전쟁 중에 발생한 반공 전사자들이 그 주된 대상이었다. 반공 전사자들은 국가의 수호신이자 조상신으로 승화되었다.[51] 신격화된 반공 전사자라는 표상은 국민으로 인정받기 위해 따라야 하는 모범을 제시했다. 반공 전사자는 한국인이 반공국가의 (반공) 국민으로 인정받기 위해 본받아야 하는 핵심적인 대상이었다. 이는 한반도 이남의 반공국가에서 국민이란 명백하게 주어지는 지위가 아니라 국가가 부여한 (그 내용이 유동적인) 의무를 지속해서 실천하고 있음을 증명할 때 얻어지는 자격이기 때문이다.[52] 반공국가가 자행한 제노사이드의 희생자들은 숭배 대상이 될 수 없을 뿐 아니라 국가가 죽은 자에 대한 추모와 의례를 독점하기 위해서 망각해야 하는 대상이기도 했다.* 이러한 죽음의 위계와 차별, 배제의 정치가 존재했던 것은 반공국가가 자행한 제노사이드에 내재한 성격 때문이다.

　제노사이드는 대량살육^Mass Murder과 구분되어야 한다. 제노사이드는 생명을 빼앗는 폭력이 아니라 특정한 사회집단을 구성하

---

* 이러한 국가적 추모와 기념의 대상을 독점하는 사례는 반공 이념의 산물로 볼 수는 없다. 냉전기에 유사하게 전사자라는 국가적 추모의 모델에 부합되지 않는 민간 영역의 망자 의례를 제한하는 양상이 아시아 공산권 국가인 베트남에서도 나타났기 때문이다.(권헌익, 『학살, 그 이후』, 아카이브, 2012, 220쪽)

거나 파괴함으로써 국민에 포함될 수 있는 자와 그렇지 않은 자를 나누는 사회공학적 행위이기 때문이다. 폴란드 태생의 법률가 라파엘 렘킨에 의해서 제안된 국제법상의 개념인 제노사이드는 그가 제2차 세계대전 중 유럽 점령지에 대한 나치 독일의 통치 행위와 홀로코스트 과정을 설명하기 위해 만들어낸 용어다. 제노사이드는 뉘른베르크 전범재판을 거쳐 유엔의 '제노사이드 금지협약'을 통해서 전후 국제법의 규정으로 확립되었다. 렘킨은 제노사이드를 특정한 집단의 기반 및 생물학적 구조 전체를 파괴 및 절멸하려는 총체적 절멸 행위라는 점에서 전쟁 중에 발생하는 다른 폭력과 구분되는 것이라 주장했다.[53]

제노사이드는 1946년에 유엔이 국제법으로 확립한 '뉘른베르크 제 원칙'에 의해 명문화된 '인도에 반한 범죄'와는 다른 개념이었다. '인도에 반한 범죄' 개념을 확립하고 뉘른베르크 재판에 참여했던 폴란드 태생의 법학자 라우터파하트는 범죄의 가해자와 피해자도 집단이 아닌 개인으로 바라보려고 했던데 반해서 렘킨은 제노사이드가 개인이 아닌 집단에 대한 행위라고 규정한다.[54] 렘킨은 나치 독일의 홀로코스트 과정을 제노사이드로 규명한 연구서 『유럽에서의 추축국 통치』에서 "제노사이드는 개별 자격의 개인이 아니라 민족 집단의 성원으로서의 개인을 향하"는 것이며, 그 실행의 양상은 "피억압 집단의 민족적 양식을 파괴하는 것"과 "억압자의 민족적 양식을 부과하는 것"[55]이라 주장한다. 제노사이드는 한 개인의 생명을 빼앗는 것을 기준으로 삼는 것이 아니라

한 집단과 그와 연결된 삶의 관계성을 파괴하는 행위였다.

제노사이드는 무엇보다 집단과 그 사회적 관계성을 향한 폭력이라는 점에서 다른 폭력들과 구분된다. 이러한 규정은 렘킨 이후 제노사이드 연구들 역시 유지하고 있지만, 표적이 되는 집단이 실재하는 것인가에 대해서는 다른 의견들이 개진되었다. 프랭크 초크와 커크 조나슨은 근대적 국가에 의해서 자행되는 제노사이드가 이전 시기의 제노사이드 유형과 구분되는 특징으로 가해자가 희생자를 어떻게 정의하느냐가 이 폭력의 수행에서 핵심적인 역할을 결정한다는 사실을 지적한다. 자신의 신념과 이론, 이데올로기에 근거하여 가해자는 희생자 집단을 정의할 수 있는데, 이때 희생자들은 실체를 가진 집단일 수도 있지만, 가상적인 집단일 수도 있다.[56] 이들은 실재하는 인구 집단을 대상으로 제노사이드가 이루어진다는 렘킨의 논의를 비판하면서, 피해자 집단이라는 범주가 가해자들에 의해서 정의된다고 주장한다.[57]

제노사이드를 대표하는 사례인 홀로코스트의 핵심 피해자였던 유대인이라는 인구 집단이 나치국가에 의해서 규정되었다는 사실은 이를 뒷받침한다.[58] 이 유대인이란 규정은 역사적으로 존재했던 한 민족 집단을 확인하는 것이 아니라 자신들이 설계했던 새로운 사회에서 육성해야 할 것과 제거할 것을 분리하고 후자를 폭력적으로 제거하는 과정이었다. 유대인과 같이 제거되어야 할 인종의 특성은 나치가 사회적으로 제거하고자 했던 속성들로 기입되었다.[59] 이러한 제노사이드의 속성을 지그문트 바우만은 정원을 가꾸는 원예사에 비유한다. 정원사가 잡초를 뽑아내고 화초를 기르듯 대량학살은 근대국가라는 독점적 권력을 가진 주체가 수행하는 사회공학이라 주장한다.[60] 한국의 반공국가가 자행한 제노사이드 역시 이러한 사회공학적 성격이 분명했다.

한국의 반공국가는 '빨갱이'라는 희생자 집단을 스스로 규정하고 식별함으로써 제노사이드를 수행했다. 그리고 이 폭력적 과정을 통해서 한국사회가 만들어내는 (반공) 국민이라는 정체성은 '빨갱이'라는 적대적 타자에 의존해야만 성립될 수 있는 것[61]이었다. 이 빨갱이라는 비국민의 형상은 여순사건에 대한 폭력적 진압 과정 속에서 창출되고, 국가보안법에 의해 확립된다.[62] 빨갱이라는 적대적 타자의 제거는 곧 신생 반공국가가 국민을 창출하는 사회공학의 한 방식이었다. 그런 반공국가가 또 다른 국민 형성의 수단인 무덤에서 '빨갱이'라는 불온한 형상, 학살된 자들을 몰아낸 것은 연속적인 과정이었다. 반공국가에 의해서 국민의 자격을 의심받았던 학살 피해자와 유족들은 전사자 숭배를 위한 국가의례와 동일한 인프라를 요구했다는 사실[63] 역시 같은 맥락에서 이해할 수 있다.

제노사이드 사건의 유가족들이 살해된 가족의 매장과 제사 같은 애도의 절차를 수행하고, 이를 공적 차원에서 진행할 수 있게 요구했다는 사실은 매장과 국민으로서의 성원권 사이의 관계를 인지하고 있었음을 보여준다. 제사와 굿과 같은 망자의례가 제노사이드 사건에 대한 진상규명운동뿐 아니라 민주화운동까지 포괄하는 정치적 의례로 기능해왔음을 생각[64]할 때 기존의 분단문학 연구는 제사와 매장의 정치성을 도외시했다. 가족과 친족의 영역은 반공국가의 이데올로기로부터 도피하여 도달한 전근대의 세계가 아니었다. 오히려 그 공간은 근대적 정치의 영역들에 접근할 수 없는 이들이 근대국가에 맞서 전통을 통해 새로운 대항적 수단을 창안[65]하는 정치적 장소였다. 바로 반공국가에 의해서 사회적으로 축출된 주검에게 다시 사회의 구성원이 될 자격을 회복시켜주는 인정 투쟁의 정치 말이다.

한국의 반공국가가 자행한 제노사이드의 핵심적인 목표는 희생자의 생명 그 자체가 아니었다. 벤자민 발렌티노는 정치의 수단으로서의 대량학살은 주권 권력이 정치적 목표를 달성하기 위해 사용할 수단이 제한되고 불리한 조건에 의해 다른 시도가 실패했을 때 선택된다고 지적한다.[66] 국민을 형성하고 국민에 속할 수 없는 조건을 그 구성적 외부로 축출하기 위한 사회공학인 제노사이드는 다른 대안적 시도가 실패하거나 제한되었을 때 극단적 폭력으로 고도화된다. 즉 이 고강도 폭력은 그에 앞선 여러 단계를 거쳐온다. 한국에서는 그 중간 단계가 전향의 과정이었다.

한국전쟁기 최대 규모의 희생을 발생시켰던 국민보도연맹이 식민지기 일본제국이 운영했던 전향자 단체인 대화숙大和塾을 모델로 한 좌익 전향자 단체였다는 사실[67]에서 알 수 있듯이 학살은 전향이라는 정치적 기술과 연결되어 있다. 전향자와 보도연맹원 등에 대한 대규모 학살이 자행되는 동안에도 이들에 대한 전향 공작이

동시적으로 진행되었다.[68] 현기영의 단편 「아스팔트」의 주인공 창주는 하산하여 전향자가 되었음에도 계속 의심받고, 자신의 '국민다움'을 증명하기 위해 자원입대하여 보도연맹학살을 피한다. 이는 전향과 학살 사이의 상관관계를 피해자들 역시 인식하고 있었음을 보여주는데, 제주4·3 당시 상당한 수의 제주 청년들은 국민으로 인정받기 위해 해병대로 자원입대하여 전선으로 나가야만 했다.[69]

반공국가가 국민을 창출하는 사회공학적 기술이라는 점에서 전향과 제노사이드는 별개의 사건이 아니라 연속적인 과정이었다. 즉 사회공학적 기술로서 연속성을 가진 전향과 학살은 기성의 사회집단과 그 관계를 파괴하고 이를 재편하여 새로운 사회와 그 구성원인 국민을 구성한다. 마틴 쇼는 제노사이드에서 발생하는 파괴의 목적이 "그 집단의 개별 성원들을 학살하는 것으로 환원되는 것이 아니라 경제적·정치적·문화적 의미에서 그 집단의 사회적 힘을 파괴하는 것"[70]이라 설명한다. 바우만은 사회의 현대화와 홀로코스트 사이의 상관관계를 분석하면서, 이러한 극단적 폭력이 가능했던 이유 중 하나로 다른 사회적 힘들이 해체된 자리에 모든 정치적 힘을 독점한 국가가 형성되는 현대적 조건을 지목한다.[71] 제노사이드는 사회적 힘의 독점 상태를 필요로 하며 또 이러한 상태의 달성을 목표한다. 그리고 목표가 된 사회적 힘을 획득하고 발휘하는 수단은 근대적 제도로 한정되지 않는다. 무덤과 장례와 같은 전통적 애도와 추모의 공간까지 침범했던 반공국가의 모습이 보여주었듯이 말이다.

제노사이드가 한 개인의 파괴가 아니라 집단이 가진 사회적 힘을 파괴하는 것이라는 사실을 주목한다면, 왜 제노사이드문학에서 가족과 친족이라는 혈연적 관계가 재현의 핵심적인 대상이 될 수밖에 없었는가를 이해할 수 있다. 인류학자 권헌익은 가족과 친족 관계에 한국전쟁이 끼친 영향을 분석하면서 비슷한 시기 그리스 내전에서의 형벌 시설의 사례를 분석한 보글리스의 논의를 인용한다. 그에 따르면 보글리스는 그리스 사례에 대한 분석을 통해 미셸 푸코가 근대의 처벌을 고립된 개인의 신체를 향하는 것으로 한정한 것이 정치적 범죄에 대한 처벌에서는 적용되지 않으며, 오히려 "사회적·도덕적 관계망에 자리한 사회적 몸"이 그 대상이 된다고 반박한다.[72]

권헌익은 이러한 전제를 한국에서의 연좌제 사례를 분석하는 데 활용한다. 그는 한국의 반공정치가 "이념적으로 순수하고 도덕적으로 규율 잡힌 사회를 건설하겠다는 목표"를 달성하기 위해서 내부의 "이질적 존재의 위협"에 맞서려 했으며, 그 과정에서 규율과 처벌은 "홀로 존재하는 개인의 몸이 아니라 그 개인을 도덕적 인격으로 만드는 촘촘한 관계망"[73]을 향했다고 주장한다. 연좌제와 대살代殺 같이 한국전쟁기 가족을 대상으로 한 처벌과 폭력은 유교적 가족주의와 반란에 대한 전통적 관념과 맞물린 혈통적 민족주의의 산물로 이해되어왔다.[74] 그러나 이러한 폭력은 전통적 세계의 연장이 아니라 근대적 폭력이 상정한 목표가 바로 국가 이외의 다른 사회적 관계였기 때문에 등장한 것이다. 그렇기에 제노사이드문학이 가족이라는 관계성을 주목하는 원인을 단순히 샤머니즘적 세계로의 회귀로 단정할 수는 없다. 그 관계야말로 반공국가가 표적으로 삼았던 "사회적·도덕적 관계망에 자리한 사회적 몸"을 기억하고 그를 다시 회복시키는 정치적인 장소이기 때문이다.

제노사이드문학에서 민주화라는 역사적 기점의 위상은 단순히 정치적 검열과 탄압의 족쇄를 풀게 되었다는 것으로 한정되지 않는다. 민주화는 한국사회가 폭력적으로 경험했던 과거사를 청산할 기회를 제공했다. 이는 한국만의 상황이 아니라 탈냉전기 아시아·아프리카·남미에서 민주화를 경험한 국가들 대다수가 유사하게 직면했던 상황이었다. 이러한 상황은 이행기 정의라고 명명되었다. 이행기 정의는 단순히 폭력적 과거사에 대한 배·보상이나 처벌의 과정만을 의미하지 않는다. 이행기 정의는 과거의 폭력과 결별함으로써 새로운 사회를 창출하는 과정이다. 이행기 정의는 무력 충돌, 강제적 식민통치, 독재정치 등 국가적 폭력에 의해 발생한 인권 침해로 인해 반목하고 갈등하는 분열된 사회가 평화를 회복하고 민주적인 사회를 수립하는 것을 목표[75]로 한다. 이행기 정의는 과거사를 새롭게 정의하는 데 머물지 않고 새로운 사회적 관계를 창출하려는 기획인 셈이다. 새로운 사회를 만들고자 하는 정치적 행위인 이행기 정의가 폭력적인 사회공학인 제노사이드가 남긴 역사의 상처를 해결하는 과정을 통해 실행된다는 사실은 흥미롭다.

한국의 이행기 정의는 남아프리카 공화국의 진실화해위원회로 대표되는 진실화해 모델로 진행되었다. 진실화해 모델은 법률적 처벌보다는 "증언과 증거의 수집능력을 통하여 순수하게 서술적 narrative 기능을 수행함으로써 과거의 불행한 체제 전체에 대한 역사적 재평가"[76]를 시도한다. 이러한 역사적 재평가 작업은 법적 처벌에서는 한계가 명확하다. 그러나 정치·사회적 변화를 강화하고 공고히 하는 데 중점을 둔다. 물론 그렇다고 가해에 대한 응징을 거부하는 것은 아니다. 그 응징의 방식이 사회적 여론과 공론을 통한 것이며 사회적 관계를 회복하는 데 방점을 찍은 회복적 정의의 원리로 설명된다.[77]

한국은 과거사위원회 같은 제도의 운영은 국가가 주도했지만, 이행기 정의 국면이 지속될 수 있던 동력은 시민사회와 유가족, 정당, 학계 등 국가의 주권이 아닌 다른 사회적 주체에 의해 유지되었다. 이와 같은 다양한 사회적 주체들의 영향력이 있었기 때문에 한국의 이행기 정의와 과거사 청산은 한국보다 우호적인 환경에서 진행된 여러 아시아 국가의 사례보다 성공적일 수 있었다. 시민적 주체성과 유가족이라는 가족 관계가 맞물려 굿과 제사는 이행기 정의를 관철하는 동력이 되었다.

한국의 이행기 정의 과정은 4·3특별법과 같은 여러 과거사 특별법이나 특위와 같은 개별 사건별로 분화된 형태로 진행되었다가 2000년대 후반에 들어서 '진실화해를위한과거사위원회'라는 국가기구를 중심으로 통합되었다. 민주화 이후 광주민주화운동에 대한 진상규명운동을 통해서 태동한 이 흐름은 시민사회와 유족, 지역사회, 문화예술계, 정치권 등의 활동이 복합적으로 얽히면서 2020년대까지 지속되고 있다. 문재인 정부에서 2021년에 과거사위원회 제2기가 출범시켰고 제주4·3에 대한 피해자 배상을 추진했다는 점은 이행기 정의의 국면이 민주화 이후 장기 지속되는 주요한 흐름임을 보여준다. 이 책에서는 한국의 이행기 정의 국면이 제노사이드문학의 전개 과정에 끼친 영향을 주목하고자 한다.

이 책은 이행기 정의 국면이 제노사이드 사건에 대한 한국문학의 재현 양상을 결정한 사회적 조건이라고 가정한다. 이행기 정의 국면에서 한국의 작가들은 현기영이나 오성찬의 경우처럼 사건의 진상규명운동에 적극적으로 개입하기도 했고, 과거 정권 하에서는 시도할 수 없었던 소설적 재현 방식을 사용하기도 했다. 「엄마의 말뚝」 연작에서 한국전쟁기 오빠의 죽음을 인민군의 소행으로 그렸던 박완서가 90년대 중반에 『그 산이 정말 거기에 있었을까』에서는 사인이 한국군의 총기 오발로 인한 후유증으로 그려질 수 있었던 점은 민주화 이후 이행기 정의 국면이 가져온 재현의 확장 덕분이었다. 이행기 정의의 진행이 제노사이드문학의 재현에 끼친 영향은 진상규명을 위한 연구와 기록이 소설이 참고할 텍스트로 수용되는 사례로도 나타난다. 김원일이 2010년에 『불의 제전』의 개정판을 발간하면서 추가한 지역사 서술은 과거사위의 조사보고서를 통해 규명된 사건을 포함했다. 그는 『아들의 아버지』에서 국민보도연맹원 학살 등에 대한 연구 등을 학습했음을 말한바 있다. 이는 같은 지역을 배경으로 한 조갑상의 소설『밤의 눈』이 국민보도연맹사건에 대한 역사 연구 등을 참고한 사례에서도 확인된다. 이 책은 이러한 양상을 근거로 한국 제노사이드문학의 주요한 분기이자 전개 과정을 이행기 정의 국면을 통해서 설명할 것이다.

이 책은 한국의 이행기 정의 국면에 등장한 제노사이드문학을 연구 대상으로 한다. 한국의 이행기 정의 국면은 반공국가의 공식 담론에 의해서 은폐되었던 폭력적 과거사에 대한 논의와 재현이 나타났던 70년대부터 광주민주화운동에 대한 진상규명 요구가 나타났던 80년대 민주화운동 시기를 기점으로 등장했다고 본다.* 7·4남북공동성명 이후인 70년대 초를 기점으로 과거사위원회의 활동이 공식 종료하는 2010년대까지를 장기적인 문화적 이행기 정의 국면으로 보고 연구의 시대적 범위로 설정한다. 김원일의 『아들의 아버지』처럼 과거사위원회의 활동에 직접 영향을 받았던 소설의 사례를 볼 때 소설적 재현의 시차를 고려해야 하기 때문이다.

이행기 정의 국면을 제노사이드문학의 전개를 보여주는 시대

---

* 4·19혁명 직후 전국의 피학살자 유족회를 중심으로 제노사이드 사건에 대한 진상규명 및 책임자 처벌, 희생자 명예회복의 요구가 있었으나 이듬해 권력을 장악한 군부정권의 탄압으로 인해 무력화되었다. 4·3과 5·18을 제외하면 유족들이 다시 활동에 나서는 것이 90년대 이후(김동춘,『이것은 기억과의 전쟁이다』, 사계절출판사, 2013, 32쪽)임을 고려하여 1960년대는 이행기 정의 국면과 단절된 시기로 가정할 것이다.

구분으로 사용함으로써 분단문학 개념과 차별화하려고 한다. 제노사이드 소재의 소설을 분단문학이라는 관점에서 논의한 연구들은 해당 작품들과 분단 모순의 해결이 연계된 것으로 설명하는 경우가 적지 않다. 그러나 분단 극복 혹은 분단체제의 극복이라는 문제가 제노사이드문학과 연결되었다고 하더라도, 탈냉전기 민주화 과정에서 출발한 이행기 정의라는 정치적 과정과 더 긴밀하게 결합되어 있었다. 민주화 이후 폭력적 과거사의 극복을 통해서 새로운 사회를 창출하고자 했던 이행기 정의 국면은 작가들에게 사건과 피해자에 대한 새로운 의미 부여를 가능하게 한 조건이었다.

3장

제노사이드와
재현의 문제

—가독성·고백·증언

이 책에서 제노사이드문학이 무엇인지 설명하기 위해서는 두 가지 사안에 대한 이해가 선행되어야 한다. 하나는 무엇을 제노사이드로 볼 것인가, 즉 제노사이드의 성격이 무엇인지 정의하는 문제다. 제노사이드는 제2차 세계대전 전범재판 이후로 국제법적으로 확립된 개념이지만, 국내외를 막론하고 그 의미를 정확히 사용하는 경우보다는 대량살육^{Mass Murder}과 같은 전쟁범죄나 잔혹 행위 정도로 이해되는 경우가 많으며 '인도에 반한 범죄'와 혼동하기도 한다. 이 책에서는 제노사이드를 국가와 국민을 형성하기 위한 사회공학적 폭력이자 특정한 집단을 파괴하고 억압하는 물리적·제도적·문화적 폭력으로 설명할 것이다. 이는 제노사이드라는 명명을 최초로 제안했던 라파엘 렘킨이 제시한 '집단을 파괴하려는 폭력'이라는 제노사이드의 정의에 충실하기 위함이다. 제노사이드문학 속에서 포착되는 폭력의 경험이 사회적 관계망을 둘러싼 체험의 형태로 나타난다는 사실도 집단의 파괴라는 렘킨의 정의를 중심으로 제노사이드를 이해하려는 주요한 이유이다.

렘킨의 제노사이드 개념은 전통적으로 존재해왔던 집단과 그 구성원을 파괴하려고 하는 행위를 의미한다. 그런데 렘킨 이후 학자들은 제노사이드의 대상이 꼭 실재하는 집단이 아닐 수도 있다는 점을 지적한다. 피해자 집단이 누구인가를 규정하는 것은 그들 자신이 아니라 가해자였기 때문이다. 피해자 집단이 가해자들에 의해서 구성될 수 있다는 사실은 한국사회가 경험한 제노사이드를 이해하는 데 중요한 지점이다. 단일한 민족 집단이라 정체화되었던 한반도의 주민들을 향한 제노사이드는 '빨갱이'라는 적대적 타자를 구성함으로써 '반공민족'이라는 내부 집단을 형성하는 과정이기도 했다.[78]

구성적 외부에 대한 배제이자 포섭이라는 폭력적 수단에 의존함으로써 내부를 구성한다는 점은 홀로코스트도 마찬가지였다.[79] 이처럼 피해자 집단에 대한 규정은 반공주의라는 이데올로기의 경계선을 따라 작동하는 것이라 주장되었지만 가족 관계와 지역 같은 공간적 단위 등에 의해 수행되기도 했으며, 이 과정에 개입하는 다양한 주체들 사이의 원한과 이해관계 등이 영향을 끼치기도 했다.[80] 이러한 구성적 외부를 배제이자 포섭의 형태로 통제하는 폭력의 문제를 주목할 때, 한국전쟁을 전후한 시기의 제노사이드가 근대 국민국가와 그 국가의 국민을 창출하기 위한 폭력적인 사회공학의 수단이었다는 점이 더 선명해진다. 또한 폭력적 수단에 의해 만들어진 국민의 자리나 배제이자 포섭의 형태로 그 구조 속에 위치하게 된 피해자의 형상, 아감벤의 표현을 빌린다면 (벌거벗은 생명인) '호모 사케르'[81]와 같은 존재였던 작가들이 제노사이드 문학을 통해 새로운 사회적 위치를 만들어가는 문학적 실천의 과정 역시 이러한 제노사이드에 대한 개념 규정 속에서 더 선명하게 보여줄 수 있으리라 기대한다.

제노사이드의 개념 정의 다음으로 검토해야 할 것이 바로 제노사이드의 재현 문제다. '재현(또는 증언의) 불가능성Unrepresentability'은 제노사이드의 기억을 둘러싼 문화와 영화, 문학 등에서 주요한 논점으로 다양하게 논의가 되어왔다. 클로드 란츠만의 영화《쇼아》를 비롯해『가라앉은 자와 구조된 자』에서 프리모 레비가 제시한 진정한 증언자는 증언의 능력을 잃어버렸다는 역설 등 대표적인 제노사이드 사건이었던 홀로코스트를 둘러싸고 재현의 문제는 진정한 증언자는 누구인가라는 질문, 즉 재현 불가능성에 대한 논의로 펼쳐졌다. 특히 생존자들의 증언 이외에 어떤 재현도 시도하지 않은 란츠만의《쇼아》이후 재현 불가능성은 제노사이드의 재현 불가능을 넘어 거부해야 한다는 주장으로 나아가기도 했다.[82]

재현불가능성을 둘러싼 논의에서 주목을 요하는 지점은 프리모 레비가 홀로코스트 이후 생존자 증언을 문제시했다는 사실이다. 레비는『가라앉은 자와 구조된 자』에서 증언을 불가능하게 하는 여러 조건을 살핀다. 하나는 바로 가해자들의 부정Denial, 폭력을 은폐할 뿐 아니라 이후 사실을 축소하거나 다르게 해석하려고 하는 종합적인 부정의 전략이다. 또 다른 문제는 수용소 은어로 '무젤만'이라고 불렸던 바로 그 극한의 경험으로 인해 재현의 역량을 상실한 존재들이다. 그는 수용소의 심연을 바라본 이들인 무젤만이 진정 그곳이 어떤 곳이었는가를 증언할 자격이 있는 자들이지만 "자신들을 관찰하고 기억하고 비교하고 표현할 능력을 상실"[83]했다는 사실을 주목한다. 극한의 경험 이후 인간은 이를 재현할 역량을 상실한다는 것이다. 마지막으로 레비는 생존한 다른 증언자들의 증언하기가 증언으로서의 의미를 상실하게 된 상황을 우려한다. 고통을 견디기 위해, 타인이 수용할 수 있도록 돕기 위해 "빈번하게 환기되고 이야기의 형태로 표현되는 기억"은 "결정화되고 완벽하고 장식된 형태로 고정"[84]될 수 있다고 경고한다. 즉 형식화된 증언은 오히려 증언(재현)이 가지는 의미를 상실할 수 있다.

이 책에서는 재현의 문제에서 프리모 레비가 주목한 문제들, 특히 부정과 증언의 형식화라는 측면을 주목한다. 한국문학사에서 제노사이드문학은 가해자였던 국가권력에 의한 제노사이드의 부정을 오랜 시간 직면해야 했다. 스탠리 코언의 지적처럼 부정은 그 자체로 제노사이드의 주요한 과정이자 동기였다.[85] 한국의 제노사이드 사건들에서 가해자는 그 사실을 체계적으로 부정하고 또 은폐하고자 했으며, 이는 살아남은 이들에게 가해지는 또 다른 형태의 폭력이었다.[86] 부정은 제노사이드문학이 극복해야 할 과제였을 뿐 아니라, 문학을 통해 드러내 보이고자 했던 폭력의 실상이었다. 증언의 형식화 혹은 무력화된 증언 역시 제노사이드문학이 주목해온 문제였다.

문순태의 단편 「말하는 돌」이나 현길언의 단편 「우리들의 조부님」에서 제노사이드 사건을 폭로하는 이들의 말에 어떤 동요도 응답도 없는 주민들의 모습이 나타난다. 박완서의 「부처님 근처」에서도 비극적 가족사에 대한 자신의 말하기에 무관심한 이들을 위해 듣기 좋게 이야기를 꾸며서 말하는 인물이 등장한다. 이처럼 증언을 무력화하는 상황이 한국의 민주화 이후에도 나타난다는 나타난다. 2000년대 발표된 임철우의 장편소설 『백년여관』에서 주인공인 소설가 '이진우'는 제노사이드 사건 같은 과거사 문제가 한국문학에서 이미 시효가 다 지난 것이라는 젊은 작가와 평론가의 평가에 분노하기도 한다. 제도적 이행기 정의가 진행되고 있지만, 사회의 무관심과 정치적 타협 속에서 과거의 기억이 무력화될 수 있다는 불안감은 부정만큼이나 제노사이드문학이 맞서야 할 어려운 문제였다.

이 책에서는 제노사이드를 집단을 파괴하는 사회공학적 폭력으로, 재현을 역사부정과 형식화하는 언어에 맞서기 위한 제노사이드문학의 전략과 연결하여 설명하고자 한다. 여기서는 이를 위해 제노사이드의 성격과 재현의 문제를 '가독성', '고백', '증언'이라는 3가지 개념을 중심으로 설명할 것이다.

　한국사회는 탈식민화와 국가 건설, 전쟁의 과정에서 끔찍한 제노사이드를 경험했다. 탈식민화와 폭력적 내전 사이에 발생한 제노사이드는 한국만의 문제가 아니었다. 제2차 세계대전에서 유럽 전역에서 자행되었던 끔찍한 제노사이드는 유럽 제국의 식민지 체제가 붕괴하고, 세계가 냉전이라는 새로운 질서로 재편되는 흐름 속에서 아시아와 아프리카의 구 식민지들로 확대되었다. 유럽에서 냉전이 전쟁의 위험은 존재했으나 전쟁이 없는 경험이었다면 아시아에서의 냉전은 참혹한 내전과 학살과 같은 국가폭력의 경험이었으며 중동과 아프리카 역시 폭력적인 냉전을 경험했다.[87] 왜 한국과 다른 탈식민 신생 독립국가들은 이 시기에 끔찍한 제노사이드를 경험했는가? 이를 이해하기 위해서는 탈식민 국가들이 새로운 근대적 사회를 만들기 위해 여러 힘이 충돌했던 장소라는 사실에서 출발해야 한다.* 20세기에 자행된 제노사이드는 대부분 근대국가의 사회적 기획 속에서 실행되었기 때문이다.

　한국현대사학자 서중석은 한국전쟁을 전후한 시기의 국가폭력

---

* 냉전사를 연구하는 역사학자 오드 아르네 베스타는 아시아, 아프리카 등 제3세계에 대한 미국과 소련의 외교정책이 근본적으로 유럽 근대성의 적통으로서 자신들이 근대화 이데올로기를 전파하려는 목적에 복무했다고 지적한다.(오드 아르네 베스타, 옥창준 옮김, 『냉전의 지구사』, 에코리브르, 2020, 24쪽) 제3세계 주변부 국가를 향해서 두 초강대국의 근대화 기획이 충돌했던 것이다. 그리고 신생 독립국의 민족 엘리트 집단 역시 독자적이거나 근대성에 대한 다른 지역의 이념을 공유하는 근대화 기획에 속도를 내었다. 냉전의 경험은 근대성의 경험이기도 했으며, 동시에 근대적 폭력의 경험이었다.

과 학살이 정상적인 근대화modernization의 과정을 거칠 수 없었던 식민화의 경험과 구한말의 잔재에서 비롯되었다고 보았다.[88] 그는 이 잔혹했던 살육의 시대가 근대에 미달한 신생 독립국의 안타까운 현실이었다고 개탄한다. 그는 동시에 당대 근대세계의 중심부 국가였던 미국에도 책임을 묻는다. 미국과 연합국이 전범재판에서 보였던 태도와 달리 한국에서는 오히려 반인류적·반문명적 사고를 보였다는 것이다.[89] 당시 한국에서 자행되던 제노사이드의 전 과정을 소상하게 알고 있었고, 또 노근리 학살과 같은 전쟁범죄를 자행하기도 했던 미국에 대한 그의 비판은 정당하다. 그의 지적처럼 뉘른베르크와 도쿄에서 제2차 세계대전의 승전국들이 주도한 전범재판은 제노사이드와 같은 인류에 대한 국가의 범죄를 단죄하는 자리였고, 이후 형성된 전후 질서는 '제노사이드 범죄의 방지 및 처벌에 관한 협약Convention on the Prevention and Punishment of Crime of Genocide과 같은 새로운 평화의 기획을 만들어왔다는 점을 생각한다면 말이다. 그러나 전후 승전국이 주도한 근대사회를 건설하려는 기획은 제노사이드라는 끔찍한 폭력과 완전한 단절을 의미하지는 않았다. 근대성과 제노사이드가 결코 대립적인 개념이 아니었기 때문이다.

홀로코스트의 역사를 정립한 역사학의 대가 라울 힐베르크는 대표적 제노사이드의 사례였던 홀로코스트가 근대 미달의 비정상성에서 비롯된 사건이 아니라 강조한다. 힐베르크는 학살에 복무한 국가기구들이 근대적 국민국가로서 독일 사회의 사회조직 전체와 어떤 차이도 없었음을 증명했다.[90] 그의 연구는 학살이 어떻게 근대화된 국가와 긴밀하게 결합했는지 세밀하게 짚어간다. 근대화의 기획이 전 세계로 확장되던 20세기를 살아간 이들에게 너무나도 불행한 진실이었지만, 근대성은 제노사이드와 같은 가공할 국가폭력과 대립하지 않았다. 미국과 소련, 그리고 신생 독립국 지도자들의 근대화 기획들 사이의 팽창과 결합·경쟁이 어느 때보다 활발했던 냉전의 세계에서 전쟁과 학살과 같은 극단적 폭력은 도처에 만연했다. 세계대전 이후 국제사회가 국제적인 안전장치를 갖추기 위해서 노력했음에도 말이다. 한국사회가 경험한 끔찍했던 전쟁과 제노사이드는 주변부 국가의 근대성 미달의 결과가 아니라 오히려 냉전 근대를 구성하는 여러 요소 중 하나였다.

20세기에 제노사이드가 국제적인 문제로 주목받은 것은 양차 세계대전을 거치면서였다. 최초의 근대적 제노사이드로 평가받는 1915년 오스만 투르크 제국의 아르메니아인 제노사이드는 1차 대전 중에 오스만 제국과 전쟁을 벌이던 연합군조차 외면했다. 전후 처리 과정에서 책임자들이 재판정에 서기도 했지만, 처벌은 이루어지지 않았고 아르메니아인 조직인 '네메시스'가 유럽 등지에서 책임자를 암살하면서 더 알려지게 되었다.[91] 네메시스의 암살 작전은 폴란드의 철학도였던 라파엘 렘킨에게 아르메니아인 제노사이드에 대한 관심을 가지게 했고, 이후 법학으로 전공을 바꾼다. 렘킨은 폴란드 유대인들이 반복적으로 경험했던 폭력적인 인종박해인 포그롬Pogrom과 이 사건을 겹쳐보았고 검사가 된 이후에

제노사이드와 재현의 문제   73

이러한 폭력을 방지하기 위해서 '잔악 행위Barbarity'와 '문화·예술에 대한 파괴 행위Vandalism'를 금지하는 국제법안을 1933년 마드리드에서 열렸던 법률가 회의에서 제안한다.[92]

렘킨은 제2차 세계대전이 발발한 이후 유럽에서의 나치의 점령지 정책과 인종 탄압에 대해 분석했고 미국으로 망명한 뒤 전쟁 말기인 1944년 11월에 『점령된 유럽에서의 추축국 통치Axis Rule in Occupied Europe』라는 책을 발간한다. 그 책에서 렘킨은 나치 독일이 동유럽에서 유대인과 슬라브계 민족 등에 행한 전쟁 정책을 분석하여 특정한 국민이나 민족 집단에 대한 파괴 행위라는 제노사이드Genocide 개념을 제시했다.[93] 렘킨은 제노사이드가 국가와 민간인, 국가 지도층과 특정 민간공동체 사이의 일방적 폭력 행위One-side Violence이고 대상이 광범위하고 한계를 설정하지 않는다는 점에서 무제한적 폭력 행위Unlimited Violence이며 특정한 집단의 기반 및 생물학적 구조 전체를 파괴 및 절멸하려는 목적을 가진 총체적 절멸 행위Total Annihilation라는 점에서 전쟁과는 다른 폭력이라고 규정했다.[94] 렘킨은 제노사이드를 단순한 물리적 형태의 파괴로 제한하지 않고 정치, 사회, 문화, 경제, 종교, 도덕, 물리, 생물 등 8개 항목으로 절멸의 방식을 세분화했다.[95] 그는 부드러운 절멸 정책인 동화 정책과 강경한 절멸 정책인 파괴 정책을 아우르는 제노사이드 개념을 제안했다.

제노사이드 개념의 성립에 있어서 라파엘 렘킨의 결정적인 공헌은 이를 국가 주권의 권리가 아니라 국제법이 처벌할 수 있는 범죄로 규정한 데 있다. 제2차 세계대전 중 렘킨은 미국을 중심으로 제노사이드 개념을 전파하면서 제노사이드를 예방하기 위해서는 이를 국제 범죄로 규정하여 국제 법정에서 다루도록 해야 한다고 주장했다. 렘킨의 주장은 뉘른베르크 전범재판 과정부터 수용되어 나치 전범 기소 과정에서 전쟁범죄와 구분되는 별도의 범죄로 제노사이드가 쓰이기 시작했다.[96] 제노사이드의 범죄화를 위한 렘킨의 노력은 1948년 12월 9일 유엔 총회에서 "제노사이드 범죄의 방지 및 처벌에 관한 협약"(이하 제노사이드 협약)이 통과됨으로써 결실을 맺는다. 이 협약에서 제노사이드는 "국민·인종·민족·종교 집단 전체 또는 부분을 파괴할 의도를 가지고 실행된 행위"로 규정되며 그 구체적인 행위를 "① 집단 구성원을 살해하는 것 ② 집단 구성원에 대해 중대한 육체적·정신적 위해를 가하는 것 ③ 전부 또는 부분적으로 육체적 파괴를 초래할 목적으로 의도된 생활 조건을 집단에게 고의로 부과하는 것 ④ 집단 내의 출생을 방지하기 위해 의도된 조치를 부과하는 것 ⑤ 집단의 아동을 강제적으로 타 집단에 이동시키는 것"으로 나누었다.[97]

라파엘 렘킨의 제노사이드 개념은 '집단'을 법률적 보호의 대상으로 제시한다. 이는 실제 나치 전범들에 적용되었던 혐의인 '인도에 반한 범죄'와 제노사이드 범죄 사이의 가장 핵심적인 차이였다. 인도에 반한 범죄를 정립한 폴란드 출신의 법률가인 라우터파하트는 렘킨의 제노사이드 개념과 거리를 두면서 집단에 대한 보호를 우선하는 법률적 관점을 인정하지 않았다.[98]

제노사이드 협약의 체결은 제노사이드를 국제법상의 범죄로 규정하여 개별 국가의 법률로 합법화할 수 없게 했다는 점에서 렘킨의 목표에 근접했다. 그러나 제노사이드 협약은 협약 국가들 사이의 타협으로 제노사이드를 물리적 집단, 생물학적 집단, 문화적 집단으로 대상으로 한 경우로 제한한다.[99] 이러한 제한된 범위뿐 아니라 규모, 의도 입증과 처벌 등 제노사이드 협약은 많은 한계를 가졌다. 협약의 쟁점 중 제노사이드의 대상 문제를 주목해야 한다. 협약 체결의 과정에서 제노사이드의 대상이 어떤 속성을 가지느냐가 중요한 논쟁거리였다. 그러나 어떤 분류 기준을 제노사이드의 대상으로 분류해야 하는가는 중요하지 않다. 그러한 분류의 기준들이 과연 희생자가 된 특정한 인구 집단을 규정할 수 있는지, 그리고 그 특정한 인구집단이 실제로 그러한 정체성을 공유했는가가 더 중요한 문제다.

라파엘 렘킨은 제노사이드가 실재하는 인구집단에 대한 포괄적인 형태의 절멸 행위라 규정했다. 실재하는 인구 집단이라는 규정은 제노사이드 협약도 이어받았다. 하지만 많은 경우 제노사이드는 실재하는 인구 집단을 대상으로 한 것이 아니라 집단의 정체성이 무엇인지 규정함으로써 표적을 포착한다. 한국에서 자행된 국민보도연맹원 학살 사건의 희생자들은 국가에 의해서 좌익 전향자로 분류되었지만, 대다수의 경우 전향자 단체에 강제로 가입한 뒤에야 좌익으로 분류되었다. 그들 대부분은 좌익 경력과 무관하게 가입했을 뿐 아니라 민족주의 진영에 가까운 이들도 많았다.[100] 폭력의 표적이 되는 적대적 타자의 집단 정체성은 이념의 잣대뿐 아니라 지역이라는 공간적 요소에 의해서 규정되기도 했다. 최호근은 제주4·3의 제노사이드적 성격을 구성하는 한 요인으로 지역 차별에 근거한 인식을 지적하기도 했다.[101]

피해자 집단이 오히려 가해자에 의해서 규정되고 만들어질 수 있다는 사실은 한국전쟁을 전후한 시기의 제노사이드의 성격을 이해하는 핵심이다. 한국전쟁을 전후한 시기의 제노사이드는 적대적 타자로서의 빨갱이라는 형상을 만들어내는 과정과 결합이 되어 있었다. 그 결정적인 계기였던 1948년의 여순사건을 통해서 반공국가는 국가보안법과 같은 법제도나 국민을 통제하기 위한 동원체제를 구축하는 행정적 수단을 동원하여 반공주의를 국민을 구성하는 핵심적 가치로 위치시켰다.[102] 또한 문화적 차원에서도 반공주의적 인식의 틀을 구축하려고 했다. 여순사건 당시 동원된 문인 조사반과 같은 문화계 인사들은 비인간적인 적대적 타자로서 '빨갱이'의 형상을 만들고자 했고 이를 통해 국민과 비국민의 이분법적인 경계를 강화하는 데 일조했다.[103] 즉 제노사이드에서 자행된 폭력은 국가와 국민을 만들기 위한 폭력적인 사회공학의 수단이었다.[104]

제노사이드는 그 극단의 폭력이 시행되기 전에 폭력의 강도나 범위, 진행 양상이 단계적으로 확대되는 경우가 대부분이다. 그래서 제노사이드를 연구하는 학자 중에는 단계적 과정으로 제노사이드의 전개를 설명하는 경우들이 적지 않다. 대표적인 사례로 홀로코스트의 전개 과정을 4단계로 설명한 미국의 역사학자 라울 힐베르크가 있다. 힐베르크는 홀로코스트와 같은 '파괴'[105]의 과정이 '정의', '집중', '약탈', '학살'이라는 4단계에 걸쳐서 진행[106]된다고 보았다. 특히 이 모든 과정의 첫 단계인 '정의Definition'는 표적이 되는 집단이 누구인가를 가해자 국가가 규정하는 작업이다. 그는 나치의 공직자 훈령, 즉 법적 규정보다 급이 낮은 행정 단계에서 이루어진 '비아리아인'이라는 타자의 정의가 만들어진 순간에 유럽 유대인의 운명이 봉인되었다고 표현할 만큼 이를 결정적인 국면으로 이해했다.[107] 피해자 집단에 대한 정의는 제노사이드를 단계적 메커니즘으로 설명하는 다른 학자들의 논의에서도 첫 번째 혹은 두 번째 단계로 제시된다.[108] 피해자가 누구인지 가해자가 정의한다는 사실은 제노사이드의 출발점이기도 하지만 동시에 그 목적과도 결부되어 있었다.

사회학자 지그문트 바우만은 홀로코스트와 같은 제노사이드에서 피해자 집단이 명확한 정체성이 없거나 그것이 중요하지 않았다는 점을 지적한다. 바우만은 유대인이 홀로코스트의 주요한 표적인 된 이유를 그들이 나치 국가의 목표에 적대하는 집단이어서가 아니라 자신들이 바라는 사회의 모양과 그에 부합하는 구성원으로 나누고자 했던 나치가 식별하기 어려운 대상이었다는 점을 강조한다. 오랜 시간 유럽사회에서 동화되어 온 그들에게 '유대인다움Jewishness'이라는 적대적 형상을 부여함으로써 국민과 비국민의 경계를 분명하게 만들려고 했다.[109] 홀로코스트는 특정한 민족 집단에 대한 파괴로 여겨지는 경향이 많지만, 국가 없는 민족으로서 유대인은 식별하기 어려운 집단이었다. 더욱이 그 구성원 중에는 스스로를 유대인이라 인식하지 않는 경우도 많았다. 홀로코스트 작가로 유명한 프리모 레비도 수용소로 이송되기 전까지 자신을 유대인이라 생각해본 적이 거의 없었다.

유대인이라는 집단을 정의하고 그 구성원을 식별하려는 작업은 나치의 관료 집단에 의해 자의적으로 이루어졌으며, 종교와 가족 관계, 지역 등 그가 속한 사회적 관계망을 통해서 규정되었고 주권자의 의지에 따라 그 인종적 범주에서 '해방'되기도 했다.[110] 나치 국가는 자신들이 적대하는 집단, 그들이 만들고자 했던 사회에 부합하지 않는 이들을 바로 그 부정적 속성을 기입하는 방식으로 정의했으며 이들을 제거하고, 길러내고자 하는 속성을 가진 이상적 구성원을 늘리는 방식으로 사회를 통제하고자 했다.[111] 바우만은 제노사이드의 목적이 특정한 집단의 제거가 아니라 새로운 사회를 만드는 수단이 될 수 있다는 점에서 '원예사의 사회'라는 비유를 사용했다. '원예사의 사회'란 근대세계가 정원을 관리하기 위해서 잡초와 관목을 구분하는 원예사처럼 사회 구성원을 가꾸어야 할 것과 제거할 것의 범주를 나누어 관리하여 사회를 만든다는 개념으로, 이러한 사회공학은 의학[112]이나 과학과 같은 근대의 인간 관리 지식의 계보 위에 있었다.[113] 바우만의 관점은 힐베르크가 제시했던 '정의' 개념이 가진 사회공학적 의미를 설명해준다.

정원에서 자라고 있는 식물을 잡초와 화초로 나눌 수 있는 유일한 판단자가 정원사인 것처럼 제노사이드를 수행하는 권력은 사회의 나눔을 결정할 수 있는 독점적 지위를 필요로 한다. 바우만은 이러한 특징을 근대성과 제노사이드 사이에 놓여 있는 친연성으로 주목했다. 근대사회의 조건들이 전근대와 달리 개별의 공동체적 사회 규제를 소멸하고 강제력을 가진 국가의 독점적 지위를 강화했을 뿐 아니라, 관료제와 같은 사회화의 장치가 개인의 도덕성을 오히려 사회적 수단에 종속시키는 장치로서 기능했음을 강하게 비판한다.[114] 그래서 그는 이러한 폭력을 막기 위해서는 윤리를 억누르는 권위의 독점 상태를 피하기 위한 사회의 다원성이 요구된다고 보았다.

이탈리아의 법철학자 조르조 아감벤 역시 근대국가의 구조와 원리가 제노사이드를 수행하는 데 방해 요소가 된 것이 아니라 오히려 홀로코스트와 아우슈비츠 수용소야말로 근대국가의 생명정치의 핵심이 된다고 주장했다.[115] 아감벤은 홀로코스트와 같은 제노사이드가 근대세계의 예외가 아니라 오히려 하나의 상례이며, 민주주의적 원리조차 그 내적 논리에서는 그러한 폭력을 실행한 체제와 연속되어 있었다고 비판한다.[116] 계엄령과 같은 비상사태, 즉 '예외상태'는 법률이 정지되는 예외적 상황이라고 이해되어왔지만, 아감벤은 슈미트 등의 영향을 받아서 이를 법의 본질적인 한계 영역과 연결한다.[117] 카를 슈미트는 예외상태가 오히려 법률의 근원적 구조라고 보았는데, 이는 예외상태는 본질적으로 그 세부 조건을 모두 명문화할 수 없으며 이를 결정할 수 있는 권한의 독점

이 국가 주권의 본질이며, 그 결정을 통해 주권 권력이 법을 창출하기 때문이다.[118]

아감벤은 예외상태로 인해 주권이 결정을 독점하는 양상이 곧 생명과 죽음에 대한 국가의 극한의 통제 능력으로 이어지고, 이 통제력이 상징하는 곳을 아우슈비츠와 같은 죽음의 수용소라 보았다. 인간이 인간 이하의 존재가 될 수 있음을 보여주는 수용소의 수인, 무젤만은 죽음을 사회적 의례에서 국가에 의해서 관리되는 개인의 사건으로 축소하면서 정치적인 단위 집단인 인민People과 생물학적 단위 집단인 인구Population 사이의 경계를 축소하는 근대 생명정치의 극단을 보여주는 사례였다.[119] 한국전쟁기 제노사이드 역시 근대국가 건설 과정에서 서구의 예외상태가 식민지 경험과 서구 법률의 영향, 분단과 미군정 등의 복잡한 요인들에 의해 폭력적 사회구조를 구성하는 과정으로 이어졌다.[120]

아감벤은 사회를 결정하는 주권의 독점적 지위를 제노사이드와 결부하여 설명하고 있다. 아감벤은 그 결정의 극한이 수용소와 같은 공간에서 이루어진 제노사이드라고 설명한다. 하지만 아감벤은 주권의 결정을 강조하는 과정에서 표적이 된 이들의 주체성과 역량을 지워버리고 말았다는 비판을 받기도 했다.

토마스 램케는 아감벤의 생명정치 개념이 국가를 제외한 다른 어떤 자율적 주체도 남겨놓지 않았다고 비판한다.[121] 이를 잘 보여주는 것이 아감벤이 테렌스 데 프레를 비판하는 지점이다. 그는 죽음의 수용소 내부 수감자들의 세계를 분석한 연구서 『생존자』

를 쓴 테렌스 데 프레가 생존자를 영웅시하고 '살아남음'을 삶 그
자체와 동일시하고 생존자를 진정한 윤리적 주체로 삼고 있다고
비판한다.[122] 즉 무젤만과 같이 생물학적 신체와 삶이 분리될 수
있다는 수용소의 핵심을 데 프레가 보지 못했다고 지적한다. 하지
만 데 프레가 수용소의 내부의 사회를 주목한 것은 어떠한 기억도
남기지 않으려고 했던 권력에 맞서 언어와 문화를 통해 기억을 조
직하는 생존자들의 역량과 삶을 보존하려는 노력을 설명하기 위
해서였다.[123] 수용소와 같은 공간 안에서 피억압자의 하부 사회와
그들의 사회적 관계망은 생명정치 모델과는 다른 방식으로 수용
소의 세계를 조망한다.[124]

조르주 디디 위베르만은 『반딧불의 잔존』에서 아감벤을 비판하
면서 권력의 군림 속에서도 피지배자의 저항적 역량은 소멸하지
않는다고 보았다. 그는 아감벤이 민중의 저항적 역량을 긍정하면
서도 역사의 구체적 양상을 설명할 때는 오히려 그 역량을 부정하
는 방식으로 기술했다고 비판한다.[125] 그는 아감벤이 아우슈비츠
를 증언할 수 없는 것, 재현할 수 없고 그것이 만들어질 수 없는 공
간으로 봄으로써 이미지를 만드는 역량을 권력의 것으로 한정하
고 민중을 예속된 신체로 환원했다고 비판한다.[126] 위베르만은 아
우슈비츠의 수감자들이 홀로코스트의 실상을 기록하기 위해 남긴
4장의 사진을 주목한다. 모든 기록과 기억을 부인하려는 극한의
폭력 속에서도 이미지를 남기기 위해 위해서 작동한 수감자들의
사회적 관계와 협력은 수용소 내부가 권력에 의해 완전히 장악된

공간도, 재현이 불가능한 공간도 아님을 보여준다.[127] 제노사이드라는 극한의 상황에서도 "남아 있는 공동체—군림하지 않는—에서 방책 자체를, 즉 우리의 물음들에 대한 대답들의 열린 공간을 추구하는 것이 필요"[128]하고 또 가능하다는 사실을 증명한다.

그러나 주의해야 할 점은 폭력이 작동하는 상황 속에서도 보존되는 사회적 관계망과 피억압자의 행위성과 저항이 항상 연결되는 것은 아니라는 사실이다. 한국전쟁기 제노사이드에서 전통적 사회구조와 관계망들이 폭력에 활용되거나 이를 강화한 측면도 있었던 사례는 주목할 만하다. 한국전쟁 이전부터 누적되어왔던 지역사회 내부의 여러 갈등 요인은 전쟁 중 충돌로 비화될 수 있었으며[129], 그런 적대적 관계는 국가권력이 지역사회 내부를 장악하고 사회적 관계망을 해체하는 데 활용할 수 있었던 중요한 조건이기도 했다. 물론 전쟁과 국가권력의 개입이 아니었다면 지역사회 내부에 존재했던 갈등이 제노사이드와 같은 극한의 폭력으로 비화하지 않았을 것이다.[130] 홀로코스트의 과정에서도 유사한 상황을 발견할 수 있는데 점령지 주민들이 새로운 지배자에게 받는 부역 혐의를 해소하기 위해 유대인에 대한 적극적인 가해자와 나치에 대한 협력자로 활동하기도 했다.[131] 문화와 같은 전통적인 인식의 지평 역시 폭력을 강화하는 요인이 되기도 했다. 상명하복을 강조하는 관료제적 문화는 제노사이드라는 극한의 폭력에 동원된 자신의 행동을 합리화할 수 있는 수단[132]이었으며, 이념의 영향이 축소되는 상황 속에서도 군사주의 문화와 그 가치 규범이 폭력 행

위를 정당화하거나 하나의 업무로써 받아들이게 하기도 했다.[133]

그럼에도 이 책에서는 폭력적 사회공학 수단을 통해 국가와 국민을 형성하려고 했던 국가권력에 맞서는 피억압자의 사회적 관계와 문화적 역량을 주목한다. 이러한 역량이 극한의 폭력 속에서도 사라지지 않고 남아서 새로운 저항의 형식을 도모할 수 있었기 때문이다. 이를 잘 보여주는 것이 인류학자 권헌익의 연구다. 인류학자 권헌익은 1968년에 베트남 중부 지방에 위치한 하미와 미라이에서 한국군과 미군에 의해서 자행된 민간인 학살을 중심으로 베트남전쟁 중의 대량 사망이 전통적인 망자의례와 베트남 사회의 전쟁 기억에 어떤 영향을 끼쳤는지를 연구했다. 베트남 전통에서 인간의 죽음은 좋은 죽음과 나쁜 죽음이라는 도덕적 위계로 구분된다.

좋은 죽음은 생전에 살아온 집과 가족의 곁에서 죽는 것이며 나쁜 죽음은 '길 위에서의 죽음'을 의미하는데 망자가 생전의 삶의 공간과 관계에서 분리된 죽음을 의미한다. 이러한 죽음의 도덕적 위계가 중요한 것은 나쁜 죽음을 체험한 망자는 사후 세계에서 지속적인 고통을 받게 되고 고통받는 망자는 살아있는 자들에게 부정적인 영향을 끼치기 때문에 사회에 대한 위협이라 인식한다.[134] 그러나 전쟁과 학살로 나쁜 죽음이 예외가 아닌 상례가 되면서 근대적 조건에 대응하여 전통문화가 변화해야만 했다. 망자의례 전통의 변화는 이를 촉발한 근대적 충격에 대응하여 냉전이라는 양극 질서와 근대적 민족국가의 건설이라는 탈식민의 목표 모두에 맞서는 대안적 윤리를 만드는 문화적 거점이 되었다.

전쟁 중 집단 사망은 공동체에 속한 개개인의 죽음을 넘어서 복수 성원의 동시적 죽음, 심지어는 공동체 그 자체의 죽음이기도 했다. 집단 사망이라는 사건은 좋은 죽음의 조건을 결여할 뿐 아니라 그 조건을 확보할 수 있는 기반 자체를 파괴했다. 예외가 아닌 보편적인 죽음이 된 나쁜 죽음, 즉 '길 위에서의 죽음'은 전통적인 죽음의 분류 체계로 편입될 수도 없었다. 그들은 좋은 죽음이 되기 위한 여건을 갖추지 못했지만 동시에 자신의 집에서 죽었으며 공동체의 계보에서는 '조상'으로 속해 있었으므로 '길 위에서의 죽음'을 기억하고 위로하는 전통의 기준과도 맞지 않았다.[135] 전쟁의 희생자들은 전통적인 망자의례에 편입되는 과정에서 극심한 혼란을 겪었으며 동시에 베트남의 국가적 의례에서도 배제되었다.

근대 국민국가의 망자의례와 전쟁기념물은 국민공동체를 창출하는 수단이면서 동시에 그곳에서 추모되는 망자들 사이의 차이를 소거한다.[136] 국민국가 건설을 위해 헌신한 전쟁 영웅을 숭배하는 장소로 만들어진 베트남 국가의 기억 문화에서 전쟁에서 희생된 민간인들은 국가 주도의 의례에서 주변화[137]되었을 뿐 아니라 베트남 국가에 속할 수 없는 '반동'으로 추모의 공간에서 배제되는 이들도 있었다. 그래서 민간 사회는 베트남 국가의 가치 체계에 부합되는 영웅적 조상과 베트남 국가가 배제하고자 하는 반혁명 분자가 된 조상을 하나의 망자의례를 통해 화해시켜야 한다는 문제에 직면한다.[138] 전쟁 희생자들의 죽음은 전통과 근대국가 어디에도 안정된 자리를 찾지 못하고 배회하는 '존재론적 난민'이 되고 만 것이다.

베트남전쟁으로 인한 집단 사망은 망자들을 안정된 기억과 추모의 의례에 정착할 수 없는 존재로 만들었다. 그리고 전쟁이 종식된 이후 베트남 국가가 건설하려는 민족 공동체의 전망에 부합하지 않는 망자들을 배제하면서 사회의 혼란을 오히려 악화시켰다. 전통적 질서의 붕괴와 민족 공동체를 창출하려는 국가의 가족의례의 점유로 인해서 민간 공동체의 위기가 커졌고 이는 유령들의 출몰이라는 증상을 통해서 가시화된다.[139] 나쁜 죽음을 겪은 망자는 조상신이 되지 못한 공동체의 타자이자 떠도는 유령이 된다. 방황하는 유령들은 나쁜 죽음을 극복해야 하는 공동체의 중요한 문제가 된다.

베트남의 전통에서 볼 때 유령은 조상신과 대비되는 외부자이지만 전쟁으로 인한 대규모의 죽음은 익명성의 타자가 아닌 가족의 성원들까지 나쁜 죽음으로 내몰았다. 유령의 문제에 대응해야 하는 공동체는 곧 유령의 자리로 내몰린 친족들을 복권해야 했다. 공동체에 주어진 이 새로운 과제는 곧 집과 길, 가족의 계보와 익명의 타자 사이의 경계를 허무는 전통의 변화를 요청했다.[140] 베트남의 망자의례 전통은 이러한 변화의 요구를 타자들에게 추모의 공간을 개방하는 방식으로 해소해간다. 즉 조상이 되었어야 할 친족들이 타자들의 공간인 길, 길 위에서의 죽음으로 내몰리자 이들을 복원하기 위해서 길 위의 존재들인 유령들을 친족 공동체의

일원으로 편입할 가능성을 함께 열어놓은 것이다.[141]

익명의 타자인 유령들에게 조상신의 공간이 개방된다는 것은 베트남 국가가 창출하고자 하는 민족 공동체의 기획에 대한 강력한 도전이었다. 중부 베트남의 민간 사회가 경험한 전쟁은 '쏘이더우'라 불렸는데 냉전적 대립의 양측이 '이쪽'과 '저쪽'으로 정치적 정체성에 따라 인간을 분할했지만, 하나의 마을이 밤에는 남베트남 지역이 되고 밤에는 베트콩 게릴라 지역이 되는 등 정체성이 이동하며 이중적인 위협에 직면했고 죽은 자들 역시 이러한 분할선으로부터 자유롭지 못했다.[142] 죽은 자에 대한 기억을 분할하려고 했던 베트남 국가의 의례 공간과 경합하거나 이를 활용하면서 양극적 분할로 나눌 수 없는 가족에 대한 기억을 애도의 과정으로 통합했다.[143] 이는 민족 정체성에 대한 국가의 불안감을 강화했으며 실제로 베트남인들은 외국인과 베트남인, 영웅적 죽음과 비극적 죽음 사이의 차별을 제거함으로써 국가가 만든 공동체 내부와 외부의 경계를 무력화했다.[144] 동시에 이러한 추모 공간의 재구성은 국가가 장악했던 망자의례의 중심이 민간으로 이동하고 있음을 보여준다.

베트남 국가가 민족 공동체를 재생산하던 의례의 공간이 점차 민간에 개방되고 점유되어간다. 베트남의 민간 공동체는 베트남 국가의 논리적 모순을 파고들었는데, 모든 베트남의 공동체 구성원을 잠재적인 혁명전쟁의 영웅으로, 동원 대상으로 편입시켰던 인민전쟁의 교리는 이를 위한 주요한 단서가 되었다. 인민전쟁의 논리와 '영웅적 어머니'라는 전통적 계보 질서 등을 활용함으로써 영웅 숭배에 의해서 배제되었던 민간의 죽음도 국가의 의례공간의 중심을 차지할 수 있었다.[145] 결정적으로 망자의례를 둘러싼 민간과 국가 사이의 주도권 다툼은 도이모이 개혁 이후 성장한 민간의 경제력을 바탕으로 민간이 조성한 대규모의 추모 공간이 등장하면서 국가의 기획에 개입할 수 있는 시민사회의 성장을 보여주는 지표가 되었다.[146]

익명의 타자인 유령들을 공동체의 성원으로 인정하는 새로운 망자의례의 전통은 민족 공동체의 생산에 대한 베트남 국가의 독점을 흔드는 시민적 참여의 과정이었다. 국민국가의 민족 공동체에 맞서는 시민적 역량이 유령과 사후 세계에 대한 전통의 의례와 도덕관념 속에서 성장했다는 것은 기괴한 현상처럼 보인다. 민족과 민족주의에 대한 주요한 성찰을 제공한 베네딕트 앤더슨은 『상상의 공동체』에서 민족이란 관념이 근대의 사회적 조건과 국민국가에 의해서 창출된 것이라고 주장했다.[147] 앤더슨과 같은 민족에 대한 근대주의적 시각은 민족과 민족전통을 발명하는 근대 국민국가의 역할을 강조한다.[148] 이러한 관점에서 볼 때 베트남의 민족전통인 망자의례가 '근대화'되어 가면서 국민국가의 기획을 점진적으로 무너뜨리는 과정은 잘 설명되지 않는다.

민족에 대한 근대적 시각의 반대편에서 민족을 근대에 앞서 존재해왔던 실재하는 인구 집단으로 바라보는 원생原生주의 시각[149]에서도 베트남 망자의례의 변화는 쉽게 설명되지 않는다. 망자의례가 근대적 충격으로 인해 전통의 구조들을 '근대화'시켰을 뿐 아니라 혈연적 계보에 속하지 않는 외국인 망자들까지 공동체의 성원으로 포함하고 있기 때문이다. 베트남 민족국가에 맞서는 근대화된 베트남 민족 전통은, 민족 공동체를 문화의 상징 자원을 축적하고 공유하는 공동체라는 족류 공동체ethnic community*로 파악해야 한다. 족류성의 시각으로 볼 때 누적된 문화적 자원으로서 전통은 근대적 변화를 향해서 열려 있으며150), 민족국가를 만드는 정치 엘리트에 의해 활용되기도 하지만 엘리트가 아닌 다양한 사회적 주체에 의해서도 수정될 수 있는 양방향성을 가진다.151) 이 관점에서 볼 때 베트남의 민족전통이 베트남 국가의 영웅숭배로 동원되면서도 시민사회의 대항적 공간을 구성하는 이중적인 양상이 나타났던 이유를 설명할 수 있다.

　망자의례의 변화에 대한 권헌익의 연구는 앞서 검토한 근대성과 제노사이드의 주요 쟁점과 연결된다. 베트남에서 망자의례의 변화는 베트남 국가가 만들어내고자 하는 민족 공동체와 그 속에 속한 국민의 정체성에 균열을 가했다. 바우만은 원예사의 사회로, 아감벤은 생명정치 개념을 통해 근대국가에서 사회에 속해야 할

---

* 『족류 - 상징주의와 민족주의』를 번역한 김인중은 종족·종족성으로 번역되곤 하는 'ethnic' 개념을 '족류'로 번역했는데 이는 종족이 혈연과 생물학적 기원을 우선하는 인상을 주는데 앤서니 D. 스미스는 문화를 강조하기 때문에 다른 번역어를 채택했다고 설명한다.(앤서니 D. 스미스, 김인중 옮김, 『족류 - 상징주의와 민족주의』, 아카넷, 2016, 13쪽) '족류(族類)'는 한국의 전근대사회에서 내부 구성원들을 이민족과 구분하기 위해서 사용했던 개념이다.(박찬승, 『민족·민족주의』, 삼화, 2016, 34~35쪽)

것과 그렇지 않은 것을 주권 권력이 결정한다는 점을 설명했다. 민족 공동체의 외부자인 반동, 외국인들의 유령을 공동체에 포함시키는 베트남의 망자의례는 주권 권력의 독점적 결정에 대한 도전이다. 이들의 의례적 실천이 직접적으로 민족 공동체에 대한 정치적·법적 준거를 변화시킨 것은 아니다. 그러나 베트남 국가가 민족 공동체를 생산하는 의례 공간을 점유하고 그 속에 유령들을 침투시키면서 민간의 대안적 의례공간을 확장해간 것은 포이케르트가 말한 인간 정체성의 원천인 문화가 지배계급에 대한 대항 역량을 보존하는 능력[152]을 증명한다.

문화의 대항적 역량은 공동체의 타자를 분리해내는 주권 권력에 대한 우회적인 저항이 아니다. 오히려 전통사회, 가족 관계, 개인 정체성의 영역으로까지 침투해온 양극적 정치의 영향력[153]에 대한 사회의 응전이다. 이영진의 표현처럼 "위령은 정의^{justice}의 문제에 속하는 것"이었다.[154] 이러한 관점은 법적·정치적 경계선을 강조하는 과정에서 주권 권력의 배제가 문화적인 경계선과 얽히며 구축되었다는 사실을 간과해왔음을 보여준다. 인종이란 생물학적 기준을 내세운 나치 국가가 배제한 신체들은 실상 문화적으로 부정적인 요소들의 집적물로서 상상[155]되었다. 법적 차별의 기준은 문화적 경계선이 되었고 다시 문화적 경계가 법적인 차별로 회수되었다. 국가가 민족 공동체의 의례 공간에서 배제한 친족에 대한 추모는 때때로 불법적 행위로 인지되었고 이들에 대한 애도의 복원은 그들과의 관계를 합법화하는 과정이었으며 한국에서 이러한 경험은 냉전의 양극적 세계를 해체하며 민주적 사회를 구성하는 힘으로 작용했다. 죽은 가족의 시신을 수습하려는 노력은 가족이라는 단위를 넘어 사회적 기념 의례로 재의미화된 것이다.[156]

문화적 응전이 법적·정치적 파급력을 갖출 수 있다는 망자의례의 사례는 혁명적 예외상태의 도래가 아닌 일상의 문화 속에서 주권 권력의 결정에 맞설 수 있음을 보여준다.[157] 위베르만이 주장한 이미지의 저항적 역량이 변화하는 망자의례의 전통 속에서 발견되는 것이다. 위베르만은 이미지를 파편적이고 우연적인 것들의 산물이라는 점에서 세계에 대한 권력자의 시선인 지평과 구분한다.[158] 베트남의 변화하는 망자의례가 국민국가의 민족 공동체에 가하는 균열은 지평보다는 이미지의 작용처럼 보인다. 국민국가가 만드는 일관된 논리 체계의 틈을 파고 들어가면서 정치성을 확보해나가기 때문이다. 망자의례가 민족 공동체에 만드는 틈은 전면적인 전복이 아니라 타협과 경쟁을 통해 이질적인 것들을 기입한다. 반동으로 분류된 가족 구성원을 민족 공동체 속으로 기입하기 위해서 국가의 영웅으로 인정된 친척들과의 관계를 이용하기도 한다.

혁명을 위해 죽었다고 인정받은 가족 구성원의 존재는 다른 가족 구성원의 반동적 성질을 중화하거나 공동체로 들어오는 문을 열어놓을 수 있었다.[159] 이러한 양상은 민족 공동체의 경계가 가지고 있던 한계를 파고든다. 베트남 국가의 영웅 숭배는 반동, 외국인과 같은 외부를 배제하면서 민족 공동체의 구성원들이 가져야 하는 동질적 정체성을 부여한다. 그러나 민간인들의 정치적 정체성은 고정되거나 단일한 것이 아니다. 마을 공동체의 구성원들은 때로는 외국군이나 남베트남 정부와 협력했고 동시에 베트콩과 북베트남 정부와 협력적 관계를 형성하기도 했다. 또 서로 다른 국가와 협력하는 구성원들 간에 서로를 지켜주고 협력하기도 했는데 이러한 정치적 정체성의 잦은 이동은 마을 공동체의 중요한 생존 전략이었다.[160] 물론 이는 생존 전략이기 이전에 인간의 자연스러운 사회적 존재 방식이었다. 아감벤이 생명정치적 신체를 어떤 정치적 기획도 기입되지 않은(그래서 무엇이든 기입 가능한)것으로 정의하듯이 인간은 여러 정체성을 이동할 수 있다. 인간의 신체는 정치적 기획 이전부터 존재하면서 다른 정치적 기획과 접속하거나 그 기획을 넘어설 수 있다.[161] 그리고 이 신체의 이동성은 산 자의 신체만이 아니라 죽은 자의 신체에서도 나타난다.

베트남 전통에서 죽은 자의 몸은 영혼의 상태로서 오히려 이동성이 활발해지며, 자유롭게 이동하는 영혼이 삶의 공간뿐 아니라 역사적·정치적 장소들에도 나타날 수 있다고 믿는다. 유령은 공간적으로 이동할 수 있을 뿐 아니라 사후 세계의 도덕적 지위 역시도 변할 수 있다.[162] 구천을 떠도는 잡귀, 추모의 영역에서 배제된 익명적 존재에서 가족공동체의 수호신으로, 구성원의 자격을 얻는 승급은 나쁜 죽음을 겪은 이들이 사회적 존재로 거듭나는 과정을 보여준다. 이는 집단적 죽음을 경험한 망자를 복권하는 과정과도 연결되었다. 권헌익은 제사를 위한 위폐 태우기라는 전통의 사례로 이를 설명한다. 도이모이 개혁 이후 경제적 역량이 확대된 베트남 민간 사회는 전통적인 종이돈 대신 달러화 위폐를 의식에서 사용하면서 기존 의례에서 밀려나 있던 학살 희생자들과 외국군 같은 외부인들을 전통의 신보다 앞서는 의례의 중심으로 격상한다. 전통종교의 도덕적 위계가 해체되고 배제되었던 망자들의 역할이 확대되어가는 과정은 전통이 단순히 기성의 체계를 통해 민족국가가 배제한 자들을 포함하는 근대 정치와는 다른 층위의 사회적 질서가 아니라, 그들을 포함함으로써 기성의 정치적 구획을 극복할 새로운 도덕적 연대를 만들어 낼 수 있음을 보여준다.[163]

권헌익의 연구를 경유함으로써 제노사이드의 재현에 대한 논의를 확대할 수 있는 논점을 발견할 수 있다. 망자의례의 변화는 종합적인 지평이 아니라 파편적인 이미지들, 즉 전통 속에서 망자의 도덕적 위계를 창출하던 조건과 현실 사이의 불일치를 해소하려는 산발적인 시도에 의해 추동되어 궁극적으로 새로운 도덕적 준거를 만든다. 이는 잔존하는 이미지가 주권 권력에 맞서는 대항적 역량을 가진다고 한 위베르만의 주장을 뒷받침한다. 베트남 국가가 점유한 망자의례의 공간 속에 잔존한 전통의 이미지는 근대적 조건 속에서 변화되어가면서 국가에 의해서 배제된 자들의 자리를 새롭게 구성한다. 그리고 다시 국민국가의 재생산 구조인 의례 공간에 배제된 자들을 침투시키고 점진적으로 그 장소를 점유해간다. 즉 사회에 대한 주권 권력의 독점에 맞서는 시민사회의 성

장을 망자의례에 대한 산발적 이미지의 생성 속에서 발견할 수 있다.[164]

　시민사회의 역동이자 새로운 도덕적 연대를 구성하는 공간으로서 민간의 망자의례는 사회적 관계를 통해서 다원적 사회에 대한 전망이 형성되는 과정을 이해하는 데 주요한 참조점이 된다. 권헌익은 전통의 도덕적 위계에서 외부자였던 유령이 살아있는 자와의 연대를 통해서 (도덕적·정치적으로) 억압된 신체를 해방하는 망자의례가 '인간적 결속'의 힘을 보여준다고 주장하는데, 이때 인간적 결속은 마르크스가 '사회 밖의 사회'라는 개념을 통해 "어떤 전통적 지위도 아닌 오직 인간의 지위"의 문제와 결부되어 있다고 설명한다.[165] 바우만의 개념으로는 '타자와 함께 있음'이라는 인간의 근원적인 '사회적the social' 관계가 망자의례를 통한 유령의 변화에서 나타나고 있는 것이다. 홀로코스트의 실행과 도덕적 수면제로서 사회화의 역할을 분석한 바우만은 새로운 도덕의 원천을 "전체 사회적the societal이 아닌 사회적the social 영역", 즉 "공존, '타자와 함께 있음'의 맥락"에서 찾아야 한다고 주장한다.[166]

　앞서 보았듯이 익명의 존재인 유령들이 베트남 망자의례에서 공동체의 일원으로 포함되는 과정은 조상과 외부자로서의 유령 사이의 공간적 분할이 무너지면서 이들 사이의 분리 불가능한 인접성이라는 새로운 조건에 적응하기 위해 전통의 논리를 변형시킴으로써 이루어진다. 가족 계보의 내부자인 조상들이 외부자인 익명의 유령이라는 '타자와 함께 있음'으로 인해서 기성의 것과는 다른 새로운 도덕적 위계와 근거들을 확보한다.[167] 이처럼 근대적 폭력에 의해 촉발된 망자의례 전통의 변화는 기성의 민족적·국가적 경계와는 다른 형태로 인간적 근접성을 창출한다. 이러한 인간적 근접성의 창출이 주권 권력의 폭력에 맞서는 도덕의 원천이 될 수 있는 것은 사회를 독점할 수 있는 주권 권력의 힘이 "인간적 근접성으로부터 자생적으로 발생한 도덕적 힘들이 탈정당화되고 마비"시키는 사회화의 기술을 통해서 형성되었기 때문이다.[168]

베트남전쟁기 민간인 학살의 충격을 극복하기 위한 문화적 형식들에 대한 권헌익의 인류학 연구는 주권 권력의 결정이라는 제노사이드에 맞서는 대항적 사회의 가능성이 어떻게 나타날 수 있는지 보여주었다. 그렇다면 이러한 제노사이드에 맞서 사회를 회복하려는 시도를 문학이라는 재현의 형식 속에서 설명할 수는 없는가? 단일한 사회와 세계에 맞서서 복수의 사회를 상상할 수 있게 하는 재현의 양상을 찾는 데서 가능할 것이다. 이 책에서는 이를 설명하기 위해서 앞서 살펴본 제노사이드와 그에 맞서 이미지를 만들어내는 인간의 역량이라는 문제를 제임스 C. 스콧과 랑시에르 등의 논의를 참고하여 세 가지 주요 개념으로 정리하고자 한다. 바로 '가독성', '고백', '증언'이다.

'가독성legibility'은 제노사이드를 위해서 주권 권력이 피해자 집단을 식별하고 그들에게 특정한 정체성과 성격을 부여하는 '정의'의 작업과 유사하다. 스콧은 『국가처럼 보기』에서 근대국가의 사회적 기획이 가진 특징을 설명하기 위해서 제시한 가독성 개념을 통해 반공국가의 폭력을 포착하고자 한다. '고백confession'은 마찬가지로 스콧의 주저인 『지배, 그리고 저항의 예술』의 논의를 가져왔다. 스콧은 '은닉대본'이라는 개념을 통해서 사회적 헤게모니를 피억압자들이 일방적으로 수용하지 않고 독자적으로 해석하는 능력169)을 설명했다. 스콧이 제안한 은닉대본은 농민 반란부터 노동쟁의, 단순한 일탈에서 혁명까지 아우르는 광범위한 피억압자의 사회적 관계망과 활동을 포괄한다. 이 책에서는 피억압자의 은닉대본 실천을 자기 재현의 문제로 한정하여 적용할 것이다. 자기 재현으로서의 은닉대본의 사례에 대해서는 '고백'이라 칭할 것이다. 이 표현은 북한체제 성립 직후 인민을 파악하기 위한 북한 정권의 가독성 수단인 이력서와 자서전 등을 연구한 김재웅의 『고백하는 사람들』의 논의에서 빌려왔다.

'증언testimony'은 은닉대본의 형태로 작동했던 제노사이드 피해자와 사건의 재현이 정치적·사회적 체제 전환과 같은 특수한 상황에서 공개적으로 이루어지는 순간을 설명하기 위한 용어다. 홀로코스트에 대한 재현으로 대표되는 제노사이드 증언의 문제는 란츠만의《쇼아》에 의해서 제기된 '재현의 불가능성'이라는 문제로 주로 이해되었다. 피해자와 증언의 주체를 일치시키려고 했던 《쇼아》의 논의를 수용하는 과정은 증언이 놓인 맥락의 중요성을 간과했던 측면이 있다. 증언은 그 형식이나 방식 이상으로 어떠한 사회적 조건에서 이루어지느냐에 따라서 그 의미와 영향이 달라질 수밖에 없다. 이 책에서는 이행기 정의13) 국면이라는 탈냉전기 국가폭력의 과거사를 해결하려는 사회적 변화의 시기에 이루어진 재현을 '증언'으로 규정할 것이다. 이는 은닉대본의 방식으로 이루어지는 '고백'과 구별하기 위해서다. '증언'은 주권 권력이 만들어낸 사회의 경계를 새롭게 나누는 언설로 제노사이드에 의해 박탈당한 주체성을 회복하는 한 과정이다. 랑시에르의 주장처럼 주체성을 회복하는 일, 즉 주체화는 "탈정체화이고, 어떤 장소의 자연성에서의 일탈"[170]이기에 증언의 주체는 제노사이드를 통한 반공국가의 사회적 나눔을 새롭게 재규정한다. 내가 '증언'의 문제를 이행기 정의 국면과 연결한 것은 이 때문이다.

앞서 보았듯 바우만은 홀로코스트와 같은 제노사이드를 거대한 사회를 만들기 위한 사회공학으로 설명한다. 홀로코스트를 중심으로 한 제노사이드 논의들은 이 폭력의 기제가 극단적 사회와 국가에만 자리하는 것이 아니라 근대국가 일반의 특징이라 설명한다. 힐베르크가 파괴 기계 개념을 통해서 보여주었듯 근대국가의 장치들은 제노사이드를 수행하는 데 어떠한 변형도 필요치 않았다. 그렇다면 이를 다르게 말해볼 수도 있을 것이다. 제노사이드와 같은 형태로 극단화되지 않았다 하더라도 제노사이드로 갈 수 있는 여러 단계를 거쳤을 수 있다. 정치적 행위로서의 제노사이드는 다른 사회적 실행 수단을 상실한 시기에 그 수단을 극단화하는 방식이니 말이다.[171]

1억 7500만 명 이상이 제노사이드에 희생당한 제노사이드의 시대였던 20세기[172]는 동시에 거대한 사회공학의 시대이기도 했다.

야만을 문명화한다는 사명을 내세우며 근대화의 깃발을 들었던 제국주의와 식민주의, 세계를 양분하며 각자의 근대화 기획을 확대하려고 했던 미국과 소련의 냉전[173], 그리고 식민지에서 벗어나 조국의 근대화를 꿈꾸던 신생 독립국까지. 전근대적 사회를 근대국가로 탈바꿈하려는 국가적 기획이 20세기를 뒤흔들었다. 그중에는 스탈린 시대의 대숙청과 같은 기존의 지역사회를 국가가 장악하고 근대화하고자 했던 기획이 제노사이드[174]로 이어지기도 했다. 한국에서의 제노사이드 역시 20세기의 근대화 기획과 강한 친연성을 가지고 있었다. 거창양민학살사건 당시 악명 높았던 견벽청야 전술이나 제주4·3에서 주민들을 수용했던 전략촌 등 학살의 수단이었던 대게릴라 전술은 일본제국과 미국의 반공 작전과 근대화 기획을 시험하는 수단이기도 했다.[175] 훗날 한국의 새마을 운동으로 이어지는 마을에 대한 통제, 전략촌 건설 등은 식민지배와 세계대전기에 이루어진 폭력과 학살의 개발 전략의 연속선 상에 있었다.[176] 근대화의 기획이 제노사이드와 쉽게 연결될 수 있었던 데는 사회를 단순화하고 결정을 독점하려는 주권 권력의 성격이 근대성의 주요한 양상 중 하나였기 때문이다.

제임스 C. 스콧은 근대국가의 주요한 성격을 하이 모더니즘이라고 주장했다. 하이 모더니즘은 자본주의와 공산주의, 파시즘과 탈식민 신생 독립국의 민족주의 등 이질적인 것처럼 보이던 것들이 서로 경쟁하고 때로 전쟁까지 했던 근대의 정치체들이 공유했던 특징이다. 과학과 기술의 진보, 자연법칙에 대한 과학적 이해를 통해 사회질서를 합리적으로 설계할 수 있다고 강력하게 확신[177] 하는 신념 말이다. 그는 하이 모더니즘의 화신이었던 르코르뷔지 에의 말을 통해 이 신념의 핵심을 보여준다. 하이 모더니즘의 실행 자들은 "우리는 현재 존재하는 것에 대해 조금이라도 고려해서는 안"되며 "백지 위에서"[178] 완전히 새로운 사회를 설계하고 만들어 낼 수 있다고 믿었다. 하이 모더니즘은 근대적 지식의 배타적 생산 자이자 수행자로서의 국가[179]에 의해 '계획의 독재'에 따라 사회 를 설계하는 전략이 된다. 그리고 이러한 기획을 달성하기 위해서 근대국가는 사회를 파악해야 했다. 이때 필요했던 것이 바로 가독 성 작업이다.

스콧의 가독성 개념은 여러모로 미셸 푸코의 규율권력에 대한 논의를 떠올리게 한다. 푸코는 근대세계에서 지식의 생산이 긴밀 하게 결부되어 있다는 사실을 주목했다. 권력은 지식을 생산하고 이를 통해 통제하는 힘을 발휘했는데, 근대사회에서는 그 지식을 통해 인간 신체를 포착하고 규율했다.[180] 스콧이 제시한 가독성 역시 국가권력이 거대한 사회공학을 수행하기 위해 지식을 생산 해내는 한 방식이자, 대규모 사회공학을 실행할 수 있는 환경을 만 드는 핵심적 기술이다.[181] 스콧은 가독성을 지도에 비유하여 설명 한다. 지도가 목적에 따라서 세계에 대한 정보를 선별하고 그에 따 라 추상화하여 재현하듯이 국가 역시 한정적 자원과 능력 속에서 사회를 특정한 목적에 따라 단순화한다. 가독성 작업을 통해서 국 가에 의해서 식별된 사회와 그 구성원들은 그 자체의 맥락이나 입장이 아니라 국가에 의해 필터링된 결과로서 파악된다. 초크와 조나슨이 주장처럼 제노사이드를 수행하는 국가는 희생자 집단을 창출해내었다. 이는 스콧이 말한 가독성 작업, 국가의 사회적 설계와 기획의 목적에 부합하는 단일한 기준에 따라 단순하게 나누어버린 결과였다. 한국전쟁기 제노사이드에서 반공국가는 반공주의라는 단일한 기준을 통해 국민과 국민 아닌 자를 구분하려고 했다. 이러한 가독성의 공포가 한국문학에 어떻게 각인되어 있는지 잘 보여주는 사례가 바로 이청준 소설 속 '전짓불'이다.

　어느 날 밤 경찰인지 공빈지 알 수 없는 사람들이 또 마을을 찾아들어왔다. 그리고 그 사람들 중의 한 사람이 우리 집까지 찾아들어와 어머니하고 내가 잠들고 있는 방문을 열어젖혔다. 눈이 부시도록 밝은 전짓불을 얼굴에다 내리비추며 어머니더러 당신은 누구의 편이냐는 것이었다. 하지만 어머니는 그때 얼른 대답을 할 수가 없었다. 전짓불 뒤에 가려진 사람이 경찰대 사람인지 공비인지를 구별할 수 없었기 때문이다. 대답을 잘못했다가는 지독한 복수를 당할 것이 뻔한 사실이었다.[182]

　'전짓불'을 비추는 존재는 자신이 누구인지 밝히지 않는다. 그래야 할 이유가 없기 때문이다. 권력은 대상을 식별하고, 그 결과에 따라 처분할 뿐이다. 너는 어느 편이냐는 물음, 반공주의와 공산주의라는 남과 북 두 국가가 내세운 기준에 따라 이쪽과 저쪽이라는 양극으로만 그들을 구별할 따름이다. 이러한 기준에 다른 사회적 주체는 의문을 달 수도, 다른 대답을 할 수도 없다. 그러나 그 단순한 가독성 수단을 통해서 읽어내야 했던 것은 이념적 선택으로 구별되는 개인이 아니라 '사회적·도덕적 관계망에 자리한 사회적 몸'[183]이었다. 국가의 가독성 작업은 지역·가족·이념·문화 등 다양한 관계성이 교차하는 인간을 (반공) 국민과 '빨갱이' 또는 인민과 반동으로 나눈다. 그리고 이런 단순화되고 일방적 기준은 그리스 신화 속 프로크루스테스의 침대처럼 그 틀 안에 들어오지 않는 모든 것을 폭력적으로 잘라냈다.

가독성 작업은 표면적으로는 제노사이드라는 극단적 폭력의 단계로 보이지는 않는다. 오히려 국가 행정의 합리성을 추구하기 위한 필수적 절차였다. 그러나 하이 모더니즘적 계획을 강압적으로 실행할 수 있는 국가권력이 존재할 때, 이 단순화와 합리성의 추구는 파괴적 결과를 가져왔다. 가독성 작업은 사회적 목표를 달성할 수 있도록 세계를 표준화하고 규격화함으로써 사회적 공통성을 추구할 수 있도록 했다. 그러나 이러한 사회화는 양면성을 가지고 있었다. 사회의 단일성을 강화하는 사회화는 "사회적으로 규제받지 않는 (무시되었든 주의를 끌지 못했든 또는 완전히 복속하지 않았든) 인간성의 발현들이 비인간성의 예로 또는 기껏해야 의심하고 잠재적으로 위험한 것으로 폐기"되도록 함으로써 "사회의 경쟁자들은 물론 사회의 구성원들에 대한 사회의 주권을 정당화"하도록 복무할 수도 있었기 때문이다.[184] 이 과정이 근대사회에서는 근대적 기획과는 다른 목소리를 내었던 개별적 공동체들의 사회 규제를 파괴할 수 있을 만큼 강력한 강제력을 독점하는 국가들의 출현으로 이어

졌다.[185]

스콧의 가독성 개념을 국가권력이라는 상위의 주체만을 통해서 바라볼 때, 푸코의 아이디어와의 변별점이 선명하게 보이지 않는다. 푸코의 규율권력, 생명정치에 대한 논의가 권력 바깥에 대한 논의의 영역을 남기지 않았다고 비판받았던 것과 달리 스콧은 피지배자의 능동성과 역량을 강조한다. 그는 가독성과 같은 권력의 앎과 다른 형태의 지식인 (임기응변이나 특정한 지역이나 문화에서만 통용되는 체계화될 수 없는 토착적 지식인) '메티스Metis'라는 개념을 제시한다. 하이 모더니즘적 기획이 단순화 과정에서 비가시화된 지점들과 충돌하면서 발생하는 파열은 메티스라는 비공식적 지식과 행위 없이는 이루어질 수 없다.[186] 사회가 움직이기 위해서는 오히려 비공식화된 하위 주체의 역량에 의존해야 한다는 그의 문제의식은 독자적인 헤게모니 이론인 은닉대본으로 이어진다.

스콧은 한 사회의 지배층에 의해서 사회 안에서 공식화된 규범을 연극과 공연에 비유해 '공식대본'이라고 부른다. 사회 행동을 연극 무대 등에 비유하는 어빙 고프먼과 같은 미국 사회의 영향처럼 대본이라는 용어의 사용은 복수의 행위자를 가정하고, 동시에 그들에게 고유한 판단과 해석의 역량이 있으리라 가정한다. 대본을 받고 나서 이를 자신만의 방식으로 연구해서 연기하는 배우처럼 말이다. 사회의 행위자는 배우처럼 공식대본을 전달받지만, 이에 대한 고유한 해석을 만들어내거나 혹은 위반하기도 하고 더 나아가 은밀하게 다른 대본을 공유한다. 은닉대본은 지배자의 공식대본에서 배제한 언설이자, 피지배자들이 공유하는 하위문화로서 저항의 몸짓이다.[187] 그는 지배 권력이 공고하게 작동하는 상황, 특히 피지배자에 대한 극한의 통제가 이루어지는 수용소와 같은 총체적 기관*에서조차 은닉대본과 같은 피억압자의 역량은 사라지지 않는다고 보았다.[188] 은닉대본은 공식대본과 거의 유사한 형태를 취할 수 있지만 이를 수행하는 주체는 그에 대한 독자적 해석, 그리고 다른 목표를 가지고 행동한다는 점에서 저항의 역량을 상실하지 않는다. 피지배자들은 비공개적이지만 그들만의 하부정치를 활성화함으로써 권력이 그토록 제거하고 싶어 하는 다원적인 사회적 관계망을 존속한다. 그리고 이 은닉대본이 공개적으로 선포되는 순간은 기존의 사회적 체제를 전복할 수 있는 정치적 변화를 촉발하거나 그 상황을 알리는 전조가 되기도 한다.[189]

스콧의 은닉대본 개념은 문학과 같은 재현의 영역에 적용했을 때 흥미로운 논점들을 제공한다. 예를 들어 박완서의 소설에서는 한국전쟁기에 오빠를 잃은 비극적 가족사, 특히 그 가족이 좌익이었다는 공개할 수 없는 비밀을 이야기하고 싶어 하는 강한 욕망이 반복적으로 나타난다. 말할 수 없는 위험한 과거를 재현하려는 시

---

* '총체적 기관(Total Institution)'은 미국의 사회학자 어빙 고프먼이 제시한 개념으로 감옥, 군대, 수용소, 정신병원 등 수감자를 그가 속해 있었던 기성의 사회적 관계로부터 분리하는 시설들이다.(어빙 고프먼, 심보선 옮김, 『수용소』, 문학과지성사, 2018, 16~19쪽) 총체적 기관에 대한 고프먼의 분석은 수감된 이들에 대한 통제뿐 아니라, 그 억압된 공간에서 이루어지는 사회적 관계를 강조한다. 이는 수용소를 다른 사회적 힘들과 분리되어 주권 권력의 결정이 절대화되는 장소로 본 아감벤의 시선과 선명하게 구분된다.

도는 반공주의 국가가 수용할 수 있는 방식으로 이야기를 변형하기도 한다. 박완서의 중편소설 「복원되지 못한 것을 위하여」에서 월북작가로 분류된 이의 가족은 정치범 학살로 사망한 고인의 사인을 숨기기 위해서 납북당한 것으로 이야기하는 자신들만의 암묵적 계율, 묵계를 공유한다. 이는 한편으로 오랜 시간 가족사를 반공국가의 시각을 의식해 변형해야만 했던 박완서 자신의 경험[190]과도 연관되어 있다. 이 가족의 묵계는 (반공) 국민과 '빨갱이' 사이의 경계를 확고히 하려는 반공국가의 가독성 작업을 방해하지만, 표면적으로는 이념에 따라 판단하는 공식대본을 따른다. 이러한 재현의 방식은 스콧이 제시한 은닉대본의 여러 하위 양상 중에서 '완곡어법'이라 부른 방식에 가깝다. 완곡어법은 직접적인 표현으로 인해 겪을 수 있는 권력의 보복을 피하기 위해 은닉대본을 활용하는 경우[191]이다. 제노사이드문학에서 나타나는 안전을 도모하기 위한 재현의 형태를 이 논문에서는 '고백'이라고 부를 것이다.

고백이라는 표현은 역사학자 김재웅의 논의에서 빌려왔다. 해방 이후 남과 북에 성립된 반공국가와 인민공화국이라는 두 국가는 이념이라는 가독성의 기준을 따라 국민을 식별하려고 하였다. 반공국가에서는 국민보도연맹과 같은 전향 단체와 사상 사법이라는 수단에 의존했다면 인민공화국은 더욱 직접적인 수단을 활용했다. 인민의 이력서와 자서전을 받아서 직접적으로 개인을 조사하고 통제하려고 한 것이다.[192] 이 시기 북한의 이력서와 자서전을 분석한 역사학자 김재웅은 국가의 가독성 작업뿐 아니라 이에 대응하는 주민들이 '인민'으로 자기를 재현하는 양상을 주목한다. 주민들은 유리한 사실을 강조하거나 도움이 되는 가족 관계 위주로 서술하고, 불리한 내용을 숨기는 등 국가의 가독성 작업을 방해한다. 그들은 표면적으로는 인민공화국의 공식대본을 따르며 자신의 이력을 공개하고 협조하는 듯 보이지만 자신을 보호하기 위해 은닉대본을 수행하고 있다. 스스로를 모범적인 인민으로 재현하려고 하는 주민들의 글쓰기는 주권 권력 앞에 온전히 자신을 보이는 행위가 아니었다. 오히려 가독성의 수단이었던 자서전은 주민과 국가권력 "양자가 '글쓰기'라는 매개를 통해 서로 대립한 치열한 격전장"[193]이었다.

자서전 쓰기라는 고백의 형식은 은닉대본의 형태로 자기 재현이 이루어지는 과정을 보여준다. 물론 이러한 형태의 글쓰기가 국가의 시선으로부터 온전히 자유롭게 내면을 구성하는 것이라 단정할 수는 없다. 가독성 장치를 매개로 인민(또는 국민)을 만드는 국가의 언어는 가장 사적인 자기 재현의 공간에서조차 지배적 언어로 군림할 수 있기 때문이다. 내면에 존재하는 자신의 언어와 외면에 존재하는 지배적 언어의 간극 속에서 불안과 반성적 실천을 이어갈 때만 이러한 재현의 격전이 지속될 수 있다.[194] 고백의 재현 전략을 통해 소설을 써간 작가들이 경험한 불안과 긴장은 바로 이러한 상황을 반영한다. 이와 같은 은닉대본을 따르는 자기 재현으로서 '고백'은 한국에서도 반공국가의 지배력이 공고한 시기에 이루어지는 제노사이드 소재의 소설화에서 반복적으로 나타났다.

'고백'은 한국에서 이루어지는 제노사이드 재현이 놓여 있던 아주 오래된 사회적 지형을 선명하게 보여준다.

고백의 재현 전략은 민주화 이전 제노사이드문학에서 특히 두드러지는 방식이었다. 제노사이드문학에서 고백의 재현 전략은 이중적인 방식으로 작동했다. 하나는 자신과 가족이 반공국가의 표적이 되지 않도록 모범적 국민임을 증명하기 위한 노력이었다. 제노사이드 피해자와 유가족들의 구술사 등에서 자주 발견되는 자기 증명의 시도는 한국의 국민 되기 과정이 가진 폭력적 동원의 양상을 보여준다. 그러나 이러한 증명의 노력에도 불구하고 표적이 되었던 이들에게 가해진 위협과 그 불안은 사라지지 않는다. 고백의 재현이 가진 두 번째 작용은 바로 이러한 자기 증명의 노력에도 불구하고 벗어날 수 없는 폭력의 구조와 그 구조가 은폐한 과거를 가시화한다는 점이다.

고백의 재현 전략은 과거의 기억을 부분적이거나 우회적인 형태로 가시화하며, 이 가독성뿐 아니라, 그 가독성을 통해 만들어낸 사회의 경계에도 조금씩 금이 가게 한다. 임철우의 단편 「아버지의 땅」에서 좌익으로 죽은 형의 유해일 수도 있는 시신을 신원 불명의 시신으로 남겨놓으려는 노인은 추모의 영역에서 배제된 적대적 타자 '빨갱이'를 애도의 대상이 되도록 한다. 반공국가의 시선을 피해서 가족사를 비밀 속에 남겨놓는 노인은 이를 통해 애도에서 배제된 자들이 있음을 드러낸다. 고백의 재현 전략은 직접적인 형태는 아니더라도 제노사이드와 그로 인해 만들어진 폭력의 구조를 가시화할 수 있다.

고백이라는 은닉대본의 형태로 보존되었던 저항적 역량과 대항기억이 이를 억누르는 권력에 맞서 직접적으로 분출되는 형태의 재현을 이 책에서는 '증언'이라 부를 것이다. 한국사회에서 제노사이드 사건의 재현이 이루어지는 사회적 환경은 80년대 후반을 기점으로 급격하게 변화한다. 한국사회는 87년 이후 제도적인 민주화를 이룩하게 되면서 반공국가가 자행했던 가공할 국가폭력의 문제를 직시하게 된다. 폭력적 과거사를 극복하고, 더는 이를 반복하지 않는 사회를 만들어야 한다는 공감대가 형성되어 가는 이행기 정의 국면이 시작되었다. 이 과정에서 폭력적 과거사에 대한 구술 증언 등 증언하기라는 재현의 형태가 전면화된다. 광주민주화운동과 제주4·3, 한국전쟁기의 제노사이드 등에 대한 재현이 공개적으로 이루어지면서 은폐되었던 기억이 범람하듯이 쏟아진 것이다. 이러한 기억의 범람은 '고백'의 재현 전략을 통해서 과거사를 이야기해왔다는 사실을 공개적으로 밝히는 경우가 적지 않았다. 이러한 은닉대본의 공개는 반공국가에 억눌려 있던 피해자들이 접촉하고 서로의 분노를 공유하면서 대중행동으로 나아갈 수 있는 응집력을 가지게 했다.[195] 민주화 이후 이행기 정의 국면에서 제노사이드에 대한 재현이 가진 의미는 달라질 수밖에 없다.

고백과 같은 완곡한 재현이 아닌 '직접적인' 재현 방식인 증언하기는 물론 민주화 이전에도 나타났다. 현기영이 「순이 삼촌」에서 제주4·3의 피해자들을 무고한 양민으로 규정하고 수만이 희생되었음을 고발하였다가 출간 금지가 되고 경찰로부터 모진 고문을 당했던 사례가 대표적이다. 또 보도연맹사건의 피해 유가족이었던 박희춘이 1986년에 『실록 보도연맹』이라는 역사서를 출간했다가 정보기관의 탄압을 받기도 했다. 박희춘의 증언하기는 당시 정권에 반대하는 민주화운동을 보면서 자신 역시 그들처럼 정권과 다르게 말할 수 있다는 생각에서 이루어진 사건이었다.[196] 민주화 이전에 이루어진 이런 증언의 재현 전략은 반공국가의 표적이 될 수 있는 위험을 감수해야 했다.

한 가지 유의할 점은 고백과 증언의 경계가 유동적일 수 있다는 사실이다. 이를 잘 보여주는 사례가 거창양민학살사건을 소재로 한 김원일의 장편소설인 『겨울 골짜기』가 출간 직후 판매가 금지[197]되었던 상황이다. 거창사건은 언론 보도 등을 통해 여러 차례 보도되었으며 국회 조사에 의해 양민 학살로 규정된, 민주화 이전 공적인 발화가 가능했던 거의 유일한 제노사이드 사건이었다. 2부의 3장에서 자세히 분석하겠지만, 김원일은 거창양민학살사건이라는 문제 속에 그가 탐구하고 싶었던 국민보도연맹사건과 점령지의 문제, 좌익 지식인의 주체성 등을 결합하는 고백의 재현 전략을 활용했다. 김원일의 소설은 당대 일반적인 거창사건의 재현과 이질적인 방식으로 구성되어 있었고, 국민이라는 폭력적 경계를 만들기 위해 적과 우리를 나누는 가독성 작업을 자행했던 남과 북의 두 국가와 반공주의 담론에서 벗어나서 군사주의의 폭력성을 그 참상의 원인으로 불러내고 비판한다. 말할 수 있는 사건을 통해 은폐된 과거를 연결하는 고백의 전략에도 불구하고 반공국가는 이러한 재현을 불온한 것으로 보고 판매를 금지했다. 고백의 재현조차 상황에 따라 불온한 재현으로 낙인찍혀 공격받을 수 있었다는 점에서 증언과 고백은 일정 부분 혼재되어 있었다.

고백과 증언의 경계가 유동적일 수 있음에도 불구하고 증언은 고백과 구분되는 재현의 형식이었다. 「복원되지 못한 것들을 위하여」와 같은 박완서의 소설에 나타나는 작가가 과거에는 고백의 재현을 활용해왔음을 증언하는 장면 등이 이를 잘 보여주는 흥미로운 사례다. 한국전쟁 중 재소자 학살로 죽은 소설가인 아버지를 '월북작가'로 말해왔던 소설 속 가족의 '묵계'는 공개가 될 경우 오히려 더 큰 위협에 직면할 수 있는 약점이다. 하지만 이러한 고백에 대해서 증언하는 일은 반공국가가 아닌 다른 수신자를 중요시한다. 반공국가가 만들어 놓은 폭력적 구조를 뒤흔들 수 있는 자들, 시민과 함께 새로운 사회·정치적 환경 속에서 자신의 목소리를 내기 시작한 피해자들 말이다. 민주화 이후에도 과거사에 대한 재현을 불온한 것으로 몰아 정치적으로 탄압하기도 했지만[198], 정치적 타협과 무마의 시도 속에서도 시민사회와 유가족, 학계와 야당 등이 중심이 되어 제도적 이행기 정의를 점진적으로 진행해갔다.* 고백이 반공국가의 공식대본이 정해놓은 재현의 한계 영역 안에서 균열을 만들어가는 과정이라면 증언은 바로 그 경계를 재배치하는 방식으로 작동한다. 증언의 성격에서 주목해야 할 것은 제노사이드를 통해서 만들어놓은 사회적 경계, 랑시에르의 표현을 빌린다면 치안의 질서를 통해 유지되는 사회의 나눔을 뒤흔든다는 것이다. 죽은 자에 대한 추모를 둘러싼 정치에서 이러한 양상이 분명하게 나타난다. 민주화운동이 고조되어가던 80년대에 국가에 의해서 학살된 이들에 대한 추모가 직접적으로 정치 행위와 결합하곤 했다.[199] 이는 가족 구성원에 대한 의례의 수행이 법적·정치적 금지선에 직면하게 되자 이들에 대한 애도를 합법화하기 위해서 역으로 '빨갱이'와 같이 배제된 이들의 법적 지위를 합법화하려는 시도가 나타나게 되었고 이 과정에서 제도적 정치에 관여하는 민주적 시민사회가 형성될 토대를 다져간다.[200] 가족의례라는 문화적 형식 속에서 고백의 전략을 통해서 유지되었던 기억은 근대 정치와 연대함으로써 공개적으로 선포된다. 그리고 그렇게 형성된 연대는 국가폭력의 과거사뿐 아니라 그 폭력을 통해서 만들어진 사회 자체를 바꾸려는 체제의 변화 과정에 함께했다.

증언은 반공국가가 만들어낸 사회적 경계에 의문을 제기한다. 고백이 경계 바깥에 있어야 할 이들을 안쪽으로 이동하고자 했다면, 증언은 그 경계의 정당성을 묻고 이를 새롭게 나눈다. 새로운 사회의 전망을 제시하려는 이행기 정의 국면에서 이루어지는 증

---

* 이를 잘 보여주는 것이 노태우 정권과 김영삼 정권에서 금전적 지원 등을 통해 무마하거나 청산의 대상으로 삼지 않았던 광주민주화운동이 시민사회와 유족의 노력으로 인해 법적 처벌과 진상조사 등이 진행되었던 사례다.(이내영·박은홍, 『동아시아의 민주화와 과거청산』, 아연출판부, 2004, 82~87쪽) 하지만 동시에 광주의 가해자들이 학살의 책임이 아닌 내란 음모로 처벌받았고 재판 이후 사면되었다는 점은 한국사회의 이행기 정의 과정이 겪은 저항과 타협, 한계 역시 함께 보여주는 사례이기도 하다.(김동춘, 『전쟁 정치』, 길, 2013, 152~153쪽)

언은 공동체의 나눔을 두고 권력과 경합하는 정치가 작동하게 한다.[201] 그리고 사회의 나눔을 두고 주권 권력과 대립하는 재현을 수행하는 작가는 주체화의 과정에 서게 된다. 재현의 한 형식으로서 증언은 랑시에르가 말한 문학의 정치, 즉 사회의 나눔을 새롭게 하는 행위다. 증언의 개념에 대한 이러한 규정은 증언이 형식화될 수 있다는 프리모 레비의 문제의식과도 연결되어 있다. 증언이 마치 장식화되어버리는 상황에 대한 레비의 우려는 곧 증언하기가 사회의 나눔을 바꾸지 못하는 상황, 즉 은폐되지 않는다고 하더라도 일상화된 기억 속에서 배치됨으로써 오히려 무력화되는 문제와 관련되어 있었다. 레비는 홀로코스트라는 트라우마적 경험으로 인해 이를 수용할 수 있고 견딜 수 있는 것으로 말하고자 하는 욕망이 증언을 하는 피해자들에게 있다는 사실을 주목한다. 그런데 이처럼 견딜 수 있고 받아들일 수 있는 것으로 재현하려는 욕망을 피해자와 가해자가 모두 공유한다는 역설[202]을 지적한다.

정형화되고 다듬어진, 그래서 기억과 사회의 나눔을 새롭게 할 수 없는 재현은 그 의도와 관계없이 오히려 가해자들이 목표했던 것 즉 문자적 부인은 아닐지라도 '함축적 부인', 사건의 중요성을 축소하거나 무력화하는 상황을 초래할 수 있다.[203] 스탠리 코언은 사건을 사소화하거나 일상적인 것으로 다루거나 무관심한 태도를 유지할 수 있도록 하는 함축적 부인이 가진 핵심적인 문제가 그 폭력을 방지하거나 해결하기 위한 행동을 하지 않게 하는 것이라 지적한다. 허버트 허시가 지적하듯 제노사이드와 같은 극단적 폭력을 말하는 행위는 기억하게 하기 위함이고, 기억은 이러한 폭력이 반복되지 않도록 하는 출발점이 되어야 한다.[204] 문순태의 「말하는 돌」에서 주인공은 자신이 전쟁 중 돈을 노린 마을 청년들에 의해 억울하게 누명을 쓰고 살해당한 아버지의 자식임을 밝힌다. 그러나 마을 사람 중 누구도 그 사실에 반성하지 않는 모습을 보면서 오히려 자신의 증언이 아버지를 욕보이고 말았다면서 절망한다. 과거에 대한 인식을 바꾸지 못하는 말하기란 무력할 따름이다.

증언이라는 재현의 형식이 유효하기 위해서는 이것이 사회의 나눔을 바꾸는 문학의 정치를 실천하는 과정이어야 한다. 홀로코스트의 생존자였던 엘리 위젤은 아우슈비츠를 기억하는 일이 다른 폭력을 정당화하는 행위를 막기 위해 필요하므로 증언이 미래를 좌우하게 된다고 주장했다.[205] 재현의 형식으로서 증언은 폭력이 수행되었던 구조가 반복되지 못하도록 변화를 가능하게 한다는 점에서, 폭력적 사회의 구조가 반복되지 않는 새로운 사회를 만들고자 하는 이행기 정의의 문제의식에 닿아 있다. 그러나 이행기 정의의 국면이 진행되고 있다고 해서 그 시기에 이루어지는 재현을 모두 증언이라 말할 수는 없다. 제도적 차원의 이행기 정의가 이루어지는 과정에서 정치적 제약과 한계로 인한 타협이 이루어지면서 폭력의 성격이 반공주의적 공식기억을 대체했지만, 새로운 공식기억이 오히려 피해자들을 배제하는 결과를 가져오기도 했기 때문이다.

『제주4·3 진상조사보고서』는 제노사이드를 정당화해온 반공국가의 공식기억을 대체하고 국가가 공인한 새로운 공식기억을 만들었다. 그러나 수난사적 관점에서 구성된 새로운 4·3에 대한 공식기억은 제주와 제주 사람들을 무력한 피해자라는 틀 안에 가두고 당대 그들이 고민했던 다양한 사회적·정치적 상상력을 소거한다.206) 그뿐 아니라 '폭도'로 규정되었던 무장대와 그 유가족을 4·3의 피해자 범위에서 제외하였다. 이러한 희생자 범주의 규정은 4·3을 경험한 이들을 희생자라는 새로운 인식 범주 속에서 자기를 재현하게 만드는 직간접적인 압력을 가하고 있다.207) 이행기 정의의 국면에서도 피해자들이 자신을 국가기구가 수용할 수 있는 사회적 정체성으로 재구성해야 하는 고백의 재현 전략이 작동하고 있는 것이다.

이행기 정의의 과정이 오히려 피해자의 주체성을 협소화하는 이러한 역설은 제노사이드문학에서 증언이라는 재현의 형식이 민주화 이후 국가가 틀을 지어놓은 정치적 상상력을 넘어서는 주체를 그려내야 하는 이유이기도 하다. 한국사회의 이행기 정의 국면이 진행되면서 확장된 재현의 영역을 적극 활용했던 소설가 김원일은 수십 년에 걸쳐 자기 소설을 개작했다. 그의 개작 작업은 숨겨야 했던 과거사를 보여주는 과정이기도 했지만, 빨갱이라는 낙인이 찍혀 있던 자신의 아버지를 해방 이후 새로운 사회를 꿈꾸었던 기획자로서 복권하기 위함이었다.

김원일이 긴 시간에 걸쳐 이어간 증언의 재현 전략은 반공국가의 적대적 타자 또는 인민공화국에 의해 동원된 종속된 주체로 간혀 있던 그의 아버지를 또 다른 가능성을 모색해온 주체로 새롭게 의미화한다. 이러한 증언은 가독성 장치를 통해 가해진 제노사이드에 대한 문학의 중요한 반격이다. 사회공학으로서의 제노사이드가 사회에 대한 전망을 독점하기 위해서 다른 사회적 주체를 제압하는 과정이었다면, 증언은 다시 복수의 주체가 등장하게 함으로써 사회를 다원화한다. 바우만은 제노사이드의 수단이 되는 개인의 도덕에 대한 사회적 통제를 막아내기 위한 조건으로 사회적 권위의 경쟁 상태, 사회·정치적 다원주의[208]를 주목했다. 사회를 단일화하는 제노사이드의 반대 작용이 바로 사회의 다원화, 주권 권력의 나눔을 흔드는 주체'들'의 말이기 때문이다.

문학적 이행기 정의의 형성기
: 1972~1987

제
2
부

1장

가족의 위기와 망자의례라는
재현의 공간[*]

가족이라는 표적

거창양민학살사건을 소재로 한 노순자의 단편소설「산울음」
(1986)에는 한국전쟁기 제노사이드 사건에서 지역을 가리지 않고
나타났던 한 장면이 그려지고 있다. 마을 사람들을 모두 학교 안에
수용한 군인들은 군인이나 경찰, 공무원, 우익 인사의 가족들이 있
는지 조사하기 시작한다. 학살에 앞서서 표적과 그렇지 않은 이들
을 분리하려는 것이다. 군인들은 주민들에게 자발적으로 신고하

---

[*] 이 장은 졸고「무덤 없는 자들」(『현대문학이론연구』83집, 현대문학이론학회, 2020)의
내용을 대폭 수정하고 보충·확대한 것이다.

라고 독려한다. 이러한 선별의 작업은 소설에서처럼 군에 의해서
만 진행된 것은 아니다. 지역 유지나 경찰 등 반공국가의 협력자들
입맛에 따라 자의적으로 이루어지기도 했다. 누군가를 권력이 공
격해야 할 적대적 타자로 지목하는 손가락질은 '손가락총'이라고
불리기도 했는데, 그 한 번의 지목에 생사가 결정되었기 때문이
다.[1] 그만큼 표적이 누구인가를 분류하는 작업은 폭력의 잔혹한
다음 단계로 넘어가게 하는 출발선이었다.

　제노사이드의 표적을 식별하기 위한 가독성 수단은 바로 이 단
계에서 작동했다. 힐베르크가 모든 학살의 시작점이라고 말했던
'정의Definition'는 폭력의 개별적 실행 과정에서도 첫 단계였다.[2] 그
런데 「산울음」에서 표적이 될 이들을 선별하던 군인들이 제시하
는 기준은 한국의 반공국가가 활용한 가독성 수단이 가진 특수한
성격을 보여준다.

> 내 말을 잘 들으시오, 군경 공무원, 우익인사의 직계가족만 나와야
> 지 다른 사람은 나와도 소용이 없소. 사위가 공무원이라거나 친정
> 동생이 군인이라거나 조카가 경찰이거나 다 필요 없소. 직계가족은
> 부모와 처자식뿐이니까 아들이나 남편이 공무원인 사람만 나오란
> 말요. 괜히 쓸데없는 사람들이 나와서 사돈의 팔촌까지 끌어다 대봤
> 자 시간만 낭비고, 여러분의 면장님과 경찰간부들이 심사를 하니까
> 통하지도 않소. 모두 알아들었소?[3]

군인은 군경 등의 가족이라고 인정받기 위해서는 직계 혈족이어야 한다고 반복해서 강조한다. 군경의 가족을 직계 혈족으로 제한하는 장면은 제주4·3을 배경으로 한 현기영의 「순이 삼촌」에서도 동일하게 나타났다. 학살을 앞두고 공격 대상을 선별하는 과정에서 마을 사람들은 친족 중에서 상대적으로 가까운 경찰과 군인들을 이야기한다. 하지만 이장은 "다들 직계가족이 아니라 아니됩니다"[4]라며 그들의 말을 묵살한다. 공식적으로 한국전쟁기 반공국가의 제노사이드는 이념이라는 기준을 통해서 보호해야 할 국민과 제거해야 할 적대적 타자인 '빨갱이'를 구분했다. 제노사이드를 위해서 반공국가가 활용한 '가독성'의 기준은 이념이었다. 그러나 반공국가의 공식 논리와 그 실행의 과정 사이에는 상당한 간극이 있었다. 이념은 개인의 내면에 자리하지만, 빨갱이의 식별은 가족 관계에 의존했기 때문이다.

근대국가는 개인이라는 단위를 통해서 세계를 바라보았다. 프랑스 대혁명 이후에 핵심적인 정치적 주체로서 가정된 개인은 법적·사회적 권리가 동질화된 익명적 다수이자 동질화된 신체[5]였다. 개인이라는 정치적 주체는 자신이 행하지 않은 일에 책임을 지지도, 타인의 권리를 대신하지도 않는다고 가정된다. 그렇기에 근대국가는 개인에게 가족의 행동에 대한 책임을 요구하지 않는다. 하지만 반공국가는 이념이라는 근대 정치적 기준을 통해 가족이라는 단위를 관리했다. 한국전쟁을 체험한 작가들의 작품에서 발견되는 연좌제의 공포 때문에 이 사실은 한국문학사에서 익숙하

다. 그런데 탈식민 과정에서 형성된 근대국가인 한국의 반공국가
는 왜 개인이 아니라 가족을 사회를 읽어내는 단위로 사용했는가?

반공국가의 연좌제는 오랜 시간 공식과 비공식의 경계에 서 있
었다. 19세기 후반 갑오개혁으로 폐지되었던 연좌제는 식민지 체
제하에서 다시 활용되었고, 1980년 5공화국 헌법에서 다시 연좌
제가 공식적으로 폐지되었으나 그 두려움은 사라지지 않았다. 반
공국가의 연좌제는 양가 10촌 범위로 적용이 되었는데 수십만에
달하는 학살 피해자의 수를 고려할 때 막대한 이들이 이 구조적 폭
력에 직간접적으로 노출되어 있었다.[6] 반공국가의 연좌제는 전근
대적인 전통 관념의 영향[7]이나 식민지 경험 등으로 인한 근대성
의 왜곡과 불완전한 사회계약[8]에서 비롯되었다는 것이 일반적인
설명이다. 그런데 권헌익은 연좌제를 근대성의 왜곡이나 미달 상
태가 아니라, 유럽 중심적 시각으로는 설명되지 못하는 냉전 근대
의 중요한 폭력의 원리라 주장한다.

권헌익은 그리스 내전을 연구한 보글리스의 논의를 수용하면
서 이념과 같은 정치적 구분에 있어서 근대국가의 법이 향하는 대
상이 규율권력에 의해서 포획되어 버린 고립된 개인의 신체가 아
니라 '사회적 · 도덕적 관계망에 자리한 사회적 몸'[9]이라 주장했
다. 연좌제는 공식적으로는 근대적 정치의 논리와 충돌하지만, 실
제로는 근대국가는 연좌제라는 수단에 의존해야 했다. 반공주의
는 유사 인종주의화 되는 경향이 있지만[10] 이념은 인종을 구분하
는 피부색과 같이 사람을 가시적으로 분류할 수 있는 외적 표지를

가지지 않는다. (반공) 국민과 '빨갱이'라는 이분법적 분할을 통해 사회를 식별해야 했던 반공국가에게는 이를 위한 명확한 수단이 없었다. 반공국가가 계승했던 일본제국의 사상 통제 장치들 역시 사상이라는 비가시적 수단을 관리하기 위해서 가족이라는 단위를 활용했다.[11]

반공국가와 대립했던 북의 인민공화국 역시 인민과 반동을 식별하기 위해 가족 관계 등을 조사했다.[12] 국가가 사회의 구성적 외부로 규정한 적대적 타자를 식별할 수단을 가지고 있지 않다는 사실은 현대적 제노사이드의 원형이었던 홀로코스트에서도 나타났다.* 20세기에 정치적으로 대립했던 체제들 사이에서도 사회공학적 폭력은 사회적 관계망을 통해 인간의 식별하고자 했다는 공통점을 가지고 있다. 그들이 공식적으로 내세운 기준과는 전혀 다른 수단이었음에도 말이다. 그런 점에서 연좌제는 권헌익의 주장대로 "특정한 사회질서와 역사적 전통의 표현이라기보다는 당시 전

---

* 나치의 반유대주의는 우생유전학에 근거한 인종주의 논리였지만, 유대인 유전자를 분석할 수 있는 수단이 없었다. 그래서 나치는 유전적인 문제로 규정된 적대적 인종을 식별하기 위해서 가족 관계와 종교, 유대인 공동체에 대한 소속감 등을 통해 유대인을 정의했지만, 이 과정조차 가족과 지인을 보호하려는 권력자들이 개입하여 결과는 언제든 바뀔 수 있었다.(라울 힐베르크, 김학이 옮김, 『홀로코스트 유럽 유대인의 파괴 1』, 개마고원, 2009, 117~134쪽) 나치에게 현대적 유전자 분석기술이 있었다 하더라도 이미 수 세기에 걸쳐 혼혈이 이루어졌기 때문에 애당초 불가능한 목표였다. 그러나 이러한 불가능성은 홀로코스트의 당위성을 더욱 명확하게 했다. 나치에게 있어서 유대인의 위험이란 그들이 가진 민족성의 구체적 특징들 때문이 아니라, 역설적으로 그들이 차이와 경계를 불분명하게 만드는 '비민족적 민족'이었기 때문이다.(지그문트 바우만, 정일준 옮김, 『현대성과 홀로코스트』, 새물결, 2013, 103~104쪽)

지구적 정치질서의 필수불가결한 요소"[13]였다.

(반공) 국민과 '빨갱이'라는 정치적 정체성을 식별하기 위한 반공국가의 가독성은 공식적으로는 국민보도연맹과 같은 전향의 기구와 사상 사법이었던 국가보안법 등으로 제도화되어 있었다. 하지만 반공국가는 가족이라는 사회적 관계망을 통해서 표적을 포착했다. 이러한 연좌제의 작동은 가족이라는 사회적 관계가 가진 성격을 정치적 목적에 맞게 단순화했지만, 다른 한편에서는 가족제도의 내적 논리를 수용하기도 했다. 제주4·3 당시에 같은 집안에 속한 친척들이 "우리 식구는 군인 가족, 막내이모는 경찰 가족, 나머지 샛이모를 포함해서 모두 '폭도 가족'"[14]으로 나뉘었다는 현기영의 말처럼 가족의 사회적 관계는 정치적 정체성과 불일치하고 혼재되어 있었다. 그래서 가족 관계 중에서 어떤 이들을 강조하느냐에 따라서 식별되는 정치적 정체성은 달라질 수 있었다.

「산울음」에서 군인들이 학살에 앞서서 직계가족을 강조한 것은 가족 관계를 반공국가의 정치적 목적에 부합하도록 표준화하는 과정을 보여준다. 이는 가독성의 논리를 통해 평가와 관리가 용이한 표준화된 특성을 갖춘 영역과 국민을 만들고자 하는 근대국가의 특성[15]이 반공국가의 학살에서도 나타났음을 보여준다. 그러나 가족을 통해 정치적 정체성을 식별하려는 반공국가의 논리에 표적이 된 이들 역시 능동적으로 대응한다. 정치적 정체성을 보증해줄 수 있는 새로운 가족 관계를 만들거나, 불리한 가족 관계를 숨기고 대신 신원을 보증해줄 수 있는 친족을 더 강조하기도 한다.

한국의 유교적 가족 문화에서 친족 집단은 어떠한 사회적 관계보다 명확하게 식별될 수 있는 대상이다. 성과 족보, 이름 등 친족 집단의 구성원을 체계적으로 정리하고 서로 식별할 수 있는 표지를 공유한다. 이는 개인을 단독적인 존재가 아니라 집단의 성원으로서 인식하는 유교적 전통[16] 때문이다. 그런데 이처럼 서로를 식별하기 쉬운 가족의 특징들은 국가적 통제를 위한 수단에서 비롯되기도 했다. 대표적으로 성씨는 동아시아나 유럽에서 행정적 필요 때문에 피지배층들, 즉 백성百姓에 부여된 것[17]이었다. 국가의 목적과 관계없이 친족 집단의 성원들은 다층적인 사회적 관계와 의무로 엮여 있기에 그 관계를 알지 못하거나 부정하는 일은 패륜으로 인식되었다. 하지만 반공국가가 가족 관계를 정치적 정체성을 규정하기 위한 가독성의 수단으로 사용하게 되자, 생존을 위해서 가족과의 관계를 부정해야 하는 상황이 발생했다. 그래서 가족 관계의 부정은 제노사이드문학에서 반복되는 장면 중 하나다.

김승옥의 초기 단편인 「건」(1962)은 그의 초기 대표작이지만 동시에 다른 작품들과 상당히 이질적인 면이 있다. 소설 속 '나'의 아버지가 무능력하지 않게 그려지는 유일한 작품이기 때문이다. 「건」에서 주인공인 소년 '나'의 아버지는 죽은 빨치산의 시신을 매장하는 인부로 고용된다. '나'는 죽은 빨치산의 시신을 모욕하는 마을 사람들의 행동을 따라하면서 관에 돌을 집어 던지는데, 아버지는 이를 억센 손으로 제지한다. 김승옥은 2000년대가 되어서야 자신의 아버지가 여순사건 당시에 사망했다는 사실을 밝혔다.[18]

김승옥은 80년대 초에 절필했으므로 그는 작품 활동 기간 내내 비극적 가족사를 계속 숨겨왔다. 그런 김승옥에게 「건」에 등장하는 빨치산의 시신은 아버지의 죽음에 대한 하나의 상징[19]이었다. 그런데 소설 속 아버지는 어떠한 이념도 가지지 않은 인물로 그려진다. 실제와는 다른 모습을 한 가족을 소설 안에 배치한 것이다. 김승옥은 실제 아버지가 가지고 있던 성격(아버지의 정치적 정체성과 아버지라는 가족 내 역할)을 소설 속 여러 인물로 나누어 다루었다.

「건」에서 김승옥은 소년 화자를 반공주의 국가의 규율에 따르는 존재로 그리면서도 이를 정치적 정체성과 분리된 부성으로서의 아버지를 통해 억제한다. 그러나 아버지가 자리를 비우자 소년은 형들의 요구로 다시 세계의 위악을 모방한다. 아버지의 존재에 대한 김승옥의 고민은 이후 「역사」에서 '국가 가부장'에 대한 질문[20]으로 확대된다. 가족 구성원을 두 인물로 나누는 김승옥의 재현 전략은 여순사건이라는 말할 수 없는 기억을 말하려는 작가의 고민을 보여준다. 아버지의 실체를 가리면서도 여전히 재현은 계속된다. 반공국가가 불온하게 여기는 가족 관계를 다른 인물로 대체하거나 가족의 정치적 정체성을 바꾸는 사례는 다른 작가에게서도 발견된다.

박완서는 데뷔작인 『나목』(1970)부터 말년의 주요 작품에서까지 한국전쟁기 가족사 체험을 지속적으로 소설로 써온 작가다. 그의 작품에서 좌익 전향자였던 오빠의 모습과 그의 죽음을 불러온 사건은 여러 차례 소설로 씌었지만, 매번 각기 다른 모습으로 그려졌다. 가족사에 대한 내용이 계속 바뀌었던 것은 반공주의 사회를 의식한 작가의 자기 검열 때문이었다.[21] 연재본 『목마른 계절』(연재 당시 제목은 『한발기』) 이후에는 좌익 경력을 가진 오빠를 그리고 있지만, 1970년 작인 『나목』에서는 전혀 다른 방식을 취한다. 『나목』에는 두 명의 오빠가 등장하는데 이들은 정치에 대한 뚜렷한 의식이 없는 활달한 청년들로 그려진다. 특정한 이념적 지향을 가지지 않는 오빠들의 죽음 역시 정치적 사건이 아닌 민간인 주거지에 가해진 오폭으로 그려진다. 실제 오빠의 모습과는 이질적인 이 무고한 역사의 희생자들은 부역 혐의로 학살당한 숙부와 인민군에 의용군으로 징집당했던 전향 좌익인 오빠, 그리고 좌익 성향의 대학생이던 박완서 자신[22]을 향한 반공주의 국가의 적대적 시선을 피하면서도 전쟁 체험과 가족사를 재현하기 위한 우회적인 전략, 즉 '고백'의 한 형태였다.

박완서 소설에서 반복되었던 오빠의 죽음에 대한 재현이 (반공) 국민이라는 "익명성으로의 자발적 투항 속에서 주체의 안전을 도모할 수 없었던 개별자들의 자기 됨에 대한 처절한 갈망을 성찰하는 작업"[23]이었다는 점을 주목해야 한다. 『나목』에서 두 오빠의 죽음으로 변형된 가족사는 반공국가의 가독성 작업 앞에서 문학적 재현을 어떻게 해야할 것인가에 대한 작가의 고민을 보여준다. 반공국가가 수용할 수 있는 피해 서사의 외피를 취해왔지만, 90년대에는 오히려 고백으로서의 자기 재현을 어떻게 해왔는지 가시화하는 증언 작업으로 전환된다.(이 내용은 3부에서 자세히 다룰 것이다.)

좌익 2세 작가들이 좌익이었던 가족 구성원을 소설을 통해서 재현하기 시작한 시기는 7·4남북공동성명이 있었던 70년대 초부터였다. 박완서가 오빠가 (전향한) 좌익이었다는 사실을 소설을 통해 처음 보여준 것도 이 시기였다. 김원일도 1972년에 발표한 단편 「어둠의 혼」을 통해 아버지의 좌익 경력에 대한 이야기를 꺼내기 시작한다. 이 작품에서 김원일은 정치에 대한 어떤 지식이나 입장도 가지지 않은 소년 화자의 시선을 통해서 아버지를 이해할 수 없는 존재로 남겨놓는다. 아버지는 언젠가 해명되어야 할 문제로 남았으나 정치적 판단은 중지되고, 아버지가 죽어서 더는 만날 수 없다는 사실만을 받아들일 뿐이다. 반면에 1978년에 발표한 장편소설 『노을』에서는 좌익 아버지에 대한 인식이 좀 더 구체적으로 나타난다.

『노을』은 작가의 고향인 경남 진영읍에서 발생한 가상의 좌익 폭동을 배경으로 마을을 장악한 좌익 세력의 처형인 역할을 하는 아버지, 백정 '김삼조'라는 인물이 등장한다. 백정이라 차별받아온 무식하고 잔인한 성정의 아버지 김삼조는 식민지 엘리트이자 좌익 지식인이었던 김원일의 아버지 김종표와 전혀 다른 인물이다. 이는 작가가 반공국가의 검열을 의식했기 때문[24]인데, 동시에 그는 백정 아버지를 연민의 대상으로 그려내면서 반공주의적인 악마화의 논리에서 벗어나 좌익을 인간화할 가능성을 찾는다.[25]

반공주의의 시선을 가족 윤리를 통해서 우회하려는 『노을』의 서사 전략에 대해 김윤식은 이념이라는 근대 정치에 대한 판단을 중지하고, 핏줄을 물신화[26]했다고 비판한다. 그러나 가족이 근대적 폭력이 실행되는 장소라는 사실을 고려할 때, 가족 관계에 대한 강조를 전근대적 세계관으로 보는 관점에는 동의하기 어렵다. 이를 잘 보여주는 것이 『노을』에서 작가가 아버지로부터 분리한 또 다른 인물, 전향한 좌익 지식인인 '배도수'다. 배도수는 좌익 폭동을 주도한 지휘관격인 인물이었다. 배도수는 여러모로 김원일의 아버지 김종표를 모델로 만들었던 『불의 제전』속 빨치산 지도자 '조민세'와 겹치는 인물이다. 그러나 지역의 좌익 폭동 지도자였던 배도수는 폭동이 진압된 뒤 월북을 시도하다 사살당한 김삼조와 달리 가족의 품으로 돌아온다. 일본으로 도망쳤다가 그곳 조총련에서 사회주의의 실체를 보고 전향한 것이다.

배도수는 연민과 그리움의 대상이 된 또 다른 아버지인 김삼조와 달리 전향을 통해 반공국가와 화해하고 가족의 품으로 돌아온다. 이러한 전향과 가족의 회복은 김삼조를 반공주의적으로 재현하는 전략의 또 다른 측면이다. 작가가 반공주의의 논리를 수용함으로써 적대적 타자로 낙인찍힌 가족을 사회 성원으로 회복시키려는 과잉적응[27]의 한 방식인 셈이다. 『노을』에서 두 인물로 아버지를 나누는 고백의 재현 전략은 이념에 대한 논리적 판단을 중지하는 것이 아니라 정치적 타협의 기획이었던 셈이다. 그러나 이러한 서사적 타협은 반공주의적 적대가 지속되는 현실 속에서 완전한 해결책일 수 없었다. 아버지에 대한 김원일의 재현은 2010년대까지 계속 이루어지면서 정치적 주체성을 회복하는 과정을 보여준다.

가족을 다른 인물로 대체해서 그리는 방식은 반공국가의 적대적 시선을 피해가기 위한 문학적 작업이었다. 그런데 가족 관계를 통해 적대적 타자를 식별하려는 반공국가의 작업을 우회하려는 시도는 글쓰기의 방식뿐 아니라 작품 속 사건을 통해서도 나타난다. 현기영의 대표작인 「순이 삼촌」에서 제주4·3에 대한 기억을 이야기하는 가족들은 서북청년단 출신인 고모부와 함께함으로써 정치적으로 불온한 이들이 아니라는 사실을 보증받는다. 가족의 안전을 위해서 반공국가와 긴밀하게 협력하고 있는 이들과 결혼하게 함으로써 가족을 통한 정치적 정체성의 식별 작업에 대응한 것이다. 다음 장에서 다루겠지만 이러한 정략적 결혼이라는 정치적 안전 장치는 여성을 향한 구조적 성폭력의 형태로 나타나기도 했다.

결혼이 안전을 위해서 반공국가의 기준에 부합하는 새로운 관계를 맺는 방식이라면 가족 관계를 선택적으로 가시화하거나 비가시화하는 방식도 나타난다. 「잃어버린 시절」(1983)에서 경찰의 오해로 아버지가 입산자가 되어버린 '종수'와 어머니는 해안 마을로 소개된 뒤에 '폭도 용의자 색출' 작업을 겪게 된다. 대다수 젊은 남성이 죽거나 도망쳐 입산자가 된 상황에서 "폭도 용의자 색출이란 곧 입산자 가족을 가려냄"[28]이었다. 종수와 어머니는 아버지가 폭도들에 의해 살해당했다고 말하고는 경찰인 외삼촌 사진을 보여주며 위기를 모면한다. 생사를 모르는 가족을 향한 혐의를 벗기 위해 적에 의해 죽은 피해자로 만들었을 뿐 아니라, 경찰과의 가족 관계를 통해서 정치적 정체성을 증명한다. 이러한 친족 관계의 선별적 강조는 가부장제의 가족 윤리를 위반하는 행동이지만, 반공국가의 가독성 작업을 교란하고 생존을 도모하기 위한 선택이었다.

한국전쟁을 전후한 시기에 자행된 제노사이드는 이념이라고 하는 공식적 기준을 내세우고 있지만, 현실의 국가권력은 이를 통해 사회를 식별할 수단을 가지지 못했다. 가족이라는 관계성은 반공국가가 목표를 달성하기 위해서 의지해야 하는 경로이자, 정치적 목적을 위해서 그 사회적 의미를 단순화하고 재구성해야 하는 대상이었다. 가독성에 따른 사회적 관계망의 단순화는 반공국가가 그린 사회의 청사진을 지역공동체와 가족에 투영하는 과정이기도 했다. 반공국가는 새롭게 제시한 국민성의 내용을 가족 안으로 주입할 수 있었고, 이를 통해 (반공) 국민과 가족은 함께 재구성되었다. 생존을 위해 반공국가의 기준을 따르려는 가족의 노력은 (반공) 국민 되기와 동일한 절차로 수행된 것이다.[29] 그러나 가족의 대응이 곧 종속을 의미하지는 않았다. (반공) 국민과 정상가족이 되기 위해 따라야 할 반공국가의 공식대본은 생존과 재현의 전략을 고민하는 가족에 의해서 은닉대본의 형태로 실행되었다. 가족은 생존을 위해서 반공국가의 이데올로기에 순응했지만, 이는 온전한 종속이 아니어서 "'억압적' 국가로부터 자신과 가족을 방어하고자 했던 자기방어 기제와 정치적 성원권의 확보를 향한 인정의 열망"[30]이 그 과정에서 함께 작용한다. 이러한 가족의 열망은 가독

성 작업을 교란하면서 새로운 재현의 고유한 문법을 만들어갈 가
능성을 지켜냈다. 가족 관계에 대한 고백의 재현 전략은 활용하기
에 따라 어떤 정치적 정체성으로도 오갈 수 있는 양가적 성격을 가
졌다. 그리고 양가성이야말로 근대국가가 가장 제거하고자 했던
심대한 위협[31]이었다.

　한국전쟁을 전후한 시기의 제노사이드에 대한 소설에서 가족
의 재현은 다층적 의미를 가진다. 가족은 냉전기에 가해진 근대국
가의 폭력이었던 한국의 제노사이드의 직접적인 표적이었으며,
동시에 그 폭력을 가능하게 하는 가독성 장치가 의존했던 관계망
을 구성했다. 가족의 문제로 제노사이드의 기억을 재현하는 소설
들은 바로 이러한 폭력의 작동을 구체화하여 보여준다. 가족은 또
한 폭력의 연쇄에서 벗어나기 위한 절박함에 의해 변형해야만 했
던 대상이지만 동시에 그 파괴를 견디어내고 끝내 회복하고자 했
던 목표이기도 했다. 그리고 무엇보다 가족 재현의 문제에서 주목
해야 할 점은 그 관계야말로 반공국가가 금지했던 기억, 즉 살해된
자들의 이야기를 보존하고 후세에 전달하며 끝내 이들의 존재를
지운 폭력에 맞서려는 힘들을 보존하는 기억의 격전장이었다는
사실이다. 그래서 한국사회에서 이행기 정의 국면이 본격화되지
않았던 민주화 이전 시기에 가족사와 가족의례를 재현하는 서사
는 반공국가의 공식기억에 맞서는 대항기억을 구축하는 강력한
문화적 기반이었다. 이제부터 왜 죽은 가족의 이야기가 사회공학
적 폭력인 제노사이드를 통해서 사회와 기억을 구성해온 반공국

가에 맞서는 과정이었는지, 죽은 자들과 그들을 기억하는 가족의
례의 형식을 통해 살펴볼 것이다.

금지된 매장과 말해질 수 없는 기억

대구10월항쟁, 제주4·3항쟁, 여순사건, 한국전쟁 등 1940년대
후반부터 1950년대 중반까지 이어지는 제노사이드의 연속체로
인해 한국사회는 광범위한 집단적인 죽음을 경험하게 된다. 집단
적 죽음은 전근대적 가족의례의 관점에서 보았을 때 심각한 위기
다. 막대한 생명을 앗아가기 때문만이 아니라, 죽은 가족 구성원을
애도하고 추모하는 과정을 통해 이루어지는 사회적 재생산의 문
화적·상징적 기반을 파괴하기 때문이다.[32] 전쟁과 제노사이드,
질병과 기아 같은 거대한 죽음은 수습하지 못한 주검과 가매장된
묘, 그리고 장례를 통해 애도받지 못한 수많은 영혼을 남겼다. 가
족과 전통사회에게 전쟁과 제노사이드로 인한 집단적 죽음은 사
회적 재생산의 구조를 파괴하는 심대한 위협이었지만, 어떠한 주
체에게는 오히려 새로운 사회와 그 구성원의 모델을 만들어낼 기
회였다. 전쟁으로 인한 병사의 죽음을 기념함으로써 국가는 새로
운 사회와 그 구성원의 청사진을 그릴 수 있기 때문이다.

조지 L. 모스는 19~20세기 근대 국민국가가 전쟁으로 인한 죽
음을 신화화하는 기념의 장치를 통해 국가를 정당화하는 과정을

면밀하게 분석했다.[33] 모스가 분석한 전사자에 대한 국가의 숭배는 일국적인 현상이 아니었다. '전사자 숭배'라는 국가의 세속 종교는 한반도의 반공국가에도 식민지 경험과 미국의 영향 등으로 빠르게 유입되었다. 반공국가는 전사자 숭배를 반공 정치를 정당화하는 문화적 수단으로 활용했다.[34] 반공 전사자는 국가의 수호신이자 (반공 국민들이 따라야 할 모범이자 그들의) 조상신으로 승격되었다.[35] 반면에 반공국가에 의해 살해된 이들, 국가의 적으로 낙인이 찍혔던 이들과 그들의 가족은 그 죽음을 추모하는 제사조차 비밀스럽게 숨어서 지내야 했다.[36] 4·19혁명으로 제노사이드의 가해자였던 이승만 정권이 붕괴하자 죽은 자의 사회적 명예와 권리를 회복하려는 유가족과 시민들의 활동이 이어졌다. 그러나 쿠데타를 통해서 권력을 장악한 군부는 이들의 유족 단체를 탄압하고 방치된 주검을 수습하여 각지에 세운 합동 묘역과 위령비를 파괴했다.

반공국가는 전사자 숭배를 통해서 그들이 만들고자 하는 국민과 국가의 모델을 제시했다. 이러한 죽은 자에 대한 국가적 기념은 단순히 기억하고자 하는 죽은 자들을 선별하는 데서 멈추지 않는다. 반공국가가 만들고자 한 대상은 단독적으로 그 의미가 규정되는 것이 아니라, 배제해야 할 외부라는 경계를 통해 그 내부의 의미가 확정되었다. 사회를 만들기 위한 사회공학적 폭력인 제노사이드를 수행하는 국가는 제거해야 할 희생자를 정의함으로써 목표로 한 국민과 사회를 길러낸다.[37] 반공국가는 악마화된 적, 배제해야 할 타자인 공산주의자, 즉 '빨갱이'에 반대한다는 반공을 민족 집단의 핵심 표상으로 만들어냈다.[38] 이렇게 새롭게 만들어진 반공 민족은 반공 전사자를 애도함으로써 그 정당성을 강화했다. 반면에 제노사이드의 희생자들은 공적인 추모와 애도의 대상이 되기는커녕[39], 가족의 추모와 애도조차 제한되었다. 제노사이드의 희생자들은 아감벤의 표현처럼 (추모받을 권리가 있는) 죽음을 경험하는 게 아니라 단지 시체로 생산될 뿐이었다.[40]

추모와 애도의 금지는 죽은 자뿐 아니라 가족 질서 전체의 위협이기도 했다. 망자는 매장과 제사 같은 정상적인 망자의례의 과정을 거쳐야만 조상신이 될 수 있고, 이는 곧 부계 혈족의 가족 질서가 안정적으로 재생산하는 핵심적인 의례였다. 그래서 제사를 지낼 부계 혈족의 대가 끊긴 가족 공동체는 양자를 들여서 제사를 지내게 하거나 공동 제사, 망자 혼사굿과 같은 의례를 통해 정상성의 회복을 위해 노력했다.[41] 죽은 자의 권리를 회복하려는 가족의 노력은 가족의례라는 전근대적 문화와 상징 질서에 머물지 않는다.

한국전쟁 전후의 민간인 피학살자 유족 단체들은 희생된 이들을 "열성적 민주 전사"로 호명하며 그들이 근대적 시민이자 정치적 주체로서의 역량과 자격을 갖추고 있었다고 주장하기도 한다.[42] 국가가 전사자 숭배를 통해 죽은 자의 추모라는 전근대적 기억의 공간을 근대 사회공학의 장으로 재편했듯이, 가족을 추모하려는 이들 역시 망자의례라는 전근대적 가족 문화를 근대적 폭력에 맞서기 위한 수단으로 전환한 것이다. 즉 망자의례는 전근대적 전통의 문화적 외형을 하고 있지만 전쟁과 학살의 현대적 폭력에 대응하는 과정에서 나타난 현대적 현상[43]이었다.

한국의 민주화운동에서는 마당극과 같은 민중문화뿐 아니라 무속 등 망자의례의 주요한 형식들이 정치적 저항의 수단으로 개발되었으며[44] 4·3항쟁 등 제노사이드 피해자들을 위령하기 위한 제의의 과정은 이를 지원하는 민주화운동 세력과 같은 정치적 주체들과 연대하는 장이 되기도 했다.[45] 죽은 자에 대한 추모와 애도는 정치적으로나 문화적으로나 제노사이드의 기억이 재편되는 중요한 장소이자 수단이었다. 그렇다면 문학에서는 이 다층적인 추모의 문제를 어떻게 재현했는가? 반공국가의 검열과 억압 속에서 제노사이드의 전모를 그릴 수 없던 시절, 소설은 추모할 수 없음을 무덤 없는 죽음이라는 현상을 통해서 그려냈다.

민주화 이전 시기 한국문학이 무덤 없는 죽음을 재현하는 방식에서 한 가지 주목해야 할 사실이 있다면, 이 죽음은 곧 유예된 존재, 잠정적 상태에 머물러 있는 대상으로 그려진다는 사실이다. 무덤 없는 죽음은 사회의 구성원으로서 누려야 할 존중을 받지 못하는 배제된 자들이 겪는 일이다. 한국사회에서 무덤 없는 죽음은 끔찍한 집단적 죽음, 즉 전쟁과 제노사이드의 희생자들이 다수를 차지한다. 그들은 국가가 사회 안에서 제거하고자 하는 대상이며 추방된 이들이므로 죽은 자로서의 자리, 즉 자신의 무덤을 가질 수 없다. 이 무덤 없음은 이중적인 형태로 나타난다. 하나는 그들이 암매장되거나 버려졌기 때문에 무덤에 묻히지 못했다는 것, 다른 하나는 애도 받을 수 없는 죽음이기 때문에 그들의 매장이 존중받지 못한다는 점이다. 이러한 무덤 없는 죽음의 이중적 형상을 잘 보여주는 80년대의 소설이 임철우와 문순태의 작품들이다.

소설가 임철우는 광주민주화운동에 대한 문학을 대표하는 작가 중 한 사람으로 잘 알려져 있지만, 한국전쟁기 그의 고향에서 자행된 학살 사건인 나주부대사건*도 그에게 중요한 기억이었다. 한국전쟁기 반공국가의 국가폭력은 임철우의 가족에게도 뻗쳐 있었는데, 나주부대사건에서 천운으로 살아난 그의 아버지가 좌익 혐의자여서 임철우와 형제들도 연좌제의 대상이었다.[46] 연좌제의 기억은 임철우가 아버지를 공동체에 속하지 못한, 추방된 존재로 그리게 했다. 그의 등단작인 「개도둑」(1981)에서 무덤과 함께 사라진 아버지의 시신이 바로 그러한 배제된 자로서의 감각을 보여주는 대표적 이미지다.

「개도둑」에서 '나'의 아버지는 모종의 사건으로 광인이 된 이다. 집안의 골칫거리였던 그는 어느 날 술에 취해 발을 헛디며 개울에 빠져 죽는다. 아들인 '나'는 큰아버지의 집에서 자라지만, 객사한 광인의 아들이라는 이유로 멸시와 학대를 받았다. 어른이 되어 고

---

* 나주부대사건 혹은 나주경찰부대사건은 1950년 7월 전남 해남군과 완도군 일대에서 나주 경찰부대 및 완도 경찰이 주민들을 집단 살해한 학살 사건으로, 당시 경찰은 인민군으로 위장하여 지역 주민들에게 접근하는 방식으로 학살을 자행했고 이로 인한 학살 피해자가 진실화해위원회에서 확인된 규모만 97명에 달했다.(『2007년 하반기 조사보고서』, 진실·화해를위한과거사정리위원회, 2007, 123쪽) 실제 피해 규모는 수백 명에 달했던 것으로 추정된다. 나주부대사건은 임철우의 초기작인 「곡두 운동회」부터 후기작인 『백년여관』에 이르기까지 반복적으로 등장하는 사건이었는데, 전쟁 이후에 태어난 임철우는 이 사건을 마을 어른들의 이야기를 통해 어린 시절부터 들어왔다.

향을 떠났던 그는 홍수에 아버지의 무덤이 물에 휩쓸려서 시신이 사라졌다는 사실을 듣는다. 아버지의 시신과 무덤이 사라졌다는 소식에 '나'는 죄의식과 불안감에 시달린다. 「개도둑」에서 아버지의 무덤은 홍수에 휩쓸리기 전에도 온전하지 못했다. 어린 '나'의 실수로 무덤에 불이 붙기도 했었지만, 근본적인 원인은 아버지가 가족공동체의 추모 공간, 즉 선산에 안장되지 못했다는 점이다.

> 이장이라니, 당치도 않은 소리 집어치우게. 곱게 죽은 것도 아니고,
> 그래 미쳐서 물에 빠져 죽은 귀신을 어찌 선산에 묻는다는 말인가.
> 선영께 누 끼치는 짓이고 남 부끄러울 일이야.[47)]

　가문의 어른들은 아버지의 무덤을 가문의 선산으로 이장하자는 요청을 단호히 거부한다. 아버지가 광인이 된 이유는 소설에서 구체적으로 등장하지 않는다. 다만 그가 가족의 온전한 구성원으로 인정받지 못하는 것이 그의 비극적 죽음과 관련되어 있다는 사실만을 암시한다. 소설에서는 그가 부정적인 죽음을 경험했다는 사실을 '객사'로 재현한다. 객사가 가족에게 문제가 되는 것은 그러한 부정적 죽음을 경험한 이들은 조상신이 될 수 없는 원혼이 되기 때문이다.[48)] 객사한 아버지는 사회 구성원의 자격을 박탈당한 존재, 즉 배제해야 할 구성적 외부인 '빨갱이'와 유사한 위치에 있다. 원혼은 조상신으로서 가문의 계보에 통합될 수 없는 존재인데, 냉전기 제노사이드와 같은 집단적 죽음의 충격을 극복하고자 했

던 가족의례는 바로 이 부정적 죽음, 즉 객사와 같은 형태가 예외가 아닌 상례가 된 상황에 대응해야 했다.[49] 객사한 아버지, 가족의 선산에 묻힐 수 없고 끝내는 무덤조차 사라져버린 아버지는 반공국가의 적대적 시선에 노출된 불온한 존재의 상징이다. 이 무덤 없는 죽음의 상징성은 「아버지의 땅」에서 더 구체화 된다.

「아버지의 땅」(1984)은 훈련 중인 군인들이 가매장된 유해를 발견하면서 시작된다. 발견된 신원 미상의 유해에 대해 알아보기 위해 화자인 '나'를 포함한 군인들이 마을 이장을 찾아간다. 노인들은 유해의 신원은 알지 못하지만, 전쟁 중 태백산맥에서 활동하던 빨치산 유격대가 마을 인근에서 몰살당한 뒤 그 시신이 가매장되었다는 사실을 알려준다. 발견된 시신은 군용 전화선에 팔과 손목이 결박당한 상태였다. 군인들과 마을 사람들은 신원 미상의 유해를 매장해주기로 한다. 이 과정을 바라보는 '나'는 실종된 아버지에 대해 생각한다. 그의 어머니는 아버지가 배에 탔다가 실종되었다고 말했지만, 실은 행방불명된 좌익이었다. '나'는 아버지가 살아있으리란 희망을 놓지 않는 어머니에게 아버지는 죽었으며, 살아있다고 해도 만나서는 안 될 사람이라고 소리쳤던 순간을 떠올린다. '나'는 신원 미상의 유해가 묻혀 있던 땅을 보면서 아버지 역시 마찬가지로 손발이 묶인 채로 신음하는 환상을 바라보다 이내 눈을 돌린다.

「아버지의 땅」은 무덤 없는 죽음의 원인이 '빨갱이'라는 이념적 적대자와 그들을 살해한 뒤에도 여전히 유지되고 있는 폭력의 구조임을 암시한다. 추모는커녕 기억의 대상조차 될 수 없는 아버지와 신원을 확인할 수 없는 유해는 같은 이미지를 공유한다. 어디에 있는지 찾을 수도 없고, 좌익이라는 죄를 지어서 찾아서도 안 될 아버지는 그 시신과 마찬가지로 온전히 매장될 수도 없다. 그들의 시신에 묶인 "철사줄이 싱싱하게 살아 있"고 "살을 녹이고 뼈까지 녹슬게 만든 그 오랜 시간과 땅 밑의 어둠을 끝끝내 견뎌내고 그렇듯 시퍼렇게 되살아나오는 그것의 놀라운 끈질김과 냉혹성이 언뜻 소름끼치도록 무서움을 느끼게"*하기 때문이다. 그 폭력을 자행하고 지속해온 구조는 여전히 공고하여 지금도 그들을 옥죄고 있다. 폭력의 현재성 때문에 '나'와 마을의 노인도 사라진 가족, 아버지와 죽은 형을 찾아내려고 하지 않는다.

> "어허, 대관절…… 대관절 그게 어떻다는 얘기요. 죽어서까지 원, 아무리 이렇게 죽어 누운 다음에까지 이쪽이니 저쪽이니 하고 그런 걸 굳이 따져서 무얼 하자는 말이오. 죽은 사람이 뭣을 알길래…… 죄다 부질없는 짓이지. 쯔쯧."(「아버지의 땅」, 105쪽)

발견된 유해가 빨치산 유격대가 아닐지 의심하는 군인들에게 마을 이장 노인은 이미 죽은 자의 과거에 대해 확인하는 것이 무의

---

* 임철우, 「아버지의 땅」, 『아버지의 땅』, 문학과지성사, 1997, 105쪽. 이후 인용 시 팔호 안에 제목과 쪽수만 표기한다.

미하다고 말한다. 무덤을 가질 수 없는 '빨갱이'로 의심되는 그 유해는 익명적인 죽음으로 남겨질 때만 "원통한 넋이니 죽어서라도 편히 눈감도록" 도와야 하는 "산 사람들의 도리"(「아버지의 땅」, 105쪽)의 대상이 될 수 있기 때문이다. 아내가 노인에게 꿈에서 사라진 당신의 형님이 나왔다는 말을 해도 애써 외면한 것도, '나'가 아버지를 찾아서는 안 된다고 생각하는 것도 바로 그 때문이다. 익명적 죽음으로 남은 이들은 역설적으로 배제해야 할 타자, 정치적 적대자를 식별하고 제거하려는 반공국가의 가독성 수단이 멈추는 지점이다.

죽은 자에 대한 식별을 중단하는 이러한 재현 방식은 또 다른 우회적인 고백의 전략, 즉 권력이 제거하고자 하는 부정적 정체성을 비가시화함으로써 죽은 자에 대한 애도라는 전통적 도덕관의 세계로 대상이 서 있는 자리를 조정한다. 이를 통해 제노사이드에 의해 박탈당한 사회적 권리를 부분적이나마 회복하려는 절박한 자구책인 셈이다. 물론 이러한 대책만으로 현실을 지배하는 폭력의 구조가 사라지지는 않는다. 이 무덤 없는 죽음을 재현하는 임철우의 작품들은 그 비극적 사건을 목격한 자들이 느끼는 죄의식을 내재하고 있다. 이 죄의식은 임철우가 광주민주화운동의 비극을 비롯한 폭력적 역사에 맞서는 방법을 계속 탐구하게 한다. 민주화 이전 그의 작품들에서는 이러한 죄의식과 불안의 감각들이 드러날 뿐, 익명화된 죽음으로 남겨놓는 우회로 이외에는 무덤 없는 죽음을 회복할 수단을 가지지 못한다.

문순태는 80년대 그의 단편들을 통해 무덤 없는 죽음의 원통함을 회복하려는 간접적인 시도가 직면하는 곤경을 예리하게 보여준다. 임철우처럼 문순태 역시 좌익의 아들이었다. 마을 인민위원장이었던 아버지를 따라서 전북 화순의 백아산 일대에서 활동하던 빨치산에 합류했던 경험이 있는 문순태에게 전쟁의 기억은 결코 고향에 돌아가서는 안 된다는 아버지의 유언으로 각인되었다.[50] 그의 소설에는 무덤 없는 죽음의 모티프가 반복적으로 등장하는데 한 가지 흥미로운 사실은 작중 주인공들이 고향을 떠나온 이들로 그려진다는 점이다. 최창근에 따르면 문순태 소설에 반복되는 귀향 모티프는 고향을 떠날 때 살해한 사람이나 살해당한 아버지의 유해를 찾기 위해 고향으로 돌아오는 것과 죄의식 때문에 고향으로 돌아오는 유형으로 나뉜다.[51]

문순태 소설에서 귀향 서사가 반복되는 것은 고향에서 밀려난 좌익 가족이라는 문순태의 유년기 체험이 반영된 것으로 보인다. 살기 위해 고향을 떠나야만 했던 그 폭력적 경험은 귀향 서사들에서도 기이한 이방인 의식을 반영한다. 고향으로 돌아오는 그의 소설 속 인물들은 오래된 원한을 풀 수 있는 힘, 경제력이나 권력을 획득한 상태에서 귀환(유해 탐색)하거나 죄의식에 의한 정신적인 일탈 상태(죄의식)를 가지고 귀환한다.[52] 전자의 상황을 배경으로 한 작품은 「말하는 돌」과 「이어鯉魚의 눈」이며 후자는 「거인의 밤」이다. 이 작품들은 모두 한국전쟁기의 죽음과 학살이라는 비극에 의해 고향을 떠난 이들이 등장하며, 그들은 각자의 이유로 고향에 속할 수 없는 외부자로 남는다.

「말하는 돌」(1981)은 무덤 없는 죽음을 당한 아버지를 온전히 장사지내고 그의 무덤을 만들기 위해 고향으로 돌아온 아들인 '나'의 복수 시도를 다룬 작품이다. 전쟁으로 혼란한 상황에서 부면장의 재산을 노리고 살해한 마을 청년들은 '나'의 아버지 '황바우'가 방해가 되자 오히려 그에게 부면장 살해범의 누명을 씌운다. '나'는 아버지의 죽음을 목격하고는 버려진 시신을 몰래 평장平葬한 뒤에 묘비를 대신할 큰 돌을 그 위에 올려두고는 고향에서 도망친다. 빨갱이가 되어서 주인을 살해한 머슴의 아들이라는 누명을 쓴 그는 복수하기 위해 30년 동안 악착같이 돈을 모은다. 부자가 된 그는 자신의 신분을 밝히지 않은 채 고향 마을로 돌아와서는 친구 '장돌식'에게 부탁해서 아버지를 살해한 자들과 그 죽음을 묵인한 부면장의 아들을 인부로 고용한다. '나'는 가해자들을 돈을 주고 부려서는 왕릉같이 거대한 무덤을 만들고는 그곳에 가매장된 아버지의 시신을 이장한다. 이장을 마치고 '나'는 자신이 황바우의 아들임을 밝히지만, 마을 사람들 누구도 죄의식을 보이지 않는다. 오히려 그들은 '나'의 성공을 축하할 뿐이었다. '나'는 자신이 과도한 행동으로 오히려 아버지를 욕보이고 말았다며, 묘비로 썼던 돌에 아버지의 혼과 마을 사람들의 마음이 담겨 있다며 그것을 들고 고향을 다시 떠난다.

「말하는 돌」의 '나'는 복수를 위해 고향으로 돌아와 아버지의 유해를 수습한다. 하지만 마을 사람들의 죄책감 없는 모습을 보면서 자신이 과도한 행동을 했다고 자책한다. 소설의 표면적인 사건은 가해자를 용서하지 못한 '나'의 복수에 대한 후회로 끝을 맺지만, 그 이면에는 무덤 없는 죽음의 복원을 불가능하게 하는 현실에 대한 냉정한 시선이 자리하고 있다. 가해자들은 그들이 행했던 폭력과 다시 마주해도 반성하지 않는다. 그의 복수는 누구도 처벌받게 할 수도, 사과하게 할 수도 없다. 이런 상황에서 아버지의 매장이 제대로 이루어질 수도 없다.

아버지의 무덤 없는 죽음은 정상적인 장례 절차를 거치는 것만으로는 회복되지 않는다. 폭력의 구조가 그대로인 상황에서 매장과 장례의 형식만으로 그 죽음이 회복되지 못했다는 사실을 잘 보여준 것이 '나'가 고향을 떠나며 들고 간 큰 돌이다. '나'는 자신이 아버지를 욕보였다고 생각하면서 다시는 고향으로 돌아오지 않겠다고 다짐한다. 그렇다면 그는 어렵게 만든 아버지의 무덤을 방치하기로 한 것이다. 그러나 그는 가매장을 위해 사용했던 큰 돌을 가져가면서, 아버지의 무덤 없는 죽음의 문제가 해결되지 못한 채로 지속되고 있음을 보여준다. 아버지는 여전히 가묘로 쓰였던 큰 돌로 기억될 수밖에 없는 존재이기 때문이다. 「이어鯉魚의 눈」에서는 무덤 없는 죽음의 회복이 그 시대에서 불가능한 과제임을 더 직접적으로 보여준다.

「이어의 눈」(1982)은 살해당한 좌익 아버지를 온전히 매장하기 위해 시신을 찾는 과정이 중심이 된다. 그런데 이 작품에 나타나는 가해와 피해의 구도는 훨씬 입체적이다. 소설의 화자인 '나'는 전쟁을 경험한 뒤 아버지와 함께 고향을 떠난다. 그런데 그의 아버지는 전쟁 중에 공비 토벌에 앞장섰던 우익이었다. 고향을 떠난 뒤 판사가 된 '나'에게 어린 시절 고향 친구였던 '석구'가 찾아와 자신의 아버지인 '황새'의 시신을 찾는 것을 도와달라고 부탁한다. 마을에서 천대받던 황새는 전쟁 때 인민군의 편에 붙어 사람을 죽인 좌익 동조자였다. 게다가 황새를 살해한 범인은 바로 '나'의 아버지다. '나'의 어머니가 황새에게 성폭력을 당한 뒤 자살한 일을 보복한 것이다. 황새의 시신이 어디에 있는지 아는 이는 아버지뿐이므로, 석구는 시신만이라도 찾게 도와달라며 '나'에게 간청한다.

「이어의 눈」에서 가해와 피해는 일방적이지 않고 교차한다. '나'에게 황새는 어머니를 겁탈한 가해자이자, 아버지에게 살해당한 뒤 시신조차 찾을 수 없게 된 피해자이기도 하다. 아버지도 비극적으로 아내를 잃은 피해자이지만, 동시에 죽은 공비의 시신을 훼손하는 것을 즐기는 잔혹한 인간이다. 아버지의 재혼 상대들은 전쟁 때의 악행을 반성하지 않는 그를 악마 같은 인간이라 비난하며, 그의 곁을 떠난다. '나' 역시 아버지를 잔혹한 살인자라고 비난하면서 황새의 시신을 어디에 숨겼는지 알아내려고 한다. '나'의 말에 충격을 받은 아버지는 집을 나갔다가 돌아와서는 아내가 자살한 용소라는 연못에 그 시신을 버렸다고 고백한 뒤에 숨을 거둔다. '나'는 황새의 시신을 찾기 위해 인부를 동원해 용소의 물을 모두 빼내지만, 시신을 찾을 수는 없었다. 석구는 용소의 밑바닥에 있던 한 마리의 큰 잉어를 끌어안고는 잉어의 눈이 아버지를 닮았다며, 아버지를 찾은 것이나 마찬가지라며 수색을 멈춘다.

문순태는 반공국가가 나누어 놓은 좌익과 우익, 빨갱이와 반공 국민이라는 정치적 경계를 가족의 죽음이라는 공통의 체험을 통해 흐려놓으려고 한다. '나'의 아버지는 전쟁에서 빨갱이들과 맞선 모범적인 반공 국민이자 참전 군인이지만, 주변인들로부터 잔혹한 살인자라는 비난을 받는다. 살인자라고 비난받은 좌익 황새처럼 말이다. 이러한 반공 투사의 격하는 좌익 가족과 우익 가족이 경험한 폭력과 고통을 동일한 경험으로 포개어놓게 된다.

> 이상하게도 나는 용소의 바닥 맷돌에 깔려 있을 황새의 유골을 찾는다는 생각보다 용소에 빠져 죽은 어머니의 혼을 건져내기 위해서 물을 퍼내고 있는 것 같은 생각이 들었다. 석구 아버지 황새의 유골은 맷돌에 깔려 있는 대신, 어머니의 혼은 물방개나 게아재비가 되어 용소의 물 위에 떠 있을 것만 같았다.[53]

'나'에게 황새는 어머니의 죽음의 원인이 된 잔인한 가해자였다. 그러나 그는 아버지를 비난하면서까지 석구를 적극적으로 돕는다. 황새의 시신을 찾는 일과 어머니를 위로하는 일이나 마찬가지라고 생각하기 때문이다. 그는 현실에서와는 반대로 자신이 석구에게 머리를 조아리며 아버지의 시신을 찾는 걸 도와달라고 부탁하고, 용소에서 황새 대신에 아버지의 유해를 찾는 악몽을 꾼다.

그들이 경험한 고통이 동일시될 수 있던 것은 전쟁의 혼란 속에서 '나'와 석구의 위치가 언제든 뒤바뀔 수 있었기 때문이다. '나'의 이러한 인식은 반공국가가 만든 '반공 국민'과 '빨갱이'의 경계가 유동적이고 자의적임을 보여준다. 그러나 서로의 고통을 이해한 이들의 협력으로도 무덤 없는 죽음은 해결될 수 없다. 황새의 시신 찾기는 실패하고, 석구는 아버지의 눈을 닮은 잉어라는 기억의 매개만을 발견한다. 폭력의 구조를 해결할 수 없는 상황에서 유해를 찾을 수도 없고, 장례를 치를 수도 없다. 이 갈등이 해결되지 않은 상황에서 고향을 떠나온 '나'도 그곳으로 돌아갈 수 없는 이로 남는다. 판사라는 권력자의 지위에서도 그곳의 갈등을 해결하지 못하기 때문이다.

또 다른 문순태의 단편 「거인의 밤」은 은폐한 과거와 그 죄의식을 다시 떠오르게 하는 이들을 향한 사회의 위협을 보여주는 소설이다. 전쟁으로 아버지를 잃고 고향을 떠났던 '나'는 당숙의 부탁을 받고 고향 마을로 돌아온다. 당숙은 변호사가 된 '나'에게 밤마다 마을에서 행패를 부리는 노인을 쫓아내달라고 부탁한다. '장만득'이라는 그 노인은 전쟁 때 포로수용소에서 탈출한 인민군 포로를 숨겨준 적이 있다. 그러나 그들을 추격한 한국군이 마을 사람들을 위협하면서 도망친 포로를 내놓으라 요구한다. 살기 위해 마을 사람들은 장만득이 없는 틈에 포로를 밀고한다. 군인들은 숨어있던 포로들을 붙잡아 살해하고는 시신을 절대로 묻어주지 말라고 명령하고 떠난다. 그러나 장만득은 죽은 이들을 매장해주고는 고향을 떠났었다. 수십 년이 지난 뒤 고향에 돌아온 장만득은 밤마다 마을을 돌아다니며 욕설을 퍼붓는다. 당숙은 '나'에게 이 문제를 해결하지 못한다면 마을 사람들이 장만득에게 보복할 것이라고 말한다. '나'는 장만득의 이야기를 듣고는 아버지의 죽음을 떠올린다.

나는 당숙한테서 장만득의 이야기를 처음 듣는 순간 문득 아버지의 일이 떠올랐었다. 죽음을 피해 도망쳐 온 사람을 숨겨주었다는 것은 아버지나 장만득이나 같은 입장이었기 때문이다. 물론 아버지는 면사무소 사람인 우익右翼쪽을, 장만득은 인민군 포로인 좌익左翼쪽을 숨겨 주었다는 것이 다르다. 그러나 아버지는 우익 편이었고 장만득은 좌익 편인 것은 아니었다. 아버지도 장만득이도 어느 편도 아니었다. 마을 사람들의 입장도 마찬가지였으리라 생각되었다.[54]

반공국가의 기준에서 장만득은 불온한 인물이다. 그는 반공국가가 제거하려고 했던 인민군 포로를 숨겨주고, 권력이 금지한 매장될 권리를 회복하려고 한다. 반공국가의 시선에서 그는 좌익 동조자일 뿐이지만, '나'는 그를 면사무소 직원인 친구를 인민군으로부터 숨겨주다가 살해당한 아버지와 동일시한다. '나'는 반공국가가 나눈 이념의 경계선을 넘어 그 죽음들을 겹쳐놓는다. 「거인의 밤」에서 포착되는 마을 사람들도 반공 국민이라는 국가의 경계선의 안쪽에 온전히 속해 있지 않다. 그들은 이쪽의 편도, 저쪽의 편도 들지 않아야 한다며 장만득이 포로를 돕는 것을 만류하지만 정작 위협이 가해질 때는 그 원칙을 깬다. '나'는 아버지 역시 아마도 마을 사람들의 밀고로 죽었으리라는 의심을 품고 있다. 마을 사람들은 장만득의 귀향을 불편하게 바라본다. 그가 그때의 죽음에서 마을 사람들이 협력자였다는 잊고 싶은 과거를 떠오르게 하기 때문이다. 마을 사람들은 그들을 위협한 남과 북의 두 국가, 그 어디에 속하기 위해 협력한 것은 아니다. 단지 생존을 위해서 가장 유리한 선택을 했을 뿐이다.

「거인의 밤」의 마을 사람들을 바라보는 '나'의 시선은 한국전쟁기 제노사이드가 얼마나 다층적인 현상이었는지 잘 보여준다. 제노사이드를 통해 원하는 사회를 만들고자 한 반공국가는 국민의 자격을 계속 시험한다. 마을 사람들은 협력을 요구받고, 협력하지 않으면 '빨갱이'로 규정된다. 그런데 마을 사람들의 시선에서 볼 때 서로 적대하는 남과 북의 두 국가가 동일한 요구를 한다는 사실이 가장 큰 문제다. 그래서 그들은 내면에서는 이쪽과 저쪽 어느 한쪽을 선택하지 않지만, 그 지역을 장악한 권력에 협력한다. 생존 가능성을 높이기 위한 그들의 협력은 장만득과 '나'의 아버지의 사례가 보여주듯 폭력의 구조 속 일원이 된다는 것을 의미한다.

바우만은 홀로코스트와 같은 제노사이드를 수행하기 위해 권력은 표적이 된 이들의 협력을 정교하게 유도한다고 지적한다. 살아남기 위해 협력을 선택하는 자기보존의 합리성은 "도덕적 또는 종교적 금기가 깨어지고, 모든 양심의 가책이 부정되고 불허"하게 하는 효과적인 사회동원의 수단이다.[55] 바우만은 이러한 행동이 사회적 합리성에 기반하고 있다고 보았다. 사회적 합리성은 극단적 상황에서 폭력의 작용을 막기보다는 오히려 효과적으로 이를 이끌어낼 수 있다. 그래서 바우만은 제노사이드와 같은 극한의 상황에서 윤리적 행동의 주체는 오히려 사회적 일탈자로 보일 수 있다는 사실을 지적한다.[56] 마을 사람들과 달리 학살에 협력하지 않은 장만득이 소설 속에서 사회적 일탈자로 그려지고 있는 장면이 의미심장한 것은 그 때문이다.

마을 사람들의 눈에 장만득은 윤리적인 인간이기보다는 사회적 일탈자처럼 보인다. 고향을 떠나면서 부모의 묘를 20년 이상 방치했을 뿐 아니라, 두 명의 여성과 함께 살림을 차리는 등 기행을 일삼는 이였기 때문이다. 그러나 '나'는 여전히 포로들의 죽음에 대한 죄의식과 마을 사람들의 협력에 부끄러움으로 괴로워하는 장만득을 이해하게 된다. 그가 정착할 수 있도록 고향에 있는 자신의 땅을 양도해주겠다고 제안하면서 장만득에게 당숙을 대신해서 자기 아버지의 묘를 맡아달라고 부탁한다. 가족의 묘를 부탁하는 것은 '나'와 장만득 사이에 유사 가족 관계를 맺으려는 제안이다.

제노사이드로 인한 집단적 죽음으로 죽은 자를 위한 의례를 담당할 가족이 남지 못하게 될 때 제사의 역할은 먼 친척이나 지역공동체, 때로는 익명의 타인이 대신할 수 있다. 제사의 의무를 짊어진 이들은 죽은 자의 애도 받을 권리를 회복하기 위해 노력하는 이들이자 동시에 이러한 기여를 통해서 유족으로서의 권리를 획득하게 된다.[57] 가족의례라는 친족의 질서는 집단적 죽음이라는 근대적 폭력에 맞서서 훼손된 가족을 회복하려고 하지만, 이 회복은 단순히 폐쇄적 혈연 집단의 경계 안에 머물지 않는다. 권헌익의 말처럼 "내전의 배경하에서 망자를 기억할 친족의 권리를 주장하는 행위는 동시에 추모의 보편적 윤리를 강화하는 행위"[58]가 될 수 있다. 집단적 죽음의 충격을 극복하기 위한 가족의례는 혈연적 폐쇄성을 넘어서는 사회적 연대의 가능성을 열리게 한다. 애도와 추모의 대상에서 누군가를 제거하려는 작업이 사회적 정상성에 부합하는 인간에 대한 배타적 관념을 강화[59]한다면 그 경계를 흐리는 애도는 배제된 이들을 다시 회복하는 과정일 것이다. 「거인의 밤」은 매장과 애도의 관계와 연대를 확대함으로써 그 폭력의 구조에서 벗어나고자 하는 노력을 보여준다.

매장의 회복과 실패

임철우와 문순태의 80년대 소설은 무덤 없는 죽음을 그리면서, 죽은 자의 사회적 성원권을 박탈하는 반공국가의 폭력을 직접적으로 묘사하지는 않았다. 전쟁기에 무덤 없는 주검들의 매장을 방해한 이들이 군인이나 민병대로 그려지기도 했지만, 전쟁 이후에도 이 폭력과 망각을 지속하는 위협은 국가가 아니라 지역사회, 주민들의 영향으로 그려질 때가 많았다. 이는 이들의 작품이 민주화 이전에 발표되었다는 이유가 크다. 반공국가의 검열을 의식하지 않을 수 없었기 때문이다. 반공국가의 제노사이드로 인해서 희생된 이들을 매장하고 그들의 사회적 권리를 회복하려고 했던 시민운동은 군부정권에 의해서 강제적으로 진압되었다.

4·19혁명 직후인 1960년부터 한국전쟁기 민간인 피학살자 유족회들이 결성되고 활동을 시작했다. 1960년 5월 중순부터 영남 지역을 중심으로 유족회가 조직되었으며 전쟁 중에 가장 먼저 폭로가 되었던 거창사건의 유족들이 일찍 조직되었고, 4·19 이후 국회 차원의 조사가 유족들이 연대할 수 있는 상황을 조성했다.[60] 피학살자유족회운동은 전국적인 현상이 되어 1960년 10월에는 '전국피학살자유족회'가 결성되기에 이른다.[61] 피학살자유족회는 합동 위령제를 지내고 위령비를 세우거나 가매장되거나 버려진 시신들을 발굴하는 등 희생자들을 무덤 없는 죽음의 상태에서 해방하고자 했을 뿐 아니라, 진상규명과 피해자의 명예회복 등 죽은 자의 사회적 권리를 회복하려고 노력했다. 4·19 직후에는 국회에서 양민 학살 사건의 진상조사 결의안이 통과되어 '양민학살사건진상조사특별위원회'가 결성된다. 제한적이지만 한국전쟁기 학살사건에 대한 진상조사에 착수하고, 피해자 보상과 책임자 처벌을 위해 '양민학살사건처리 특별조치법' 제정을 촉구하기도 했다.[62] 당시 장면 정부도 책임자 처벌 등에서는 유족회와 상당한 이견이 있었지만, 동래와 울산 등 일부 지역의 합동 위령제 진행을 위한 지원금을 지급하는 등 이전 정권에 비해서는 협조적이었다.[63] 하지만

유족회의 활동은 채 1년이 지나지 않아서 강력한 탄압을 받았다.

1961년 5·16쿠데타로 권력을 장악한 박정희의 군부 세력은 계엄령을 선포하고는 5월 17일에 군 수사기관과 경찰을 동원하여 '용공 세력'에 대한 예비검속을 계획한다. 전국의 피학살자유족회 간부들도 군부가 분류한 용공 세력 목록에 포함이 되어 60명 이상이 예비검속으로 구속된다.[64] 입건된 유족회 간부들은 군부 세력이 설치한 혁명재판부에서 군부가 선포한 '특수범죄처벌에관한특별법' 중 특수반국가행위로 처벌받았는데, '빨갱이'의 유골을 발굴한 것을 북한을 이롭게 하는 이적 행위로 본 것이다.[65] 유족회에 대한 군부의 처벌은 고강도로 이루어져서 수년의 유기징역형부터 무기징역, 그리고 심지어는 사형을 선고받은 이들도 있었다. 대구 유족회 대표위원이자 전국유족회 고문이었던 이원식에게는 사형이 선고되었지만 많은 이들의 노력으로 감형될 수 있었다.[66] 그런데 역사의 아이러니는 유족회에 대한 잔인한 탄압을 자행했던 이가 그 자신도 스스로를 피학살자 유가족이라고 인식[67]하고 있었고 유족회에서 활동했던 형수 조귀분[68]을 도왔던 박정희였다는 사실이다. 부산 지역의 군 사령관이었던 시절 박정희는 유족회를 돕기도 했지만, 피학살자 유족들이 발굴한 유골과 조성한 묘역과 위령비까지 철저하게 파괴했다.

무덤 없는 죽음을 해결하려는 시민사회의 노력이 군부정권에 의해 잔혹하게 탄압받았다는 사실은 왜 민주화 이전에 발표된 작품들이 희생자들에 대한 억압을 우회적으로 그렸는지 설명해준다. 앞서 살펴본 문순태와 임철우의 소설에서 무덤 없는 죽음에 대한 사회적 망각과 은폐는 국가권력보다는 지역사회의 압력으로 그려지는 경우가 많았다. 그러나 정치적 민주화로 인해서 국가폭력의 과거사를 재현할 수 있게 사회적 조건이 변화함에 따라서 무덤 없는 죽음에 대한 작품들도 이전 시기에는 보여줄 수 없었던 반공국가의 폭력을 가시화할 수 있었다. 피학살자유족회와 같이 학살 피해자들의 유해를 수습하기 위한 유가족들의 집단행동에 대한 작품들이 1988년부터 발표되기 시작한다. 4·19 직후 유족회 활동과 합동묘와 위령비 건설 그리고 그들에 대한 군부의 탄압을 그리는 현길언의 「집 없는 혼」(1988)과 노순자의 「진달래 산천」(1990)이 대표적인 사례다.

「진달래 산천」은 거창양민학살사건의 유가족들이 4·19 직후 위령비를 건설하고 군부에 의해서 탄압받게 되는 과정을 그린다. 1974년에 잡지『여성동아』의 장편소설 공모전에 당선되어 등단한 소설가 노순자는 민주화 이전인 1986년과 1987년에 「산울음」과 「분노의 메아리」라는 두 편의 연작소설로 거창양민학살사건을 소설화한 바 있다. 그는 민주화 이후인 1989년에 '거창양민학살사건의 민중문학적 성과'라는 부제를 붙여서 단편집『산울음』을 출간하였는데,「진달래 산천」은 그다음 해인 1990년에 월간지『현대문학』8월호에 발표한 중편소설로 거창사건을 소재로 한 두 작품의 후속편 격이다. 소설의 주인공인 '삼월'은 전작인 「산울음」의 주인공이자 「분노의 메아리」의 주요 등장인물이다.

「산울음」에서 '범바위골'에 살던 삼월은 시누이와 시어머니와 함께 끌려가서 한국군에 의해서 총살당할 뻔했지만, 기적적으로 다른 시신 사이에 묻힌 채로 홀로 살아남는다. 소설은 1951년의 거창양민학살사건 이후 9년이 흐른 1960년을 배경으로 한다. 노순자는 거창양민학살사건을 다룬 작품들 안에서 구체적인 지명이나 시기 등을 밝히지 않았는데, 김명훈은 이를 정치적 탄압을 경험했던 작가가 검열을 의식한 결과였을 것으로 추정한다.[69] 「진달래 산천」은 민주화가 이루어지고 3년 뒤에 발표된 작품이었지만 전작과 마찬가지로 거창양민학살을 특정할 수 있는 구체적인 지명이나 시대 배경에 대한 언급이 나타나지는 않았다. 다만 「산울음」이나 「분노의 메아리」처럼 거창양민학살임을 특정할 수 있는 주요한 사건들은 그대로 등장한다. 당시 국가기관에서 추산한 구체적인 학살 피해자 숫자가 등장한다거나 4·19 이후 가해자였던 지역 면장 박영보를 유족들이 보복 살해했던 사건[70]이 그의 이름만 언급되지 않았을 뿐 실제 역사적 사건과 동일하게 그려진다.

「진달래 산천」에서는 두 가지 형태의 위령 방식이 나타난다. 하나는 소설의 주인공인 삼월이 정한수를 떠놓고서 전쟁에 군인으로 나가 돌아오지 않은 남편을 비롯해 전쟁과 학살로 희생된 이들을 기리기 위해서 새벽마다 기도를 한다. 삼월이 9년째 치르고 있는 이 혼자만의 의식은 종교적 성격을 가지지는 않는다. 삼월의 기도는 종교적 믿음에서 비롯된 것이 아니라 "산 생명과 죽음과의 거리가 그리 함부로 짐작할 만한 심상한 것이 아니라는 숙연함"* 때문이다. 그래서 삼월의 기도는 특정한 종교 교리를 따르지 않고[71], 인간을 숙연하게 하는 초월적 세계를 상상할 뿐이다. 그는 "한 세상 살고 죽어 한줌 흙, 한줌 공기, 한줌 물, 한줌 바람이 되는"(183) 생명의 순환을 상상하면서 기도한다. 삼월에게 중요한 것은 종교와 같은 문화적 상징과 질서가 아니라, 생명의 순환이다. 노순자의 전작들에서도 거창사건에 대한 윤리적 판단은 생명의 지속과 순환이라는 "자연의 법칙에 따라 인간이 만들어낸 근원적 윤리"[72]를 통해 내렸는데, 이는 「진달래 산천」에서도 마찬가지다.

「진달래 산천」에 나타나는 또 다른 위령의 방식은 '범바위골' 주민들이 '묘비 건립 추진위원회'를 결성하여 학살 희생자 합동묘에 세우려는 묘비다. 범바위골 사람들은 소설에서 명시적으로 언급되지 않지만 4·19혁명 이후 변화된 사회적 분위기 속에서 희생된 이들을 추모하기 위해 묘비를 건설하기로 한다. 묘비 세우기는 이중의 성격을 갖는다. 하나는 애도 받을 권리를 박탈당한 희생자[73]를 위한 추모의 성격이고, 다른 하나는 마을 주민들의 삶을 복원하려는 노력이다. 묘비를 세우려는 계획은 마을의 분위기를 바꾸는데, 학살 사건 이후 마을이나 개인에 필요한 일을 입에 올리지 않던 암묵적 금기가 깨지게 된다. 살아남았다는 죄의식 때문에 생활의 많은 부분을 포기했던 마을 사람들은 묘비를 건설하게 되면서

---

* 노순자, 「진달래 산천」, 『우수중편모음』, 문선, 1991, 178쪽. 이후 인용 시 괄호 안에 쪽수만 표기한다.

다시 공적 생활을 복원하려고 한다. 묘비 세우기는 삼월의 기도와 달리 학살 이후 금기시된 시민의 공적 활동을 회복하고, 사회적 차원에서 인정 투쟁으로 나아간다. 묘비 건립 비용을 도지사가 지원하는 등 마을 사람들의 활동이 공적인 인정을 받기 시작한다. 유족회 청년들은 보조비로 끝낼 것이 아니라 "바뀐 세상, 바른 세상에 걸맞은 공식적 사과와 피해보상을 요구"(200)해야 한다고 목소리를 높인다.

삼월의 개인적 기도를 마을 사람들과 가족들은 묘비 세우기라는 공동의 애도 과정으로 통합하려고 한다. 피해자들의 사회적 회복 과정은 혼자만의 기도가 아니라, 공적 활동을 통해서 이루어지기 때문이다. 학살 이후 사회적 낙인과 고통으로 숨죽이고 있던 마을 사람들은 묘비건립을 준비하면서 점차 활기를 회복해간다. 학살이라는 가공할 폭력을 경험한 뒤 마을 사람들은 음악과 같은 보편적 예술조차 기피한다. 이러한 공적 회복의 경험은 삼월에게도 예외가 아니다. 상이군인이 된 뒤 폐인처럼 살던 삼월의 시아주버니인 '재명'이 묘비 건립이 추진되면서 의욕적으로 활동하게 되고, 재명을 결혼시킨 뒤에 삼월은 유복자인 아들과 함께 마을을 떠나 새로운 삶을 시작할 계획을 세운다. 그러나 생명 자체를 초월적 윤리로 내세우는 삼월의 윤리관은 마을 사람들의 공적 애도 과정에서 그가 이탈하게 만든다.

삼월은 마을 사람들이 묘비를 건립하면서 진행하는 위령제에 홀로 참석하지 않는다. 위령제에 앞서 일어났던 사건 때문이다.

삼월은 유족들이 당시 가해자였던 면장 노인을 향해서 돌팔매질을 하는 것을 지켜본다. 유족들의 돌팔매로 면장이 사망하는 장면은 삼월에게는 학살 당시의 광기와 조금도 다르지 않게 보인다. 재명은 면장의 죽음이 그가 저지른 일의 죗값을 받은 것이라고 말하지만, 삼월은 다른 마을의 유족들과 함께 어울리지 않는다. 삼월은 자신이 마을 사람들의 행동을 막을 수 있었으리라 생각하며 죄의식을 느낀다. 그는 면장에게 일어난 일과 학살의 비극을 겹쳐서 본다.

> 조팝나무 흰꽃에는 이제 또다른 아픔, 무서운 아픔이 서리게 된 것이었다. 바가지골 비극이 한두 사람의 무조건적인 명령에 따라 칠백여 명의 양민을 학살한 것이라면 조팝나무 꽃 어우러진 그날은 집단이 한 개인을 그리 무참하게 돌로 쳐 숨지게 한 것이었다. 더욱이 그 무참한 일은 이쪽이 가해자였다. 얼마든지 일을 중단시키고 돌 맞은 사람을 살려낼 수가 있었다. 삼월이 뛰어들어 만류했더라도 그 일은 도중에서 그치게 할 수가 있었다. 그런데 그녀는 그저 보고만 있었다.(214)

삼월 개인의 윤리는 폭력에 맞서 생명의 가치를 옹호한다. 그래서 수백 명을 무참히 학살한 국가의 폭력과 당시 가해자였던 면장에 대한 보복 살해를 동일한 폭력으로 여길 수 있었다. 그 원인과 이유는 다르지만, 생명을 살해한 일이기 때문이다. 그래서 삼월은 그 사건으로 인해 하늘과 땅에 부끄러움을 느끼고, 다른 주민들에게 거리를 둔다. 「진달래 산천」처럼 삼월의 윤리관을 통해서 사건을 바라볼 때 희생자의 사회적 삶을 파괴하고, 살아있는 자들의 사회적 권리를 박탈한 제노사이드의 성격을 설명할 수 없다. 거창양민학살사건에 대한 노순자의 소설이 사건과 상황을 구체적으로 그림에도 불구하고, 탈역사적인 설명에 머물 수밖에 없는 것은 그의 초월적 윤리관 때문이다. 그래서 소설의 결말부에서 군부 세력에 의한 유족회의 탄압과 무덤, 묘비의 파괴에 대해 비극적 사건으로 그려낼 뿐, 그 폭력의 성격에 대한 어떤 판단이나 인식을 작가는 보이지 못한다. 남은 것은 다시 밤마다 정한수 앞에서 기도하는 삼월뿐이다.

「진달래 산천」은 민주화 이후 거창양민학살사건을 그린 작품이지만, 유족회 결성과 묘비 파괴라는 소재를 제외한다면 폭력에 대한 작가의 인식은 전작들에서 거의 멈춰 있다. 삼월로 대표되는 작가의 생명 중심의 윤리관은 폭력의 역사적·사회적 맥락을 해명하지 못함으로써, 유족들을 향한 군부의 폭력이라는 문제를 오히려 주변화한다. 면장을 향한 유족의 폭력과 국가의 폭력을 구별할 수 있는 논리가 삼월에게는 없기 때문이다. 그래서 군부의 폭력은 소설 후반의 작은 삽화처럼 포함될 뿐, 작품의 의미망을 구성하는 데는 실패한다.

제주4·3항쟁의 주요 작가 중 한 사람으로 꼽히는 소설가 현길언은 4·3의 대표적인 합동 묘역으로 이야기되는 '백조일손지지'

사건을 배경으로 한 단편 「집 없는 혼」을 1988년에 발표한다. 제주4·3문학 선집인 『4·3島 유채꽃』에 수록된 이 단편소설은 노순자의 소설과 유사하게 4·19 직후 피학살자 유족들의 활동과 그에 대한 군부정권의 탄압을 보여준다. 「진달래 산천」이 노순자의 다른 거창양민학살 소재의 작품들처럼 개인의 윤리성을 주목하는데 반해서 「집 없는 혼」은 백조일손지지 사건의 성격 때문인지 희생자 공동체의 집단적 경험에 초점을 맞추고 있다. 이는 역사와 이데올로기에 가려지는 개인의 복원에 초점을 맞춘 현길언 소설의 일관된 경향[74]과는 상당히 결이 다른 셈이다. 소설집 『우리들의 조부님』에서 「집 없는 혼」과 함께 묶여서 발표된 제주4·3 소재 작품들과 비교할 때도 개인의 피해보다는 집단적 경험을 보여주려는 「집 없는 혼」은 상당히 이질적이다. 그만큼 백조일손지지라는 소재는 개인이 아닌 공동체적 경험으로서의 성격이 강하기 때문인데, 이 문제는 뒤에서 현기영의 「목마른 신들」을 논하면서 설명할 것이다.

「집 없는 혼」은 한국전쟁이 한창이던 시기에 발생한 집단 학살 사건과 그 유족들이 희생자의 시신을 수습하려고 했던 노력을 보여준다. 1950년 8월 20일에 모슬포경찰서가 한림면, 대정면, 안덕면에서 단행한 예비검속으로 붙잡힌 344명 중 252명이 집단 처형으로 사망했지만, 시신을 수습하려는 유족들은 방첩대 소속 군인들에 의해서 제지당한다. 유족들은 그로부터 6년이 지난 1956년에야 시신을 수습할 수 있었다. 6년이나 방치된 시신은 이미 다 썩어서 누가 누구인지 확인할 수 없는 상황이었다. 한림 지역 유족들은 몰래 61구의 시신을 수습하여 만벵듸 공동 장지에 안장했고 다른 희생자들은 관계 기관의 허가를 받아 132구의 시신을 수습하고 합동묘를 만든다. 이 신원을 확인할 수 없는 132구의 시신을 매장한 묘가 대정면 상모리에 만들어지는데, 이를 '백 할아버지의 한 자손'이라는 뜻을 가진 백조일손지(百祖一孫之地)로 명명된다.[75] 「집 없는 혼」은 백조일손지지를 만들었던 대정면 '백조일손지회' 사람들을 주인공으로 한 작품이다.

소설은 1960년을 배경으로 집단학살 이후 아들의 기일마다 고향 마을을 찾는 노부인과 아버지의 죽음을 알게 된 대학생 청년, 그리고 예비검속으로 아들을 잃은 '정의방' 등이 주요 인물로 등장한다. 이들은 당시 학살 사건과 관련해서 구체적 사연이 설명되는 인물들이지만, 작품은 뚜렷한 중심인물을 내세우지 않고 이 지역의 역사적 수난 자체에 초점을 맞춘다. 소설의 공간적 배경이 되는 '용두리'[76]는 국가권력에 탄압받아 온 제주의 역사를 상징하는 장소로 그려진다. "용의 기운이 서려 큰 인물이 태어날 땅"이었으나 관가에서 지맥을 끊어버려 용은 승천하고 절벽만 남았다는 용두리의 전설은 "인물 나기는커녕 그동안 큰 사건만 여러 번 터져 사람들이 모질게 고통만 당"*했던 지역의 수난사를 상징한다. 제주4·3문학에서 반복되는 모티프 중 하나인 아기장수 설화처럼 용두리의 전설은 육지의 권력으로부터 탄압받았던 제주의 역사를 4·3의 기억과 연결한다. 이러한 제주의 수난사에 대한 강조는 이 사건이 개인의 비극이 아니라 용두리 주민들의 집단적 경험이라는 측면과 연결된다. 민중이나 시민과 같은 집합적 주체나 공동체 단위의 역사 인식이 아닌 개인의 비극적 경험을 소설화해온 현길언의 다른 작품들과는 상당히 이질적인 셈이다.

「집 없는 혼」은 학살당한 이들이 매장될 수 있는 권리를 비롯한 사회적 권리의 상실과 이를 복원하려는 유가족들의 노력을 보여준다. 작품의 주요 인물 중 한 사람인 대학생 청년은 예비검속으로 죽은 자들의 시신을 수습할 수 없게 한 것이 부당한 조치였다고 다른 피해자들에게 말한다. "재판을 받아 교수형을 당한 죄수들도 시신은 가족들에게 넘겨 주는"(154)데 자신들은 그러지 못했다는 것이다. 유가족들은 학살의 희생자가 법적으로 처벌받은 죄인보다 못한, 짐승 같은 취급을 받았다고 여긴다. 학살 희생자들의 매장을 금지하고, 기념과 애도의 권리를 박탈한 것은 당시 반공국가가 일반적으로 취했던 전략이었다. 앞서 살펴본 바처럼 반공국가는 전사자 숭배의 과정을 통해서 애도를 독점하고 국민의 형상을 창출해냈다. 반면에 소설 속에서 군인들은 정상적인 장례와 매장 절차의 금지를 전쟁 상황의 급박함 때문으로 설명한다.

「한가한 사람들 다 봤네. 지금 염하고 옷 입혀 장사지내겠다는 거요.」

* 현길언, 「집 없는 魂」『우리들의 조부님』, 고려원, 1990, 148쪽. 이후 인용 시 괄호 안에 쪽수만 표기한다.

그는 침을 탁 뱉고는 군화 뒤축으로 문질렀다.

「갑갑한 사람도, 지금이 전쟁 중인 것을 몰라서 하는 말이오. 그냥 흙이나 덮어 까마귀나 개들이 뜯어먹지 않게 해요.」(158)

소설 속에서는 희생자들의 시신이 큰 구덩이 주변에 있고, 이를 수습하기 위해서 동원된 주민들이 최소한 봉분 비슷하게나마 흙 더미를 쌓아올린 것으로 그려진다. 실제 모슬포의 예비검속 과정에서 학살은 대정면 상모리 섯알오름의 일제강점기 시절 탄약고 터와 제주읍 정뜨르비행장에서 자행되었다. 이중 비행장에서 학살당한 유해는 2007년에나 발굴이 이루어졌고[77], 섯알오름의 탄약고 터가 소설 속에 등장하는 시신들이 유기된 구덩이였다. 그러나 그 당시 가매장된 구덩이가 백조일손지지와 같은 합동묘로서의 역할을 하지는 않았다. 실제 백조일손지지의 조성은 1956년에 당국의 허가로 수습한 유해 중 일부를 합장하면서 이루어졌다. 그런 점에서 「집 없는 혼」은 실제 사건을 그대로 소설화한 것이라고 보기는 어렵다. 소설 속에서는 희생된 이들을 추모하려는 유족의 연대는 1960년에 일어난 것으로 그려진다. 죽은 아들을 추모하기 위해서 매년 마을을 방문하는 노부인과 정의방은 자신들 이외에는 다른 유가족을 거의 만나지 못하지만, 4·19 직후인 1960년에 처음으로 유가족들이 모여든다. 그렇게 모여든 유가족들은 그날의 억울한 죽음에 집단적으로 대응하기로 하고 '백조일손회'라는 단체를 만들기로 합의한다. 그런데 실제 유족 모임은 1956년에 시

신을 수습한 뒤 '칠석합동묘 유족회'라는 명칭으로 조직했다가 이후 이름을 변경한 것이었다.[78]

「집 없는 혼」의 내용은 실제 역사적 사실과는 다르지만, 학살 희생자들의 사회적 권리를 회복하기 위한 유족들의 노력을 상세하게 보여준다. 노부인은 가족들의 도움을 받아서 죽은 아들의 영혼 결혼식을 치르고, 양자를 받아서 자신의 손주로 삼는다. 영혼 결혼식과 희생자에게 양자를 들이는 것은 한국전쟁기 민간인 학살로 인해 가족의 제사 공동체로서의 성격이 파괴된 상황을 회복하기 위해 활용되었던 수단이다.[79] 제사공동체로서 가족의 성격을 유지하려는 이러한 노력은 전통적 가족제도 안에서 희생자의 사회적 권리를 지키려는 노력이었다. 제대로 된 장례와 제사 같은 의례를 거쳐야만 조상신으로 받들어질 수 있기 때문이다.[80] 이러한 전통적 가족의례 속 조치는 학살로 인해 박탈당한 희생자의 사회적 지위를 부분적이나마 회복하려는 노력이었다.

백조일손회를 조직하기 위해서 유족들이 모인 자리에서는 가족 단위의 전통문화 차원에서 희생자의 권리를 회복하려고 했던 시도와는 다른 방법을 강구한다. 유족회의 회장이 되는 익명의 유족은 "저 영혼들이 인간적인 대우를 받게 하는 것이 바로 우리들이 해야 할 일"(165)이라고 말하면서 유족회의 목적이 희생자들의 사회적 권리를 회복하기 위함임을 분명히 한다. 이를 위해서 사건의 과정에 대해서 정부의 해명을 요구하고 진상을 파악하려는 목표를 세우기로 한다. 그리고 신원을 확인할 수 없게 된 유해들을 분묘하는 대신에 "우연하게 같은 처지가 되어져 피를 나눈 형제들이나 다름 없"(167)으니 함께 모시기로 한다. 그리고 이들은 새로운 정부에 무혼굿을 요구하기로 한다. 4·19 이후 유족회는 무혼굿과 같은 망자를 위령하기 위한 의례를 중요한 활동의 목표로 삼았다. 특히 유족회의 총무를 맡은 대학생 청년은 "이 문제뿐이 아니라 4·3사태에 대한 전반적인 문제를 앞으로 계속 밝혀나겠"(170)다며 마을을 넘어 활동을 확대해갈 것임을 다짐한다.

그러나 소설 후반부에서는 쿠데타로 권력을 잡은 군부에 의해 무덤이 파괴당하고, 시신을 수습해가지 않으면 임의로 처분할 것이라는 위협에 마을 사람들은 분묘에 나서게 된다. 특히 적극적으로 활동했던 대학생 청년은 "4·3사태 진상조사 추진위원회 연구 간사와 예비검속 희생자 가족 협회 총무로서, 좌경 용공적인 불순 단체를 조직, 국가 안위를 위합하려 했다는 죄목"(172)으로 옥살이[81]를 한다. 유족회에 대한 군부의 탄압 과정도 실제 백조일손지지 사건과는 상당히 다르게 그려졌다. 1960년에 유족회가 만든 '백조일손지묘'라는 묘비의 건설과 파괴[82] 과정이 소설에는 나타나지 않았다. 무덤을 허무는 소설의 내용과 달리 서귀포경찰서의 경찰들은 유족들의 반발로 위령비만 파괴한다.[83] 지금도 해당 사건을 상징하는 조형물로 파괴된 묘비는 보존·전시되고 있다. 현길언은 묘비의 파괴 대신 헐린 봉분을 보여줌으로써 무덤 없는 죽음의 이미지를 극대화한다. 이러한 현길언의 재현 방식은 시공간적 배경을 분명하게 하지 않지만, 실제 역사적 사건을 최대한 그대로 반영하는 노순자의 방식과는 상당히 달랐다. 그러나 개인의 윤리와 역사의 충돌을 강조해온 현길언은 유족회의 사회적 대응이 가지는 의미를 설명하지는 못한다. 4·3의 상처에서 유족들이 회복되리라는 희망이 커졌다가 사라졌다는 좌절감으로 끝나는 이야기가 될 따름이다.

백조일손지지와 같은 유족들의 집단적인 대응이 가진 의미를 가장 분명하게 형상화한 작가는 소설가 현기영이다. 백조일손지지는 그의 90년대 소설인 「목마른 신들」(1992)의 후반부에서 짧게 언급될 뿐이지만, 현기영은 그 장소를 제주4·3의 상처를 극복하기 위한 사회적 모범으로 내세운다. 「목마른 신들」은 제주4·3 당시에 토벌대의 운전사로 동원되었던 제주의 한 심방이 해온 4·3 원혼굿 내력담을 이야기하는 형식으로 진행된다. 「목마른 신들」의 전반부는 원치 않게 토벌대의 운전사로 동원된 그가 경험한 4·3의 참상에 대한 증언으로 이어진다. 심방이었던 어머니처럼 신을 받아야 하는 운명에서 벗어나기 위해 배운 운전이 그를 국가폭력의 하부 실행자로 만들었다. 그리고 그 죄의식 때문에 자살을 기도하기도 했던 심방은 무병에 시달리다가 자신의 운명을 받아들인다. 심방은 학살당한 어머니의 무덤에서 원혼을 달래는 귀양풀이 굿을 벌이는 것으로 4·3 원혼굿을 시작하게 된다.

「목마른 신들」의 후반부는 심방이 경험한 독특한 원혼굿의 사례를 이야기한다. 그는 원귀가 씐 남자 고등학생에게 했던 원혼굿을 이야기한다. 17살짜리 소년에게 들린 원귀는 제주4·3 때 17살에 사망한 이로, 그가 죽은 뒤 어머니가 외아들인 그의 제사를 지내주었으나 어머니가 돌아가신 뒤에는 추모해줄 이가 남지 않은 원혼이었다. 이 4·3의 원혼은 자신과 어머니의 제사를 소년의 집안이 대신 지내 달라고 요구한다. 심방은 매년 제사상을 달라고 요구하는 원혼은 처음 보았다며 당황한다. 그런데 소년의 할아버지를 보고 심방은 그가 토벌대에서 주민들을 붙잡아서 살해하고 검거된 이의 가족들에게 돈을 요구하던 악질적인 서북청년단원이었다는 걸 기억해낸다. 소년의 할아버지는 빨갱이 귀신의 제사를 지낼 수 없다고 거부하다가 결국에는 원혼의 요구를 승낙하고 원혼굿을 하기로 한다. 심방은 가해자가 피해자의 원혼 앞에 무릎을 꿇은 것이라고 여기며 신명나게 굿을 한다.

「목마른 신들」에서 심방은 원혼굿 이야기를 한 다음에 백조일손지지에 대해 말한다. 심방은 소년의 몸에 씐 원혼처럼 수만의 원혼들이 제주를 떠돌고 있다고 이야기한다. 그들은 죽음 이후에도 제대로 추모 받거나 애도 받지 못했기 때문이다. 심방은 수만이나 되는 4·3의 넋들의 억울한 죽음에 어떻게 대응하느냐에 따라 수호신도, 악귀도 될 수 있다고 경고한다. 그 4·3의 원혼들을 영험한 수호신이 될 수 있도록 제대로 모셔야 한다고 말한다. 원혼을 수호신으로 승급하는 방법이란 같은 고통을 경험했던 피해자들이 하나의 가족으로 연결되었던 백조일손지지처럼 제주 사람들 모두가 죽은 자들을 모시는 하나의 공동체를 이루는 것이다.

4·3의 조상은 그렇게 모셔야지. 내 조상 네 조상 구별 말고 섬 백성이 모두 한 자손이 되어 모셔야 옳았다.[84]

현기영은 제주4·3을 공동체로서의 제주에 가해진 파괴로 인식했다. 현기영은 제주 역사를 다룬 80년대 소설들에서 이미 제주의 역사와 공간을 자연과 인간이 어울리는 공동체로 바라보고[85] 있었으며, 반공주의 국가에 저항하는 민주화운동과 같은 정치적 투쟁을 공동체 복원운동으로 평가하기도 했다.[86] 그는 제주 공동체를 파괴하는 역사적 폭력으로서 4·3에 맞서기 위해서 공동체의 회복을 요청했고, 백조일손지지를 그 모범으로 삼은 것이다. 권헌익은 한 조상에서 다수의 후손으로 뻗어나는 가계의 논리를 뒤집은 백조일손지지가 죽은 자를 애도하기 위해 "친족의 규범이 대량학살이라는 현실을 맞아 한 집안의 계보라는 협소한 단위를 넘어서 유대를 확장하고자 하는 가족들의 절박한 요구"를 보여준다고 주장했다.[87]

백조일손지지는 매장과 제사와 같은 전통적 가족의례의 형태를 취하고 있지만, 근대적 폭력으로 인해서 성원권을 박탈당한 피해자들이 접근할 수 없는 근대적 수단들을 대신하여 사회적 저항을 구성해내는 한 방식이었다. 「목마른 신들」에서는 심방이 4·3의 가해자와 피해자를 원혼굿이라는 형식을 통해서 반공국가가 그어놓았던 (반공) 국민과 '빨갱이'라는 경계를 넘어 제사 공동체로 묶어낸다. 이는 사회를 자의적으로 나누었던 반공국가에 맞서서 폭력의 피해자들이 사회의 나눔을 새롭게 할 수 있는 주체임을 선언하는 일이다.[88] 4·3의 피해자들이 백조일손지지를 만들었던 과정 역시 국민의 자리를 결정하는 반공국가의 공식대본을 부정하지는 않지만, 그 폭력적 경계를 넘어설 수 있는 새로운 사회적 관계성을 창출해내는 정치적 행위였다. 4·19 직후 유족들의 정치적 활동을 국가와의 교섭과 압력 등 공식적 정치의 영역으로만 보여주었던 「진달래 산천」과 「집 없는 혼」과 달리 「목마른 신들」은 백조일손지지를 폭력이 남긴 경계를 넘어서 새로운 사회적 연대를 창출하는 방식이었음을 보여준다. 매장이 국가에 의해 정치화되었듯이, 제노사이드의 피해를 입은 자들 역시 매장이라는 수단을 통해 새로운 정치적 가능성을 찾아내려고 했다.

2장

'순경 각시'와
제노사이드의 젠더

'순경 각시'와 여성의 위기

김승옥은 여순사건으로 인한 아버지의 죽음을 오랜 시간 침묵
해왔다. 그러나 그의 소설 속에서 아버지의 부재는 무엇보다도 선
명하게 감각된다. 60년대 김승옥이 대표했던 4·19 세대는 따라야
할 규범으로서의 아버지를 가지지 못한 '아버지의 부재'를 세대 감
각[89]으로 가지고 있었다. 그러나 김승옥과 같이 제노사이드 등 반
공국가의 폭력으로 가족을 잃은 이들에게 부재하는 가족의 자리
는 너무나도 현실적인 감각이었다. 김승옥의 소설 속에서 남성 가
부장의 부재가 그려지는 방식은 성ᅊ의 문제를 통해 나타났다. 「염
소는 힘이 세다」나 「누이를 이해하기 위하여」와 같은 단편에서 가

부장이 부재한 가족의 여성들은 성폭력의 위협에 노출된다. 김승옥이 살해당한 아버지에 대한 기억을 간접적으로 그렸던 단편 「건」에서도 아버지가 자리를 비우자 형들은 '윤희 누나'를 성폭행하려는 계획을 세운다. 소년 화자인 '나'는 누나를 불러내라는 그들의 요구를 따르면서 세계의 악을 모방한다. 가부장의 부재를 성폭력의 위협과 동일시하는 김승옥의 작품들은 그가 경험한 전쟁과 학살의 한 단면을 반영한다.

성폭력은 전쟁 기억 속에서 오랜 시간 망각해온 사건이지만, 어느 시대에나 거대한 사회적 폭력의 수단으로 존재해왔다. 제도화·집단화된 성폭력은 인종 청소와 제노사이드를 실행하기 위한 전략적 수단으로 사용되기도 했다.[90] 제노사이드의 수단으로서의 강간은 여성을 특수한 집단을 재생산하는 수단으로 인식하며, 다른 남성 혈통을 통해 집단 정체성을 파괴하고자 한다.[91] 유고 내전 등에서 나타났던 군사작전으로서의 성폭력과 같은 사례가 아니라 하더라도 이러한 폭력은 특정한 체계 없이도 광범위하게 자행되었다. 제2차 세계대전기 독소전쟁에서는 나치 독일과 소련 양국의 군인들이 최대 수백만에 달하는 여성을 성폭행한 것으로 추정된다. 이 전쟁 당시에 성폭력은 국가에 의해 계획적으로 실행되지 않았음에도 불구하고 그 피해자가 수백만에 달했다. 뉘른베르크 인종법을 통해 다른 인종 간의 성행위를 금지했던 나치 독일에서도 광범위한 성폭력이 군사주의 문화 속에서 묵인되었을 뿐 아니라 극한의 폭력이 새로운 성적 기회로 받아들여지기까지 했다.[92] 성폭력이 전쟁 문화 속에서 자연스러운 현상으로 인식되었지만 동시에 보이지 않는 것으로 남아야 한다는 인식 역시 광범위하게 공유되었다. 동일한 제노사이드 사건의 피해자 집단들 사이에서도 사건에 대한 공적 기억을 구성하는 과정에서 여성을 향한 성폭력의 존재를 지우려 하기도 했다.* 전시 성폭력에 대한 집단적 망각의 구조는 일본군 '위안부' 운동이 본격화되었던 1990년대를 기점으로 점차 깨져갔지만, 한국전쟁과 한국의 제노사이드에 대한 문학적 재현에 대한 연구에서는 이 문제를 주목한 사례가 극히 제한적이다.

김귀옥은 한국전쟁기 한반도에서 발생한 성폭력을 '강간', '모성성 또는 여성성에 대한 폭력', '강제결혼 및 납치', '성고문' 등으로 유형화했다.[93] 그는 한국전쟁기의 성폭력이 식민지적 유산에서 연장된 탈식민국가의 현실과 결부되어 있었을 뿐 아니라, 반공주의의 기제와 결합되어 있었다고 지적한다.[94] 이 성폭력 유형 중에서 '강제결혼 및 납치'의 사례를 주목할 필요가 있다. 앞서 「순이 삼촌」에서 가족의 정치성을 보증해주는 존재였던 서북청년단 출신의 고모부가 가족에 편입될 수 있었던 과정이 바로 이 성폭력의

---

* 나치의 홀로코스트 과정에서 건설된 수용소 수감자들 중에서 성노동을 강요받거나 성폭력을 당한 이들은 별도의 피해 유형으로 범주화되지 않았다. 또한 사회적 터부로서 기억되고 싶지 않은 수치스러운 기억으로 치부 받기도 했고 같은 수감자들 중에서도 이 성착취 시설의 존재가 수용소에 대한 잘못된 인식을 심어주리라 우려하기까지 했다.(히메오카 도시코, 서재길 옮김, 「나치 독일의 성폭력은 어떻게 불가시화되었나」, 『전쟁과 성폭력의 비교사』, 어문학사, 2020, 290~302쪽)

유형과 관련되어 있기 때문이다. 소설 속에서 고모부의 결혼은 제주에서 서청과 진압군에 의해 만연했던 성폭력으로부터 딸을 지키기 위한 할아버지의 결정이었다. 고모부의 결혼은 오히려 "아직 스무살 어린 나이에 별 분수를 모르던 고모부를 할아버지가 꾀로 어르는 바람에 얼떨결에"[95) 이루어졌지만, 도피자 가족들은 생존하기 위해 결혼하는 경우가 빈번했고 사실상 결혼의 형태를 취한 성폭력인 경우가 많았다. 현지처로 함께 살다가 부대가 이동하거나 육지로 이주하면서 파혼하는 사례들과 제주에 정착한 고모부의 사례가 대비된다. 이처럼 직접적인 강제나 극단적인 폭력 상황 속에서 구조적인 강제에 의해서 서청이나 군경과 같은 육지에서 온 토벌대와 성적 관계를 맺은 여성들을 제주에서는 '순경 각시'라고 불렀다.

'순경 각시'는 제주4·3의 기억과 재현 속에서 주변적인 주제로 다루어져 왔다. 4·3에 대한 재현이나 연구에서 여성을 향한 성폭력은 주목받지 못한 주제였으며, 국가 차원의 진상규명 과정에서도 성폭력은 별도의 피해 유형으로 범주화되지도 않았다.[96) 제노사이드 사건에서 여성과 남성을 향해서 가해진 폭력의 맥락이 서로 다르게 구성되었음에도 불구하고 이행기 정의 국면에서 진상규명 과정은 대부분 젠더의 문제를 비가시화하는 방향으로 작동했다.[97) 국가나 민간 모두에서 성폭력의 기억은 비가시화되기 일쑤였고, 피해를 경험하거나 목격했을 여성들조차 성적 피해를 증언하는 데 소극적이었다. 여성들의 증언에서조차 성폭력은 감금과 고문, 살해와 같은 일반적 유형의 인권유린 경험으로 이야기되면서 성적 피해를 망각했는데, 박상란은 이러한 양상이 오히려 성폭력 피해의 심각성을 보여준다고 주장했다. 성폭력 피해자들에 대한 사회적 억압을 피하기 위한 능동적 망각일 수 있기 때문이다.[98] 이처럼 여성을 향한 성폭력을 망각하는 구조 속에서 결혼의 외형을 취하기도 했던 '순경 각시'는 피해로 인식되지도 못했다.

제주4·3 구술사를 통해서 '순경 각시'를 연구한 박상란은 이를 강제결혼이라는 혼인 관계의 측면이 아니라 강압적 성관계의 문제로 규정한다. '순경 각시'는 매매혼의 형태로 이루어지기도 했지만, 훨씬 많은 경우가 고문이나 강압, 자신과 가족, 연인의 생명과 여성의 성을 거래하는 폭력적 행위였다. 결혼으로 이어진 경우조차 원치 않은 관계를 맺게 된 이후의 삶을 고통스럽게 기억하기 때문이다.[99] 결혼 제도에 의한 경우도 제주의 여성들에게 '순경 각시'는 수치심과 고통을 남긴 경험이었다는 점에서 성폭력의 한 형태였다. 또 여성의 성을 통해서 생존을 거래한 가족들조차 이를 가문의 수치로 여기기도 했다. '순경 각시'와 같은 여성을 향한 성폭력이 제노사이드문학 안에서 중심적 소재가 된 사례는 거의 없다. 다만 이행기 정의 국면의 진상조사보고서들이 여러 피해 사건 속에 성폭력 사건의 존재를 당시 사건을 설명하는 삽화로 포함했던 것처럼, 제노사이드 사건에 대한 소설화 과정에서도 주변적인 사건으로 함께 다루어질 뿐이다. 예외적으로 현기영의 「해룡 이야기」는 '순경 각시' 문제가 소설의 핵심 축을 이룬다.

제주 출신의 직장인인 '문중호'는 자신의 고향에 대해서 철저히 숨기려고 하는 사람이다. 제주4·3의 끔찍했던 기억이 그에게 고향을 "잊고 싶고 버리고 싶은 것의 전부"이자 "행복이나 출세와는 정반대의 개념"*으로 여기게 했기 때문이다. 중호는 서울로 대학을 진학하면서 사투리도 쓰지 않고, 결혼 후에는 본적도 서울로 옮긴다. 그는 월남전에 파병된 군 장교이기도 했다. 4·3 이후 제주 청년들이 좌익이라는 의심을 피하기 위해 군에 입대했던 일들을 생각하면 그의 군 경력도 제주의 흔적을 지우기 위한 행동이었을 수 있다. 그런 중호에게 어머니는 고향만큼이나 그를 힘겹게 하는 존재다. 어머니는 항상 중호에게 미안해하고, 중호의 아내와 자녀들은 어머니의 사투리조차 제대로 이해해보려고 노력하지 않는다. 어머니는 중호의 가족들에게 제대로 존중받지 못함에도 항상 그 앞에서 자격지심을 느낀다. 제주4·3이 중호와 어머니에게 씻어내기 어려운 깊은 상처를 남겼기 때문이다.

토벌대의 앞잡이였던 '구롬보'와 원한 관계가 있던 아버지가 도망쳐서 폭도 혐의를 받게 되자, 중호와 어머니는 갑작스레 폭도 가족이 되어 죽을 위기에 처한다. 군경에 의해서 마을에서 소개된 이들을 모아둔 곳에서 어머니와 헤어진 중호는 군인 아들을 두었던 당숙 가족과 함께한 덕에 살아남는다. 마을 전체가 불타고 수백 명

---

* 현기영, 「해룡 이야기」, 『순이 삼촌』, 창비, 2015, 159쪽. 이후 인용 시 괄호 안에 쪽수만 표기한다.

의 마을 사람들이 희생당하는 참사 속에서 다행히도 어머니는 살아있었다. 당숙의 아들이자 육군 중사였던 육촌 형도 위험해서 살리기 어렵다던 어머니를 살려준 이는 "서북 사투리가 억센 토벌군"(157) 이등상사였다. 지서에 갇혀 있던 어머니는 그 군인과 살림을 차리게 되지만, 2년도 되지 않아서 상사의 부대가 육지로 옮겨가면서 관계를 끝낸다. 중호는 어머니가 군인과 함께 살게 되면서 고아원에 맡겨지게 되고, 어머니가 돌아온 이후에도 가난 때문에 고아원에서 계속 생활했다. 살아남기 위해서 '순경 각시'가 되어야 했던 어머니는 자식을 버렸다는 죄의식에 계속 시달린다. 중호는 어머니가 겪은 수난을 오랜 시간 육지의 차별과 외부의 폭력에 시달려온 섬의 역사와 겹쳐놓는다. 그는 어머니에 대한 자신의 불편한 감정과 어머니가 품어온 자격지심이 가해자를 바라보지 않고 스스로에게 괴로운 감정을 풀어낸 것이었다고 생각한다. 생각이 거기에 미치자 중호는 4·3의 가해자들에 대해서 제대로 바라보겠다고 마음을 다잡는다.

「해룡 이야기」에서 살아남기 위해 군인과 관계를 맺어야 했던 어머니의 상황은 '순경 각시'의 전형적 사례다. 어머니는 자신과 품에 안은 갓난아기인 둘째를 살리기 위해 '순경 각시'가 된다. 어머니에게는 다른 선택이 남아 있지 않았지만, 그는 자신의 행동 때문에 아들에게 상처를 주었다는 죄의식을 가져야 했다. 소설에서는 함께 살았던 이등상사에 대한 어머니의 감정이 어떠했는지는 드러나지 않는다. '순경 각시'는 수치스러운 경험이지만, 원치 않는 성관계로 인해 여성이 느끼는 수치심과 고통은 비가시화되고 있다. 반면에 또 다른 이유에서 오는 수치심의 문제가 나타나는데 바로 가부장적 성윤리에 입각한 가족의 부정적 시선이다.

어머니가 이등상사의 도움으로 지서에서 살아나오는 모습을 보며 당숙은 "도저히 못마땅하다는 표정을 짓고 혀를 끌끌 찼"고, 가족과 주위 사람들은 어머니가 살아남은 것을 "당신의 반반한 용모 때문이라고들"(157) 말한다. 어머니가 '순경 각시'가 된 덕에 외갓집 사람들은 실종된 군경을 피해 도피 중인 외삼촌의 행방을 더는 추궁받지 않게 되었음에도 그 일에 대해 수군거린다. '순경 각시'에 의해서 가족은 안전을 보장받았지만, 고맙거나 안타까운 대상으로 여기는 대신에 성에 대한 가부장의 통제를 상실했다는 치욕으로 받아들인다.

반면에 아들인 중호는 어머니가 느끼는 수치심을 부당하다고 여긴다. 그는 자신이 어머니의 과거를 생각하며 느끼는 수치심이 잘못된 감정이라고 생각한다.

그러나 수치감이라니! 그럼 목숨을 살릴 수 있는 기회를 모질게 뿌리치고 죽어야 옳았단 말인가. 말도 안 되는 소리. 비록 살림 차린 상대가 원수 같은 서북군이지만, 그것이 그후 서른해 동안의 홀어멍 생활로도 지울 수 없는 그리 더러운 억울이란 말인가? (중략) 죽을 목숨을 삼십년 더 버텨온 당신을 누구라 더럽다 할 것이냐!(162)

어머니의 과거에 대한 자신의 반감이 가해자에게 향해야 했던 분노가 잘못 갔던 것이라는 중호의 반성은 4·3의 기억을 인간이 어쩔 수 없는 전설 속의 천재지변인 해룡처럼 무기력하게 분노하지 않고 받아들인 세월에서 벗어나야 한다는 의지로 확대된다. 더는 고통스러운 과거를 회피하지 않겠다는 그의 의지는 감동적이다. 그러나 동시에 어머니의 '순경 각시' 경험에 대한 안타까움의 한편에는 가족에 대한 그의 헌신이 중요한 사유로 자리 잡고 있다는 사실을 주목해야 한다. 생존을 위한 선택을 비판할 수 없다고는 하지만, 동시에 그 허물을 지우는 것은 "청춘과수의 더운 몸을 바다 물결에 식히고, 간장 썩는 한숨을 호이호이 숨비질 소리에 날려보내"던 "서른해 동안의 홀어멍 생활"(162)이다. '순경 각시'가 된 어머니에 대한 적대적 시선도, 그리고 그를 연민하는 중호의 시선도 가족에 속한 여성에 대한 윤리적 판단을 그 기준으로 삼고 있다. 여성의 성폭력 피해는 가족 관계라는 도덕적 틀 안에서 허용될 수 있는 형태로만 재현되고 만다.

제주 이외에 한국전쟁기의 학살 사건에서는 '순경 각시'와 같이 성폭력의 희생자가 된 여성들을 지칭하는 별도의 용어가 만들어지지는 않았다. 가난과 생계의 위협 때문에 구조화된 성폭력인 성산업으로 유입된 여성들에 대한 비난의 수사를 제외한다면 말이다. 학살이라는 억압된 기억 속에서도 더 철저하게 잊힌 사건들이 있었다. 그래서 한국전쟁기 학살 사건을 다룬 작품 속에서 성폭력의 문제를 다룬 사례는 극히 제한적이다.[100] 80년대 후반에 중편소설로 기획되었다가 2001년에 장편으로 발표된 황석영의 『손님』 이나 2010년대 초반에 발표된 조갑상의 『밤의 눈』 정도에나 관련된 사건이 등장했다. 민주화 이전 시기에 발표된 작품 중 제주의 사례를 제외한다면 이창동의 단편소설 「소지」를 들 수 있다.

이창동의 1985년 작 단편 「소지」는 국민보도연맹사건을 소재로 한 작품으로 주목받았다. 소설의 주인공이자 초점화자인 '그녀'는 국민보도연맹에 가입했던 남편이 한국전쟁 중에 실종된 뒤 홀로 '성국', '성호' 두 형제를 키웠다. 귀신을 볼 수 있다는 시누이는 죽은 오빠를 위해서 제사를 지내자고 요구하지만, '그녀'는 남편의 죽음을 인정하지 않는다. 둘째 성호가 전쟁이 끝나고 한참이 지난 뒤인 60년대에 태어났기 때문이다. 첫째 아들인 성국은 전향자 단체인 보도연맹에 가입했던 아버지 때문에 연좌제로 묶여 사관학교 진학이 좌절되고, 번번이 승진 시험에서 낙방[101]하는 말단 공무원이다. 학생운동을 하던 둘째 성호 때문에 집에 형사가 찾아오는 일이 생기자 형제의 갈등과 실종된 아버지에 대한 가족사의 비밀이 얽히면서 '그녀'는 숨겨두었던 과거를 어떻게든 해결해야만 하는 상황에 직면한다.

'그녀'와 시누이는 남편이 대구형무소에 수감 되었다가 다른 재소자들과 함께 끌려가 살해당했다는 사실을 알고 있다. 그러나 자유당 정권 말기에 태어난 성호 때문에 결코 그 사실을 인정하지 않는다. 자유당 말기에 시누이는 오빠의 행방을 알아봐 줄 수 있는 사람을 찾았다며, '그녀'에게 알린다. '그녀'는 남편을 찾기 위해서 돈을 들고 낯선 사내를 만나려고 갔지만, 사회적으로 취약한 좌익 가족을 노린 사기 행각이었고 성폭력까지 당하게 된다. 성호는 그 사건으로 태어난 아이였지만, 이를 숨기기 위해서 '그녀'는 "누가 뭐라 캐도 성호는 저그 아부지 천생으로 닮았"[102]다면서 죽은 남편의 아이라고 이야기한다.

성호의 출생 비밀을 숨기는 일은 동시에 성폭력의 피해 역시 함께 숨기는 방식이다. 학살사건 이후 '그녀'의 생존 전략은 자신을 향했던 폭력들을 철저히 비가시화하는 방식이었지만, 이로 인해 성국은 아버지를 사상 때문에 가족을 버린 사람이라 증오하고, 동생과도 소원해진다. 소설의 후반부에서 '그녀'는 손주와 함께 옥상으로 올라가 남편의 옷가지를 불태우면서 자신의 앓고 있던 이를 뽑아 불길 속에 던져넣는다. 자신의 제사를 지내 달라는 죽은 남편의 요구를 거절하면서 역사의 상처를 숨기던 '그녀'의 트라우마는 치통이라는 상징을 통해 제시된다. 남편의 옷가지를 불태우는 제의와 함께 이를 뽑음으로써 '그녀'가 과거에 대한 은폐와 상처를 함께 정리할 것임을 보여준다.

「소지」에서 '그녀'가 경험한 폭력은 자신의 고통으로 감각되지 않는다. 썩어가는 치아는 그 고통을 신체적 감각으로 전환하지만, 고통의 핵심은 그가 숨겨둔 비밀 때문에 악화되어가는 가족의 위기이다. 게다가 이 갈등을 해결할 실마리 역시 남편의 죽음을 받아들이는 가족제의의 형식[103]에 있다. '그녀'의 고통은 개인적 경험이기 이전에 가족사의 한 차원을 구성하며 이는 동시에 가부장제

가족 질서의 위기로 구성된다. 성폭력을 경험한 여성의 고통이 가족사 소설의 형태를 벗어나지 않는 것은 1차적으로 전쟁에 대한 사회적 기억이 가지는 성격, 즉 전쟁 기억이 남성의 기억이라는 의미로 구성되었다는 사실[104] 때문이다. 여성을 중심으로 한 전쟁기를 다루는 작품은 현저히 적으며, 여성을 주요 인물로 내세운 경우도 많지 않다. 전쟁 기억의 젠더화된 인식이라는 배경에서 학살 사건과 관련된 여성의 문제가 드러나는 지점, 특히 가부장적 성윤리가 재현에 영향을 끼치는 상황 속에서 여성을 향한 성폭력은 가족의 위기라는 형태로 재현되었다. 그리고 다른 한편으로는 한국전쟁을 전후한 시기 폭력이 가해지는 방식의 차이도 영향을 끼쳤다.

제노사이드 사건들에서 남성은 이념과 사상이라는 그들의 행위 때문에 반공국가의 표적이 되었지만, 여성은 "개인의 '죄'보다 단지 총살자나 도피자의 가족이라는 이유"로 살해당했다.[105] 반공국가의 가독성 작업은 남성에 대해서는 그들의 공식적 논리, 즉 반공주의라는 이념적 기준을 통해 선별한 대상으로 묶일 수 있었다. 그러나 여성은 자신의 행동이 아니라 좌익, 도피자, 입산자의 가족이라는 사회적 관계망에 묶여 있는 피해자였다. 이처럼 가족이라는 그물에 얽혀 희생된 여성의 피해는 반공주의라는 주권 권력의 (랑시에르의 개념으로서) '치안'의 논리와 현실 사이의 괴리를 더욱 극적으로 드러내 보이면서, 제노사이드로 피해를 입은 자들이 정치적 주체로 드러나는 과정[106]을 극적으로 보여주는 장소인 셈이다.

「해룡 이야기」에서 어머니의 고통스러운 과거를 떠올리며 4·3

을 다시 마주하려는 중호나, 남편의 죽음을 받아들이는 「소지」의 '그녀'처럼 여성의 고통은 학살을 정당화해온 반공국가의 논리와 현실의 폭력 사이의 불일치를 선명하게 만들면서 이 참혹한 기억을 새롭게 정의할 수 있는 주체의 출현을 가능하게 한다. 그러나 동시에 성폭력을 경험한 여성의 고통은 그 주체화를 위한 장소로 남겨진다. 그 고통은 가부장적 성윤리라는 아주 오래된 사회적 규범을 바꾸지 못하며, 여성의 위치를 가정 내의 존재로 재확인한다. 이행기 정의의 법률 속에서 여성이 경험한 폭력이 비가시화되었던 것처럼, 소설들에서도 여성은 가족이라는 범주 안에서만 그 고통을 다른 이의 눈에 보일 수 있다. 물론 이러한 폭력의 경험을 거쳐서 주체화되는 여성의 사례가 전혀 없던 것은 아니다.

비극적 가족사를 반복해서 소설화했던 박완서가 도달한 자리가 제노사이드적 폭력에 맞서 주체성을 회복한 여성 인물을 그려낸다. 물론 대부분의 박완서 소설이 그러하듯 주체성의 회복을 보여주는 90년대 자전적 소설들 역시 가족의 이야기를 다루고 있지만, 그는 동시에 가족이라는 영역 역시 새롭게 규정하고 만들어낸다. 이에 대해서는 4부에서 자세히 다룰 것이다. 그보다 먼저 민주화 이전 시기 박완서의 소설이 여성 주체를 세워놓는 위치를 살펴볼 필요가 있다. 살해당한 남성의 자리가 비어 있는 가족 안에서 여성은 생존을 위해 일하는 주체이면서, 동시에 가족 안으로 다시 돌아가야 할 대상이었다.

남성의 부재, 여성 주체의 재귀속

한국전쟁을 전후한 시기 전쟁과 제노사이드 같은 국가폭력을 경험한 사회는 여성들에게 전혀 다른 방향의 모순된 요구를 했다. 가족의 생계를 책임졌던 남성이 죽거나 실종되는 등 사라진 상황에서 여성들은 집 밖으로 나가 일해야 했다. 한국전쟁을 기점으로 가사노동에서 벗어나 가족의 생계를 책임지는 여성 생계 부양자가 급격히 증가했고, 이들 중 상당수는 전쟁미망인과 같은 남성 가부장이 부재한 여성들이었다. 이들은 살아남기 위해서 사회로 진출해서 일해야 했지만, 동시에 반공국가는 남성 가부장의 통제 바깥으로 나온 여성들을 다시 가정으로 귀속시키고자 했다. 살아남기 위해 생계 부양자가 되어야 했던 여성들은 동시에 '현모양처'라는 가족 내의 이상적 어머니로 살아야 한다고 요구받은 것이다.[107] 이는 남성을 전쟁터의 군인으로 동원하고 부족한 노동력을 여성의 사회 진출에 의존하던 국가가 전역하는 군인들을 위해 산업구조를 다시 남성화하는 과정의 산물이자, 전후 핵가족화로 인한 새로운 가족 모델을 만들어가는 시도[108]였다. 그런데 전쟁이 끝나고도 돌아올 남성이 없는 가족의 여성에게도 사회는 동일한 요구를 했다. 그리고 정치적 정체성을 의심받아야 했던 좌익 가족은 이러한 요구에 순응하는 일이 곧 생존의 전략이기도 했다. 이는 박완서의 단편 「부처님 근처」(1973)에서 잘 나타난다.

「부처님 근처」는 지성으로 불공을 드리는 어머니와 그의 모습을 못마땅해하면서도 함께 절에 따라온 중산층 주부인 딸의 이야기다. 딸은 어머니의 믿음을 이해하지 못한다. 그가 얼마 전까지만 해도 점집을 드나들던, 불심이 깊을 리가 없는 사람임에도 절에 가서 큰돈을 들이며 정성을 다하고 있기 때문이다. 소설은 70년대를 배경으로 중산층 모녀의 종교 갈등을 보여주다가 이내 그들이 절로 향한 이유를 알려준다. 바로 아버지와 오빠의 위패를 모시고 그들의 제사를 지내기 위해서다. '나'의 오빠는 좌익이었지만 한국전쟁이 발발한 뒤에 그 참상을 목격하고는 회의감에 빠져서는 다른 좌익 동지들에게 비협조적 태도를 보이다가 총에 맞아 죽는다.

오빠의 죽음 직후 이상해진 아버지는 서울을 점령한 인민군이 승기를 잃어가는 게 뻔히 보일 때까지도 그들에게 과도하게 협력한다. 한국군이 서울이 수복하자 부역자로 고발당한 아버지는 고문당하고 그 후유증으로 사망한다. '나'와 어머니는 전쟁 때문에 가족 중에 죽는 이들이 흔하다는 사실을 이용해서, 주변 사람들에게 오빠와 아버지의 죽음을 숨기기로 한다. 그들이 전쟁 중에 행방불명이 되었다고 알린 모녀는 제사조차 지내지 않으면서 비밀을 철저히 유지한다. 그러던 중 70년대가 되어 자신들과 같은 처지인 사람들에게 사회적 분위기가 온화해지면서 이들은 죽은 가족의 제사를 지내기로 결심한다.

무속과 불교를 오가는 어머니의 믿음은 죽은 지 20년이 넘도록 제사 한 번 지내지 않았던 가족을 위로하기 위해 의례 수단을 만들어내려는 노력이었다. '나' 역시 어머니처럼 숨겨왔던 가족의 죽음을 이야기할 수 있기를 간절히 바란다.

> 나는 만나는 사람마다 붙잡고 그 이야길 시켰다. 실상은 말야, 6·25
> 때 말야, 우리 아버진 말야, 우리 오빤 말야, 오래 묵은 체증을 토하
> 듯이 이야길 시켰다. 그러나 아무도 내 비밀을 재미있어하지도 귀를
> 기울여주지도 않았다. (중략) 나는 심심하면 속으로 내 얘기를 들어
> 줄 사람의 비위까지 어림짐작으로 맞춰가며 요모조모 내 이야길 꾸
> 며갔다.
> 나는 어느 틈에 내 이야기로 소설을 쓰고 있었던 것이다. 토악질하
> 듯이 괴롭게 몸부림을 치며, 토악질하듯이 시원해하며.*

'나'는 자신의 가족사를 주위에 말할 수 있는 시대가 되자, 어떻
게든 그 이야기를 하려고 노력한다. 가족의 비밀을 숨기기로 했던
어머니와의 공모에서 이탈한 것이다. 그러나 그의 갈망에도 불구
하고, 누구도 그의 말에 신경을 쓰지 않는다. 그러나 그 외면 속에
서도 '나'는 과거에 대해서 이야기하기를 멈추지를 않는다. 소설로
꾸며서 쓰면서까지 그 말 못 할 과거에 대해서 말한다. '나'의 소설
쓰기는 어머니의 기이한 신앙심만큼이나 부정했던 과거를 받아들
이기 위한 간절한 노력이다. 「부처님 근처」는 민주화 이전에 발표

---

* 박완서, 「부처님 근처」, 『부끄러움을 가르칩니다』, 문학동네, 2013, 111~113쪽. 이후 인
  용 시 괄호 안에 쪽수만 표기.

된 박완서의 가족사 소설이 가진 재현의 일반적 특징들을 공유한다. 좌익이었던 오빠의 죽음은 실제와는 다르게 좌익의 손에 살해당했으며, 협력자로서의 죽은 아버지의 이야기는 부역자 학살로 살해당한 숙부의 사연을 대신한다. 이들의 죽음은 '나'와 어머니에 의해서 좌익의 죽음이 아니라 실종으로 재현함으로써 반공국가의 의심을 피하도록 재구성된다. 좌익 가족사를 다른 방식으로 재현함으로써 안전을 도모하는 '고백'의 전략을 그리면서 이를 소설 쓰는 '나'의 문제로 연결하는 방식은 4부에서 살펴볼 『그 많던 싱아는 누가 다 먹었을까』와 『그 산이 정말 거기에 있었을까』 같은 그의 90년대 자전소설들과 유사하지만, 은닉대본을 실행했다는 사실에 대한 고백조차 반공국가의 시선에 대응하여 안전하게 꾸며져 있다는 점에서 선명하게 구분된다. 『그 산이 정말 거기에 있었을까』과 이 작품의 또 다른 차이는 바로 가족 꾸리기, '나'의 결혼 문제다.

이념과 정치 문제에 개입했던 오빠와 아버지가 좌익과 반공국가에 의해서 연이어 살해당한 경험은 '나'와 어머니에게 끔찍한 두려움을 남긴다. 어머니는 '나'에게 "처자식만 알 착실한 남자하고"(108) 결혼을 해야 하지 않겠느냐고 권한다. 그리고 '나'는 어머니의 말속에 숨은 뜻을 정확히 이해한다.

나는 어머니의 그 말에 대번에 동의했다. 처자식만 아는 착실한 남자라는 말이 내 마음에 쏙 들었다. 처자식의 먹이를 벌어들이는 것외에는 자기가 속한 사회에 섣불리 참여하지도 저항하지도 않는 남자, 그런 뜻이 아니겠는가. 그런 남자가 좋고말고. 그리고 나는 왠지 그런 남자와 결혼함으로써 오빠와 아버지에게 복수라도 하는 기분이었고, 무엇보다도 사는 일에 지쳐 있기도 하였다.(108~109)

사회 활동에 나섰다가 살해당한 가족을 둔 이들이 바라는 것은 정치에서 비롯된 위기로부터 안전한 비정치적인 생계 부양자 남성이다. 국가에 순응하고 가정의 경제권을 가지면서 여성과 다른 가족 성원을 부양할 수 있는 남성상은 생계 부양자 여성을 가정주부로서 다시 가족 안으로 귀속시키려고 하는 반공국가의 가족 모델에 부합하는 존재였다. 이들의 바람은 생존을 위한 요구일 뿐 아니라, 반공국가가 제시한 사회적 청사진에 순응하는 주체가 되려고 한다. 권명아의 지적처럼 이 작품에서 안정된 가족은 반공주의 사회 안에서 죽은 자에 대한 공포와 적대에서 벗어나기 위한 정신적 도피처인 셈이다.[109] 생계 부양자 남성에 대한 요구는 동시에 가정주부라는 가족 내에 재귀속된 여성의 역할을 받아들이는 과정이기도 하다. 그래서 '나'는 가족을 재생산하는 어머니로서의 역할을 충실하게 따른다. 그러나 동시에 '나'의 어머니 되기에는 반공국가의 폭력에 대한 공포라는 말할 수 없는 동기도 함께 작동했다. 남편이 불임수술을 할 때까지 '나'는 많은 아이를 낳았다. 그의 출산은 세대의 재생산이라는 아내이자 어머니에 가부장제 가족이 부여한 역할을 따르는 일이지만 동시에 "언제 또 어떤 시대의 횡포가, 광기가, 검은 총구가 되어 내 아이의 가슴을 향해 겨누어질지"(109) 모른다는 공포감 때문이었다. '나'는 반공국가가 제시한 정상가족 모델을 따르지만, 그 내면에는 국가폭력의 상처라는 은밀한 기억이 그 강력한 동기로 남아 있으면서 제사나 글쓰기 같은 다른 방식을 통해 분출되기를 기다리고 있었다.

「카메라와 워커」(1975)는 「부처님 근처」에서 '나'와 어머니가 꿈꾸었던 비정치적인 정상가족 모델이 계속 마주해야 하는 불안을 자녀 세대의 모습을 통해서 그리고 있다. 소설의 주인공인 '나'는 전쟁 중에 오빠와 올케가 죽은 뒤 어머니와 함께 하나뿐인 조카 '훈이'를 키운다. '나'는 조카인 훈이를 보면서 강한 모성을 느끼지만, 어머니는 처녀인 딸이 조카와 모자 관계로 보이는 것을 걱정한다. 그럼에도 '나'는 결혼한 이후에도 조카를 자식처럼 돌보면서도 그가 오빠와 같은 길을 걸을까 노심초사하면서 그가 정치나 사상 등에 관심을 가지지 않고 평안한 중산층으로 살 수 있게 키우려고 한다. '나'와 어머니에게 오빠와 올케의 죽음은 훈이의 삶에 금제를 가하는 고통스러운 기억이다. 열성적이지는 않은 좌익이었던 오빠는 전쟁이 발발한 뒤 동료 좌익들의 손에 죽었고, 그리고 며칠 지나지 않아서 올케는 폭격을 맞아 숨을 거둔다. '나'와 어머니는 훈이를 열과 성을 다해서 기르지만, 그가 사상을 알지 못하게 문과 대신에 이과로 대학을 진학하길 권하고 재학 중에도 데모 등에 참가하지 않도록 주의를 준다. '나'와 어머니는 훈이가 그저 안정된 중산층 가정을 꾸릴 수 있기를 바란다.

어머니와 나는 한 번도 훈이가 대통령이나 장군이나 재벌이나 판검사나 그런 게 되기를 바란 적이 없다. 정직하게 벌어먹을 수 있는 기술을 가르쳐 대기업에 붙여, 공일날 카메라 메고 야외에 나갈 만큼의 사람 사는 낙을 누릴 수 있기를 바랐을 뿐이다.[110]

어머니와 '나'가 바라는 훈이의 삶은 「부처님 근처」에 등장했던 '처자식만 아는 착실한 남자'의 모습이다. 훈이는 반공국가의 권력에 저항하는 정치적 적대자였던 오빠('좌익')와 같은 삶을 살아서도 안 되지만, 그렇다고 해서 그 권력을 원하거나 그에 복무하는 이들('대통령', '장군', '재벌', '판검사')이 되기를 바라지도 않는다. 가족이 바라는 훈이의 위치는 그저 반공국가가 권장하는 정상적인 가족 모델을 이루는 모범적인 국민의 자리일 뿐이다. 조카가 순종적인 국민 이외의 무엇도 되지 않기를 바라는 '나'의 마음은 전후 좌익 가족의 불안한 내면 심리가 가족제도와 만나는 장면을 보여준다. 순종적이고 비정치적인 주체로 남고자 하는 바람은 전쟁 중 좌익 가족이나 부역 혐의자 같은 적대적 대상을 파괴하려고 했던 반공국가의 폭력 구조가 전후 한국사회를 지배하는 질서로 존속되고 있다는 인식을 반영한다.[111] 훈이는 가족의 기대대로 어떤 사회적 활동도 나서지 않지만, 그의 취업은 '나'의 바람과 달리 어려움을 겪는다. 결국 고모 친구의 소개로 건설사 임시직으로 지방의 건설 현장에 취업하고, '나'는 조카를 만나기 위해서 그가 일하는 현장을 찾아간다.

'나'는 열악한 현장에서 너무나도 달라진 훈이를 보면서 걱정한다. '나'는 이렇게 열악하게 일을 하느니 차라리 함께 서울로 올라가자고 말하지만, 훈이는 단호하게 거부한다. 그는 자신의 상황이 비관적이라는 것을 알고 있지만, 그렇기에 남아 있으려고 한다. 자신의 현재가 고모와 할머니가 바라던 삶이기 때문이다.

> "나는 더 비참해지고 싶어. 그래서 고모나 할머니가 철석같이 믿고 있는 기술이니 정직이니 근면이니 하는 것이 결국엔 어떤 보상이 되어 돌아오나를 똑똑히 확인하고 싶어. 그리고 그걸 고모나 할머니에게 보여주고 싶어."

> "그걸 우리에게 보여서 어쩌겠다는 거야? 그걸로 우리에게 복수라도 하겠다 이 말이냐?"
> (중략)
> "고모 그렇게 흥분하지 말아. 나는 다만 고모가 꾸미고, 고모가 애써 된 이 일의 파국을 통해서 고모와 할머니로부터, 그리고 이 나라로부터 순조롭게 놓여날 수 있기를 바라고 있을 뿐이야."[112]

훈이는 고모와 할머니가 자신에게 바라는 근면하고 성실한 국민에 대한 믿음을 깨버리고 싶어 한다. 그 과정이 비참하다 하더라도, 오히려 그 비참함 때문에 계속 그 삶의 방식을 고수하려고 한다. 고모와 할머니가 그에게 요구한 삶이란 그 자신이 원치 않은 것이었을 뿐 아니라, 동시에 달성할 수도 없는 삶이기 때문이다. 「카메라와 워커」에서는 훈이가 가족의 기대와 달리 중산층으로서의 안정된 삶을 달성하기 어려운 이유를 직접적으로 보여주지 않는다. 다만 가족이 원하는 삶을 살아야 하는 데서 오는 훈이의 내적 갈등이 제약을 준 것처럼 보일 뿐이다. 그러나 고모와 할머니뿐 아니라 "이 나라로부터 순조롭게 놓여날 수 있기를 바라고 있다"는 훈이의 말에서 좌익의 아들로서 그가 짊어진 멍에를 추측하게 한다.[113] 박완서 소설 속 인물들의 중산층 가족 지향은 권명아의 지적처럼 전후 한국사회의 근대화와 결합된 가족 윤리가 실상 윤리로서의 내용은 상실된 상태로 "배타적 강제의 논리로 작동"하고 있음을 드러내는 서사적 장치다.[114] 모범적인 가족 모델로 편입되려는 그들의 바람은 진정 그 자신의 욕망도 아닐뿐더러, 이 기준을 요구하는 반공국가가 계속 가하고 있는 사회적 제약 때문에 이룰 수 없는 꿈이다.

「부처님 근처」와 「카메라와 워커」에서 남성 가부장의 부재는 국가폭력 피해자 가족을 정상가족화하려는 과정으로 나타났다. 그러나 남성 부재의 상황을 만든 폭력의 상처는 가족 내부에 해결되지 않는 갈등을 남기며 비정상적 상태를 만든다. 가족의 정상성을 회복하려는 노력이 오히려 가족 내부의 긴장과 갈등을 더 악화시키기도 했다. 제주4·3을 배경으로 한 고시홍의 단편 「도마칼」(1985)은 정신 질환에 시달리는 어머니를 기도원에 모시기로 한 아들의 시선으로 진행된다. 갑작스럽게 심각한 정신 질환에 시달리는 어머니는 불안 때문에 도마칼을 손에서 내려놓지 못하고 주위 사람들을 위협한다. 어머니는 4·3 당시 자신과 가족을 괴롭혔던 군인과 폭도(무장대)의 환영에 시달리면서 살아남기 위해서 도마칼을 손에 쥐고 자신을 향해 다가오는 모든 이들에게 칼을 겨눈다.

어머니의 정신 질환은 가족의 두 비밀에서 비롯된다. 하나는 4·3 당시에 도피자가 되어 사라졌던 작은 삼촌이 재일동포로 다시 한국을 방문하게 된 일이다. '김우찬'의 아버지는 무장대의 요구로 식량을 내줬다는 이유로 살해당한다. 작은 삼촌인 '김덕표'는 지역 유지와 군경을 접대하면서 형의 혐의를 무마해보려고 노력했으나, 그가 죽자 신변의 위험을 느끼고 도망친다. 그랬던 그는 '김광진'이라는 이름으로 일본에서 살다가 재외동포 방문 사업으로 우찬의 가족과 재회한다. 그 재회가 어머니의 정신 질환을 급속하게 악화시킨다. 김덕표는 자신의 아내였던 우찬의 어머니에게 사죄하지만, 어머니는 그를 기억하지 못한다. 가족의 두 번째 비밀은 우찬이 입양되었다는 사실이다. 우찬은 작은아버지가 실종된 뒤에 홀로 남겨진 숙모의 부탁으로 입양된다. 남편이 도피자가 되어 사라지고, 군경을 피해 숨어 지내던 중 갓난아기였던 자녀마저 죽자 숙모는 집안 어른들에게 우찬을 양자로 들이게 해달라고 요구한다. 양자 입양은 집안의 대를 이을 수 없게 된 상황을 해결하기 위해, 친척의 아이를 입양해서 제사 공동체로서의 가족을 지키려는 방편으로 학살 희생자들 사이에서 발견되는 한 현상이다. 학살의 피해로 훼손된 가족의 정상성을 회복하려는 조치였으나 오히려 이는 어머니와 유찬 모두에게 지울 수 없는 상처가 된다.

> "아드님 생각을 해서래두 속히 병을 고쳐야 해요. 그러자면 하느님과 함께……"
>
> "헛소리 그만헙서! 법을 빌어 얻은 아들도 자식이우꽈? 내 속 헐려 난 아들은 이제도 병원에 있수게!"[115]

어머니의 정신 질환은 죽은 아들이 병원에 살아서 입원해 있다는 망상으로 나타난다. 그의 망상은 4·3 이후 수십 년을 함께 살아온 유찬과의 관계를 받아들일 수 없도록 한다. 유찬의 다른 가족들 역시 어머니를 가짜 할머니라고 부르며 그들 사이의 간극을 좁히지 못한다. 「도마칼」에서 나타난 가족의 정상성을 회복하기 위한 또 다른 수단은 김덕표를 죽은 사람이라 여기고 그의 헛묘를 만든 것이다. 행방불명인 도피자로 남겨두는 대신에 죽은 자로 정리하고, 양자가 된 우찬은 제사의 의무를 짊어지게 된다. 실제의 피해를 해결할 수 있는 수단이 모두 막힌 상황에서 가족 내의 의례를 통해 상처를 봉합하려는 가족의 노력은 오히려 상황을 더욱 악화시키고 만다. 국가폭력으로서의 4·3으로 발생한 피해와 이를 해결하는 가족이라는 층위 사이에 있던 간극은, 죽은 자로 정리해두었던 김덕표의 귀환으로 인해 끝내 봉합할 수 없게 벌어지고 만다. 어머니의 정신적 고통은 봉합될 수 없는 현실의 피해를 자구책을 통해서 정리한 가족 질서 속에서 점차 곪아갔던 것이다.

가족의 정상성을 회복함으로써 여성에게 어머니라는 역할을 다시 부여하는 계획은 제노사이드 사건의 가해자였던 국가와 피해자였던 가족 모두가 시도한다. 제노사이드를 통해서 사회를 새롭게 만들고자 했던 국가는 새로운 남성 가부장의 자리를 설계하고, 생계 부양자가 되어 가족의 경계 바깥으로 나가 사회에 참여했던 여성들을 가정주부라는 형태로 다시 귀속시키고자 했다. 「부처님 근처」의 '나'가 보여주듯이 그러한 가정주부로서의 자신의 역할을 수용하는 일은 반공국가와의 긴장 관계를 해소하고, 안전을 확보할 수 있는 중요한 방법이었다. 그러나 동시에 이러한 순응은 반공국가를 여전히 두려운 존재로 바라보지만, 국가권력이 내세우는 규범과 인식에 대한 다른 해석 위에서 이루어진 것이었다. 자신의 비극적 가족사를 자신이 찾아낸 방식으로 말하고자 하는 바람은 사라지지 않았다. 그리고 이 욕망은 적합한 수단과 재현이 가능해질 때 언제든 분출하게 될 것이었다. 그러나 자신이 경험한 상처를 극복할 수 있는 적절한 수단을 가지지 못한다면, 오히려 문제는 더욱 악화할 따름이었다.

학살로 인해서 훼손된 가족의 정상성을 회복하려는 노력이 언제나 최선의 결과로 이어지는 것은 아니었다. 현실과 가족 내에서의 해결 사이에 존재하는 간극이 극에 달하는 순간, 봉합된 줄 알았던 상처는 오히려 더욱 크게 벌어진다. 「도마칼」에서 피해자인 그는 남편의 실종과 아들의 죽음으로 인해 사라진 가족의 정상성을 망자의례와 양자 입양을 통해서 회복하고자 했다. 그러나 이 과정에서 그 자신의 상처를 회복하는 과정은 보이지 않았고, 죽은 줄 알았던 김덕표가 돌아오자 오히려 억눌려 왔던 기억은 정신을 뒤흔들었다. 폭력에 의해서 훼손된 주체성이 아니라, 자신이 놓여 있던 사회적 자리만을 회복하려는 시도는 오히려 폭력을 연장하기만 할 뿐이다.

여성의 재현 공간과 제노사이드의 젠더

한국전쟁기 제노사이드를 경험한 여성을 그리는 서사들 속에서 흥미로운 차이가 발견된다. 박완서와 같은 여성 작가의 작품에서만 제노사이드의 기억이 여성들 사이의 관계망 안에서 이야기된다는 사실이다. 앞서 살펴보았듯 「순이 삼촌」과 「해룡 이야기」, 「소지」, 「도마칼」 등에서 제노사이드를 경험한 여성들의 기억은 가족의 다른 남성 구성원, 특히 아들과의 관계를 중심으로 그려지는 경우가 많다. 한국전쟁기 제노사이드 사건을 다루고 있는 이창동의 또 다른 단편인 「친기親忌」(1985)도 여성의 기억이 가족이라는 관계망 속에서만 포착되고 있다는 사실을 보여준다.

뇌졸중으로 거동이 불편한 아버지를 모시고 있는 '김정우'의 집에 갑자기 한 남자가 찾아오더니 다짜고짜 그의 아버지와 만나겠다고 한다. 아버지와 만난 의문의 사내는 자신이 그의 첫째 아들인

'김덕수'라고 밝히고는 오늘이 죽은 어머니의 제삿날이기에 찾아온 것이라고 말한다. 정우와 그의 누나는 아버지와 둘째 부인 사이의 자식이었고, 형인 덕수는 첫째 부인의 아들이었다. 아버지는 전쟁 중에 덕수와 그의 어머니를 친정으로 보낸 뒤 찾지 않았고, 다른 이와 재혼해서 가정을 꾸렸다. 덕수는 좌익이었던 아버지를 "빨갱이짓에 미쳐가 처자식까지 버"[116]린 사람이라며 비난하고는 죽은 어머니의 제사를 치르기 위해서 그들을 찾아온 것이라고 말한다. 덕수는 어머니의 제사상에 아버지가 절하게 함으로써 그의 잘못을 인정하게 할 생각이었지만, 그 소식을 듣고 찾아온 누나 '연숙'은 그가 알지 못하는 가족의 비밀을 이야기한다. 좌익이었던 아버지가 전쟁 중에 친구와 함께 은신해 있다가 붙잡혔는데, 친구가 처형당하고 아버지는 살아남았다. 알고 보니 덕수의 어머니가 경찰에 둘의 은신처를 밀고했고, 아버지는 그 대가로 살아남은 것이다. 아내가 친구를 밀고했다는 사실에 분노한 아버지는 덕수 모자를 떠나고, 친구의 여동생인 현재의 부인과 결혼한다. 가족의 비밀을 알게 된 덕수는 당황하지만, 아버지는 누나의 말을 중단시키고는 힘겹게 몸을 움직여서는 죽은 아내의 제사를 준비하게 한다. 제사를 치른 남매는 장남인 덕수의 집으로 아버지를 모시기로 하면서 가족 관계를 회복한다.

「친기」는 전쟁 중 원치 않게 서로에게 가해자이자 피해자가 된 가족이 제사라는 가족의례를 통해 화해하는 과정을 보여준다. 그런데 이 화해의 장면에서 주목할 것은 가부장적인 부계 혈족의 질서, 즉 장자의 위치가 회복되는 과정으로 이 서사가 구성되고 있다는 사실이다. 덕수와 아버지의 화해, 정우와의 형제 관계가 회복되는 제사는 전쟁과 제노사이드로 인해서 망가진 가족 질서를 복원하는 제의적 과정이다. 1장에서 살펴본 것처럼 제사와 같은 망자 의례의 작용은 전통적인 가부장 질서 그 자체를 그대로 반복하는 것은 아니었다. 그러나 유교화된 한국의 가족제도 안에서 제사가 남성적 의례의 형태였다는 사실 역시 기억해야 한다.

전통적인 한국의 가족 질서에서 가족의례는 성별에 따라 이중화되어 있었다. 조상에 대한 제사가 남성의 의례였다면 귀신과 신령과 같은 존재를 대상으로 한 무속은 여성의 의례였다.[117] 조상신과 귀신은 망자가 경험한 죽음의 형태에 따라 분할된, 조상과의 다층적 관계망을 보여주는 단위였다. 이 중 여성의 의례인 무속은 부정적 죽음으로 인해 온전히 조상신이 되지 못한 이들을 묶어내는 관계망을 구성하는 의례였으며, 이러한 개방성은 전쟁과 제노사이드로 인한 계보의 혼란에 대응하고 반공국가의 이념적 범주에 대응할 수 있는 범위를 더 넓혔다.[118] 가족의 계보를 뒤흔드는 대량의 죽음으로 인해 제사와 무속의 성격도 상당 부분 뒤엉키게 되었지만, 제사를 통해 근대적 폭력에 대응하는 서사들에서 제사는 여전히 남성적 발화의 공간으로 재현되었다. 「친기」에서도 과거의 기억에 대해서 침묵하고 있는 이들은 어머니'들'이다.

「친기」에서는 자식 세대에서는 오빠와 여동생 사이에 그들이 기억하는 과거를 이야기한다. 반면에 가족의 과거를 딸에게 이야기했을 연숙과 정우의 어머니는 "죄 지은 사람처름 그러고 계시지만 말고 말씀 좀 하세요"[119]라는 딸의 말에도 왜 그런 소리를 꺼내느냐며 말을 하지 않으려고 한다. 덕수의 어머니 역시 남편에게 버림받은 직후 반년이 채 되지 않아 병으로 죽어서 비극적 사건에 대해 자신의 이야기를 하지 못했다. 반면에 뇌졸중으로 인해서 혀가 마비된 아버지는 말을 더듬어가면서도 힘겹게 이야기한다. 이러한 경향은 제사와 무속을 소재로 한 다른 작품들에서도 비슷한 경향이 나타난다. 「순이 삼촌」에서도 제사를 위해 모인 가족들 간의 대화에서도 4·3에 대해 이야기를 하는 이는 가족의 남성 구성원들이다. 「우리들의 조부님」에서도 아버지의 영혼이 들린 할아버지는 죽음의 진상을 따져 묻지만, 어머니는 어떤 말도 하지 않는다. 「아버지의 땅」에서도 남성인 마을 노인과 군인들은 발견된 유해의 신원을 추정하거나 그 과정을 중단하기도 한다. 반면 노인의 아내가 죽은 시숙의 꿈을 꾸었다는 말을 노인은 무시할 뿐이다. 이들 작품 속에서 사건을 경험한 여성들은 공적 발화자의 위치에 서지 못한다. 반면 박완서의 소설에 나타난 여성들은 가족의 죽음에 대해서 타인에게, 특히 다른 여성들에게 수다스럽게 이야기한다.

「부처님 근처」에서 '나'는 오빠와 아버지의 죽음에 대한 사람들의 시선이 관대해진 시대[120]가 오자 "만나는 사람마다 붙잡고 그 이야길"* 수다스럽게 늘어놓는다. 기억이 억눌려온 시간을 보상받으려는 듯 이 소설의 '나'는 수다와 소설쓰기 등 다양한 방식으로 과거에 대해서 말하려 하고, 박수무당을 찾아가 지노귀굿을 하더니 다음 해에는 지극정성으로 불공을 드리는 어머니의 오락가락하는 종교관 역시 과거를 표현하는 한 방식임을 이해한다. 그런데 오빠와 아버지의 22주기 제사를 지내기 위해서 모녀가 찾은 절인 'ㅂ사'가 여성 신도들이 많기로 유명한 비구니절이라는 사실을 주목할 필요가 있다. 'ㅂ사'에서 각자의 바람을 가지고 기도를 하는 이 역시 모두 여성이다. 모녀가 은폐해왔던 가족의 죽음을 인정하는 공간이 여성적 의례의 장소들, 무속과 비구니 절이라는 사실은 박완서 소설의 전반적인 경향에 맞닿아 있다.

70~80년대 박완서의 소설에서 전쟁기 기억에 대한 대화는 거의 여성들 사이에서만 이루어진다. 「세상에서 제일 무거운 틀니」(1972)나 「겨울 나들이」(1975)에서는 전쟁과 좌익 가족이라는 정치적 낙인으로 인한 고통을 유사한 사회적 곤경을 겪는 중년의 여성과 이야기하고, 「돌아온 땅」(1977)에서는 모녀 사이의 대화를 통해 잊고 싶던 과거와 마주한다. 『목마른 계절』(1978)에서는 전쟁이 끝난 뒤에 이를 어떻게 기억해야 할지 이야기하는 이들은 동서와 올케 관계다. 백윤경은 박완서 소설에 나타난 기억의 재현 공간으로서의 여성들 사이의 대화를 '수다'의 형태로 설명한다. 그는 소설 속 여성들 사이의 수다가 당대 사회가 받아주지 않던 속마음을 털어놓게 함으로써 억눌린 감정과 그 슬픔을 서로 공감하게 하는 치

---

* 작품 속에서 구체적으로 언급되지 않지만 실제 박완서의 경험처럼 1972년 7·4남북공동성명이 그 시점일 것이라 추정된다.

유의 서사를 만들어내는 장치라고 보았다.[121] 그의 지적처럼 낙인 찍힌 삶을 견디어내기 위해서 과거를 숨겨야 하는 이들이 겪는 고통 때문에 수다스러운 말하기는 치유의 효과를 가질 수 있다. 그러나 박완서 소설에서 여성의 말하기는 고통의 해소보다는 직시하지 않으려 했던 현실의 고통을 직면하는 고통스러운 자각의 과정이다.

「세상에서 제일 무거운 틀니」에서 월북한 좌익 오빠가 있다는 사실, 좌익 가족이라는 멍에를 장애를 가진 아이 때문에 미국으로의 이민을 준비하는 '설희 엄마'에게 하소연하듯 털어놓은 '나'는 잠시나마 개운함을 느낀다. 그러나 그는 틀니 때문이라 생각했던 견디기 힘든 중압감이 실상 그의 가족사에서 비롯된 "온갖 한국적인 제약의 중압감"을 "마침내 이 나라를 뜨는 설희 엄마와 견주어"[122] 더욱 선명하게 느끼게 된 것임을 깨닫는다. 「부처님 근처」의 '나' 역시 다양한 사람들에게 여러 방법을 통해 가족사에 대해서 털어놓으려고 하지만, 그럴수록 말하기에 대한 자신의 갈급함만을 확인할 뿐이다. 물론 공감과 이해를 통한 위로와 치유가 이 대화의 과정에 나타나지 않는 것은 아니다. 「겨울 나들이」에서는 전쟁 기억에 대한 여성들 사이의 대화는 서로가 짊어진 마음의 짐을 조금이나마 가볍게 한다.

중견 화가인 남편을 둔 중산층 여성인 '나'는 홀로 겨울에 온양온천으로 여행을 떠난다. 그의 여행은 휴식을 위한 것이 아니다. 그가 남편에게 느낀 큰 실망감 때문에 잠시 집을 떠나 생각을 정리하기 위해 온 것이다. 남편은 전쟁 중에 첫째 부인과 생이별하고, '나'는 그런 남편을 안쓰럽게 여겨 그와 결혼한다. '나'는 첫째 부인의 자녀인 딸의 모습에서 헤어진 첫째 부인을 떠올리는 남편에게 큰 배신감을 느낀다. 남편과 멀리 있으려고 떠난 여행이었기에 별다른 계획 없이 여행지를 돌아다니던 그는 겨울이라 텅 빈 호숫가의 휴양지에서 유일하게 영업하고 있는 허름한 여인숙에 들어간다. 여인숙 여주인은 그가 비굴해 보인다고 느낄 정도로 저자세로 대하는 데 반해 여주인의 시어머니는 무언가 불만이 있는지 계속 고개를 저으며 분위기를 불편하게 한다. 그는 숙소로 돌아갈 버스를 기다리면서 여주인에게 시어머니가 종일 도리질하게 된 사연을 듣는다.

전쟁 중 인민군에 마을이 점령되자 여주인은 면장이었던 남편을 숨기고는 시어머니에게는 누가 물어도 모른다고만 하라고 당부한다. 하지만 우연히 인민군 패잔병과 마주친 시어머니는 긴장한 나머지 그들이 무얼 물어보기 전에 모른다는 말부터 꺼내서 그들의 의심을 산다. 인민군은 숨어 있던 남편을 찾아내서는 총을 쏘고 사라지고 시어머니는 그날의 충격으로 20여 년째 계속 고개를 흔들고 있다는 것이다. 여주인은 서울에서 대학을 다니는 아들이 사라졌다는 소식을 듣고 버스를 기다리면서 '나'에게 그 이야기를 한다. 여주인의 사연을 들은 '나'는 여행을 끝내고 서울까지 그와 동행하기로 한다.

「겨울 나들이」에서 전쟁으로 인한 이산의 상처를 공유하는 남편과 딸 사이의 관계에서 소외감을 느낀 '나'는 가족이 살해당한 여주인과 시어머니의 이야기를 들으며 그들에게는 공감한다. 살해당한 남편의 기억을 이야기하고 들어주는 과정이 치유의 서사라는 사실을 뒷받침하는 근거는 시어머니의 도리질이 그 이야기를 듣고 난 뒤에는 '나'에게 전혀 다르게 보인다는 사실이다.

> 나에겐 그 도리질이 "몰라요 몰라요"가 아니라 "며늘아, 태식이 녀석에겐 아무 일도 없어, 글쎄 아무 일도 없다니까. 우리가 무슨 죄가 많아서 그 녀석에게까지 무슨 일이 있겠니"하는 것처럼 보였다.[123]

학살당한 가족에 대한 죄의식과 트라우마의 신체적 증상인 도리질은 고통스러운 과거를 다른 이와 공유한 이후에는 위로의 표현이 된다. 그런데 여주인을 안심시키는 그 몸짓과 관련된 현재의 사건, 서울에서 대학을 다니는 아들 '태식'이 일주일이 넘도록 하숙집에 들어오지 않고 있다는 불안한 소식과 전쟁 기억을 털어놓는 수다의 순간이 맞물리는 지점들은 치유의 과정으로 단순화하기에는 기이한 지점들이 있다. 착실한 대학생인 아들의 실종과 전쟁 중 살해당한 아버지의 이야기는 연속되고 있다. 인민군에게 살해당한 면장인 아버지는 반공국가의 시선에는 (반공) 국민의 비극적 죽음이다. 1970년대 후반, 유신시대에 대학생의 실종 사건은 반공국가의 폭력에 의한 피해이거나 가독성 장치를 통해 국민을 지속적으로 감시해온 권력에 불순한 행동으로 보일 수 있다. 박완서가 유신체제에 대한 비판적 시선을 여성과 가족의 문제를 통해 그려왔다는 사실[124]을 생각한다면 태식의 실종은 전쟁의 기억에서 지금까지 이어지고 있는 폭력적 체제가 가하는 위협의 이야기일 수 있다. 또 박완서가 80년대까지 전쟁기 죽음의 가해자를 모두 좌익으로 바꾸어 묘사했다는 점을 생각한다면, 아버지의 죽음은 아들의 실종과 같은 이념적 좌표 위에서 벌어진 사건일 가능성도 있다.

비슷한 시기에 발표된 단편인 「돌아온 땅」에서는 전쟁 중 가족의 죽음을 안전을 위해 선택적으로 변형하는 고백의 전략이 나타나기도 했다. 월북한 삼촌의 문제를 덮기 위해서 인민군에게 처형당한 남편을 "훌륭한 인품으로 자유와 민주주의 순교자"[125]로 죽음의 의미를 재구성한다. 실제로는 그저 마을 유지였던 남편이 억울하게 반동으로 몰려서 죽은 것이었지만, 월북자 가족이라는 멍에를 벗기 위해 모범적 반공 국민의 비극적 죽음이라 고백해온 것이다. 이처럼 수다를 통해 전해진 이야기는 진실을 드러내는 과정보다는 그들이 경험한 사회적 폭력에 대응하기 위한 재현 방식임을 고려하고 읽어야 한다.

「겨울 나들이」에서 그려진 여성들 사이의 수다에서 주목해야 할 또 다른 문제적 장면은 바로 '미신'이다. 여주인은 아들을 찾기 위해 서울로 올라가기 전에 그의 안전을 점치는 자신만의 미신을 하나 만들었다. 서울로 갈 노잣돈을 여인숙 손님을 통해 벌면 아들이 안전할 것이고, 손님이 없어 자기 돈을 쓰면 불행한 일이 생겼을 것이라 믿기로 한 것이다. 박완서의 소설 속에서 미신과 같은 주술과 무속은 반복적으로 등장하는 소재이며 『도시의 흉년』과 같은 소설에서는 작품의 세계관을 이루기도 한다. 차미령은 박완서 소설 속 주술의 문제가 생존의 위협에 맞서는 실천적 행위로 나타난다는 사실을 주목했다. 여성에게 무속과 미신 같은 주술적 행위는 위협에 대응하는 여성의 행동으로 그려진다.[126] 아들의 안전을 기원하는 여주인의 미신이 여성 사이의 대화에서 포착된 것은 여성적 의례이자 소통의 공간으로서의 무속과 연결되어 있다. 박완서는 전쟁과 학살의 기억을 여성들 사이의 관계와 미신·무속과 여성적 형식을 통해 발화함으로써 이를 젠더화한다. 이러한 제노사이드의 젠더화는 전쟁 기억에 대한 남성화된 전쟁 기억이 망각한 고통을 가시화하기 위함이다.

김성례는 여성이 제노사이드에서 경험한 성폭력에 대해 증언하기를 꺼리는 반면 남성들이 이를 대신 말해준다는 사실에 주목한다. 제노사이드의 과정이나 수단으로 사용된 성폭력에 대한 여성의 증언이 "여성의 순결과 정조에 대한 가부장제 이데올로기"에 의해 억압되고 있다고 주장한다.[127] 여성의 고통을 증언할 수 있는 언어는 국가와 가부장제에 의해 전유되어 고통받는 몸과 분리된다. 그래서 김성례는 여성이 서로의 피해를 이야기하고 위로하는 고통의 연대가 근대의 공적 언어가 아니라 꿈·울음·신들림과 같은 언어 아닌 것을 통해 전해져왔다고 지적한다.[128] 여성의 고통이 (가부장제의) 언어 바깥에 놓여 있었다는 그의 분석은 박완서 소설 속 여성의 기억을 이해하는 데 중요한 참조점이다. 언어에 기반할 수밖에 없는 소설이라는 재현의 형식에서 박완서는 남성들의 언어에 포착되지 않는 여성의 고통을 무속과 같은 여성 의례나 여성들의 대화라는 맥락 속에 배치했다. 이를 가장 잘 보여주는 것이 전쟁 중의 성폭력 문제를 다룬 그의 작품들이다.

「그 살벌했던 날의 할미꽃」(1977)에서 작중 화자인 소설가는 친구들에게 들었다는 두 노파의 이야기를 쓴다. 그중 첫 번째 노파의 이야기에서 전시 성폭력에 대한 여성들의 공포가 서사의 중심이다. 소설의 배경이 되는 '달래 마을'의 사람들은 평범한 양민들이었지만 전쟁에 휩쓸려 끔찍한 피해를 입는다. 한국군과 인민군이 교대로 점령할 때마다 부역자라는 이유나 반동이라는 이유로 서로를 죽이기를 반복했기 때문이다. 학살이 반복되자 마을의 남자들이 참전하거나 죽고 피난 가면서 달래 마을에는 여자들만 남게 된다. 마을에 여성들만 남자 학살극은 끝났지만, 위협은 끝나지 않았다. 굶주리지 않고 살아남아야 한다는 '생계라는 전쟁'과 성폭력의 공포를 견뎌내야 했기 때문이다. 식량이 떨어져 갈 때, 마을의 요충지인 분교를 한국군도 인민군도 아닌 미군이 장악해서 주둔하게 된다. 매일 밤 '양색시'를 찾아서 마을을 돌아다니는 미군 때문에 여성들이 공포에 빠지자 마을의 가장 큰 어른인 노파가 나선다. 그는 자신이 양색시처럼 옷을 입고 화장하여 미군을 상대하겠다고 한다. 밤이 되어 미군이 찾아오자 여성들은 양색시가 있다며 노파에게 안내하고, 노파는 미군을 따라 분교로 간다. 양색시를 기다리던 미군들은 여성이 노파라는 사실을 알자, 한참 웃더니 그에게 과자와 음식을 가득 들려서 돌려보낸다.

「그 살벌했던 날의 할미꽃」은 전쟁으로 인한 남성 부재와 경제적 곤경 속에서 여성들이 직면하게 되는 성폭력의 위협을 보여준다. 외국 군인을 상대로 한 성매매 여성인 '양색시'는 성폭력의 공포와 분리될 수 없었다. 밤마다 성매매 여성을 찾아다니는 미군은 성폭력의 가해자가 될 수 있는 두려운 존재들이다.[129] 한국전쟁에 대한 여성들의 기억에서 양색시·양공주로 불리는 미군을 대상으로 한 성산업은 전시의 생존을 위한 여성의 생계 부양 활동과 성폭력의 결합으로 인식되었다.[130] 초콜릿을 준다는 미군에게 넘어가면 성폭력을 당하고 양색시가 된다는 불안한 소문이 떠돌아다녔기 때문이다. 이성숙은 미군을 성폭력의 공포와 연결하는 여성의 전쟁 기억이 동맹 관계를 중시하는 남성들의 전쟁 기억과는 다른 내용이라는 점을 지적한다. 「그 살벌했던 날의 할미꽃」에서 이러한 여성의 기억이 여성들만 남은 마을의 이야기 속에서 재현되었다는 사실은 제노사이드의 충격이 젠더에 따라 차등적으로 경험되고 인지되었음을 보여준다.

한국전쟁기의 제노사이드는 유고 내전*과 같이 성폭력을 집단

---

* 유고 내전에서 나타난 제노사이드의 주요한 특징은 바로 성폭력을 인구 집단을 제거하기 위한 하나의 무기로 활용했다는 점인데, 이러한 국가적 단위의 성폭력은 여성을 민족 재생산의 수단으로 보는 시각에서 비롯되었다. 즉 민족 집단의 재생산 수단으로서 여성을 공격함으로써 그 집단을 제거하려고 했던 것이다.

을 파괴하기 위한 수단으로 무기화한 사건은 아니었다. 그러나 전쟁과 제노사이드로 인한 사회의 파괴는 여성을 성적 위협에 취약하게 만들었다. 여성들에게 성폭력과 구조적 성폭력으로서의 성매매 모두 전쟁과 학살로 인해 마주할 수 있는 끔찍한 위험이었다. 앞서 살펴본 '순경 각시'의 사례처럼 제노사이드에 의해 촉발된 성폭력의 위험은 남성화된 전쟁의 공식기억에서 주변화되었을 뿐아니라, 남성화된 대항기억 안에서도 주변화되어 있다. 성폭력에 대한 여성들의 기억은 그렇게 이중으로 소외되어 왔다.

「그 살벌했던 날의 할미꽃」이 성폭력과 성매매를 모두 폭력의 문제로 바라보는 여성의 시선을 보여주었다면, 「그 가을의 사흘 동안」(1985)은 전후 반공국가의 정상가족 만들기와 전쟁 성폭력의 은폐가 어떻게 연결되었는지 보여준다. 「그 가을의 사흘 동안」의 주인공인 여의사 '나'는 전쟁 중 외국 병사에게 성폭력을 당하고 학교 선배의 도움으로 임신중절수술을 받는다. 이후 서울로 돌아온 그는 산부인과를 개업한다. 그는 임신중절수술만을 전문적으로 하는 산부인과 병원을 운영하면서 많은 돈을 벌지만, 동네의 남자들에게 '인간 백정'이라 비난받고 그 자신도 은퇴하기 전까지 새생명을 받아보고 싶다는 강박에 시달린다. 「그 가을의 사흘 동안」에서 성폭력 피해자인 '나'가 받는 첫 환자는 병원이 들어선 건물주인 '황씨'의 딸이다. 황씨의 딸도 전쟁 중에 성폭력을 당해 원치않는 임신을 하게 되었고, 황씨는 딸의 임신 사실을 숨기기 위해 '나'에게 도움을 요청한다. '나'는 황씨 딸의 출산을 도운 후 그 사실을 비밀에 부치기로 그와 거래한다. 황씨는 딸의 아들인 '만득'을 자신의 호적에 올리기로 하고 딸을 숨겨두었다가 한참 뒤에 돌아온 것으로 주위를 속이기로 한다.

'나'의 비밀이 된 첫 환자 이후로는 병원에 출산을 목적으로 한 환자가 입원하지 않는다. 병원에는 임신중절을 원하는 환자들만이 찾아온다. 그렇게 수십 년을 운영한 병원을 닫기 전 마지막 날에 성폭력을 당해 임신한 소녀가 찾아온다. 자신이 임신했다는 사실을 부정해온 소녀는 이미 만삭이었고, 그렇게까지 자란 태아는 중절수술하지 않는다는 원칙을 지켜온 '나'는 수술을 고민한다. 하지만 성폭력과 원치 않는 임신으로 인해 괴로워하는 소녀를 보면서 그는 그 원칙을 깨기로 한다. 그러나 노환으로 종종 정신을 놓을 때가 있던 그는 중절수술을 하는 대신에 아이를 출산하게 하고는 자신이 직접 미숙아를 수습하기로 한다. 그는 아이를 안고서 인큐베이터가 있는 큰 병원으로 달려갔지만, 이미 아이는 숨을 거둔 이후였다. '나'는 아기의 시신을 안고서 은퇴한 뒤에 살기 위해 마련한 새집으로 향한다. 그리고 아이를 새집 뜨락의 양지바른 곳에 묻어주기로 한다.

「그 가을의 사흘 동안」에서 산부인과 의사인 '나'는 전후 가부장제 사회와 기이한 공모 관계를 유지한다. 그의 첫 고객인 황씨의 딸은 아들을 출산한 사실을 숨기고 후처 자리이지만 결혼하여 가정을 이루고 산다. '나'와 황씨의 공모를 통해서 황씨 일가는 가부장제 사회가 요구하는 성윤리에서 일탈하지 않고 가족의 정상성을 지킨다. 병원이 본격적으로 운영되면서 그와 전후 가부장제 사회의 공모는 더욱 견고해진다. 병원의 주 고객은 인근 미군 기지 주변에 형성되었던 기지촌의 성매매 여성들(양공주)이었고 미군 부대가 축소된 이후에는 "아들 딸 가리지 말고 둘만 낳기"*를 요구받았던 가정주부들이었다. 전후 반공국가는 미군과 외국인 등을 대상으로 한 성매매를 직접적으로 관리하고 성매매 여성들을 행정뿐 아니라 의학적으로도 통제해왔다.[131]

임신중절수술을 전문으로 하는 '나'의 산부인과 병원은 기지촌 성매매 여성들에 대한 의학적·인구적 통제의 과정에 연루되어 있다. 또 다른 고객들인 가정주부는 1960년대 이후 반공국가가 중요하게 관리했던 가족계획 정책의 대상으로, 특히 여성의 몸은 피임 관리뿐 아니라 불임수술까지 인구정책의 핵심적인 표적이었다.[132] 가정주부를 대상으로 한 임신중절수술은 인구 증가세를 억제하려는 반공국가의 정책을 뒷받침하는 의학적 수단으로서 묵인되었다. '나'의 산부인과 병원은 성매매 여성을 통제하여 정상가족이 될 수 없는 자들을 배제하고 산아제한을 바탕으로 핵가족화된 새로운 정상가족을 만들어내려는 반공국가의 사회적 기획에 동조하는 것으로 보인다. 그래서 그는 기지촌 성산업의 동업자로 인식되기도 한다.

---

* 박완서, 「그 가을의 사흘 동안」, 『엄마의 말뚝』, 세계사, 2004, 243쪽. 이후 인용 시에는 괄호 안에 쪽수만 표기한다.

이런 동네서 이런 짓을 오래 하다 보면 거느린 창녀의 성병 치료하러 오는 데 따라온 포주가 어깨를 툭툭치면서 선생님 대신 여보 당신하면서 숫제 동업자 취급을 당하는 일도 있었다. 계집의 밑××으로 돈벌긴 너나 내나 매일반이란 그들의 태도를 나는 크게 탓하지 않았고 그런 사람은 그런 사람 대접하면서 반죽좋게 살아왔다. 그러나 황영감한테 들은 사람백정이란 소리는 가슴에 못이 박히는 것처럼 쓰라렸다.(250)

그는 포주로부터 동업자 취급을 당하는 것은 견딜 만하지만, 황씨로부터 들은 '인간백정'이라는 말에는 고통스러워한다. '나'와의 거래를 통해 가족의 체면을 지키고 그의 건물에 세를 들어 있는 병원 덕에 경제적 이득을 얻어온 황씨 역시 공모자다. 그러나 그는 임신중절수술을 전문으로 하는 여의사인 '나'를 비윤리적인 존재, 인간백정이라 비난한다. 이 남성 가부장은 여성의 신체에 대한 의학과 성산업의 통제에 연루되어 있지만 그 사실에 대해 침묵하면서도 '나'를 윤리적으로 비난한다. 황씨는 여성이 겪은 고통과 불안에 대해서 알려고 하지 않는다. 딸이 성폭력을 겪었음에도 "그는 보이지 않는 가문에 칠한 똥만 알고 그의 딸이 원치 않는 애기를 배고 겪었던 생지옥에 대해선 아무것도 모르"(240)려고 한다. 여성이 겪은 성폭력의 고통을 알지 못하면서도 윤리를 내세우는 남성 가부장은 황씨만이 아니다. '나'의 아버지 역시 인술로서의 의술을 펼치라고 말할 뿐 그의 고통을 알지 못한다.

병원을 개업한 '나'를 찾아온 아버지는 '히포크라테스 선서'가 들어있는 액자를 선물한다. '나'는 의사의 윤리를 강조하는 아버지 앞에서 웃음이 터져나올 것 같아서 힘겹게 참아낸다. 아버지는 자신이 성폭력을 당해서 임신중절수술을 받았다는 것도, 그 때문에 같은 고통을 겪은 여성들을 위해 산부인과를 개업하려는 것도 알지 못하기 때문이다. 아버지가 말하는 인술로서의 의학에는 원치 않는 임신의 고통을 겪는 여성들이 빠져 있다. 그래서 '나'에게 아버지가 내세운 윤리는 그 윤리의 바깥으로 밀려난 여성들에 대한 상징적 폭력133)일 뿐 그가 따라야 할 가치가 아니다.

> 원치 않는 아기가 뱃속에 있을 때의 고통이 어떻다는 건 그걸 가져본 여자만이 안다. 모든 질병의 고통은 동정자를 끌어모으지만 그 고통만은 비난과 조소를 면치 못한다. 사람을 질병에서 해방시키는 게 인술의 꿈이라면, 여자를 그런 질병 이상의 고독한 고통에서 해방시키는 건 나의 꿈이었다.(233)

여성의 고통을 가부장적 성윤리와 가문의 재생산보다 중요하게 여기는 '나'의 가치관은 그와 가부장제 사회의 공모 사이에 존재하는 균열을 보여준다. 그는 가부장제 사회가 은폐하는 여성의 고통을 위하려고 한다. 그러나 '나'의 의료 행위는 여성을 위로하기 위한 것만은 아니다. 그가 자신과 다른 여성들에게 느끼는 끔찍한 자기혐오와 수치심이 그를 괴롭히기 때문이다. 미용에 효과가 좋은 영약이라는 소문에 그의 병원 단골들은 태반을 구해서 섭취하려고 한다. 태반을 찾는 여성들은 가부장제 사회를 유지하기 위한 성의 통제 장치 안에서도 여성이 자신의 욕망을 가진 주체로 존재하고 있음을 보여주는 장면이다.[134] 가부장제 사회의 성통제에 순응하면서도 그 속에서 자신의 욕망을 추구하는 여성의 은닉대본은 산부인과 의사인 그의 눈에만 보인다. 그러나 이 여성들을 바라보는 그의 시선은 적대적이다. "진찰대에 치부를 얼굴처럼 쳐드는 자세로 누워 있을 때하곤 또 다르게 여자의 추악함이 그 극한까지 다다른"(263) 모습으로 여긴다. 그는 병원의 마지막 날에 받은 소녀의 수술을 하면서 자신이 "30년 동안을 고문을 고문으로 갚는 일로 일관해온 가장 가혹한"(274) 고문자의 얼굴을 하고 있음을 깨닫는다. 자신이 경험한 성폭력과 임신중절의 고통을 또 다른 고문(수술)으로 반복해왔다는 것이다. 성폭력의 고통을 누구에게도 말하지 못하고 속으로 눌러온 그는 자신을 괴롭히는 수치심에서 벗어나지 못하고 고립된다. 성폭력은 피해자를 가부장적 성윤리의 사회적 질타에서 비롯된 수치심과 고통을 통해 고립시킨다.[135] 그는 다른 여성의 고통을 이해하면서도 자신을 괴롭히는 수치심 때문에 그들을 적대해온 것이다.

「그 가을의 사흘 동안」의 '나'는 전시 성폭력으로 인한 여성의 고통이 얼마나 다양한 사회적 맥락들과 교차하는지 보여준다. 그러한 다층성은 반공국가의 가부장제적 성윤리와 같은 통제와 가독성 수단에는 파편적으로만 포착될 따름이다. 여성의 고통에 공감하면서도 그들을 추악하다고 여긴 '나'의 양가적 태도는 여성이 경험한 성폭력의 피해가 남성적 재현과 언어 속에서는 온전히 설명될 수 없음을 보여준다. 이행기 정의의 과정이 크게 진전된 2010년대 후반까지도 국가에 의해 공식화된 사회적 기억은 성폭력과 같은 여성의 피해를 적확하게 호명하지 않고 있다.* 이러한 성폭력 문제의 주변화는 제노사이드를 기억하는 가족의례의 형식과 극명히 대비된다.

가족의례는 망자의례라는 형태로 민주화운동을 거치면서 사회적 저항의 형식으로 자리를 잡았고 이후 이행기 정의의 새로운 표준으로 주장되었기 때문이다.[136] 가족과 가족의례는 1장에서 살펴보았듯이 반공국가의 제노사이드에 맞서는 강력한 문화적 형식이자 국민과 비국민의 분할선을 새롭게 나누는 정치적·문학적 실천의 장이었다. 그러나 부계 혈족을 중심으로 한 가족의례는 근대적 폭력에 맞서 개방적인 관계 맺음으로 전환되었다고 할지라도, 그 가부장제적 성윤리와 여전히 연결되어 있었다. 「소지」에서 성폭력 피해자 여성이 가족의 정상성을 지켜내기 위해 오랜 시간 침묵해야 했던 것처럼, 여성의 피해를 이러한 의례와 관계망 안에서

---

* 진실화해위원회의 2000년대 후반에서 2010년대 초반의 보고서들뿐 아니라, 2019년에 발표된 『제주4·3추가진상조사보고서 I』에서도 성폭력이나 강제결혼과 같은 제노사이드 과정의 젠더 피해는 피해 유형으로 다루어지지 않았다.(이 보고서에서도 여성의 피해는 희생자로서의 사망자라는 단일 범주로만 분석되었다.(제주4·3평화재단, 『제주4·3추가진상조사보고서 I』, 제주4·3평화재단, 2019, 101~102쪽)

온전히 설명하기란 난망한 일이다.

　법학자 홍소연은 국제법으로서 제노사이드 방지 협약이 젠더적 관점을 결여함으로써 여성에게 가해지는 이중적 차별(민족·인종뿐 아니라 젠더로 인한 폭력)을 방지하는 데 한계가 있었다고 비판했다.[137] 한국전쟁을 전후한 시기의 제노사이드의 재현 안에서 주변화된 성폭력과 같은 여성의 고통을 보여주기 위해서는 젠더의 문제를 전제하지 않을 수 없다. "성폭력에 대한 진술 혹은 증언은 피해자의 용기"의 문제가 아니라 "들어줄 청중이 있는지, 그 증언이 사회적 기억이 될 수 있는지의 여부에 달려"[138]있기 때문이다.[139] 박완서가 여성의 고통을 수다와 비구니절, 산부인과 같은 여성들의 공간이나 관계망 속에서 그려온 것은 이를 말할 수 있는 기억의 공간이 가부장적 사회 안에 부재했음을 보여준다. 그리고 여성의 기억이 설 자리가 없었다는 비판에는 반공국가의 공식기억뿐 아니라 이후 이행기 정의의 과정에서 이와 맞섰던 대항기억, 그리고 새로운 공식기억이 된 재현들 역시 자유롭지 못했다.

3장

빨치산,
제노사이드와 국민의 경계

역사로서의 빨치산과 상상된 가족사

『태백산맥』과 함께 1980년대 빨치산문학의 주요한 성과로 평가받기도 했던『불의 제전』[140)을 1980년부터 연재했던 김원일은 1987년에 또 다른 빨치산 소설인『겨울 골짜기』를 발표한다.『겨울 골짜기』는『불의 제전』의 연재가 중단된 1985년부터 연재를 시작해서 1987년 4월에 출간된 장편소설이다.『겨울 골짜기』는『불의 제전』과 달리 빨치산문학의 계보를 논할 때 자주 언급되는 작품은 아니다. 이 작품이 1951년 2월에 경남 거창군 신원면에서 한국군 11사단이 신원면 주민들을 학살한 거창양민학살사건을 소재로 한 작품이기 때문이다.『겨울 골짜기』는 노순자, 김영현 등과 함께 민주화 이전에 거창양민학살에 대한 본격적인 소설화를 시도한 첫 사례로 더 주목을 받았다.[141] 그런데 6개의 장으로 나뉘어 있는『겨울 골짜기』에서 11사단에 의한 거창양민학살을 마지막인 6장 '먼 봄, 겨울 끝'에 가서야 등장한다. 특히 사건이 발생하는 마지막 장은 전체 구성에서도 가장 짧은 분량이었으며, 소설의 내용 중 대부분은 신원면 일대에서 활동한 빨치산인 '삼일오 부대'와 그들에 의해 장악된 마을의 이야기로 구성되어 있다.『겨울 골짜기』는 소설의 절반을 빨치산 부대를 그리는 데 할애하고 있다. 주목할 점은 이병주의『지리산』이후 형성된 빨치산문학의 계보를 충실히 따르던『불의 제전』[142]과 달리『겨울 골짜기』에서의 빨치산 재현의 초점이 상당히 다르다는 점이다.

1980년대 중반『불의 제전』을 연재하던 시기 김원일은 당시 소설이 6·25 직전의 사회상을 집중했다고 밝힌다.『불의 제전』1부는 식민지 잔재와 이데올로기의 문제, 농지개혁의 실패, 봉건적 잔재와 서구 문물의 충돌을 보여주는 데 초점을 맞추었다고 말한다.[143] 빨치산과 한국전쟁을 소재로 한 소설이 식민지 시기부터 누적된 사회 갈등과 대립의 문제를 다루는 것은 당대 주요 빨치산 소설들의 주요한 특징이었는데, 이러한 서사 전략의 기점이 된 것이 이병주의 소설『지리산』이었다. 억압된 기억들이 돌아오기 시작한 계기라는 점에서 1972년의 7·4남북공동성명은 한국사회에서 문화적인 이행기 정의의 출발점이었다. 김원일, 박완서 등 좌익 가족사를 숨겨왔던 작가들이 이 시기를 기점으로 소설을 통한 고백을 시작했으며, 현기영이 간접적인 방식으로나마 제주4·3에 대한 재현을 처음으로 시도했던 시기도 70년대 중반이었다.* 억압되었던 기억들이 조금씩 돌아오는 과정에서 '빨치산'이라는 잊혀가던 표상이 다시 등장했다.

빨치산은 1940~1950년대부터 이미 문학뿐 아니라 영화 등의 소재가 되었고 반공국가의 적대적 타자인 '빨갱이'를 형성하는 데 있어서 주요한 기억의 요소였다. 하지만 1972년을 기점으로 빨치산에 대한 재현의 주요한 변곡점이 될 이병주의 『지리산』이 등장할 수 있었다. 이병주는 그동안 적대적 타자로서만 재현되어 왔던 빨치산을 역사적 사실에 근거해서 항일 의지로 가득 찬 청년의 형상으로 그려냈는데, 이는 7·4남북공동성명이 이루어지던 70년대의 상황 속에서 가능한 일이었다.[144] 이병주는 빨치산을 주인공을 내세운 『지리산』을 쓰면서 작품을 '실록대하소설'이라 명명한다. 이 소설의 내용이 역사적 사실에 근거하고 있음을 강조하기 위함이다.

김윤식은 이병주가 빨치산이라는 금기의 소재를 감당하기 위해서는 '실록'이라는 사실성의 형식에 의존해야만 했으리라 추정한

---

* 현기영은 1975년에 동아일보 신춘문예에서 「아버지」라는 작품으로 등단했는데, 이 소설은 제주4·3 당시 반공국가에 저항한 무장대, '산폭도'를 아버지로 둔 소년을 주인공으로 하고 있다. 소설은 산폭도 아버지를 둔 소년의 두려움을 통해 4·3에 대한 직접적인 언급 없이 사건의 기억을 간접적으로 보여주고 있다. 「아버지」는 『지상에 숟가락 하나』(1999) 이전에 현기영의 고향인 제주 노형리를 배경으로 한 유일한 작품이지만 소설과 달리 실제 현기영의 아버지는 제주4·3 당시에 군인이었다.

다.[145] '실록'이라는 표현은 이후 『남부군』이나 『빨치산의 딸』 등 다른 빨치산문학에도 반복적으로 쓰였다. 실록이라는 표기는 빨치산에 대해 반공주의적 공식기억을 반복하는 것을 넘어 역사적 접근이 가능해지던 시기에 소설이 씌어졌음을 반영한다. 『지리산』이 연재되던 1970년대가 한국전쟁이 독립적인 역사 연구의 대상이 되는 기점이었으며 빨치산 다수가 속했던 남로당이 그 초기 연구 대상이었다는 사실은 이를 잘 보여준다.[146] 이태가 『남부군』의 초고를 집필하여 잡지사에 게재를 시도한 시기도 1975년이었다.*

이병주의 『지리산』은 빨치산을 통해서 한국전쟁에 대한 총체적인 재현을 시도하면서 조정래의 『태백산맥』, 김원일의 『불의 제전』, 정지아의 『빨치산의 딸』 등으로 이어지는 빨치산문학의 계보를 연 작품으로 평가받는다.[147] 『지리산』이 빨치산 서사를 식민지 시기부터 역사로 서술한 것은 다른 빨치산문학들에 지대한 영향을 끼쳤다. 김원일이 『불의 제전』에서 한국전쟁 직전의 사회상을 빨치산을 중심으로 식민지 경험과 이데올로기, 경제적·계급적 갈등의 누적과 근대 체험의 문제로 서술했던 것은 『지리산』의 직접적인 영향이었다. 『지리산』을 기점으로 재등장하기 시작한 빨치

* 실제 남부군에서 활동했던 이태(본명 이우태)가 1975년에 집필한 『남부군』의 초고는 출간되지는 못했지만, 원고가 은밀하게 유통되면서 이병주 등 여러 작가에 영향을 끼쳤다. 특히 이병주의 『지리산』 후반부는 『남부군』의 내용을 거의 참고하여 표절 논란이 있기도 했다.(「이병주 장편 『지리산』 자료 시비 "내 원본 8백 20매 그대로"」,《경향신문》, 1988. 8.25.)

산이라는 형상은 민주화 운동이 격렬해지던 80년대에는 한국사회의 진보적 의식을 보여주는 시금석으로 자리하게 된다.[148] 이러한 변화를 대표하는 작품이 조정래의 대하소설『태백산맥』이다.

전남 벌교를 중심으로 1948년의 여순사건으로 시작해 한국전쟁을 거치며 빨치산 염상진의 비극적 죽음으로 끝나는『태백산맥』은『지리산』과 마찬가지로 역사적 사실성을 강조했지만, 이 작품을 통해 주목받은 역사성은 사건의 기록적 복원이 아니라 역사적 주체로서의 민중을 복원했다는 점이었다.[149]『태백산맥』은 지식인 중심의 빨치산 서사를 벗어나서 농민을 서사의 중심축으로 다루었다. 조정래는 농민이 지주와 소작인 관계와 같은 농촌의 누적된 경제적 모순에 대응하는 과정에서 발생한 민중적 저항을 빨치산의 기원으로 배치함으로써 역사적 주체로서의 민중의 형상을 보여주었다고 평가받았다.[150] 빨치산이 역사의 주체로서의 민중의 형상과 연결되었던 데는 80년대 한국사회의 역사적 인식 전환이 그 밑바탕에 있었다.

80년대의 변혁 운동과 그 주체는 해방 이후부터 한국전쟁까지의 시간을 반공주의 체제와는 다른 역사적 잠재성을 지닌 시간으로 재의미화[151]했으며 이 과정에서 빨치산이라는 형상 역시 역사적 주체로의 민중의 계보를 구성하는 한 요소로 자리를 잡는다. 이러한 변화는 한국사회의 민주화 이후 연좌제의 공포 속에서 숨겨야만 하는 사회적 낙인이었던 좌익 가족사를 복권하는 과정으로 연결된다. 출판자율화조치 이후 무크지에서 문예지 체제로 전환한 『실천문학』의 초기 연재 장편소설[152]이었던 정지아의 『빨치산의 딸』은 이 시기 좌익 경력자였던 가족구성원의 복권이 가진 의미를 잘 보여준다. 전향한 빨치산 부모를 두었던 작가 정지아는 아버지와 어머니의 빨치산 시절을 소설화한다. 1990년 실천문학사에서 출간될 당시 『빨치산의 딸』에는 '소설로 쓴 남한인민유격투쟁사'[153]라는 부제가 붙어 있었다. 정지아의 소설은 당시 큰 관심을 받았던 이태의 수기 『남부군』처럼 빨치산의 역사를 보여주는 기록물로 받아들여지기도 했다. 정지아는 빨치산이었던 부모의 역사를 복원하는 작업이 "역시의 일보전진을 위해 투쟁했던 이름 없는 민중들의 모습을 알리"는 일이라고 설명했다. 빨치산이었던 그의 "아버지, 어머니도 바로 그런 민중의 한 전형"[154]이기 때문이다. 80년대 후반까지 대부분의 빨치산 소설의 작가들이 빨치산 인물과 일정한 비판적 거리감을 두었던 것과 달리 정지아는 작가의 시각과 빨치산 인물의 시각 사이에 거리감이 없다.[155] 반공주의 사회에서 정치적 낙인이었던 좌익 가족사를 "친일파의 딸도 아니고 제국주의를 등에 업은 매판 자본가의 딸도" 아닌 "빨치산의 딸"이라고 재규정하면서 사회적 낙인을 자부심의 근거로 전환했기 때문이다.[156] 정지아는 이념으로서의 사회주의가 아니라 해방기 또 다른 사회적 가능성을 찾으려는 시도로, "우리에게 사회주의는 '지금보다 더 나은 무엇'을 가리키는 추상명사"[157]로 인식했다는 점에서 당대의 진보적 민중문학론의 시각을 보여주고 있다.

빨치산문학의 계보는 정치적 금기였던 빨치산을 역사적 존재로 복원하고 더 나아가 역사의 주체로서 민중을 보여주는 전형으로 내세운다. 『지리산』에서 『남부군』, 『태백산맥』으로 이어지는 빨치산문학의 변화를 "역사적 허무주의, 소시민적 회의주의에서 진보적 역사인식으로의 발전"이라는 발전론적 도식에서 바라보는 민족문학과 민중문학 담론에서의 인식[158]을 생각할 때 『겨울 골짜기』가 서 있는 자리는 상당히 복잡해 보인다. 다수의 빨치산문학이 역사적 사실로서 실록을 전면에 내세울 때, 『겨울 골짜기』는 오히려 "팔 할쯤은 픽션이고 이 할쯤이 넌픽션에 해당"[159]한다고 밝힌다. 특히 논픽션에 해당하는 작품의 20% 내외의 분량이 작품이 내세운 소재인 거창양민학살사건이고 픽션에 해당하는 것이 빨치산과 그들에 의해 점령된 신원면의 상황이다.[160]

『겨울 골짜기』가 빨치산과 신원면의 상황을 그리는 방식도 이질적인데, 이데올로기와 계급 갈등의 문제로 바라보는 대신 군사주의와 국가의 가독성 작업, 그리고 그로 인한 무고한 '양민'들의 죽음을 주목한다. 소설 속 빨치산의 성격 역시 회의주의적이고 감상적인 인물(김익수)을 중심에 내세우고, 이념도 사상도 알지 못하는 소년병(문한득)의 시각에서 바라본다는 점에서 『불의 제전』과도 크게 달라진다. 월북한 남로당 간부의 아들이었던 소설가 김원일은 당대 민중문학론과 거리를 두려는 제스처를 일관되게 취해왔다.[161] 하지만 1980년대의 『불의 제전』은 오히려 민족·민중문학 진영으로부터 분단소설로서의 그 성취를 인정[162] 받았으며, 90년대 이후 김원일은 『불의 제전』을 비롯한 자신의 주요한 작품들을 개작하는 과정에서 좌익을 정치적 주체로 복원해간다.[163] 이러한 김원일의 방향성은 『불의 제전』의 연재가 중단된 이후 『겨울 골짜기』에서 미묘한 전환을 보였다.

김원일의 아버지인 김종표는 남로당 고위 간부 출신으로 1950년 서울 수복 당시에 가족과 헤어진 이후 몇 년간 빨치산 유격대로 활동했다. 김원일은 최소한 80년대 초에 아버지가 빨치산 유격대로 활동했던 것을 알았던 것으로 보인다.* 그는 아버지의 빨치산 행적을 알고 있는 상태에서 『불의 제전』과 『겨울 골짜기』에서 각기 다른 방식으로 빨치산의 형상을 재현했던 것이다. 이러한 행보는 빨치산문학을 발전적 도식에서는 잘 보이지 않았던, 민주화 이전의 재현이 가진 불안정성을 노출한다. 『겨울 골짜기』의 연재를 시작한 1985년은 이병주가 『지리산』의 6, 7권을 추가하여 완간한 시점이었다. 이태의 미발간 『남부군』 원고를 참조한 것으로 알려진 『지리산』의 6, 7권에서는 빨치산의 형상을 오히려 반공주의적 맥락 속에서 고정하고 만다.[164] 이 시기에 빨치산 생활을 직접 경험한 소설가 문순태의 행보 역시 비슷한 과정을 보여준다. 그는 한국전쟁기 지역 인민위원장이었던 아버지를 따라 빨치산이 장악한

---

* 김원일의 자전적 단편소설인 「아버지의 나라」에서는 중앙정보부 요원을 통해 아버지의 행적을 전달받은 것으로 그려진다.(김원일, 「아버지의 나라」, 『비단길』, 문학과지성사, 2016, 240~243쪽) 중앙정보부 조직이 1981년에 안기부로 개편된 것을 고려하면 시기는 최소한 80년대 초반이다. 김원일이 아버지의 행적을 알게 된 시점에 대한 증언은 시기에 따라 달라진다. 90년대 작업에서는 90년대에 알게 된 것으로 표기하고, 2010년대 초에는 80년대 중후반을 이야기한다. 이 과정의 변천도 4부 2장에서 정리할 것이다.

백아산 일대에서 생활했던 경험이 있다.[165] 그는 1985년에 이 시기 경험을 바탕으로 지리산 빨치산이었던 아버지와 그를 찾는 딸의 관계를 그린 장편『피아골』을 출간했다. 1948년의 여순사건에서 빨치산 토벌이 끝나는 시점까지 이어지는『피아골』은 빨치산이었던 아버지 '배달수'를 역사의 피해자이자 원치 않게 가해자가된 인물로 그리지만, 다른 빨치산들은 잔혹하고 신념 없는 이들로그린다. 박숙자의 지적처럼 1980년대 민주화 이전 빨치산의 형상화는 다시 이를 반공주의적 맥락 속에서 봉합하려는 사회적 힘과마주치는 순간이 있었던 것이다.[166]

80년대 중반에 빨치산의 아들이었던 김원일과 유년기에 빨치산과 함께 생활했던 문순태는 돌연 가해자로서의 빨치산을 전면에 내세우는 소설을 발표한다. 앞서 살펴보았듯 문순태는 1980년대 초 무덤 없는 죽음을 보여주는 단편들을 통해 반공국가의 제노사이드로 인해 지워진 이들의 서사를 그렸었다. 「미망」(1982)에서보도연맹에 가입했다가 실종된 아버지의 서사를 보여주면서 좌익가족사와 제노사이드의 문제를 연결했던 김원일은『겨울 골짜기』에서도 보도연맹학살사건에 대한 장면을 소설의 초반부에 배치하면서, 거창사건 이외에 다른 무언가를 함께 재현하려는 모습을 보인다. 이 장에서는 빨치산과 연루되었던 이들 작가가 80년대 중반에 발표한 빨치산문학을 통해서, 이 형상이 전향과 적대적 타자를식별하는 국가의 가독성 장치가 폭력의 수단이 되었음을 드러내보이는 작품들이었음을 살필 것이다. 이를 통해서 제노사이드문

학 안에서 민주화 이전 빨치산 재현이 가졌던 의미를 설명하고자
한다.

죄의식과 국민 되기

　무덤 없는 죽음의 사례를 통해 보았듯 한국전쟁기를 다룬 문순
태의 소설은 부모와 자식 세대를 함께 등장시키거나 그 관계를 중
심에 두는 작품이 많다. 「철쭉제」처럼 3대의 걸친 이야기로 전개
될 때도 있지만, 대부분 부모와 자식 세대의 이야기를 통해 전쟁의
기억을 재현한다. 『피아골』역시 부모 세대와 자식 세대의 관계를
통해서 전쟁의 기억을 드러내는 작품이다. 지리산 포수 집안에서
태어난 '배달수'와 아버지에 대해서 거의 알지 못하고 할머니와 스
님의 손에서 자란 그의 딸 '배만화' 부녀를 주인공으로 한다. 소설
은 딸의 시선으로 아버지를 찾아 지리산으로 오게 되는 1부와 여
순사건부터 한국전쟁까지 원치 않게 폭력에 휘말리게 된 아버지
배달수의 이야기를 다룬 2부로 구성되어 있다. 『피아골』이 80년대
문순태의 다른 소설들과 비교했을 때 독특한 점은 그의 소설에서
반복되었던 탈향과 귀향 모티프의 변형이다. 문순태 소설에는 고
향을 떠나는, 탈향하는 인물들이 다수 등장한다. 그의 소설 속 탈
향 모티프는 전쟁과 개발에 의한 것으로 그려지지만, 개발로 인해
고향을 떠나는 경우조차 전쟁의 기억과 연결되어 있었다.[167]

문순태가 전쟁과 탈향을 연결했던 것은 그의 가족사와 관련되어 있다. 빨치산 점령지에 있었던 문순태의 가족은 1951년에 고향의 땅을 팔고는 떠돌이 노동자로 생활하다가 1953년에 다시 외가가 있는 화순에 정착한다. 하지만 과거 고향에서 인민군에 부역했다는 혐의로 붙잡혔다가 고문 후유증으로 시달리던 문순태의 아버지는 47세의 젊은 나이에 사망한다.[168] 그런 가족의 수난사는 문순태가 수십 년간 고향을 떠나 살게 된 이유였으며, 55년 만에 고향으로 돌아온 이후로도 "빨갱이 새끼가 이이로 이사 왔다"며 강한 반감을 보이는 주민들이 있을 정도로 쉽게 사라지지 않는 상처였다.[169] 그래서 80년대 그의 소설 속에서 탈향한 인물들에게 고향은 큰 상처였으며, 그곳으로의 귀환은 예상치 못한 사건으로 인한 일시적인 방문인 경우가 많았다. 「말하는 돌」에서는 살아남기 위해 도망쳤다가 가매장된 아버지의 장례를 치르기 위해 고향으로 돌아오고, 「이어의 눈」의 주인공은 어머니의 죽음 때문에 고향을 떠난다. 「거인의 밤」에서는 아버지가 인민군에 살해당해서 고향을 떠났던 주인공이 마을에 출몰한 기인의 문제를 해결하기 위해 잠시 방문한다.

반면 『피아골』의 주인공인 배만화는 문순태의 다른 작품 속 인물과 달리 고향을 떠나고 싶어하지 않았던 인물이다. 어머니와 아버지가 모두 집을 떠나고 만신인 할머니의 밑에서 자랐던 만화는 할머니로부터 무당으로서의 자질을 이어받는다. 할머니가 죽은 뒤 혼자 남겨진 만화를 처음 보는 중년 남성(배달수)이 찾아와서는 할머니와 살던 집을 불태우고는 '설원스님'에게 아이를 맡기면서 보살로 키워달라고 부탁한다. 설원스님은 만화를 불교식으로 양육한다. 그러나 만화는 할머니가 굿을 할 때 사용하던 신물인 '울쇠'를 몰래 보관하고 있으면서 무속적인 세계를 체험한다. 12살이 되었을 때는 친모인 '김지숙'이 찾아와서 만화를 서울로 데려가고 그는 대학 교육을 받고 화가로 성장한다. 하지만 만화는 신기 때문에 이혼하고 어머니와도 갈등을 지속하다 고향으로 돌아가 아버지를 찾아다닌다. 만화는 고향인 피아골을 자신이 속해야 할 곳이라 여긴다.

배만화는 무당이었던 할머니처럼 고향에 귀속된 삶을 바라지만, 어머니를 비롯해 주변 인물들은 그를 고향에서 떼어놓으려고 했다. 주변 어른들이 만화를 떼어놓으려고 했던 고향은 물리적인 공간이 아니라, 무당이었던 할머니의 신기를 이어받아 감각하게 되는 초월적 세계도 포함한다. 만화는 어린 시절부터 기이한 환청을 듣는데, 수백 년 전의 임진왜란부터 한국전쟁까지 피아골에서 있었던 수많은 전쟁의 소리가 들려온다. 만화는 고향을 떠나지 않기를 원했고 또 자신의 의지로 귀향하는 인물이다. 반면에 그의 아버지인 배달수는 고향인 피아골 일대를 떠나지 않고 지리산 산중에 숨어 사는 인물이다. 그는 물리적으로는 자신의 고향인 피아골을 떠나지 않지만, 가족과의 관계를 끊고 사람을 피해서 산속 깊은 곳으로 숨어든 은둔자다.『피아골』의 탈향과 귀향의 모티프는 문순태의 다른 소설들과 다를 뿐 아니라 소설 속 아버지와 딸의 경로도 정반대로 설정되어 있다.

아버지를 찾는 만화의 행보에서 두 가지 눈여겨볼 지점이 있다. 하나는 만화가 아버지의 행적을 찾아가는 과정에서 몇 세대에 걸친 가문의 역사를 알게 되고 거기서 자부심을 얻는다는 사실이다. 만화의 집안은 대대로 지리산에서 포수로 활동했다. 피아골로 이주한 그의 11대 조부는 정유재란 당시에 의병으로 참전했다가 희생당한 이였고, 그의 증조할아버지도 동학농민운동 때 항일의병으로 참여했다가 일본군에 의해 죽은 이다. 배만화의 가문 속 구국을 위해 희생한 조상들은 수세에 몰려 피아골로 숨어들었다가 그곳에서 죽음을 겪는 이들로 그려진다. 배만화의 할아버지이자 배달수의 아버지인 '배성도' 역시 기미년 만세운동(3·1운동) 때 총을 들고 나섰다가 결국 돌아오지 못한다. 이러한 가문의 역사는 고향과 자신의 운명을 부정당해온 만화로 하여금 처음으로 자부심을 느끼게 한다.

> 만화는 피가 끓어오르는 듯한 감동을 가라앉히기 힘들었다. 한갓 기껏해야 무당의 손녀로만 알고 있었던 자신의 핏줄이 몇백 년 위로 거슬러 올라갈 수가 있고, 그것도 나라를 위해 싸우다가 순절한 의병의 후예라는 것을 알게 되자, 심장이 뻐개질 것만 같은 감격을 맛보았다.[*]

만화의 행보에서 또 하나 눈여겨보아야 할 지점이 바로 "기껏해야 무당의 손녀"라는 인식이다. 만화는 설원스님이나 어머니의 바람과 달리 무당으로서 신기를 가진다. 그런데 신기를 통해서 만화가 듣는 것은 수백 년간 피아골에서 있었던 모든 전쟁의 소리다. 그 소리는 정유재란 당시 의병의 싸움부터 배달수가 참여한 한국전쟁까지 가족의 역사와 연관되어 있다. 물론 이는 "의병들과 왜병들과의 싸움에서 엿새 동안이나 골짝의 물을 피로 물들여 흘렸기 땜시 피아골"(118)이라는 지역사와 관련된 것이기도 하지만, 만화가 인식하는 범위는 가족사의 문제로 좁혀져 있다. 그리고 할머니로부터 물려받은 만화의 신기가 가지는 의미 역시 가족사의 문제와 결부되어 있다.

배달수의 어머니는 지리산 신령의 존재를 믿는 샤머니즘적 세계관을 가진 인물이었지만 원래 무당이 아니었다. 그는 배달수가 군에 입대했다가 14연대의 반란, 여순사건에 휘말린 이후 신병을 얻어 무당이 된다. 할머니의 신병은 가문의 남자들이 모두 국가의 변란에 휘말려 사라지는 것을 경험한 한이 누적된 결과로 그려진다. 즉 국가에 의해 배척당하는 방식으로 나쁜 죽음을 맞이한 가족 성원의 일로 인한 여성의 고통은 비공식적인 무속 의례의 영역을 통해서야 겨우 말해질 수 있었다.[170] 반공국가에 의해 가족이 살해된 이들이 무속과 같은 죽은 자에 대한 의례를 통해 이를 극복하려고 했듯, 할머니에게서 만화로 이어지는 신기는 가족사의 곤경

---

* 문순태, 『피아골』, 정음사, 119쪽, 1985. 이후 인용 시 괄호 안에 쪽수만 표기한다.

이 다음 세대로 이어지고 있음을 상징한다. 그렇기에 대를 이어 전해지는 트라우마, 무당으로서의 운명을 받아들이려 하는 만화에게 국가가 긍정하는 가족사인 의병 조상의 발견은 자부심을 회복하는 근거가 된다.

딸 만화의 이야기를 다루는 『피아골』의 1부는 배달수의 죄로 인해 가족에 이어지는 사회적 고립과 배제를 무속이라는 소재를 통해 간접적으로 내보이면서, 아버지와의 관계 회복을 통해 극복해야 할 문제로 남는다. 배달수의 이야기를 다루는 소설의 2부는 배달수가 스스로를 사회로부터 고립시킨 죄가 무엇인지 보여준다. 아버지가 기미년 만세운동 때 행방불명이 되자 가세가 기운다. 배달수는 어릴 때부터 지리산에서 사냥에 나서지만, 총을 살 돈이 없었으므로 집안 대대로 지리산 명포수로 유명했던 가문의 전통을 이을 수 없다는 것에 좌절한다. 배달수는 정치와 이념에 대해서 아무것도 알지 못하는 인물로 그려지지만, 총에 대한 집착이 결국 현대사의 소용돌이 속으로 그를 밀어넣는다. 그는 단지 총을 쥐어볼 수 있다는 이유로 국방경비대에 지원한다. 그런데 그는 14연대 1대대에 배치되어 여순사건이 발생하자 얼떨결에 사태에 휩쓸리고 이후 고향인 피아골로 도망치다가 퇴각하던 14연대 병력과 만나서 원치 않게 빨치산이 된다. 그는 여순사건 때 그가 구해주었던 국회의원의 딸 '김지숙'이 빨치산 무리에 인질격으로 함께 있었기 때문에 도망치지도 못한다. 그러던 중 그가 속한 빨치산의 주력이 진압군에 몰살당했을 때 배달수 홀로 살아 돌아온다.

배달수는 그들의 진지로 접근하는 진압군 수십 명이 방심한 틈을 타서 기관총으로 기습해 그들을 물리치고는 빨치산 영웅이 된다. 그는 작은 빨치산 부대의 지휘관이 되었지만, 전쟁 중 자리에서 물러나고 일반 전투병이 되어 싸운다. 배달수가 연락병 임무로 자리를 비웠던 사이에 부대가 진압군에게 패배하자 그는 고향으로 돌아온다. 그러나 전향해서 진압군이 된 동료에게 붙잡히고 그는 이번에도 살기 위해 빨치산 전향자로 구성된 '보아라 부대'에 합류해서 토벌 작전에 투입된다. 그는 전향하여 빨치산 토벌에 적극 협력한 덕에 전쟁이 끝난 뒤 (반공) 국민으로서 고향으로 돌아갈 수 있었다. 하지만 작전 중 그의 부주의로 아직 빨치산 수십 명이 숨어 있는 토굴에 수류탄을 던져 자기 손으로 옛 동료들을 죽이고 만다. 그는 빨치산 생활 중 결혼한 김지숙이 있는 자신의 고향으로 돌아가지만, 수많은 이들을 잔인하게 죽였다는 죄의식 때문에 가족을 떠나서 지리산 속으로 숨어든다. 그는 수십 년이 지난 뒤에 딸이 자신을 찾고 있다는 사실을 알게 된 뒤에도 만화를 피해 숨는다.

여순사건에 참여했다가 이후 지리산 빨치산 유격대가 되고 다시 전향하여 한국군으로서 빨치산 토벌 작전에 참여한 배달수는 자신이 잔인한 폭력을 가해자였다는 죄의식에 시달린다. 배달수의 죄의식에서 흥미로운 것은 그의 폭력이 민간인이나 비무장한 상대를 대상으로 한 것이 아닌 교전 중에 벌어진 일들이라는 점이다. 한국군을 향한 공격이나 빨치산에 대한 공격 모두 전투 중에 벌어진 일이다. 전투라는 상황은 군인들을 폭력 상황에 전적으로 종속시켜 전쟁이라는 시간과 장소 속에 인간을 고착화시킨다.[171] 배달수가 죄의식을 느끼는 그 행동들은 전투라는 사회적 순간 속에서는 용인되고 또 달성되는 목표가 된다. 즉 그가 가한 폭력은 사회적 일탈이 아닌 정상성에 속하며, 이로 인해 괴로움을 느낄 일이 아니라 여겨진다. 그가 원치 않게 합류했던 빨치산 유격대에서 승진했던 것도 바로 그 전투의 성과 때문이며, 전향 후 국민으로 재승인받은 것 역시 바로 그러한 전공 덕분이다. 그는 대립하는 두 군사 집단 모두가 요구했던 군인의 역할을 잘 수행했다. 하지만 바로 그 이유 때문에 배달수는 스스로를 잔인한 살인자라고 생각한다.

배달수의 죄의식에 관련해서 주목할 지점은 주변인들도 그를 비난한다는 사실이다. 배달수는 자신이 저지른 폭력에 대한 죄의식에 시달리지만, 그의 아내인 김지숙을 비롯해 보아라 부대 대원들도 그를 비난한다. 배달수는 사회적으로 고립되어 있다. 그를 훌륭한 대원으로 여기고 "인민을 괴롭혀 온 반동분자를 색출하고 처단하는 일"을 할 "높은 자리"(304)를 주겠다는 빨치산 유격대 이외에는 모두가 배달수에 적대적이다. 보아라 부대에 합류한 직후 배달수가 비어 있는 걸로 알고 있는 토굴에 수류탄을 던졌던 일로 부대원들에게 비난받는다. 군사작전 중 적군을 희생시킨 일을 두고 빨치산과 보아라 부대의 극명한 태도 차이는 반공국가를 의식한 재현 전략으로 보인다. 『피아골』에서는 한국군이 가해자로서의 모습을 전혀 보이지 않는다. 이는 또 다른 전향자이자 여순사건 때나 빨치산 유격대 시절에 반동을 처형하는 역할을 했던 잔인한 인물인 '이병대'도 보아라 부대에 합류한 이후에는 모범적인 군인의 역할을 수행하고 이후 전쟁 뒤에는 경찰이 되면서 폭력의 가해자로 그려지지 않는다. 이러한 한국군 재현은 「이어의 눈」에서 토벌대였던 아버지를 잔인한 인물로 재현한 것과 비교해도 상당히 이질적이다. 문순태의 2000년대 자전적 소설인 『41년생 소년』에서는 빨치산을 토벌하던 경찰 진압병력이 빨치산으로 위장하여 환영 행사[172]에 참여한 주민들을 학살하는 과정이 소설의 주인공을 평생 괴롭히는 악몽으로 그려진다.[173] 그런데 『41년생 소년』과 마찬가지로 문순태가 자신의 유년기 경험을 반영한 작품으로 꼽는 『피아골』에서 폭력의 가해자는 빨치산으로 한정된다.

그런 점에서 배달수의 폭력에 대한 비난의 시선은 그의 행위 그자체보다는 전향자라는 불안한 위치 속에서 형성된 것으로 보아야 한다. 전향자를 향한 반공국가의 적대적 시선을 폭력 수행의 죄의식으로 변형하여 재현하고 반공국가와 군대는 그를 비판하는 집단으로 변형되고 있다. 빨치산 형상화 역시 마찬가지인데, 『41년생 소년』에서는 어린 시절 그들을 영웅처럼 바라보았던 아이들의 시선이 그려지고 잔혹한 처형자들보다는 이해할 수 있는 대상으로 인식한다.[174] 『피아골』은 다른 시기 작품들보다 반공국가의 검열과 적대적 시선을 더 강하게 의식한 소설이다.

배달수의 죄에 대한 부대원들의 적대는 작품 속에서 아주 짧게만 그려진다. 그는 일 년 반 동안 보아라 부대에 복무하면서 국민

으로 인정받는다. 그가 스물세 명이나 되는 옛 동료 빨치산을 희생
시킨 일은 반공국가와 군대 모두에게 큰 문제가 아니었다. 배달수
의 죄의식을 구성하는 외부의 시선은 폭력 그 자체보다는 좌익 전
향자라는 그의 불안한 사회적 위치에서 비롯된다. 전향이라는 과
정은 그가 다른 사회적 경계로 이동할 수 있음을 의미하고, 이러한
정체성의 이동 가능성과 불명료함이야말로 국가주권이 제거하고
자 했던 가장 위험한 형질이었다.[175] 그런데 배달수가 빨치산에
합류하거나 전향하기 전에도 어느 체제에도 속하지 않고, 어느 체
제로도 이동할 수 있는 존재였다는 점을 주목해야 한다. 이런 배달
수는 유난히 총에 집착한다. 배달수는 이념이나 정치, 국가에 대해
서 알지 못했던 인물이며, 빨치산과 보아라 부대를 거친 뒤에도 끝
내 이를 이해하지 못한다. 배달수는 남과 북 두 국가의 체제 모두
와 다른 욕망을 가진 인물이었기 때문이다. 이를 상징하는 것이 그
가 갈망해온 총이다.

배달수는 지리산 명포수로 유명했던 조상들처럼 포수가 되기
위해 총을 가지고 싶어 한다. 그는 여순사건에 휘말린 뒤에도 총을
버리기 싫어서 도망치거나 지나쳐갈 수 있던 기회를 놓친다. 총에
대한 그의 집착을 표면적인 이유처럼 사냥꾼의 가업을 이어받고
싶다는 동기만으로는 설명하기 어렵다. 배달수의 가족사에 대한
서술 속에서 총을 들었던 그의 조상들은 사냥꾼보다는 국난의 시
기에 총을 들고 나선 의로운 인물들이라는 점이 강조되기 때문이
다. 해방기 한국사회에서 청년이 든 총은 새로운 사회를 만들 수

있는 역사적 국면을 마주했다는 정치적 감각을 만들어냈으며, 탈
식민 국가의 남성 주체를 만드는 상징적 수단이었다.[176] (만세운동
때 총을 들고 나섰던) 아버지와 같은 포수가 되고 싶다는 배달수의 욕
망은 해방기 정치적 주체로서의 무장한 청년 남성으로서의 욕망
을 다르게 표현한 것일 수밖에 없다. 다만 이 주체가 가진 바람은
한국전쟁기의 혼란 속에서 양쪽 그 어디도 완전히 달성할 수 없는
것이었다. 오히려 총을 들 수 있다는 사실을 통해 이념적으로 대립
하는 두 축 어디로나 무장한 청년을 동원할 수 있을 뿐이었다. 총
을 든 주체가 되고 싶었던 청년 배달수는 끝내 폭력을 통해 국민
아닌 것을 제거하고, 폭력 수행에 동참함으로써 국민으로 인정받
는다는 사실을 확인시켜줄 뿐이었다.

   즉 은거한 전향자 배달수는 반공국가의 국민 형성 과정이 폭력
이라는 수단을 통해 이루어졌다는 여순사건의 기억[177]을 가시화
한다. 빨치산이나 반공국가의 편에 선 서북청년단 같은 무장 조직
이 "남북한 정사의 확립에 그토록 헌신했으면서도 결코 정사에 기
입될 수 없는 근대 국민국가 형성의 어두운 추문"[178]이 될 뿐이었
다는 이혜령의 지적처럼, 총을 든 청년이었던 배달수는 한국사회
의 보이지 않는 그늘 속으로 자신을 유폐해야만 했다.

   『피아골』의 배달수가 복권되기 위해서는 딸과 다시 만나야만
한다. 배만화가 반공국가가 승인하지 않는 기억을 유지하는 대항
담론의 장이었던 무속[179]을 통해서 총을 들었던 조상들의 다른 기
억을 불러내기 때문이다. 『피아골』에서 딸과 아버지의 재회는 유

예된다. 만화는 아버지와 만나기 위해서 피아골에 남을 것이라 다짐하면서 소설은 끝을 맺는다. 만약 『피아골』에서 배만화와 배달수가 만나게 되었다면, 빨치산 아버지는 위기마다 의롭게 나가서 싸웠던 의병 조상들의 기억과 연결된다. 이는 빨치산을 역사적 주체로서의 민중으로, 그리고 그 민중의 오래된 투쟁의 역사로 연결한다는 점에서 이후의 빨치산 소설들의 시각과 겹쳐졌을 것이다. 즉 의병이었던 조상에 대한 만화의 자부심과 빨치산이었던 부모에 대한 정지아의 자부심은 그리 멀리 떨어져 있던 것이 아니다. 하지만 이병주의 『지리산』이 오히려 반공 서사로 뒷걸음질하던 80년대 중반의 엄혹한 시대상 속에서 딸과 아버지의 만남은 한없는 기다림으로 남겨질 뿐이었다.

점령지와 해방구, 국가의 시험대

김원일의 『겨울 골짜기』는 거창양민학살사건을 소재로 한 작품이다. 김원일은 '작가의 말'에서 『겨울 골짜기』가 거창사건에 대한 소설이라 밝히고 있지만, 실제 내용 면에서는 거창양민학살사건만을 다루고 있다. 거창사건이라는 명칭은 1952년 2월, 한국군 11사단 9연대 3대 병력들이 거창군 신원면 일대에서 수백 명의 민간인을 학살한 사건만을 의미하지 않는다. 학살 사건을 조사하기 위해 나선 국회 조사단을 국방부 장관 신성모의 지시로 11사단 병력이 기습하여 방해한 거창합동조사단 방해 사건과 거창양민학살사건이 군법회의에서 병합되면서 '거창사건'이라고 명명되었기 때문이다.[180]

거창사건은 민주화 이전 한국사회의 공식기억이 인정한 거의 유일한 제노사이드 사건이었다. 이는 입법부인 국회가 문제를 제기했으며 얼마 지나지 않아 이승만 대통령에 의해 사면되었지만, 사건의 책임자들이 처벌받았기 때문이다.[181] 70~80년대 언론에서 거창사건을 다룬 기사들을 보며 김원일이 『겨울 골짜기』를 쓸 수 있다는 용기를 얻기도 했다.[182] 그런데 이 시기 언론 기획 보도 등에서는 거창양민학살사건뿐 아니라 거창합동조사단 방해 사건을 함께 다루고 있었으며, 『겨울 골짜기』의 내용 절반을 차지하는 빨치산 유격대(삼일오 부대)[183]에 대해서는 소략하게 언급하는 것으로 그치고 있다.* 비슷하게 80년대 중후반부터 90년까지 거창사건에 대한 소설을 연이어 발표했던 노순자는 「분노의 메아리」(1987)에서 거창합동조사단 방해사건[184]을 다루었다. 그런 점에서 『겨울 골짜기』는 당시 일반적으로 통용되던 거창사건을 다루는 작품으로 보기에는 어딘가 석연치 않다.

물론 『겨울 골짜기』에는 거창사건의 실제 일화들이 여러 장면

---

* 1974년에 동아일보의 기획 기사인 '비화 제일공화국'의 거창사건 편에서도 빨치산에 대해서는 거의 설명이 없으며, 김원일이 참고한 중앙일보사의 『민족의 증언』에서도 빨치산 유격대에 대해서는 소략하게 그 존재만을 언급할 뿐이다.(중앙일보사, 『민족의 증언』 3, 을유문화사, 1972, 408~412쪽)

포함되어 있다. 소설의 결말부에서 아이를 출산하는 모습을 보고 군인들이 '문한돌' 일가를 살려주는 장면이 대표적이다. 이는 거창 사건 당시에 신원면 대현리에 거주했던 문홍한과 그 가족들이 겪었던 실제 사건을 모티프로 한다.[185] 문홍한은『겨울 골짜기』의 두 초점 인물 중 한 사람인 문한돌의 모델이 된다. 그런데 문홍한과 달리 문한돌에게는 지역의 빨치산 유격대인 삼일오 부대에 합류한 동생 '문한득'이 있다.『겨울 골짜기』는 문한돌, 문한득 형제를 초점 인물로 내세움으로써 사건이 벌어졌던 신원면 대현리라는 마을 공간과 빨치산 유격대를 서사의 중심축에 올려놓는다.『겨울 골짜기』는 거창사건을 소재로 한 작품이라 알려져 있지만, 사건의 초점을 학살 사건과 빨치산 유격대에 맞추고 있던 것이다.『겨울 골짜기』가 빨치산에 관해서 주의를 기울이는 부분도 상당히 이질적이다.

남로당계 빨치산에 초점을 맞추는 이 시기 다른 빨치산문학과 달리, 소설에 등장하는 삼일오 부대는 인민군 병력 출신으로 빨치산 유격대가 아닌 '정규군'에 속한다.** 대현리 출신인 문한득은 남로당계 빨치산 세력인 거창군당에 소속되어 있다가 주변 지리를

** 삼일오 부대는 "야전군 사단 병력의 일부로 편성"(김원일,『겨울 골짜기』1, 43쪽)되어 있으며 "팔로군부대는 빨치산이라기보다는 정규군대란 말이 맞았"(김원일,『겨울 골짜기』1, 49쪽)다는 등 정규군 부대라는 서술이 반복해서 등장한다. 11사단의 토벌 작전이 본격화되면서 삼일오 부대가 마을을 버리고 산악지형으로 이동할 때는 "정규군 삼일오 부대도 드디어 빨치산으로 탈바꿈을 하는 순간"(김원일,『겨울 골짜기』2, 민음사, 1987, 466쪽)이라는 서술 역시 같은 맥락이다.

잘 알고 있다는 이유로 삼일오 부대로 차출된다. 인민군 정규군 부대에 편성되어 있는 삼일오 부대는 남로당계 빨치산이 아니라 북한, 즉 북로당 계열의 부대다. 그래서 삼일오 부대 안에서는 남반부 출신, 남로당계 대원들과 북로당계 장교들 사이의 충돌이나 적대적 장면이 반복된다. 소설의 또 다른 주요 인물인 남반부 출신의 좌익 지식인 '김익수'는 북로당계인 '민 중대장'의 적대적 시선을 계속 의식하고 있으며, 민 중대장이 탈영병의 총격으로 사망했을 때 그를 살해한 범인으로 가장 먼저 의심받기까지 한다. 민 중대장은 "남반부 종자놈은 할 수 없음메. 그렇게 교육으 시캐두 썩은 골통으로 개조가 안됨네"[186)라며 남로당계 인원들에 대한 강한 적개심을 보이기까지 한다.

『겨울 골짜기』가 다른 빨치산 소설과 달리 북로당계를 전면에 내세운 이유는 무엇인가? 이는 당시 연재가 중단된 『불의 제전』과 관련된 것으로 보인다. 당시 『불의 제전』은 1부가 마무리된 시점이었지만, 소설의 시간 속에서는 아직 한국전쟁이 발발하지 않았을 뿐 아니라, 김원일이 아버지를 모델로 한 인물 '조민세' 역시 월북하여 북로당과 본격적으로 접촉하기 이전이었다. 김원일은 1부 연재가 끝나던 1984년에 "남한에 있었던 공산당 즉 남로당만이 공산당의 전부는 아니라는 생각"[187)이 든다면서 남로당 중심의 서술에서 탈피해서 북로당을 주목해야 한다는 인식을 단편적으로 드러냈다. 그는 또 소련 해체 이후인 1992년에는 남로당이 분단문학에서 가지는 중요성이 점차 희석되어 갈 것이라며, 분단문학을 이어가기 위해서는 북로당의 문제를 주목해야 한다고 주장하기도 했다.[188] 1992년에『문학과사회』에서『불의 제전』의 연재가 재개된 이후 작품의 후반부 내용에서는 남로당보다는 북로당과 인민군, 전쟁을 통해 점령지를 관리하는 인민공화국의 행정력 등이 학살의 문제와 연결되어 주요하게 다루어진다. 그렇다면『겨울 골짜기』는 남로당에서 북로당으로 김원일이『불의 제전』의 초점을 옮겨가는 과정의 중간 연결 고리인 셈이다.

『겨울 골짜기』속 대현리 마을의 이야기에서 지역을 장악한 삼일오 부대와 마을 사람들은 두 가지 사건으로 얽히게 된다. 하나는 반동분자를 색출하고 처벌하는 군중 심판이라는 제노사이드의 과정이고, 다른 하나는 인민공화국의 하부 조직인 애국여자연맹을 비롯한 여러 단체와 직책을 통해 주민들을 통제하고 동원하는 사회적 통제 즉 해방구를 건설하는 과정이다. 이러한 접근은 70~80년대 거창사건에 대한 논의와 비교해볼 때도 이질적일뿐더러, 민주화 이후 이행기 정의 국면의 한국사회에서 형성된 거창사건의 사회적 기억과도 상당히 다르다.[189] 실제 신원면에 대한 인민공화국의 점령 정책이 실효성이 없었기 때문이다. 13개면 257개 부락으로 구성된 거창군에서 빨치산 유격대는 고작 9개 초급 단위에 겨우 300여 명의 맹원을 확보해서 빨치산 내에서도 지역 장악에 실패했다고 인식했다. 또한 거창학살을 자행한 9연대 3대대장 한동석조차 신원면에서 한 사람의 공비도 보지 못했다고 증언할 만큼 그곳은 빨치산의 해방구와는 거리가 멀었다.[190] 그러나 김원일은 지역에 대한 빨치산의 장악 과정을 상세하게 보여주고 있으며, 반공국가의 부역자로 낙인찍힌 문한돌이 정치부 요원들에게 겪는 수난을 통해 반동분자를 색출하고 인민을 만들어내는 과정에서 나타나는 폭력의 문제에 주목한다.

『겨울 골짜기』에서 대현리를 장악한 삼일오 부대는 주민들의 출신 성분과 가족 구성원에 대한 조사 작업에 착수한다. 주민들과 지도원과의 면담을 통해서 군경 가족과 반동분자를 색출하려는 것이다. 삼일오 부대가 대현리 주민을 대상으로 실행하는 가독성 작업은 인민공화국 형성 초기에 전 국민을 대상으로 출신 성분을 조사했던 과정과 유사하다. 인민공화국의 형성 과정에서 국가권력은 인민들을 대상으로 자서전과 이력서를 요구하고, 공산당 당원 및 공무원 등을 통해 그들에 대한 정보를 추가 수집하는 평정서를 작성함으로써 이들을 식별하고 통제하고자 했다. 인민들 역시 자신의 이력이나 가족 관계를 보다 유리한 방향으로 기술하고 불리한 사실을 숨기는 등 가독성 장치에 맞서는 고백의 전략을 구사하면서 글쓰기는 인민의 은닉대본과 국가의 공식대본이 충돌하는 격전장이 된다.[191]

『겨울 골짜기』 속 대현리 주민들 역시 인민공화국의 가독성 장치에 맞서서 고백의 전략을 구사한다. 지역 출신의 삼일오 부대 유격대원인 문한득을 내세워서 "여게 있는 우리 대현리 사람은 대부분이 한득이 전사하고 일가친척으로 걸립미다"[192]라면서 훈장을 받은 모범적인 '인민(군)'과의 인척 관계를 강조하며 자신의 정치적 정체성 역시 보장받으려고 한다. 문한돌 역시 반공국가에 대한 부역 혐의 등으로 의심을 받자 가족 중 빨치산 대원과 빨치산 협력자 그리고 반공국가에 의해 좌익으로 의심받아 처형당한 형[193]이 있다는 사실을 강조하면서 위기를 모면하려고 한다. 빨치산 점령지가 된 대현리는 이러한 국가권력의 가독성 장치와 이에 대응하는 마을 주민들의 고백의 전략이 충돌하는 공간으로 그려진다. 그런데 『겨울 골짜기』에서 국가권력의 가독성과 주민들의 고백이 충돌하는 상황은 빨치산이 지역을 장악하기 전부터 등장하고 있다. 바로 국민보도연맹학살사건 때문이다.

『겨울 골짜기』는 1, 3, 5장이 삼일오 부대가 배경이고, 2, 4, 6장은 대현리 마을과 마을 사람들을 중심으로 진행된다. 소설의 2장 '들피진 삶 – 마을 1'은 거창사건보다 한 해 전인 1950년 11월에 있었던 또 다른 학살 사건에 대한 이야기로 시작한다. 11월에 거창 지역의 국민보도연맹원들에게 소집 명령이 내려진다. 아무 의심 없이 소집에 응했던 문한득, 문한돌 형제의 큰형인 '문한병'은 보도연맹원학살로 사망하고 만다. 문한병은 해방 직후 남로당 지역 부책이라는 직책을 맡았지만, 여순사건 이후 남로당에 대한 탄압이 강화되자 그들과 결별하고 이후 좌익 경력 때문에 국민보도연맹에 가입하게 된 전향 좌익이었다. 그는 반공국가의 전향자 단체라는 가독성 장치가 제노사이드의 수단이 되리라 상상도 하지 못하고 가입한다. 반면에 같은 남로당 출신이던 자형 '박생원'은 끝까지 혐의를 부인하면서 가입하지 않은 덕에 살아남는다. 반공국가의 가독성 장치는 이후 살아남은 문한돌 일가를 표적으로 삼는다. 형이 반공국가에 살해당한 과정을 지켜본 문한득은 인민군이 일시적으로 지역을 장악했을 때 분주소 일을 돕는 등 부역 혐의가 있었기 때문에 공산주의가 무엇인지도 모르고 두려운 마음에 군경을 피해 빨치산에 합류한다. 형은 국민보도연맹원 예비검속으로 죽고 동생이 빨치산에 입산한 문한돌은 살아남기 위해 군경에 적극적으로 협력하겠다고 한다.[194] 보도연맹학살사건을 경험한 문한돌의 생존 전략은 빨치산에게 대현리가 장악되었을 때와 마찬가지로 자신이 모범적인 국민임을 인정받음으로써 살아남으려는 과잉적응, 고백의 전략이다. 문한돌은 남과 북의 두 국가를 상대로 동일한 생존 전략을 활용하고 있다.

『겨울 골짜기』에서는 빨치산의 점령 이후 자행되는 학살과 한국군이 자행한 학살이 유사한 장면으로 계속 겹친다. 지역 주민의 신원을 식별하고 반동을 처벌하는 빨치산의 폭력은 이후 신원면을 장악한 11사단 병력이 통비 분자·부역 혐의자 등을 색출하고 학살하는 과정으로 반복된다. 삼일오 부대의 정치부 요원은 문한돌이 군경을 위해 부역한 일을 트집 잡아서 이용하려 하고 경찰 역시 그가 좌익 가족이라는 약점을 잡아서는 정보원이 되라며 협박한다. 거창사건과 달리 말해질 수 없는 학살이었던 국민보도연맹 사건은 이 소설에서는 거창사건의 거울쌍처럼 그려지고 있다. 『겨울 골짜기』에서 문한병이 예비검속된 장소는 신원면 지서 옆에 있는 율원국민학교로 그려지지만, 실제 거창 지역에서 국민보도연맹원은 거창경찰서로 집결한 뒤 거창경찰서 유치장, 상업은행 창고, 양조장 창고 등에 수용되었다가 처형당했다.[195] 거창양민학살사건에서는 국민학교에 집결시켜 주민들에 대한 처형이 이루어졌고『겨울 골짜기』의 마지막 장에서 문한돌 일가가 수용되는 학살의 장소 역시 신원국민학교다. 김원일이 거창 지역의 국민보도연맹사건에 대해서 구체적으로 알았을 가능성은 높지 않지만, 두 사건을 그 지역에서 자행된 유사한 폭력으로 겹쳐놓으려고 했던 것으로 보인다.

『겨울 골짜기』는 거창사건에 대해 깊이 파고드는 대신에 그와 유사한 다른 국가폭력(빨치산의 반동 숙청과 국민보도연맹사건)으로 그 범위를 확대해간다.『겨울 골짜기』에서 겹치는 폭력들은 반공주의 사회에서 결코 동일시할 수 없는 두 주체, 남과 북의 두 국가가 자행한 일이다. 민주화 이후 연재된『불의 제전』후반부에서는 "공산 세상만 무섭은 게 아니라 민주 세상도 똑 한가지"[196]라면서 가독성 장치를 통해 학살을 자행하는 남과 북 모두에 대한 비판이 나타나기도 한다. 그러나 민주화 이전에는 중앙정보부 요원과 접촉하기도 했던 김원일이 그런 식의 비판을 시도하기는 어려웠다. 그가 대립하는 두 국가가 자행한 폭력을 함께 비판하기 위해 초점을 잡은 것은 군사주의다.

『겨울 골짜기』에는 김원일의 아버지인 김종표를 모델로 한 좌익 지식인이자 빨치산 대원인 김익수가 등장한다. 김익수는 빨치산 대원이지만 다른 빨치산으로부터 배척받는 회의주의자로 그려진다. 그의 과거는 자세히 묘사되지 않으나, 교사를 하다가 의용군으로 가담한 남로당계로 정치부 심문반에서 활동하다가 종파주의자로 몰려서 일반 병사로 강등된 것으로 보인다.[197] 그는 이승만 정권에 반대해서 인민군에 가담한 인물이지만 공산당의 실상을 깨닫고는 공산주의에 대한 희망 역시 버리는 회의주의자다.[198] 그런 점은 『노을』의 전향한 좌익인 배도수를 연상하게 하지만, 배도수와 달리 김익수가 비판하는 것은 공산주의라는 사상이 아니라 군대와의 전쟁이다. 그는 자신이 군대를 증오한다면서 "군대의 조직과 통솔방법을 볼작시면 이게 또한 인간을 가축과 같이, 아니 가축 이하로 학대하는 걸 골자로 삼고 있"고 "전쟁이란 원래 도덕적이 아닌, 물리적 폭력 행사"일 뿐이어서 군대가 그렇게 비인간적인 조직이 된 것이라고 성토한다.[199]

그는 빨치산 부대의 군사주의 문화와 충돌하면서도 그 안에서 사랑하는 아들에게 주기 위해 현악기를 만드는 인간적인 인물로 그려진다. "전쟁은 인류의 적"[200]이라는 김익수의 반군사주의는 이념의 관점에서 벗어나 빨치산 부대와 그들이 자행하는 폭력을 비판하게 한다. 그리고 빨치산이 자행하는 폭력의 기저에 자리한 군사주의는 거창양민학살사건이 발생한 원인으로 그려진다.

『겨울 골짜기』에서 거창양민학살사건을 자행하는 11사단의 군인들은 대현리를 비롯한 신원면 주민들을 적으로 간주한다. 신원면 주민들에 대한 제노사이드는 군사작전의 형태로 실행된다. 11사단장 최덕신은 '견벽청야'라고 알려진 대게릴라 전술을 활용해 지리산 일대의 빨치산을 진압한다. 한국군이 빨치산을 제압하기 위해 활용한 전략의 계보는 상당히 복잡하다. 『겨울 골짜기』에서 언급되듯 중일전쟁 중 중국 국부군의 전략도 영향을 끼쳤지만, 만주국 간도특설대의 대게릴라전 경험과 미군의 게릴라전 대응 전술 등이 4·3의 진압과 전쟁 전 빨치산 진압 작전 등의 경험을 통해 발전·통합된 전략이었다.[201] 이 전략은 지역 주민과 빨치산을 분리하기 위해 주민을 소개하고 지역과 주민을 통제할 수 있는 행정 체계와 방어 설비를 갖추는 등 지역 장악을 강조하지만, 전쟁 상황이 극단화되었을 때는 초토화 작전의 형태로 실행되면서 적성 지역 내에 모든 이들을 적으로 간주하는 학살극으로 자행된다.[202] 문한돌이 마을 주변에 망루 등을 건설하기 위한 부역에 동원된 것도 한국군의 대게릴라 전술에 주민을 동원한 한 사례였다. 거창양민학살사건에서 당시 9연대가 견벽청야 작전을 초토화 작전으로 이해하고 일방적으로 주민을 학살했는데, 이러한 양상은 한국전쟁에서 예외가 아니라 오히려 반공국가의 군사전략에 내재해 있던 권력의 실체를 드러내는 순간이었다.[203]

『겨울 골짜기』에서 병사들의 대화를 통해 학살이 견벽청야 작전에 의한 군사적 합리성에 의해서 실행이 되고 있으며 병사들은 상명하복의 군사주의 문화 때문에 이러한 폭력에 가담하는 것으로 그려진다.[204] 병사들이 학살을 자행하는 또 다른 동기는 바로 집단에 대한 강력한 연대의식이다. 마을 주민들을 학살하던 한 병사는 "네 놈들의 내통으로 어젯밤도 전우가 몇 십 명이나 희생된 줄 아느냐, 이 빨갱이 새끼야!"[205]라고 고함을 지른다. 한번에 수십 명의 전우를 잃었다는 진술은 다른 병사 간 대화에서도 반복이 되며 주민들에 대한 군인의 적대감을 설명하는 중요한 장치가 된다. 그런데 실제 11사단 9연대의 전투 기록에는 학살 사건이 자행되기 직전에 그런 대규모 인명 피해를 입은 사실이 없다.[206] 그래서 이 내용은 폭력의 동기를 군사주의적 측면에서 설명하기 위해 김원일이 삽입한 소설적 장치로 보인다. 이러한 동료 집단에 대한 연대 의식은 제노사이드 연구들에서 이념성의 요소가 거의 작동하지 않을 때조차도 가공할 폭력에 가담하게 만드는 사회적 요인이라 지적되어 왔다.* 김원일은 『겨울 골짜기』에서 명령에 대한 복종, (가독성 작업을 공간 단위로 극단적으로 단순화하는) 군사주의적 합리성, 집단 구성원에 대한 강력한 동조 의식 등 제노사이드를 수행하게 하는 군사주의 요소들을 남과 북을 가리지 않고 세세하게 그려낸다.

군사주의는 남과 북 두 국가를 나누는 이념이라는 경계선과 다르게 작동한다. 공산주의와 자본주의는 남과 북을 나누는 경계선이 되지만, 군사주의는 오히려 이 경계를 흐리고 대립하는 두 국가를 하나의 틀로 묶어낸다. 군사주의의 근대적 폭력은 냉전기 국제

---

* 미국의 역사학자 브라우닝은 홀로코스트 과정에서 나치의 이념적 영향을 거의 받지 않은, 오히려 독일 내에서 가장 반나치적인 정서를 가진 지역 출신으로 구성된 101경찰예비대대가 광범위한 학살에 가담한 사례를 통해 집단에 대한 동조가 제노사이드에 가담하는 주요 원인임을 설명했다.(크리스토퍼 R. 브라우닝, 이진모 옮김, 『아주 평범한 사람들』, 책과함께, 2010, 274~277쪽)

적 대립 구도 속에서도 국가들이 공유했던 '하이 모더니즘'의 또 다른 형태였다. 견벽청야 작전으로 이어진 냉전의 대유격전 전술 속 전략촌 건설은 수용소의 계보와 연결되며 더 나아가 새마을운 동과 같은 새로운 국가 개발 전략으로 이어졌다.[207] 스콧은 전략 촌과 같이 "개발과 진보 그리고 문명이라는 담론"에 따라 "가독성 과 집중화"를 노리는 프로젝트로 진행된 대표적인 하이 모더니즘 의 사례로 보고 있다.[208] 이러한 가독성 작업을 통해 주민을 통제 하고 재구성하려는 국가의 하이 모더니즘은 냉전의 이념적 경계 를 넘어서 공유되었던 공통의 폭력적 특징이었다. 거기에 더해 군 대의 군사주의는 제노사이드를 수행하게 하는 이데올로기를 얼마 나 내면화했느냐와 관련 없이, 때로는 이데올로기보다 더 효율적 으로 제노사이드 행위에 가담하게 만드는 동기가 되었다.[209] 『겨 울 골짜기』에서 김익수의 시선을 통해 김원일이 제시한 군사주의 비판은 『노을』에서의 반공주의적 시선에서 벗어나면서 남과 북 두 국가를 상대화할 수 있는 논리가 된다.

『불의 제전』 후반부에서 남과 북 두 국가의 폭력에 대한 비판은 『겨울 골짜기』를 통해 그 논리적 기반을 갖추게 된다. 그리고 한반 도를 나눈 두 국가를 비판할 수 있게 될 때, 그들로 인해 희생된 이 들은 (반공) 국민과 빨갱이, 인민과 반동이라는 이분법적인 경계 바 깥에서 존재할 수 있게 된다. 『노을』이나 『불의 제전』의 80년대 판 본들에서 소설의 배경이 되는 진영의 주민들은 반공주의적 입장 을 명확히 하는 이들로 그려진다. 그러나 『겨울 골짜기』에서 신원면 주민들은 "남쪽 북쪽 어느쪽 편도 들지 몬"[210] 하는 사람들로 그려진다. 이러한 변화는 그동안 김원일 소설 연구에서 거의 주목받지 못해왔다. 이는 '무고한 양민'이라는 형상을 둘러싼 정치적 맥락이 한국문학 연구에서 거의 고려되지 못한 사정도 있지만, 『불의 제전』의 80년대 판본들에서의 반공주의적 주민 재현이 이후 판본들에서 수정되었다는 사실과 관련이 높다.

김원일은 『겨울 골짜기』에서 이념화되지 않은 주민들의 형상을 그려냄으로써 이후 자기 소설의 개작 등 변화 방향을 찾아갔다. 특히 북로당계를 전면에 내세운 빨치산 형상화는 반공국가의 적대자로서 인민공화국을 그려낼 수 있게 했고 『불의 제전』 후반부 북로당계에 대한 묘사와 점령지 서울을 그리는 기반이 되었다. 그리고 군사주의 비판을 통해서 이 두 국가 모두를 거부하는 김익수는 김원일의 아버지 김종표를 남과 북의 경계로 한정하지 않고 또 다른 사회를 상상했던 인물로 새롭게 의미 부여할 수 있는 출발점이된다. 물론 이 과정은 『겨울 골짜기』 이후로 거의 30년 뒤까지 이어지는 개작 작업을 통해 달성하게 될 지난하고 힘겨운 작업이었다. 김원일은 『겨울 골짜기』에서 거창양민학살사건이라는, 반공국가가 유일하게 인정했던 제노사이드의 기억을 통해 또 다른 제노사이드를 재현할 수 있는 전략을 만들어갔고 한국사회의 이행기 정의 국면에서 이를 자기 문학을 갱신하는 데 활용해갔다.

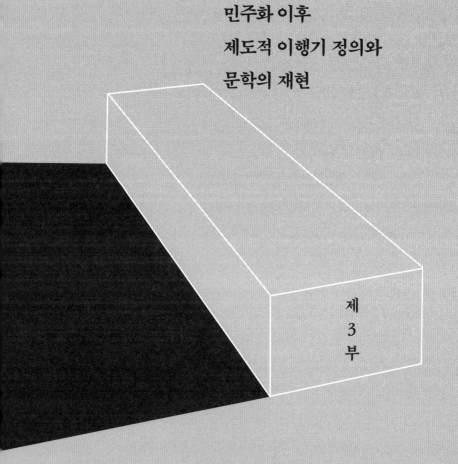

민주화 이후
제도적 이행기 정의와
문학의 재현

제
3
부

민주화 이후 기억의 범람과
재현의 정치*

문예지 복간과 과거사 재현의 활기

1987년의 민주화는 한국문학이 마주해야 했던 정치적 조건의 급격한 변화를 의미했다. 문단이 가장 분명하게 체감한 변화는 신군부 세력에 의해서 강제 폐간되었던 문예지들의 복간이었다. 1980년 『창작과비평』(이하 『창비』)과 『문학과지성』(이하 『문지』)이 폐간된 뒤 이들 문예지의 명맥은 무크지 형태로 이어졌다. 『문지』를 주도했던 이들은 『우리 세대의 문학』, 『우리 시대의 문학』 등의 무

---

* 이 장은 필자의 논문인 「이행기 정의와 서사 – 민주화 이후 문예지 복간과 재현의 정치」 (『상허학보』, 상허학회, 2022)의 내용을 수정·보완한 것이다.

크지를 1982년부터 1987년까지 발간한다. 『창비』진영은 1985년에 부정기간행물 『창작과비평』 1호를 발간했고, 2년 뒤인 1987년에 부정기간행물 2호인 『창비 1987』을 출간했다. 무크지 운동의 주요한 주자였던 『실천문학』(이하『실천』)은 1985년에 계간지로 재편하여 정기간행물로 전환했다. 이는 『창비』와 『문지』의 폐간 이후 5년 만에 처음으로 순수문학지의 발행을 허가한 사례였다.[1] 그러나 『실천』은 순수문예지의 발행 목적에서 벗어나 정치·경제·사회 영역을 다루어서 언론기본법을 위반했다는 이유로 같은 해 8월 23일에 폐간되어 다시 무크지로 돌아갔다. 그러나 6월항쟁 이후 87년 10월 문화공보부는 출판물 등록을 자율화하는 출판활성화조치를 단행하면서 폐간된 문예지들이 복간되는 길이 열린다. 1988년에 『창비』와 『실천』이 복간되고, 『문지』가 『문학과사회』(이하『문사』)로 재창간한다.

문예지 복간의 계기가 되었던 87년의 출판활성화조치는 공식적으로 한국 출판 시장에서 발행될 수 없었던 도서와 작품, 작가에 대한 제한적인 해금조치도 포함되어 있었다. 당시 북한 체제를 비판하는 도서가 해금되었다는 사실이 언론의 지대한 관심을 받을 정도[2]로 북한과 관련된 도서 일체가 긴 시간 금지의 대상이었다. 그리고 이듬해인 1988년 7월 19일에 문화공보부 장관이 납·월북 문인의 해방 이전 작품에 대한 해금 조치를 선언한다. 이 일련의 해금조치를 거치면서 한국문학장에 이전에는 출간할 수 없었던 중국 등지의 재외동포 작가들의 작품뿐 아니라 북한문학도 소개되었다. "해금된 과거의 금서뿐 아니라, 북쪽의 이념으로 최고의 가치를 부여한 그쪽 본바닥 소설까지 나와 눈길을 끌었고, 진실이 매몰된 사건들을 파헤치고 복원하고 고발한 소설이나 논픽션"처럼 "6·29 전에는 꿈도 못 꿀 책이 쏟아져나와 서로 베스트셀러를 다투고 있었다"는 박완서 소설 속 한 대목*은 이 시기의 변화를 잘 말해준다. 민주화 국면에서 노태우 정권과 신군부 세력은 야당과 시민사회를 의식해 폭력적 통치의 기반을 유화하는 일련의 작업을 단행했고[3], 이는 분단 직후 절단되었던 한국문학의 연결 고리들을 상당수 회복하는 계기였다.

월북작가에 대한 해금은 반공국가에 의해 발생했던 국가폭력 사건에 대한 기억과 맞물려 있었다. 박완서가 중편 「복원되지 못한 것들을 위하여」(1989)에서 해금 조치가 한국전쟁기 재소자 학살로 사망한 소설가와 그 유가족의 고통스러운 기억을 마주하는 계기로 묘사했듯이, 반공국가에 대해 불온시 되었던 이들은 출판 자율화의 흐름 속에서 자신의 목소리를 낼 기회를 얻을 수 있었다. 1987년을 기점으로 『일어서는 땅』(인동, 1987)과 『작전명령 – 화려한 휴가』(실천문학사, 1987)와 같은 광주민중항쟁에 대한 문학작품이 연이어 출간되었다. 광주민주화운동에 비해 대중의 관심은 적었으나 제주4·3에 대한 서적들의 출간도 활발했다. 『한라의 통곡소

---

* 박완서, 「복원되지 못한 것들을 위하여」, 『창작과비평』 여름호, 창비, 1989, 159쪽. 이후 인용 시에는 괄호 안에 작품명과 쪽수만 표기한다.

리』(소나무, 1988)와 『잠들지 않는 남도』(온누리, 1988) 같은 증언집과 역사서, 그리고 『4·3島 유채꽃』 같은 작품집의 출간이 뒤를 이었다. 일본으로 망명한 조선적 소설가 김석범이 제주4·3을 배경으로 집필하여 연재 중이던 대하소설 『화산도』의 일부가 1988년에 실천문학사에서 처음으로 번역되어 한국에 소개되기도 했다. 상대적으로 반공주의의 위협에서 자유로운 일본에서 창작된 『화산도』는 제주4·3의 기억을 제주의 지역적 비극이 아니라 국제적 냉전 질서를 구축하려는 미국의 세계전략과의 관계 속에서 설명하고자 했으며, 이러한 시각은 고명철의 지적처럼 87년 민주화 이후 문학장에 4·3문학의 새로운 과제가 있음을 알려주는 충격이었다.[4] 민주화 이후 국가폭력의 과거사 재현의 양상은 군부정권이 침묵을 강요했던 기억을 말할 수 있게 된 것을 넘어서, 『화산도』 번역의 사례가 보여주듯이 사건을 의미화하고 그것이 놓인 맥락을 재설정하는 정치의 작동이었다. 그런 점에서 6월항쟁 이후 해금조치가 문학장에 끼친 영향은 "해금된 것과 해금되지 못한 것의 경계를 다시 표시하고, 바로 그러한 경계 위에서 소설의 미래를 모색하거나 상상케 하는 정치적 계기"[5]였다.

폭력적 과거사를 재현하는 작품은 1988년에 복간된 문예지들에 수록된 작품 중에서 적지 않은 비중을 차지했다. 『창비』는 복간 이후 첫 신인 추천작으로 광주민주화운동을 소재로 한 홍희담의 중편 「깃발」을 선정했다. 『실천』은 1989년에 1년간 4회에 걸쳐서 정지아의 자전적 소설인 장편 『빨치산의 딸』을 연재한다. 『문사』

는 계간지 2호부터 좌익 2세 작가였던 김원일의『마당 깊은 집』과
임철우의『붉은 山 흰 새』를 연달아 연재한다. 김원일과 임철우의
장편소설 연재를 주목해야 하는 것은 이 작품들이 국가폭력의 과
거사와 이에 연루된 개인과 지역의 역사를 소재로 할 뿐 아니라, 더
나아가 폭력의 역사가 가진 의미를 새롭게 재구성하려는 시도였
다는 점이다.『마당 깊은 집』은 좌익 2세 작가이자, 분단문학의 대
표 작가 중 한 사람인 김원일이 한국전쟁 이후 자신의 가족사를 실
제 사실에 부합하는 방향으로 쓴 소설이었다. 반공국가의 위협 때
문에 고향과 가족을 사실과 다른 방식으로 재현해야 한다는 압박
에 시달렸던 작가*가 민주화 첫 장편을 통해 전후의 상황이긴 하
지만 가족사에 대한 사실적 재현에 시도했다는 점은 의미심장하
다. 이후 연재와 중단을 반복하던 대하소설『불의 제전』을 완결하
고, 전쟁과 학살, 좌익 가족사를 소재로 한 작품들을 전면적으로
개작하면서 소설적 재현과 역사적 사실 사이의 괴리와 간극을 좁
혀갔다는 점을 생각한다면『마당 깊은 집』의 등장은 그의 작품세

---

* 김원일의 소설에서 실제 역사적 사실과 재현된 장면 사이의 불일치는 일부 개작 연구에
서만 제한적으로 주목되었으나 가족사의 문제, 특히 좌익이었던 아버지의 재현을 반공
주의 정권의 시선을 의식해 변형해야만 했다는 작가의 고백은 잘 알려져 있다. 이는 그의
대표작 중 하나인『노을』에서 아버지를 폭력적이고 잔인한 백정으로 아버지를 그려야만
했던 작가의 사정이었다.(김원일, 권오룡,「열정으로 지켜온 글쓰기의 세월」,『김원일 깊
이 읽기』, 문학과지성사, 2002, 36쪽) 소설가 박완서 역시 비슷한 상황에 직면했었음을
1985년의 한 좌담에서 밝힌 바 있는 데, 이에 대한 자세한 내용은 2장에서 다룰 것이다.
다만 80~90년대에 전쟁과 학살의 기억을 보여주는 작가의 전기적 소설들이 연이어 등
장하는 흐름이 이와 같은 사정과 결코 무관할 수 없음을 기억해둘 필요가 있다.

계에서 중요한 전환점이었다.

임철우의 『붉은 山 흰 새』는 5·18과 함께 그의 소설적 상상력의 원천이 되는 고향 완도의 대량학살 사건인 '나주부대사건'이 남긴 상처를 박정희 시대 가상의 간첩 침투 사건을 통해서 그리고 있는데, 90년대의 광주민주화운동에 대한 문학적 재현을 대표하는 대작인 『봄날』의 1부로 기획된 작품임을 주목해야 한다. 이 작업은 5·18의 기억을 한국전쟁과 반공주의 체제로 연결하기 위한 작업이면서 동시에 리얼리즘적 소설의 규율을 통해 역사적 사건을 소설화하는 양식을 시도한 사례였다. 역사를 리얼리즘적으로 재현하는 작업은 『봄날』에서, 한국전쟁 등 다른 역사의 비극과 5·18을 연결하는 시도는 『백년여관』에서 이루어졌다는 점에서 『붉은 山 흰 새』는 임철우가 이어갈 소설쓰기의 중요한 지향점을 제시했다. 이외에도 수록된 단편들 역시 과거사 문제를 소재한 경우가 많았다. 특히 『문사』의 창간 1호에 수록된 3편의 소설이 모두 과거사 문제와 연결되어 있다. 이청준의 「전짓불 앞의 방백 – 가위 밑 그림의 음화와 양화·2」와 김성동의 작품인 「풍적 3」은 한국전쟁기 민간인 학살의 기억을 말한다. 이처럼 과거사를 소재로 한 다양한 작품의 등장은 87년의 민주화 이후의 상황 속에서 문학을 통해 그 사회적 역할을 고민하던 복간 문예지들이 과거사를 재현하는 작품들을 사회적 변혁 문제와 연결해서 이해했음을 보여준다.[6]

이 장에서는 출판 자율화로 복간된 문예지에 수록된 작품들을 통해서 민주화 이후의 이행기 정의 국면이 국가폭력의 과거사 재현의 정치적 상상력에 끼쳤던 영향을 살펴보고자 한다. 광주민주화운동과 제주4·3, 한국전쟁기 학살과 같은 폭력적 과거사의 기억은 민주화를 계기로 정치적 억압에서 벗어나 더 적극적으로 발화될 수 있었지만, 현실사회주의권의 몰락과 대중문화가 융성하는 90년대의 변화의 흐름에 밀려 주변적인 서사로 남게 된다. 그러나 민주화 직후에 가질 수 있었던 급격한 사회 변혁에 대한 기대가 이 시기 작품들에 국가폭력의 과거사를 재현하는 방식을 바꾼 주요한 전환점이었음을 주목해야 한다. 이 작품들이 수행했던 재현의 정치는 90년대 문학장의 구조와 안정적으로 안착하지는 못했을지라도, 같은 시기 한국사회의 정치적·사회적 요구와 변화의 흐름에 조응하고 있었다.

이 장에서는 88년부터 91년까지의 작품들에 초점을 맞춘다. 시기를 제한하는 이유는 두 가지다. 하나는 민주화 이후 전개되었던 사회적 변화에 대한 급진적 상상력이 91년을 기점으로 급격하게 약화되었기 때문이다. 국내적으로는 제도적 민주화가 진행된 노태우 정권을 넘어서 87년 6월항쟁을 더욱 급진하고자 했던 학생운동과 노동운동 세력이 급격히 위축된 91년 5월투쟁의 실패로 인해서 체제를 넘어서는 상상력은 동력을 잃고 제도 내부로 순치되는 흐름에 직면한다.[7] 뒤이은 91년 12월의 소련 붕괴는 급진적 변화의 상상력에 가장 강력한 타격을 입힌 외부적 요인이었다. 가장 급진적인 저항자조차 '전향'의 대상으로 만들었던 소련 붕괴의 충격은 91년 이전과 이후 사이에 좁히기 어려운 간격이었다. 그러나 역설적으로 민중주의의 급진적 상상력이 무너지던 91년 이후가 새로운 기억의 체계가 구축되는 기점이었다는 사실이 이러한 경계를 제시한 두 번째 이유이다.

냉전의 붕괴는 세계 각지에 억압된 폭력의 기억들이 국제적으로 연결되게 했던 역사적 계기였다.[8] 1991년 김학순의 증언으로 본격화된 일본군 '위안부' 운동이 국제적인 기억의 연대를 구축했던 사례처럼 냉전의 붕괴와 맞물려 과거사에 대한 기억의 지형도는 그 이전과는 전혀 다른 방식으로 그려지고 있었다. 한국사회 내부에서도 기억의 조건은 크게 변화해갔는데, 과거사 문제를 무마하는 데 주력했던 노태우 정권 이후 각 정부의 정치적 목표와 입장은 달랐으나 과거사는 시민사회와 피해자, 정치권과 국가권력이 경합하는 의제로 전환되었다. 이는 국가폭력의 기억이 억압된 역사가 아니라 국가의 공식기억으로 전환되는 계기였다. 이는 제도적 이행기 정의의 진전과 맞물리며 새로운 공식기억을 창출해내는 과정이었다. 88년부터 91년 사이의 그리 길지 않은 이 시간은 민주화를 기점으로 분출하기 시작했지만, 아직 그 방향을 잡지 못하고 있던 기억의 회귀를 모색하던 시기였다는 점에서 주목해야 한다.

87년 민주화 직후 국가폭력의 과거사를 직시하려는 작품들과 이를 조명하는 복간 문예지들의 전략은 90년대 한국문학, 특히 한국소설에서 두드러졌던 내면으로의 천착과 대중 소비사회의 문화와 풍경을 향한 시선이 주류로 자리잡는 국면과는 동떨어진 현상이었다. 문학장의 변화를 중심으로 본다면 이 시기 과거사 문제에 대한 관심은 새로운 전환이 나타나기 이전에 나타난 돌출적인 현상으로 보일지 모른다. 이 시기 문학장의 이질적인 노선은 노태훈의 표현처럼 "급변하던 문화적 흐름에 문학 매체가 무관심했"[9]음을 보여주는 지표일 수도 있다. 그러나 80년대부터 국내외적으로 전개된 이행기 정의 국면과 맞대어서 본다면 이 풍경은 전혀 다르게 보일 것이다. 이 장에서는 87년 민주화 직후 국가폭력의 과거사를 조명하는 소설들과 문예지 기획들이 보여주었던 재현의 정치가 이행기 정의 국면이라는 한국사회의 구조적 전환에 대응하는 과정이자, 변화가 제도적으로 정착되기 전에 다채로운 가능성으로 분출하던 시기였다는 점을 보여주고자 한다.

기억의 범람과 반공주의의 퇴조에 대한 기대

『문사』의 전신인『문지』는 재수록 제도를 통해서 자신들의 문학관에 부합하는 작가와 작품들을 발굴하여 재수록함으로써 문학장 안에서 담론을 강화해왔다.[10]『문사』의 창간 이후에 재수록 제도를 계속해서 활용해온 것은 아니지만, 창간호에 수년 전에 다른 문예지에 연재되었던 장편의 일부를 수록했다는 사실은 주목할 필요가 있다. 김성동은 1983년『문예중앙』에서 장편소설『풍적』의 연재를 시작하지만, 검열로 인해서 2회만에 중단된다. 김성동의 아버지 김봉한의 죽음을 모티프로 한 『풍적』은 좌익 관련 소설이라는 이유로 검열의 대상이 되었고, 연재 중단 이후 김성동은 원고 청탁이 막히는 등 권력의 탄압으로 큰 피해를 입었다. 그의 아버지 김봉한은 박헌영과 매우 가까웠던 좌익 인물로 조선 정판사 사건에 연루되었다가 대전교도소 수감 중 재소자 학살 사건으로 사망한다.[11] 그런데 죽은 좌익 아버지의 영혼과 아들이 만나는 과정을 다룬 소설 『풍적』의 3회가 연재 중단 5년 만에 『문사』 창간호에 단편소설로 수록된다. 그 자체로 독립적인 단편이 아니었기 때문에 「풍적 · 3」은 크게 주목받지 못했지만, 이 묵은 작품의 수록을 통해서 『문사』는 민주화 이후 검열의 압력이 해소된 상황을 극명하게 보여주었다. 「풍적 · 3」의 내용 역시 아버지의 영혼이 전쟁에서 죽은 미군 병사와 대화하면서 미국을 비판하는 장면 등이 있어 당대 한국의 반공주의적 세계관과 충돌하는 모습을 보여주었다.

『문사』와 같은 시기에 『창비』가 광주민주화운동을 체험한 작가인 홍희담을 복간 후 첫 신인 추천 작가로 내세운 것도 같은 맥락이다. 복간된 문예지들은 민주화 이후 재현의 한계가 확장되고 있음을 작품과 작가를 통해 보여주었고, 과거사 문제는 그 주요한 소재였다. 『문사』 첫 신인 추천 소설가인 최윤 역시 광주를 소재로 한 「저기 소리 없이 한 점 꽃잎이 지고」를 발표한다. 광주민주화운동은 과거사 재현의 사례 중에서 가장 주목도가 높은 소재였다. 특히 홍희담의 「깃발」이 노동자를 중심으로 광주민주화운동을 조명했다는 사실이 고평을 받았는데[12], 이는 당시 과거사 소재 작품이

주로 민중문학론의 관점에서 이해되어 온 상황을 반영한다.

광주 관련 작품 다음으로 많은 소재인 빨치산과 좌익 가족에 대한 서사 역시 당대 민중문학론의 시각이 과거사 문제를 다루는 주요한 접근법임을 보여준다. 이 시기 특히 주목할 사례가 『빨치산의 딸』을 쓴 정지아였다. 정지아가 1989년부터 『실천』에 연재한 장편 『빨치산의 딸』에서는 과거 빨치산 유격대원이었던 부모가 『남부군』을 읽으면서 민주화 이후의 변화를 이야기하는 장면이 등장한다. 흥미로운 점은 『빨치산의 딸』에서 작가 정지아에 대응되는 화자가 『남부군』의 인물들이 "싸움의 목적도 없이, 자유주의적이고 회의주의적인 태도로 과연 그렇게 버틸 수 있었을까요"[13]라며 의문을 던진다. 작중 인물을 통해 던져진 의문에 답하듯 『빨치산의 딸』은 당대 다른 빨치산 서사와 비교했을 때 이념에 대한 회의주의적 태도를 취하지 않고 선명한 노동자계급 의식을 보여주는 작품으로 주목받았다.[14] 이러한 이념적 선명성은 『지리산』이나 『태백산맥』, 『남부군』처럼 민주화 이전에 쓰인 빨치산 서사와의 중요한 차이점으로 부각되었다.

이처럼 노동자계급의 역할을 강조하는 민중문학적 시각은 빨치산 서사를 포함한 과거사 재현에 대한 주요 담론이었다. 이는 당대 과거사 재현에 있어 가장 널리 쓰이던 '분단문학'이라는 범주의 성격과도 관련이 깊다. 분단문학 개념은 크게 "실증주의적 입장에서 분단문학의 실상을 전반적이고도 객관적으로 분석하려는 태도와 민족통일에의 이상주의적 관점에서 문학의 역할을 강조하고 창작방법론을 지도해 나가려는 목적 지향적 태도"15)로 나뉘었다. 전자의 입장을 김윤식이 대표했다면, 후자는 민족통일에 대한 기여를 목표로 하는 민중문학론의 입장에 가까웠다. 빨치산 서사, 특히 좌익이었던 가족에 대한 서사는 분단문학으로 분류되어 민중문학론적 시각에서 평가되어왔다.

민주화 이후 반공주의적 검열이 약화되자 분단문학에 대한 두 입장은 기이한 일치점을 찾게 된다. 바로 반공주의적인 사회의 억압을 더는 핵심적인 위협이나 혹은 안전을 위해 타협해야 할 현실로 인식하지 않았다는 점이다. 반공주의적 검열 속에서 우회적 수단을 통해 과거사를 재현해야 했던 작품들에 대한 비판적인 재평가가 이루어졌는데, 김원일의 소설은 그 주요한 대상이었다. 대표적인 좌익 2세 작가 중 한 사람이었던 김원일은 70~80년대에『노을』,『겨울 골짜기』,『불의 제전』등 빨치산이 등장하는 작품을 연이어 집필했다. 대하소설인『불의 제전』은 연재와 중단을 반복하면서 평가가 유보되었지만,『노을』과『겨울 골짜기』는 다양한 비평적 논의의 대상이 되었다. 김태현은『노을』이 좌익 인물에 대한 부정적 특징을 강조하고 그 반대편에 선 우익 인물을 관찰하지 않았을 뿐 아니라, 해방 직후 좌우 갈등의 객관적이고 계급적인 구조를 보여주지 못했음을 강하게 비판한다. 민주화 전후의 다른 분단문학 작품과 비교할 때 "분단의 극복에 기여할 수 있는 민족통합적 시각을 제시하기는 고사하고 사건의 진실조차 충분히 재생하지 못한 교훈적인 실패작"16)이라고 혹평한다. 이처럼『노을』을 반공소설로 평가한 것은 80년대 내내 진보적 평론가들의 지배적 시각을 보여준다.[17] 『노을』에 대한 이러한 비판은 역설적으로 반공주의가 더는 견고한 장벽이 아니며, 반공주의의 굴레로부터 벗어나는 일이 분단 극복의 차원에서 요구되고 있음을 보여준다. 그런데 이와는 반대로 『노을』의 성격을 (반공주의와 같은) 이념으로부터의 이탈로 보려는 논의 역시, 반공주의 국가의 위력을 빛바랜 위협으로 보고 있다는 사실이 눈길을 끈다.

김윤식은 「문학사적 개입과 논리적 개입」에서 김원일의 장편 『노을』을 조세희의 『난장이가 쏘아올린 작은 공』과 함께 70년대 한국문학의 대표 작품이었다고 평가한다. 그러나 그는 두 작품이 70년대의 시대정신의 후광을 벗어나서도 빛날 수 있는 작품인가에 대해서는 비판적으로 분석하면서 『노을』은 그 시대적 후광을 잃었다고 진단한다. 김윤식이 『노을』을 91년에 와서 비판적으로 검토하는 전제는 "아비는 남로당이었다"는 소설의 숨은 명제가 더는 시대정신과 조응하지 않는다는 판단이었다. 70년대에 "아비는 남로당이었다"는 명제가 현재형으로서 많은 작가에게 말해질 수 없는 창작의 진짜 동기로서 작동했으나, "남로당 최후 잔당의 석방 그러니까 '완전한 석방'이 89년에 이루어졌으며, 남로당을 깡그리 숙청한 김주석과 악수하기 위한 분위기가 팽배한" 90년대에 그 명제는 "어느새 후일담으로 아득히 사라진"[18] 것이기 때문이다. 『노을』의 성취를 뒷받침해주던 시대정신의 후광이 사라졌으므로, 그 시대에는 시대정신의 빛과 혼재되어 보이지 않았던 미학의 빛을 가늠하여 엄정히 재평가해야 한다는 것이 김윤식의 판단이었다.

민주화 이후 김윤식은 『노을』이 이데올로기의 문제를 가족의 관계로 격하하고 있다며 강하게 비판한다.[19] 이러한 논리는 그리 새롭지 않다. 윤흥길, 임철우 등 다른 분단문학 작가에게도 공통적으로 적용되었던 김윤식의 일관된 논리였다. 하지만 달라진 것이 있다면, 70년대에 "아비는 남로당이었다"는 명제가 작동했던 반공주의 사회의 위협이 민주화 이후에는 그저 후일담으로 남겨졌다는 사실 판단을 내리고 있다는 점이다. 더는 반공주의 국가가 작가 내면의 검열관으로 작동한다는 전제에서 작품을 평가할 수 없다. 이는 새로운 이념적 무장을 통해서만 분단문학이 다음 단계로 나아가는 것이 가능하다는 민중문학적 입장[20]이 전제하는 정세에 대한 인식과 그리 다르지 않다. 반공국가의 위협은 분단 문제에 있어 더는 타협과 우회의 대상이 아니라는 것이다. 이러한 긍정적 전망은 과거사 재현에서 과거의 폭력을 가해자의 반성에 대한 희망하는 기대감의 형태로 나타나기도 했다.

87년의 민주화 직후 법적 · 제도적 이행기 정의를 진행하려는 움직임이 시작되었을 때, 가장 큰 목표는 책임자 처벌이었다. 88년의 광주청문회로 고조되었던 광주민주화운동에 대한 책임자 처벌의 목소리는 노태우 정권의 완강한 거부와 3당 합당이라는 정치적 격변, 보상 문제의 대두 등으로 인해 점차 정치권의 관심에서 멀어졌다. 그러나 정권이 정치적 위기에 직면할 때면 과거사 문제에 대한 강경한 입장을 보이면서 지지 여론을 끌어올리려고 한 김영삼 정권 시기에는 전체 국민의 90%가 책임자의 처벌에 찬성했다.[21] 이러한 열망으로 전두환, 노태우는 내란죄로 중형을 선고받았으나 97년의 IMF 위기 이후 이들에 대한 사면 조치가 이루어지며 단죄라는 목표는 끝내 이루어지지 못한다. 하지만 80년대 후반에서 90년대 중후반까지는 한국사회에는 (주로 광주민주화운동에 한정되었지만)* 가해자에 대한 처벌과 그들이 반성하길 요구하는 의지와 기대가 형성되어 있었다. 이러한 요구는 국가폭력의 책임자들이 여전히 사회와 정치의 중요한 세력으로 남아 있던 정치적 현실 속에서는 현실로부터 동떨어졌던 일이었다. 한국사회의 제도적 이행기 정의는 책임자를 처벌하는 응보적 정의의 형태가 아니라 진상규명과 피해자의 명예회복, 배·보상을 중심으로 한 '화해 모델'로 전개되었다. 즉 이 시기에 나타난 책임자 처벌이라는 문제의식은 한국의 이행기 정의 국면이 형성되어 가던 과도기적 양상을 보여주고 있는데 김영현의 단편소설 「목격자」와 이순원의 단편소설 「얼굴」 같은 작품에서 이러한 분위기를 엿볼 수 있다.

계간 『문학과사회』의 1989년 겨울호에 발표된 김영현의 단편

---

* 제주4·3사건을 비롯해 한국전쟁기의 사건들의 유족들이나 지역사회에서는 자신들의 경우는 광주와 달리 이미 핵심적인 가해자들이 죽은 뒤라는 것을 강조하는 경우를 이 시기 자료들에서 찾아볼 수 있다. 이는 광주의 사례와 자신들을 차별화하는 방안이었을 뿐 아니라 사태 해결에 대한 사회적 부담이 더 적음을 강조함으로써 더 적극적으로 이를 위해 나서 달라는 촉구의 의미이기도 했다.

소설인 「목격자」는 김구의 암살범이었던 실존 인물 안두희를 모델로 한 소설이다. 주인공 '안'은 어느 저명한 노 애국자가 공산주의자들과 손을 잡으려 하므로 그를 암살해야 한다는 권력자들의 명령에 따라 암살자가 된다. 그는 자신이 권력자들의 비호로 안전하게 살아가다가 사람들의 기억 속에서 잊히리라 믿는다. 4·19혁명 직후 진상규명 요구에 직면하기도 했으나 검사들에 의해 보호받는다. 그러나 사건의 진상을 쫓는 기자들과 그를 단죄하려는 이들의 추격이 계속된다. 일흔을 넘긴 노인이 되어서도 '안'의 죄를 단죄하려는 이들에게 습격당해 병원에 입원하기까지 한다. 이 사건 이후 그는 완전히 종적을 감추기 위해 노숙을 하는 무연고자로 살아간다. 숨어 살던 그는 우연히 건장한 사내들이 한 청년의 시신을 바다에 버리는 장면을 목격하고는 청년의 것으로 보이는 수첩을 주워서 간직한다. 이후 바다에 버려졌던 시신이 발견되자 경찰은 이를 자살로 단정하고 급하게 사건을 무마하려고 한다. 이를 본 '안'은 자신에 대한 권력의 보호가 실상 은폐일뿐이었음을 깨닫고는 이 사건이 어둠 속에서 비굴하게 숨어 있던 자신이 빛을 향해 나가라는 역사의 명령이라 생각하며 길을 나선다.

「목격자」는 1987년에 안두희가 민족정기구현회 회장 권중회에게 폭행당했던 사건을 모티프로 한다. 작가는 그를 전두환 정권하에서의 국가폭력과 은폐의 목격자로 만들면서, 이를 통해 그의 반성과 자각으로 이끈다. '안'이 자신의 과거를 반성하고 시대의 목격자에서 증언자로 거듭나는 계기는 80년대의 민주화운동이다.

소설의 결말부에 돌출적으로 인용된 장재완 열사의 유서("동지들!/ 이제 저는 가야 할 때가 왔습니다./그러나 기억하십시오./이 땅의 많은 사람들이 왜 죽어야 했는가! 이러한 죽음의 의미와 그 죽음들의 가치를!"[22])는 민주화운 동의 대의가 가해자의 반성을 요구할 수 있는 정당한 근거로 인식 되고 있음을 보여준다.

이순원이 1990년 『문학과사회』 가을호에 발표한 단편 「얼굴」 은 광주민주화운동 당시 7공수특전여단에 복무하며 진압에 투입 되었던 '김주호'가 죄책감과 사회적 압력에 시달리면서 편집증적 으로 광주 관련 비디오와 같은 영상물 속에서 자신의 얼굴을 찾으 려 하는 내용을 보여준다. 김주호는 자신이 광주에 갔었다는 사실 조차 철저하게 숨기고자 하지만 예비군 훈련 과정에서 회사 동료 들에게 그가 공수부대 출신임이 알려지게 된다. 이후 그는 회사 안 에서 은밀하게 따돌림을 당한다. 자신이 광주의 가해자라는 잊고 싶은 과거가 따라붙게 하는 또 다른 매개는 바로 영상이다. 그는 87년 대통령 선거가 있던 시기에 우연히 거리에서 광주 관련 사진 자료를 접하게 된다. 그 참상의 기록을 보면서 자신이 저지른 행동 을 반성하면서도 혹시 그 안에 자기 얼굴이 찍힌 것은 아닐까 하는 불안에 시달린다.

이런 사진들을 보면서도 우리가 또 다른 정신적 피해자라고 말할 수 있는가. 언젠가 그들은 '폭도'의 누명을 벗고 복권되어도 우리는 영 원히 그러하지 못할 것이다. 어둠과 광기, 누가 우리에게 그러한 삶

육이 우리의 유일한 임무인 것처럼 허락하고 강요하였던가. 그리고 그때 우리는 그들을 꼭 죽여야 할 어떤 절실한 이유가 있었던가. 턱없이 끓어올랐던 적의와 적개심, 내가 선 바로 그 자리에 서 있었다면 다른 사람들도 그러했을 것인가 그들을 부른 조국과 날 그 자리로 끌어내 부른 조국은 어떤 조국들인가.[*]

광주의 참상을 기록한 사진을 접한 김주호는 자신과 같은 이들을 광주의 시민들과 마찬가지로 또 다른 정신적 피해자로 이야기할 수 있느냐고 되묻는다. 가해자였던 진압군의 행동이 가지고 있는 부당성과 책임을 떠올리고, 더 나아가 그를 동원한 국가가 시민들이 지키고자 했던 정당한 국가가 아니었음을 시인한다. 사진뿐 아니라 TV로 생중계가 되는 국회의 광주청문회, KBS가 제작한 방송 「광주는 말한다」, 비디오로 유통되었던 「어머니의 노래」, 천주교 광주대교구 정의평화위원회가 외국 영상물을 재편집해 만든 「오월 그날이 오면」이나 NHK와 같은 해외 방송사 영상물 등이 소설에 직접적으로 삽입되고 인용되면서 주호로 하여금 과거의 기억과 마주하도록 한다. 이러한 영상물은 「얼굴」의 서사 속 핵심적인 장치다. 수많은 관련 영상물 속 피해자의 증언이나 사건에 대한 설명 등이 소설의 주요한 지문으로 쓰인다. 이 장면들이 주호의

---

[*] 이순원, 「얼굴」, 『문학과사회』 가을호, 문학과지성사, 1990, 1070~1071쪽. 이후 인용 시 괄호 안에 쪽수만 표기한다.

서술과 교차하면서 이행기 정의 국면에서 가해자가 직면한 사회적 압력이 그의 내면에서 작동하는 방식을 사실적으로 그리고 있다. 특히 주호가 직장 동료들의 시선에서 느끼는 압력은 숨기고 싶었던 진상이 불특정 다수에게 시각적으로 노출될 수 있는 영상물의 위력에 의해 증폭된다. 이는 광주민주화운동 관련 방송이 나간 직후 주호의 동료가 "거기 김형 얼굴은 안 나오던가요?"(1075쪽)라고 묻는 사건을 계기로 그가 광적으로 영상물 속에서 자신의 얼굴을 찾기에 집착하는 정신적 위기로 이어진다. 그는 반복해서 영상을 시청하다가 역사의 가해자였던 자기 자신의 얼굴과 마주하게 된다.

> 불을 끄자 방 안 가득 칠흑 같은 어둠이 몰려오고, 꺼진 텔레비전 화면 속에 분명 예전의 그였을 철모를 쓴 얼굴 하나 바깥쪽의 그를 향해 아까부터 총을 겨누고 있었다.
>
> 오랜만이다, 너……
>
> 그래, 오랜만이다, 너……(1077)

김영현의 「목격자」와 이순원의 「얼굴」은 가해자가 받게 될 처벌과 책임에 대한 사회적 기대가 형성되고 있던 민주화 직후 한국 사회의 모습을 보여준다. 「목격자」는 민주화운동의 핵심 기반이었던 학생운동과 노동운동의 사회적 권위가 지탱되고 있던 상황에서 폭력의 가해자가 반성하는 근거를 찾고자 한다. 「얼굴」은 국회의 광주청문회와 같은 진상규명과 책임자 처벌의 사회적 노력이 가해자에게 끼치는 영향을 영상 이미지를 통해서 보여준다. 제도적 차원에서 과거사 문제에 접근한다는 점에서 「얼굴」이 더 구체적으로 80년대 말의 정치적 쟁점화의 방식을 보여준다. 하지만 동시기에 이와는 엇갈리는 전망을 보여주는 작품도 있다. 박완서의 중편인 「복원되지 못한 것들을 위하여」와 임철우의 단편 「물 그림자」는 가해자에 대한 처벌이나 반성에 대한 기대를 조금도 보이지 않는다.

「복원되지 못한 것들을 위하여」는 크게 작품의 화자인 중견 소설가인 '나'가 잡지 수기 공모전 심사를 맡았던 전반부와 한국전쟁 중 사상범으로 몰려 학살당한 스승 '송사묵'의 작품집에 넣을 글을 유가족에게 부탁받는 후반부로 나뉜다. 관변 잡지 『앞서가는 조국』의 독자 수기 공모전의 심사자로 참여하는 '나'는 유신을 전후한 시기 국회의원 부정선거에 대한 내용을 다룬 「복원」이라는 작품을 최우수작으로 뽑는다. 하지만 응모자는 명확한 이유 없이 수상을 거부한다. 그에게 호기심이 생긴 '나'는 국회의원 선거가 끝난 뒤에 응모자를 찾아가 자초지종을 묻는다. 그는 자신이 수기에서 고발했던 부정선거의 주범인 정치인이 여전히 권력자의 자리에 앉아, 잘못된 과거를 척결하지도 못한 상황인데 진실의 복원을 기대할 수 없었다고 수상 거부의 이유를 밝힌다.

소설의 후반에서는 6월항쟁과 민주화의 여파로 월북작가들에 대한 해금조치가 단행되면서 소설가인 '나'는 그의 스승이었던 작가 '송사묵'의 전집에 실릴 글을 부탁받는다. 한국전쟁 중에 실종된 것으로 알려진 송사묵은 87년 이후에 '월북 납북 작가선집'에 묶여 출간될 때까지 그의 작품들이 금서로 묶여 있었다. 납북·월북 작가의 해금조치가 이루어지는 것을 보고 송사묵의 가족들은 그의 작품들을 묶어서 전집으로 발행하기로 결정하고 제자였던 '나'를 찾아와 북에 있는 송사묵 선생에게 전집 발간을 축하하는 편지 형식의 글을 써달라고 부탁한다. 하지만 그는 송사묵이 자신의 숙부와 마찬가지로 부역자로 몰려서 감옥 안에서 처형당했다는 사실을 알고 있었기에 선생에게 안부를 묻는 편지를 쓰는 일을 주저한다. 대신 그의 죽음을 증언해줄 이들에게 도움을 요청했지만 거절당하고, 송사묵의 유가족과 만났을 때 진실을 털어놓으려고 한다. 그러나 '나'의 예상과 달리 유족들은 송사묵의 죽음에 대해 알고 있었다.

> "네에, 그거요. 납치당하신 것처럼 말하는 것 말이죠. 그건 우리 식구의 말버릇이죠. 사형이나 옥사보다 얼마나 듣기 좋아요."
> "말버릇이라고요?"
> "네, 말버릇이요. 묵계라고 해도 좋구요. 그렇지만 그런 말버릇을 우리 식구가 먼저 창안한 건 아니에요. 언제부턴지 북쪽으로 간 사람들의 문학이 거론되기 시작하면서 아버님도 그 안에 포함되는 걸 보고 우리 식구는 다만 동조한 것뿐이죠."(「복원되지 못한 것들을 위하여」, 170쪽)

송사묵의 유가족은 그의 죽음을 알고 있었지만 이를 공개적으로 인정하지 않는다. 죽음에 대한 부정은 그들 가족에게 "불행해진 것도 억울한데 홀로 특별하게 불행해지는 거라도 면해보자"는 "일종의 자구책"(「복원되지 못한 것들을 위하여」, 171쪽)이었다. 그런 유족의 모습을 보면서 그는 자신 역시 진실을 함구해온 사람이었다고 생각하며[23] 유족이 바라는 대로 글을 써주기로 한다.

「복원되지 못한 것들을 위하여」는 이 시기 과거사 기억이 가진 두 가지 측면을 보여준다. 하나는 이 과거사의 문제를 민주화 이후에도 공식적으로 인정하고 밝히는 일이 결코 쉽지 않으며, 이는 당시의 가해자들의 권력이 공고한 현실에서 비롯된 곤경임을 보여준다. 김동춘의 지적처럼 한국사회에서 거창, 제주도, 광주 등 일부 지역을 제외하면 국가폭력의 피해를 입은 주민들이 과거사 진상규명운동에 나선 것은 1990년대 후반이 되어서였다.[24] 그러나 다른 한 가능성은 하나의 역설처럼 보이는 지점인데, 송사묵의 가족들이 사용한 '묵계'처럼 국가폭력의 피해자들은 침묵하는 것이 아니라 다른 방식으로 이를 말하는 고유의 재현 전략을 구사해왔다는 사실이다.

송사묵 일가의 묵계는 "행위자가 권력이 개입된 상황에서 직접적인 표현이 초래하게 될 화근을 목적하에" 은닉대본을 활용하여 표현하는 방식인 '완곡어법'[25]을 사용하는 전형적인 고백의 재현 방식이다. 묵계라는 고백의 재현 전략은 살해당한 가족 때문에 가해질 수 있는 연좌제의 낙인을 피하기 위한 진술이다. 동시에 해금

작가의 대상이 될 수 없을 학살 피해자인 송사묵을 문학사에서 복권해야 할 대상으로 등재한다. 월북작가 해금이라는 변화된 사회의 상황을 빨갱이로 낙인찍힌 제노사이드 희생자의 사회적 성원권을 회복할 기회로 삼는 것이다. 그러나 여전히 묵계, 즉 고백의 방식을 통해서 과거를 발화하는「복원되지 못한 것들을 위하여」의 서사는 민주화 이후 한국사회에 형성된 과거사 해결의 기대감이 직면한 난관을 보여준다.

　제도적 민주화 이후에도 군부정권의 여당이었던 민정당은 계속 집권하고 있었다. 과거의 가해자들이 여전히 자신의 자리를 지키고 있는 상황에서 과거사의 상처를 안고 살아가는 이들은 여전히 스스로를 지키기 위해 진실을 복원할 수 없다. 민주화 이후에도 고백의 재현 전략을 활용해야 하는 송사묵 일가의 현실은 제노사이드 이후의 억압적 구조의 지속성을 잘 보여준다.「얼굴」이 보여주던 과거사 청산과「복원되지 못한 것들을 위하여」의 상황이 엇갈리는 데는 두 작품이 각기 다른 역사적 사건을 다루고 있다는 점도 주요하게 작용했다. 광주민주화운동이 민주화의 기점이었던 6월 항쟁의 핵심적인 의제였던 것에 반해 한국전쟁기 학살은 큰 사회적 주목을 받지 못했다. 민주화는 과거사 청산의 중요한 기점이었지만, 사건마다 적지 않은 편차가 있었다. 민주화 직후 광주민주화운동과 제주4·3 관련 유족 이외에는 90년대 중후반에 들어서야 피해자들이 과거사 청산을 위해 앞으로 나설 수 있었던 상황[26]은 이를 잘 보여준다. 과거사의 해결에 대한 당시의 엇갈리는 기대는 반공국가의 억압 아래서는 의식할 수 없던 과거사 간의 사회적 격차를 드러내 보였다.

　민주화 이후인 1989년에 창간된 문예지인 계간『현대소설』의 1990년 가을호에 임철우는「물 그림자」라는 단편을 발표한다.「물 그림자」역시 민주화 이후에도 제노사이드의 기억을 복원하는 과정이 지난할 수밖에 없음을, 가해자의 목소리를 통해서 보여준다. 「물 그림자」는 임철우의 전작인「곡두 운동회」와『붉은 山 흰 새』의 소재였던 한국전쟁기 나주부대사건을 다루는 작품이다. 완도군 출신의 소설가인 '나'는 병을 앓던 아버지가 돌아가시기 직전에 죽은 자신의 동생인 '원섭'을 찾아오라며 고함을 지르던 모습을 기억한다. '나'의 작은아버지는 한국전쟁 중에 실종이 되었으나 가족과 고향 사람들은 모두 그가 죽었으리라 단정한다. 작은아버지는 그의 가족에 원한을 품은 지역 경찰에 의해 좌익으로 몰려서 원치 않게 보도연맹원이 된다. 가족과 마을 사람들은 작은아버지와 같은 보도연맹원과 다른 여러 주민들이 전쟁 중 인민군으로 위장한 경찰부대에 의해 바다로 끌려가 살해당했다는 사실을 기억한다. 가족들은 작은아버지의 시신을 찾을 수 없었으나 그 역시 살해당했으리라 짐작한다. 전후에 태어난 '나'는 중학생이 되기 전까지 작은아버지가 있었다는 사실조차 알지 못한다. 소설가인 '나'는 어째서인지 혁명과 투쟁을 이야기하면서 자신을 평화주의자라고 비난한 후배와 멀어지게 되었을 때 가족사의 숨겨진 비극에 대해 몰두하기 시작한다. 한국전쟁 중 고향인 완도군에서 있었던 사건을 배경으로 한 장편소설을 기획하던 그는 취재를 하면서 알게 된 경찰 출신 노인으로부터 '김억만'이라는 악명 높은 경찰을 찾아가 보라는 이야기를 듣는다. 전쟁 중 경찰부대에서 학살 사건에 깊이 연루되었던 잔인한 경찰인 김억만이 '나'가 궁금해하는 학살 사건에 대해서 상세히 알고 있기 때문이다.

후배와의 말싸움을 곱씹던 '나'는 소설을 쓰겠다며 충동적으로 김억만을 찾아 나선다. 그는 김억만이 시골 읍내의 초라한 술집에서 잡일을 하면서 연명하고 있는 모습을 보고 당황한다. 전쟁 중 의용경찰로 입대하고 여러 전투에 참가해 훈장도 받고 자기 손으로 수십 명의 빨갱이를 죽였다던 그를 우락부락하고 건장한 모습의 억센 노인이라 생각한 '나'의 예상과 달리 너무 초라한 모습을 하고 있었기 때문이다. 소설가가 무슨 일을 하는 사람인지도 알지 못하는 김억만은 '나'를 기자로 여기면서 자신의 무용담을 자랑스럽게 늘어놓는다. 그는 조심스럽게 나주부대사건의 진행 과정을 묻는 '나'에게 주민들을 학살한 과정을 들려준다. 김억만이 속했던 나주부대는 남하하는 인민군을 피해 철수하기 전에 지역의 좌익들을 제거하기로 한다. 그들은 인민군으로 위장한 채로 마을에 들어가서 인민군에 협력하는 이들이나 좌익 가족 등으로 분류되는 이들을 살해하기로 하고는 연극을 진행한다. 김억만은 '나'에게 이 과정을 들려주면서 "진짜 기막힌 묘안이었"*다며 즐거운 기억처럼 이야기한다. 술에 취한 김억만은 자신의 헌신에 비해서 제대로 보상받지 못했다면서, '나'에게 자신을 알리는 기사를 크게 써달라고 요청하기까지 한다.

「물 그림자」는 『붉은 山 흰 새』를 쓰는 과정에서 나주부대 사건에 관여했던 전직 경찰을 만났던 임철우 자신의 경험을 반영하고 있는 소설이다. 제노사이드 사건에 대한 국가의 공식 기록과 이와는 다른 증언을 접할 수 있게 된 민주화 이후의 상황을 배경으로 하고 있다. 소설은 김억만을 만나기 위해 '나'가 탑승한 버스 안에서 두 남성 청년이 시끄럽게 "통일 · 혁명 · 민족 · 계급 따위의 용어"(99)를 사용하면서 논쟁을 벌이는 장면으로 시작하면서 민주화 이후의 상황을 보여준다. 그러나 이처럼 이전에는 상상할 수 없었던 정치적 입장을 말할 수 있게 된 시대임에도 불구하고 김억만과 같은 가해자들은 반성하지 않는다. 제노사이드의 은폐 때문에 알려질 수 없었던 자신의 공적을 세상이 기억하길 바란다. 그런데 「물 그림자」에서는 혁명과 같은 급진적인 정치적 상상력에 대해서 관망할 뿐인 '나'를 향한 후배의 비판이 반복적으로 회상된다.

후배는 '나'에게 당신과 같은 평화주의자, 반동은 적을 가지지도 못한다면서 조롱한다. 반공국가의 편에 섰던 가해자뿐 아니라, 반공국가에 맞서는 급진적 상상력을 가진 정치 세력으로부터도 외면받는 그의 상황은 제노사이드를 둘러싼 기억의 정치가 가진 곤경을 잘 보여준다. 제노사이드의 피해자들이 여전히 숨죽이면

---

* 임철우, 「물 그림자」, 『현대소설』 4호, 현대소설, 1990, 128쪽. 이후 인용 시 괄호 안에 쪽수만 표기한다.

서 과거를 말하지 못하는 고통은 거대한 사회적 변화에 대한 전망에 가려져 보이지 않고 있다. 그래서 '나'는 후배가 그에게 없다고 했던 자신의 '적'을 확인하고 싶어서 김억만을 찾아 나섰던 것이라는 생각에 이른다. 그는 술에 몸도 가누지 못하는 김억만을 바라보며 오히려 연민까지 느끼면서, 나주부대사건에 대한 소설을 "처음부터 새롭게 다시 시작해야"(134)한다고 다짐한다. 임철우는 「물그림자」에서 민주화 이후 제노사이드의 재현이 놓여 있는 이중의 곤경, 가해자의 해석적 부인뿐 아니라 적의 존재조차 인정하지 않는 또 다른 망각에 맞서서 기억을 복원해야 하는 새로운 과제가 있음을 보여준다. 그리고 이는 이후 『백년여관』으로 이어지는 그의 주요한 문학적 문제의식으로 자리하게 된다.

국가로 회수될 수 없던 가능성들

민주화 이후 과거사 재현은 당대의 맥락에서만 평가하게 되면 그 의미가 제한되기 쉽다. 민주화로 재현의 공간이 열리고 얼마 지나지 않아 소련 붕괴와 동구권 사회주의국가들의 연쇄 붕괴로 인한 냉전의 종식과 같은 급격한 정치적 격변이 뒤를 이었기 때문이다. 이러한 요인들은 90년대에 들어서 분단의 극복을 목표로 하는 문학적 재현이 크게 감소한 주요한 원인이었다.[27] 이 변화의 시기에 백낙청과 창비 진영은 분단문학 개념을 분단체제론으로 발전

시켰다. 백낙청은 분단을 냉전적 세계질서의 산물이 아니라 자본주의 세계체제론의 하위구조로 설정[28]함으로써 역설적으로 냉전과 반공주의 문제와 결부되어 있던 과거사 재현을 주변화했다. 주로 분단문학론의 차원에서 논의되었던 과거사 재현은 이러한 변화 속에서 구심점을 잃어갔다.

민주화 이후 냉전 종식으로 이어지는 세계사적 변화 속에서 분단이라는 주제는 점차 주변화되었지만, 분단문학의 담론 안에서 논의되어왔던 폭력적 과거사 문제는 오히려 해결의 동력을 얻어갔다. 1987년의 6월항쟁을 통해서 관철된 한국의 정치적 민주화는 과거사 청산을 위한 새로운 기회를 열었다. 그러나 역설적으로 한국의 민주화 과정은 민주화 이행을 경험한 다른 아시아 국가와 비교할 때 권위주의적인 과거 정치 세력의 영향력이 더 강하게 남아 있던 불리한 여건이었다. 1987년의 13대 대통령 선거에서 노태우가 당선됨으로써 민주화 이후에도 집권 세력은 정치적으로 단절되지 않고 연속성을 가지게 되었다. 그러나 민주주의가 제도적으로 공고화되면서 민간 정치 엘리트들이 군부 세력을 대체하고, 과거 청산에 소극적인 정권을 압박했던 강력한 야당과 과거사 문제의 해결을 요구하는 시민사회의 역량은 한국의 적극적인 과거청산을 가능하게 했다.[29] 시민사회는 폭력적 과거사 문제를 해결할 수 있는 강력한 동력이 되었으며, 피해자와 사회운동 단체가 협력함으로써 이를 가능하게 했다.[30] 시민사회의 힘은 타협적으로 과거사 청산에 임했던 정권들을 과거사 청산의 대상으로 만들기도 했다.[31] 2000년대 들어 국가적 '과거사위원회'들이 연이어 설치되면서, 과거사 문제는 분단과는 별개의 사회적 해결의 과정으로 안착이 된다.

이행기 정의의 문제는 사회적 민주화의 안착 속에서 국가적 과제로 정립됨으로써 안정화된다. 그러나 역설적으로 과거사 청산에 대한 사회적 합의가 견고해지면서, 이 안으로 포함되지 못하고 배제되는 존재들이 남게 된다. 민주화 직후 분단의 관점에서 주목받았던 '빨치산'과 같은 이념적 선명성을 가진 불온한 주체들을 조명했던 담론은 이 사회적 합의에 포함될 수 없었다. 제주4·3의 피해자 보상에서 배제된 좌익 계열 무장대의 사례처럼, 국가의 과거사 청산은 정치적 상상력을 협소화하기도 했다. 이런 한국사회의 이행기 정의가 전개된 사회적 맥락을 고려할 때, 민주화 직후 문학의 과거사 재현은 국가에 의해 순치되기 이전에 열렸던 더 다양한 사회적 가능성을 보여주었다는 점에서 주목해야 한다.

민주화로 한국사회의 반공주의는 분명 약화되었으나, 완전히 종식된 것은 아니었다. 반공국가의 사상 사법이 제도적으로 유지되고 있었기 때문이다. 투철한 이념성을 가진 빨치산 인물들을 전면에 내세웠던 정지아의 『빨치산의 딸』이 이적 표현물이란 이유로 압수되고, 몇 년 사이에 출판사 대표와 작가가 국가보안법 위반으로 기소되었던 상황은 반공주의의 제도적 지속성을 잘 보여준다. 이러한 반공주의의 지속성은 한국사회의 이행기 정의 과정이 탈이념적인 피해자, 즉 '양민'이라는 표상을 중심으로 축조되게 한다.

그러나 민주화 직후 분출된 과거사의 기억들은 반공주의에 의해 구획된 피해자상을 넘어서는 재현으로 나타나기도 했다. 예를 들어 김한수의 중편 「성장 – 아버지와 아들」(이하 「성장」)은 반공주의가 만들어 온 피해자상을 해체하는 방식으로 과거사를 재현한다.

중학교 중퇴 학력의 노동자인 김한수가 『창비』(1988년 겨울호)에 투고한 중편소설 「성장」은 노동문학의 면모를 보이는 세태소설로, 경찰의 불심검문에 붙잡혀 당한 고문 때문에 점차 삶이 무너져가는 저학력 노동자 '이씨'와 그의 아들 '창진'을 주인공으로 한 작품이다. 소설은 한국사회의 폭력적 구조에 희생되는 이씨를 온전히 희생자로만 그리지 않는다. 이는 그가 가정에서는 아내를 착취하고 아이들을 학대하는 폭력적인 아버지이기 때문만은 아니다. 오히려 그에게 어떤 원죄가 있는 것으로 그려진다. 아들 창진은 아버지의 불행이 그 자신의 대에서 시작된 것이 아니라, 할아버지의 죽음에서 비롯된 것이라고 생각한다. 할아버지는 한국전쟁 때 좌익에 총살당했다. 이씨는 아버지의 죽음을 모든 문제의 원인이라고 생각하지만, 창진은 이 죽음의 의미가 무엇이었는지를 질문하지 않은 것을 원죄라고 말한다.

아버진 언제나 총살당한 할아버지를 생각하고, 빨갱이를 증오했다. 그래서 어디서 누가 데모를 한다 하면 개탄하며 손가락질을 했다. 할아버지를 총살시킨 빨갱이는 그 마을 사람들이었다. 그 마을 사람들이 굶주릴 때 할아버지는 굶주리지 않았다. (중략) 아버지는 할아버지가 총살당한 것만 생각했지 왜 총살당했는지는 한번도 생각하지 않았다. 그것이 아버지의 첫번째 원죄다. (중략) 아버지는 왜 불평등한 사회가 존재하는지, 어떻게 하면 그 사회가 바뀌어 모든 인간이 평등할 수 있는지 생각하지 않았었다. 두번째 원죄는 그것이었다."[32]

이씨의 원죄에 대해 고민하던 창진은 노동조합을 통해 투쟁하고 세상을 변화시킬 것이라 다짐한다. 「성장」이 최종적으로 닿은 자리는 비슷한 시기 방현석의 「새벽출정」과 같은 노동운동의 대의에 동참하는 길이다. 그런데 그 과정에서 창진이 할아버지를 살해한 좌익들의 행동을 정당화했다는 점을 주목해야 한다. 창진의 행동이 문제가 되는 것은 할아버지의 죽음을 애도해야 하는, 직계 혈족에 대한 사회적 의무를 다하지 않았다는 것이 아니다. 반공국가가 가장 견고하게 유지해왔던 희생자의 표상을 흔들기 때문이다. 반공국가는 좌익에 의해 살해당한 '반공 전사자'를 국가적으로 추모해왔다. 반공 전사자에 대한 추모는 단지 애도의 수단이 아니라, 국민에게 국가를 향해 충성해야 할 도덕적 의무를 부과하는 사회적 상징으로 그들을 격상하는 행위였다.[33] 할아버지의 죽음을 정당화하고, 이를 통해 자본주의의 착취 구조에 맞설 노동자의 연대를 상상하는 창진의 행동은 반공국가의 정치를 교란한다. 반공 전사자가 가진 희생자의 자격을 결코 의문시할 수 없었던 한국의 제도적 이행기 정의 국면과 비교할 때, 「성장」이 가진 정치적 불온성은 더욱 선명해진다.

「성장」이 반공주의 국가의 정치적 위계를 흔든다면, 김석희의 「땅울림」은 민족국가가 설정한 견고한 경계선에 균열을 가한다. 제주도 태생인 김석희의 중편 「땅울림」은 민주화 이전에 사고로 죽은 친구가 남긴 기록을 화자가 전달하는 액자소설의 구조를 하고 있다. 화자의 친구인 '김종민'은 1985년에 자살로 생을 마감하는데, 그가 남긴 노트는 '현용직'이라는 인물에 대한 인터뷰 기록이다. 현용직은 제주4·3 당시에 제주 남로당 무장대와 함께 활동하다가 살아남기 위해서 만장굴 깊숙이 숨었다가, 그곳에서 36년 동안 홀로 살다가 발견된 인물이다. 현용직의 기구한 생애사의 이야기와 제주 4·3의 전개 과정이 교차하는 과정에서, 제주도 독립국가의 건설이라는 주장이 등장한다.

> 이러한 체험의 과정을 거치면서, 그는 그가 표현한 바의 두 번째 단계로서, 또 하나의 신념을 마음에 품게 된다. 탐라공화국. 제주인의 자치에 의한 독립정부가 수립되어야 한다는 생각이었다. 이는 본토에 대한 역사적 배타심의 발로이기도 했지만, 현실적으로 섬과 아무 관련도 없는 외지인들의 횡포로부터 제주도를 구해내자는, 일종의 생존적 자구책이었다.[34)]

해방 이후 미군정 하의 혼란 속에서 현용직은 제주인들이 살아남기 위해서는 제주도의 독립이 필요하다고 믿는다. 서북청년단에 대한 그의 보복은 좌우의 이념 갈등이 아니라 제주 독립을 위한 실천이라고 주장된다. 하지만 4·3 무장대에 대한 진압이 끝나가면서, 대세를 돌릴 수는 없다는 생각에 그는 굴로 숨어들어 살아남는다. 현용직을 만나면서 김종민은 제주4·3을 전혀 다른 눈으로 바라본다. 그는 좌우익의 대결로 4·3을 해석하기를 거부하고, 대신에 "제주섬 본래의 숨결을 지키고자 노력했던 흔적"을 찾으며 "자긍심"을 느낀다.[35]

「땅울림」은 제주4·3을 분단이 아니라, 고려시대에 육지에 복속되어 독립을 상실한 제주 역사 속에 배치한다. 현기영 등의 4·3문학에서 육지와 섬의 대립이라는 구도는 반복되었지만, 이는 제주의 독립을 의미한 것은 아니었다. 오히려 『변방에 우짖는 새』에서 4·3을 이재수의 난이라는 역사적 계보*와 연결함으로써 반란으로 규정되었던 4·3의 불온성을 민중항쟁이라는 형태로 전환했다. 그리고 이는 다시 광주민주항쟁과 같은 육지의 민중항쟁과의 연속성으로 이어졌다. 그러나 「땅울림」에 나타나는 '탐라공화국'이라는 상상력은 좌우 대립을 넘어서 단일 민족이라는 민족국가의 상상력을 위반하고 있다.

---

* 현기영의 소설에서 제주도 민란의 전통을 강조하는 것은 제주4·3의 성격을 수난이 아닌 항쟁으로 의미화하면서도 동시에 (공산) 반란이라는 반공주의 국가의 공식기억과 나누려는 시도였다. 이는 민중의 고난을 해결하기 위해서 민란을 일으키지만 스스로를 희생함으로써 반란이 아님을 증명하는 '장두'의 이미지를 통해서 강조되고 있다. 제주4·3을 민란의 전통과 연결하는 설명은 특히 『지상에 숟가락 하나』에서 두드러진다.

「땅울림」이 보여주는 탐라공화국, 제주도 분리 독립의 상상력은 제주4·3에 대한 당대나 현재의 주요한 정의와 입장들과 좌우를 가리지 않고 충돌할 만큼 강력하다. 냉전기 반공주의적 공식기억으로 만들어졌던 제주4·3에 대한 '공산 반란'이라는 규정은 2000년대 들어 국가 차원의 진상조사보고서가 발간되면서 담론적으로 주변화되었지만, 80년대 말까지 강력하게 작용했다. 제주도라는 공간과 제주도 사회의 이질성, 그리고 역사적 간극을 강하게 내세우며 탐라국에서 이어지는 전통을 저항의 근거로 제시하는 「땅울림」의 서사는 마르크스주의적 근대성이 나타난 결과로 4·3을 규정하는 냉전기 반공주의적 시각에서 벗어나 "제주 고유의 항쟁사적 전통에 대한 인식"[36]을 통해서 설명하고자 한다. 이는 좌와 우를 나누는 반공주의적 도식을 탐라국의 고유한 역사성을 통해서 내파하고자 한다.

반면 제주를 '양민'의 수난사로 규정하고 있는 이행기 국면을 거치면서 형성된 민주화 시대의 공식기억 속 4·3 역시 "단독정부 수립 반대를 대의명분으로 내세워 민족국가 건설 투쟁을 벌인 4·3의 이면에는 미국으로부터의 독립과 중앙으로부터의 독립이라는 두 가지 측면이 내포된 독립운동의 성격"[37]을 전면으로 내세운 「땅울림」의 정치적 상상력을 품에 안을 수 없다. 이는 2018년 제주4·3 70주년의 슬로건이 '제주4·3은 대한민국의 역사입니다'였음을 생각한다면 민족국가의 경계를 거스르는 「땅울림」의 서사는 한국의 이행기 정의 국면에 자리잡은 국가적 공식기억과 그에 밀려난 반공주의적 대항기억 사이의 대립이라는 인식의 틀이 놓치고 있는 다층적 기억의 영역을 개척한 작품이었다.

2장

소설과 구술사,
자전적 글쓰기의 전략

증언과 구술, 자기 재현의 양상들

1987년 한국사회의 민주화는 한국전쟁기 제노사이드 사건의 재현에서 중대한 전환점이었다. 박완서의 소설 속에서 언급되었듯이 이전 시기에는 말할 수 없던 과거의 기억이 범람하듯이 쏟아졌다. 이 기억의 전환점에서 특히 주목해야 할 상황은 국가에 의해서 침묵을 강요당했던 피해자들의 증언과 자기 재현 작업이 작가와 같은 전문가의 작업에 한정되지 않고 일반 시민들로 그 주체가 확대되었다는 사실이다. 이미 80년대에 들어서면서부터 르포와 노동자 글쓰기처럼 시와 소설 같은 문학장의 주요한 장르나 전문 작가 중심의 창작 구도를 벗어나려는 시도는 많은 주목을 받아왔다. 특히 80년대의 르포는 글을 쓰는 주체가 전문적인 작가인 경우가 많았으나, 그 글쓰기의 목표는 일반 민중의 삶에 대한 자서전적 글쓰기인 경우가 적지 않았다. 80년대의 대표적인 리얼리즘 작가였던 소설가 황석영의 『어둠의 자식들』은 원래 소설이 아닌 '민중자서전'*이라는 르포의 형식으로 기획되었으며, 그 흔적이 남아 소설 양식과 르포·수기의 형식이 혼재된 방식으로 쓰였다.[38] 또한 『죽음을 넘어 시대의 어둠을 넘어』처럼 르포·수기라는 형식은 5·18 광주민주화운동과 같은 국가폭력의 과거사를 증언하는 형식으로 활용되기도 했다. 그런 점에서 6월항쟁 이후 나타난 과거사에 대한 증언의 말하기와 글쓰기는 그 형식 면에서는 그리 새로운 현상처럼 보이지는 않는다. 그러나 중요한 변화는 형식이 아니라 그 주체와 내용에 있었다.

1988년 국회에서 열린 광주청문회는 국가폭력 피해자들에게 잊을 수 없는 장면이었다. 이전에는 공개적으로 말할 수 없던 고통스러운 기억을 국회라는 공적인 장소에서 증인으로 나와 말하는 피해자들의 모습을 보게 되었기 때문이다. 광주청문회가 한국전쟁기 제노사이드 피해자들에게 남긴 강렬한 인상은 제주4·3연구

---

* 민중 자서전은 80년대 초부터 『뿌리 깊은 나무』에서 발간했던 도서 시리즈로, 저널리스트들이 민중의 삶을 구술·기록하는 기획이었다. 이 작업은 80년대 민중문화운동에 영향을 받았고 한국의 역사학자들이 구술·채록에 관심을 가지게 된 것은 이보다 한참 뒤인 90년대였다. 민중자서전 기획은 한국 최초의 구술사 작업물로 평가받고 있다.(윤택림, 『역사와 기록 연구를 위한 구술사 연구방법론』, 아르케, 2019, 50쪽)

소에서 편찬한 증언집 『이제사 말햄수다』에서 확인할 수 있다. 이 증언집에 참여한 제주 사람들 중 적지 않은 이들이 광주청문회의 과정을 직접 보았다고 말하면서 그에 대해 다양한 의견을 내놓는다. 책을 집필한 제주4·3연구소의 연구자들 역시 증언자들에게 광주청문회를 보았느냐를 질문을 반복한다. 88년에 발표된 제주 4·3항쟁 피해자 수기에서도 "광주 사태처럼 하면 얼마나 좋겠읍니까"라며 광주청문회에 대한 부러움을 드러내는 한 장면을 발견할 수 있다.[39] 광주청문회는 제노사이드 피해자들이 4·19혁명 직후의 짧은 1년 이외에는 경험할 수 없었던 공개적인 증언하기가 다시 가능해졌음을 선명하게 보여주는 장면이었다. 피학살자 유족들에 대한 박정희 정권의 탄압이 시작된 1961년부터 87년의 6월 항쟁 이전까지 제노사이드 피해자들이 자신의 경험을 이야기할 수 있는 공간은 대부분 가족의 범위로 제한되어 있었다. 가족이라는 경계 바깥에서 피해자들이 자신의 기억과 경험을 말한다는 것은 사건에 대해 반공국가가 만들어낸 공적 서사에 맞설 대항 서사를 공적인 영역에서 만들려는 시도였다.[40] 소설이라는 우회로를 가질 수 없었던 일반 피해자들이 자신의 기억을 말하는 것은 민주화 이후에나 가능해진 일이었다.

그러나 증언하는 일은 민주화 이후에도 결코 쉽지 않았다. 「복원되지 못한 것을 위하여」에서 공모전 수상을 포기하고 수기를 발표하지 않은 노인이나 송사묵 일가처럼 여전히 과거의 기억을 이야기하는 것을 두려워하는 경우가 적지 않았다. 유족회를 조직할 만큼 적극적으로 활동했던 한 제노사이드 피해자는 자신의 발언 등을 기록한 서류가 언제 다시 보도연맹 같은 죽음의 위협으로 돌변할지 모른다는 두려움에 시달렸다고 고백하기도 했다.[41] 1990년에 국민보도연맹원학살사건에 대한 역사서를 발간했던 제노사이드 유족인 박희춘과 같은 사례도 있었지만, 그조차 발간한 책을 몰수당하고 경찰에 붙잡혀 고초를 겪었다. 피해자와 유가족의 증언하기는 1990년대까지는 상당히 제한된 방식으로 이루어졌다. 증언집과 같은 구술 채록이 대다수를 차지했으며, 드물게 짧은 수기가 발표되기도 했다.

민주화 직후 제노사이드 피해자의 증언하기가 어떤 방식으로 이루어졌는지 잘 보여주는 작업으로는 소설가 오성찬의 『한라의 통곡소리』와 제주4·3연구소의 『이제사 말햄수다』가 있다. 제주의 소설가이자 제주4·3항쟁의 피해자인 오성찬은 1988년에 『한라의 통곡소리』를 출간한다. 이 책은 오성찬이 직접 제주 각지를 돌면서 인터뷰한 기록과 여러 지면 등에 발표된 4·3 관련 수기, 서한 등이 수록되어 있다. 오성찬은 자신의 작업을 일종의 르포로 인식했다. 피해자들은 오성찬과의 대담에서 자신의 목소리로 사건에 대해 이야기하지만, 이 내용은 다시 작가에 의해서 정리되고 문장이 표준어로 수정되어 수록되었다. "사건에 대한 기피 경향 때문에 기사체 3인칭의 증언 서술이 대다수를 차지하게 되었"[42]다는 그의 말처럼 증언의 수정은 전달력을 높이기 위한 목적만은 아니었다. 이는 이 시기 피해자들이 겪은 증언의 어려움을 반영하고 있다. 한편으로 오성찬은 자신이 증언을 채록하고 정리하는 과정이 독자들이 제주4·3에 대한 특정한 판단을 내리게 할 것을 우려했다. 그래서 제주4·3에 대한 증언을 무작위로 수록한다. 자신의 작업을 통해서 어떤 결론에 도달하는 대신에 4·3을 기억하는 하나의 '과정'이라는 점을 강조하고 있다.[43)

『한라의 통곡소리』가 저널리즘 성격의 르포 기획이었다면, 『이제사 말햄수다』는 구술 증언 자료집으로 기획되었다. 초기 한국 구술사 연구의 대표적인 사례로 꼽히는 『이제사 말햄수다』는 제주4·3 당시 가장 치열했던 조천읍과 애월읍을 중심으로 4명의 연구자[44)가 진행한 구술 채록을 묶은 책이다. 소설가 현기영이 초대 소장을 맡았던 제주4·3연구소에서 『이제사 말햄수다』의 발간은 핵심적인 사업이었다. 제주4·3연구소가 사무실을 빌린 날은 1989년 4월 2일이었지만 『이제사 말햄수다』 1권은 바로 다음 날인 1989년 4월 3일에 발행했다. 연구소가 공식적으로 개소한 것은 이보다 한 달 뒤인 5월 10일이었다.[45) 사실상 『이제사 말햄수다』의 발간은 연구소의 공식적 활동 선언이었다.

증언 자료집이라는 표현에서 알 수 있듯이 『이제사 말햄수다』는 제주4·3항쟁에 대한 역사적 자료를 확보하기 위한 성격이 강했다. 연구 논문을 묶은 『잠들지 않는 남도』처럼 역사서가 발간되기도 했으나, 그 수가 적을 뿐더러 국가 기록 등 다른 자료에 접근하는 일이 어렵던 시기였다. 그런 상황에서 제주4·3항쟁 피해자들의 증언은 역사적 진실에 접근하기 위한 자료로서 수집되었다.

제주4·3항쟁 당시에 경험했던 일이나 지역의 사건, 주요한 인물들에 대해 증언한다는 점에서『한라의 통곡소리』에 수록된 증언들과 내용이 비슷한 점이 많았다. 그러나 오성찬이 기사에 가깝게 정리하여 쓴『한라의 통곡소리』와 달리 면담자의 질문 내용과 증언자의 대답을 거의 그대로 수록했다는 점에서 형식적 차이가 뚜렷했다.『이제사 말햄수다』는 실제 증언의 내용을 그대로 정리하고 전달하려고 했는데, 이는 가급적이면 증언자의 제주 방언을 그대로 기록했다는 점에서 확인된다. 증언자의 자기 목소리를 최대한 그대로 전달하려고 했지만, 질의응답 형태의 구성에서 확인할 수 있듯이 이야기의 주도권은 면담자에게 있었다. 면담자는 제주4·3의 역사적 사실을 확인하기 위한 다양한 질문을 던졌고, 증언자 개인의 생애사에 대한 질문도 있었지만 큰 비중을 차지하지는 않았다. 실명으로 수록된 두 편의 산문을 제외하면, 증언자가 온전하게 자신이 설정한 방향대로 이야기할 수는 없는 형식이었다. 물론 제주4·3에 대한 현안 등에 대한 의견을 묻는 방식으로 증언자의 입장과 생각을 전달하려는 노력도 있었다.

『이제사 말햄수다』에 수록된 제노사이드 피해자들의 증언은 자신의 서사에 대한 독립적인 재현은 아니었다. 제노사이드문학이 작가의 자기 기획에 따라 쓰이는 것과 달리 80~90년대까지 대부분 피해자의 증언하기는 역사적 사실을 확인하려는 목적에서 기록되었다.『이제사 말햄수다』이후 제주4·3연구소의 작업은 증언을 통해 역사적 자료를 확보하려는 경향이 더욱 강화되어 시기와 사

건에 따른 정리 양식으로 기록하기도 했다.[46] 《제주일보》 4·3취재
반이 1994년부터 출간한 『4·3은 말한다』에서는 증언들이 다른 기
록과 함께 역사적 글쓰기를 위한 주요한 사료로 활용되었다. 구술
증언이 역사적 사료로 사용되는 경향은 제주4·3항쟁 증언만의 특
징은 아니었다.

93년부터 한국정신대문제대책협의회가 간행한 대표적인 증언
집인 『강제로 끌려간 조선인 군위안부들』 역시도 초기에는 역사
적 자료를 보충하려는 성격이 강했다. 2000년대 이후부터 구술 생
애사 작업처럼 개별 사건에 대한 증언 이외에 증언자들이 더 다양
한 방식으로 자기 서사를 말하게 하려는 시도가 나타났다. 증언의
의미는 역사적 사실을 파악하기 위한 채록 작업에 집중되는 양상
에서 벗어나 점차 자신의 주체성을 확립하는 행동으로 초점이 옮
겨간다.[47] 진실화해위원회와 같은 이행기 정의를 위한 국가기구
들에서 증언은 여전히 사실을 확인하기 위한 핵심적인 과정이지
만[48], 동시에 피해자가 자신을 치유하고 사회를 변화시키며 사회
적 주체성을 회복하는 행위다.[49]

2000년대 이후 제노사이드 피해자의 증언하기에서 가장 두드
러지는 변화는 사건에 대한 진술에 그치지 않고, 그 이후까지 자기
삶의 여정을 통합적으로 말하는 구술 생애사의 등장이다. 구술 생
애사는 구술자가 자신의 생애를 스스로 이해하고, 또 타인에게 이
해시키기 위해서 이야기의 맥락을 형성하는 주체가 된다.[50] 구술
을 채록하는 연구자 역시 구술자가 이야기한 맥락에 기반하여 이

를 해석하므로, 구술 증언은 두 주체가 협력하는 결과물인 셈이다. 부족한 사료를 보충하고 타인에게 피해자임을 인정받기 위한 조사 작업에서 포함된 구술과 비교할 때 구술 생애사는 증언자의 주체성이 더 두드러지는 작업이다. 한국의 제노사이드 피해자 구술 생애사를 대표하는 작업으로는 '20세기 민중생활사 연구단'이 기획한 한국민중구술열전에 속한 『박희춘1933년2월26일생』과 『여기원1933년10월24일생』이 있다.

『박희춘1933년2월26일생』은 청도 지역 피학살자 유족회를 조직하고, 보도연맹사건에 대한 첫 역사서인 『실록 보도연맹』을 썼던 전직 교사 박희춘의 구술 생애사다. 청도 지역을 중심으로 한국 전쟁기 제노사이드 사건의 사회적 기억의 형성을 연구했던 문화 인류학자 노용석이 면담자로 박희춘의 생애사를 기록한 이 책은 제노사이드 사건 당시의 상황뿐 아니라, 이후 반공국가에서 피해자로 살아남는 과정이 어떤 것이었는지 상세하게 보여준다. 박희춘의 구술 생애사와 함께 기획된 『여기원1933년10월24일생』은 보도연맹사건의 피해자인 여기원의 구술 생애사다. 여기원은 박희춘과 마찬가지로 보도연맹사건으로 아버지를 잃은 유가족이었다. 박희춘과 여기원의 구술 생애사에는 공통점이 많은데 이들 모두 새마을운동과 같은 반공국가의 정책에 적극 참여하면서 국민으로 인정받고자 과잉적응한 사례였다. 그러나 동시에 이들은 요시찰과 신원 조회 등 자신의 노력에도 불구하고 국가의 지속적인 차별과 감시에서 벗어날 수 없었다. 여기원은 민주화 이후에도 자신을 반공주의자로 인식하지만, 70년대에 신원 조회 때문에 해외 농업시찰단에서 탈락할 때 애국심이 사라졌다고 회고한다.[51] 사라지지 않는 구조적 차별은 피학살자 유족들이 자신을 이 사회의 피해자로 자각하게 했다.

김무용은 제노사이드 피해자들의 과잉적응을 사회적 저항으로 설명한다. 피해자들이 표면적으로 반공국가의 제도에 적응하면서도 내면은 저항적 태도를 보이는 과잉적응의 형태로 나타난다는 것이다.[52] 김무용의 지적처럼 아버지의 사후에 군 장교로 입대해 은성충무무공훈장[53]을 받을 정도로 모범적인 박희춘의 군 생활은 표면적으로 반공국가의 충실한 국민임을 입증하는 과정이었지만, 그 이면에는 가족과 자신을 보호하려는 목적이 강했다. 피해자들의 과잉적응에서 나타나는 표면적 목표와 이면적 목표 사이의 불일치는 반공국가가 내세운 국민상이 이들에게 내면화되지 않았음을 보여준다. 여기원의 경우처럼 반공주의를 내면화한 이 역시도 자신이 경험한 차별로 인해 국가와의 관계를 부정적으로 인식했다. 박희춘과 여기원은 반공 국민으로 인정받기 위해 과잉적응하기도 했으나 끝내 자신에게 드리운 빨갱이 가족이라는 멍에는 사라지지 않는다는 사실을 자각했다. 이는 반공국가의 공식대본과 현실 사이의 불일치를 체험하는 과정이었고, 결국 과잉적응의 정당성을 스스로 의심하게 된다.*

표면적으로 그들은 (반공) 국민으로 인정받기 위해 반공국가의 공식대본을 철저하게 따르는 것처럼 보이지만, 공식대본의 모순을 자각하게 되면서 피해자는 자신의 은닉대본을 구성하기 시작한다. 은닉대본의 형태로 내면화된 저항 의식은 반공국가의 억압적 구조가 흔들리는 민주화 국면을 거치면서 점차 표면화된다.[54] 박희춘은 점차 고조되는 민주화운동의 영향을 받아서 1986년부터 국민보도연맹사건에 대한 책을 집필하기 시작했다.[55] 이 과정에서 반공국가의 폭력을 다시 경험하기도 했다. 그는 오히려 탄압 때문에 아버지의 죽음뿐 아니라, 고향인 청도 지역의 보도연맹사건에 관심을 가지고 유족회 활동에 나서게 되었다.[56] 민주화라는 체제 이행기 과정에서 점차 체제에 대한 은닉대본이 표면적인 저항으로 전환되는 사례로서 피학살자 유족회 활동은 자신과 가족의 문제에만 그 관심이 한정되지 않는다. 이들은 진상규명과 위령의 과정에서 후원과 협력의 방식으로 근대국가의 다양한 정치적 의제들과 연결될 수 있다.[57] 제노사이드 피해자의 구술 생애사는 그들이 생애 과정 속에서 반공국가의 공식대본과 저항적 은닉대본이라는 다양한 행동의 준거들을 수행하고, 변형하며 창출하는 과정을 보여준다. 사건에 대한 증언을 넘어선 구술 생애사는 주체

* 박희춘은 한국전쟁에 참전해서 자신이 받은 훈장을 주위에 숨겨왔다. 그가 자신의 훈장에 대해 가지는 불편한 감정은 '빨갱이 하다가 죽은 아버지'와 '빨갱이 잡아서 훈장 받은 아들'이라는 혼란스러운 관계를 반영한다. 하지만 반공국가의 충혼탑에 기록된 공적과 연좌제의 근거가 되는 아버지의 죽음을 기록한 정부의 문서 사이의 모순이 더 큰 원인이었다. 국가에 대한 헌신이 차별과 폭력을 상쇄할 수 없다는 사실은 반공국가의 공식대본에 대한 그의 믿음을 무너뜨리고, 공적인 헌신을 부끄럽게 받아들이도록 했다.(노용석, 『박희춘1933년2월26일생』, 눈빛, 2005, 106~107쪽)

적인 재현의 형식일 뿐 아니라, 피해자가 (정치적·사회적으로) 주체화
되는 과정을 보여줄 수 있는 서사 형식이었다.

　제노사이드 피해자의 구술이 사건과 그 세부 사항을 증언하기
에서 구술 생애사로 무게 중심이 옮겨가는 시기는 1990년대 후반
부터 2000년대였다. 반면 한국소설에서는 제노사이드 피해자의
생애사에 대한 문학적 재현은 이미 1990년대에 한국전쟁을 유년
기에 체험한 작가들이 자전적 소설을 통해 한 단계 발전된 형식으
로 나타나고 있었다. 제노사이드 사건 이후의 삶에 대한 소설적 재
현은 1970년대 현기영의 「순이 삼촌」이나 박완서의 「부처님 근
처」, 이청준의 「소문의 벽」과 같은 작품들이나, 1980년대 임철우,
문순태, 이창동 등의 소설까지 꾸준하게 이어져 오고 있었다. 그러
나 정치적 금기를 '꾸며 쓴 이야기'라는 소설이라는 형식을 통해서
우회하는 '은닉대본의 재현적 실천'에 가까웠다. 작가 자신의 생애
사와 소설 속 내용을 상당히 일치시켜서 재현하는 작업은 민주화
를 전후한 시기부터 이루어질 수 있었다.

　박완서가 「엄마의 말뚝 2」까지 인민군의 소행으로 그렸던 오빠
의 죽음을 실제 사실에 부합하게 쓰는 일은 90년대에 발표한 자전
적 장편소설 『그 많던 싱아는 누가 다 먹었을까』와 『그 산이 정말
거기에 있었을까』를 통해서였다. 가상의 좌익 봉기(『노을』)나 거창
양민학살(『겨울 골짜기』)를 통해 아버지와 고향의 이야기를 우회적
으로 썼던 김원일[58]이나, 자신의 고향인 제주도 노향리보다는 다
른 지역들의 사례를 중심으로 소설을 발표했던 현기영이 자기 생

애를 사실에 부합하게 전면적으로 그린 것은 80년대 후반에서 90년대 사이였다. 특히 이 시기에 발표된 그들의 자전적 장편소설들에서 이러한 경향이 두드러졌다. 이 자전소설들에서는 반공국가가 불온시했던 자신의 개인사와 시각, 입장들이 드러나면서 이전 작품들에서 파편적으로 나타났던 작가의 생애사가 점차 전모를 드러냈다. 이는 사건의 우회적 재현에서는 드러나지 않았던, '생애사 속의 은닉대본 실천'이 본격적으로 소설화되고 있음을 보여준다. 특히 그 작업에서 주목해야 할 점은 구술 생애사 작업의 사례와 마찬가지로, 주체화의 과정이 자기 서사를 구성하는 주요한 지점이라는 사실이다.

재현의 공백과 확장

한국의 분단문학을 대표하는 작가 중 한 사람으로 평가받았던 소설가 김원일은 그의 초기 대표작인 단편 「어둠의 혼」(1973)을 시작으로 자신의 고향인 경남 진영과 월북한 남로당 간부인 아버지 김종표의 이야기를 소설화해왔다. 한국전쟁기를 다룬 김원일의 모든 소설이 그의 가족사를 배경으로 하고 있지는 않지만, 직접적으로 어떤 관련이 없는 사건을 소재로 한 작품에서도 아버지 김종표를 모티프로 한 인물이 등장하기도 했다.[59] 자신의 분단문학이 "소설을 통해 아버지의 진실한 모습을 드러내는 작업"[60]이었다고 스스로 평가할 만큼 가족사는 김원일의 문학세계에서 중요한 문제였다. 그렇기에 김원일은 반공국가의 정치적 억압이 약해지고 재현의 영역이 급격히 확장되는 민주화 국면에 기민하게 반응했다. 김원일은 민주화 직후인 1988년에 두 편의 소설을 동시에 연재했는데, 이 두 편 모두가 그의 가족사를 다루고 있는 자전적 소설이었다. 김원일과 그 가족들이 경험했던 한국전쟁 중의 1년여를 다룬 대하소설『불의 제전』과 전쟁이 끝난 뒤인 1954년에 대구에서 가족과 재회한 시기를 다룬 장편소설『마당 깊은 집』이 그것이다.

1980년 월간『문학사상』에서 처음 연재를 시작한 대하소설『불의 제전』은 여러 문예지를 거치며 연재와 중단을 반복하다가 1995년에『문학과사회』에서 완료된다.『불의 제전』은 민주화 직후인 1987년 12월까지 기존에 연재된 분량인 소설의 1부까지를 모아서 2차례 출판되었다.『문학사상』에서 소설의 1부 연재가 끝난 뒤인 1983년에 문학과지성사에서『불의 제전』1, 2권이 출판되었고,『학원』1984년 7월호에 실린 내용 등을 추가하여 중앙일보사에서『불의 제전』1, 2권을 출간한다.『불의 제전』의 배경이 되는 사건은 김원일 일가가 서울로 이주했다가 한국전쟁 중에 아버지 김종표가 월북하고, 김원일이 고향인 진영으로 돌아오는 1948년에서 1950년까지 3년간 그의 가족이 경험했던 일들이다. 그런데 소설속에서는 이 3년 동안의 사건을 1950년 1월부터 10월 31일까지 10개월의 기간으로 압축하여 보여주었다. 1987년에 출간된 중앙일보사 판에서는 소설 속 시간으로는 1950년 5월 21일까지를 다루고 있다. 민주화 이전까지 연재된 『불의 제전』은 한국전쟁이 발발하기 전까지만을 다루었던 셈이다. 1988년 월간 『동서문학』에서 『불의 제전』의 연재가 재개되지만, 이 잡지에서의 연재가 종료되는 1989년까지 소설화된 내용은 한국전쟁이 개전하는 당일인 1950년 6월 25일까지만 담고 있다. 『불의 제전』에서 한국전쟁에 대한 서술이 본격화되는 것은 마지막 연재처인 『문학과사회』의 연재분이었다. 『문학과사회』의 1993년 가을호부터 1995년 겨울호까지 『불의 제전』의 후반부, 한국전쟁이 발발하고부터 서울 수복과 김원일 자신을 모티프로 한 소년 '조갑해'가 고향으로 돌아온 이후인 11월 18일까지의 내용이 연재되었다.*

1993년 연재가 재개된 『불의 제전』 이전의 작품들에서는 한국전쟁기에 그가 경험했던 사건에 대한 재현이 그리 많지 않으며, 그마저도 대부분 전쟁 참상을 지워내는 방식으로 그렸다. 1973년 작 단편 「갈증」에서는 진영읍에 설치된 군의 후방 병원에 입원한 약혼자를 찾아온 한 여성의 이야기를 다룬다. 이 여성의 이야기가 『불의 제전』의 후반부에서도 반복되기 때문에 「갈증」은 김원일의 초기 소설 중에 드물게 그가 유년기에 경험했던 실제 사건을 다루는 작품으로 평가받는다.[61] 「갈증」에서 진영은 한국전쟁 중에 전

---

* 소설의 연재가 끝난 뒤인 1997년에 문학과지성사에서 발간한 『불의 제전』은 연재본과 달리 1950년 10월 31일로 이야기가 끝을 맺고 있으며, 내전으로서의 한국전쟁을 비유하는 투계들의 싸움 장면으로 작품을 마무리하고 있다.

투에 휩쓸리지 않았던 안전한 후방으로 그려지고 있는데, 이는 이후 『노을』에서도 반복되는 설정이다. 이러한 재현의 방식은 국민보도연맹원에 대한 한국군과 지역 민병대의 학살로 초토화되었던 진영의 지역사를 가린다. 『마당 깊은 집』의 전사를 보여주는 소설로 평가받는 단편 「깨끗한 몸」(1987)도 전쟁의 그림자를 보여주지 않으려는 작품이다. 한국전쟁 중이던 1952년의 진영읍을 배경으로 한 이 자전적 소설은 진영의 친척 집에 맡겨두었던 장남 '갑해'를 종종 만나려고 오는 어머니와 함께 목욕탕에 갔던 일화를 보여준다. 소설 속의 진영은 전쟁과 관련된 묘사는 거의 보이지 않으며, 가족의 전쟁 체험도 아버지와 헤어졌던 1950년 서울에 대한 언급으로 제한되어 있다. 김원일의 소설에서 한국전쟁기 가족의 체험과 전투와 학살의 참화가 만나는 순간은 『불의 제전』이 연재가 시작되고 13년 만인 1993년이었다. 가족사에 대한 김원일의 소설적 재현은 여러 차례 반복되었지만, 실제 가족의 이야기를 비교적 사실적으로 그릴 수 있기까지는 상당한 시간이 필요했다. 김원일에게 그의 가족사는 소설을 통해서 해결해야 할 중대한 문제였지만, 동시에 결코 쉽게 쓸 수 없는 위험한 기억이었다. 그런 김원일이 민주화 직후 처음으로 발표한 장편소설인 『마당 깊은 집』이 한국전쟁 직후 좌익 가족으로서 경험했던 일들을 다루고 있다는 점은 의미심장하다. 특히 이 소설은 김원일이 최초로 아버지의 월북 사실을 공개한 작품이기도 했다. 그래서 『마당 깊은 집』은 김원일의 가족사 재현에서 중대한 변화가 시작되었음을 보여준다.

『불의 제전』의 연재가 재개된 1988년에 김원일은 자신의 가족사를 다룬 또 다른 자전적 소설인『마당 깊은 집』을『문학과사회』 88년 여름호와 가을호에서 상·하로 나눠서 연재한다.『불의 제전』이후의 가족사를 다루고 있는『마당 깊은 집』은 아버지의 월북 이후 홀로 진영으로 돌아왔던 김원일이 대구에 정착한 어머니와 재회한 1954년의 1년간을 배경으로 하고 있다. 김원일의 대표작 중 하나인『노을』이 대통령상인 '반공문학상'을 수상했던 이력에서 알 수 있듯이 그의 가족사 재현은 표면적으로 반공국가의 공식대본을 따르고 있지만 이를 벗어나기 위한 다양한 활로를 찾으려는 노력의 과정이었다.[62] 가족사와 한국전쟁기 한국사회의 그의 고향에서 있었던 비극을 재현하려는 김원일의 탐구는 2000년대 이후까지 은밀한 형태로 계속되었다.*

　　『마당 깊은 집』을 통해서 확인할 수 있는 민주화 이후 김원일의 자전적 글쓰기의 특징은 가족사 재현에 대한 그의 경계심이 이때까지 유지되고 있다는 사실이다.『마당 깊은 집』은 김원일의 가족사에서 가장 민감했던 시기, 즉 한국전쟁 중에 아버지가 월북하

---

* 90년대 이후 김원일의 소설쓰기에서 주목을 요하는 작품의 개작은 작가 자신이 그 명확한 목적을 밝히지 않는 방식으로 이루어졌다.『노을』,『늘푸른 소나무』,『겨울 골짜기』,『불의 제전』등 역사적 사건이나 가족사의 문제를 다룬 그의 주요 장편들은 개정판이나 정본, 전집 수록 등의 과정에서 인물과 사건에 대한 정치적 평가 등이 극명하게 바뀌었다. 그러나 김원일은 개정 사실을 밝히지 않거나, 문장을 다듬었을 뿐 내용을 바꾼 것이 없다고 반복적으로 이야기했다. 이러한 김원일의 은밀한 작품 개작과 이행기 정의 국면의 연관성은 4부에서 자세히 다룰 것이다.

고 김원일 홀로 국민보도연맹학살로 초토화되었던 고향 진영읍에 돌아갔던 시기를 피하고 있다. 이는 같은 시기 연재되었던『불의 제전』도 마찬가지다. 90년대 중반에 연재가 끝난『불의 제전』후 반부에는 반공국가의 공식기억이 은폐하려고 했던 국가폭력과 불온시한 다양한 정치적 입장을 대변하는 인물들이 등장한다. 그러나 80년대 말에는 그런 민감한 사건들이 일어나는 시기까지 연재가 되지는 않았다. 민주화 직후 김원일의 자전적 글쓰기는 그의 가족사와 성장기를 연결하는 연속적인 작업처럼 보이지만, 실상 정치적으로 가장 민감한 사건들을 경험한 시기에 대해서는 직접적으로 이야기하지 않는다. 오히려 이 시기를 전후한 내용만을 소설화함으로써 재연의 공백이 더 선명하게 부각 되기도 했다.

『마당 깊은 집』은 작가의 대구 시절 생활을 다루고 있는 자전적 소설이지만, 허구적 성격도 상당히 강하다. 김원일은『마당 깊은 집』에서 바느질로 생계를 책임졌던 어머니의 모습이나, 신문 배달을 하는 고학생이던 자신의 모습 이외에는 당시에 자신이 직간접적으로 체험했던 사건 등을 조합해서 만들어낸 이야기였다고 밝힌 바 있다.[63] 다양한 배경을 가진 이들이 모여서 살았던 '마당 깊은 집'이라는 소설 속 공간이 바로 여러 사건이나 인물을 조합해서 한 장면 안으로 모아서 보여주기 위해서 작가가 만들어 낸 장치였다. 이는 자전적 소설로서『마당 깊은 집』에 등장하는 사건과 인물은 당대 현실 속에서 작가가 보여주고자 선택한 일면들이다. 소설적 공간으로 상상된 '마당 깊은 집'과 그곳에서 머물렀던 1954년이라는 시기는 김원일의 생애사 일부를 가시화하지만, 또 어떤 일부를 가리기 위한 장치였다. 김원일의 또 다른 자전적 소설인 『아들의 아버지』(2013)에서는 『마당 깊은 집』의 배경이 되는 장소와 시기에 있었던 경험이지만, 그가 소설화하지는 않았던 한 사건을 언급하고 있다.

1955년 봄에 석간신문 배달을 마치고 집으로 돌아온 김원일은 어머니를 찾아온 낯선 손님을 보게 된다. 젊은 새댁은 어머니의 삯바느질 손님도 아니고, 그렇다고 어머니가 환대하는 반가운 얼굴도 아니다. 어머니는 그 새댁을 계속 외면하고 말도 걸지 않지만, 그들의 집에서 하룻밤을 묵고 함께 아침을 먹은 뒤에 떠나간다. 김원일의 가족을 찾아왔던 젊은 여성은 그의 아버지인 김종표를 따라다니면서 농촌자활운동을 하던 고향 마을 청년의 아내였다. 국민보도연맹에 가입했던 그의 남편은 진영읍 일대에서 자행된 학살에 휘말려 사망했다. 그 여성은 전후에 유복자인 아들을 홀로 키우다가, 김원일의 가족이 대구로 갔다는 소식을 듣고는 혹여나 김종표의 소식을 들을 수 있을까 하고 찾아온 것이다. 어머니의 냉대는 월북한 좌익 남편이라는 위험한 과거를 잊으려는 노력이었다.("지난날으 언스시럽은 생각이 자꾸 떠올라 그 여편네마저 꼴 보기 싫터라."*) 진영읍에서 있었던 국민보도연맹학살사건 유가족이 대구로 찾아

---

* 김원일, 『아들의 아버지』, 문학과지성사, 2013, 322쪽. 이후 인용 시 괄호 안에 작품명과 쪽수만 표기한다.

왔던 이 사건은『마당 깊은 집』에는 등장하지 않는다. 그러나 이 낯선 손님의 이야기는『마당 깊은 집』보다 10년 전에 발표되었던 그의 장편소설『노을』에 다른 방식으로 등장한다.

1978년에 발표된 장편소설『노을』은 김원일의 고향인 경남 김해시 진영읍을 배경으로 1948년의 가상의 좌익 폭동 사건을 다루고 있다.『노을』에서 김원일은 자신의 아버지인 김종표에 대응되는 인물을 두 사람으로 나누어 놓았다. 하나는 반공 이데올로기의 방식대로 잔혹하고 비윤리적인 인물로 형상화된 백정 '김삼조'이고, 다른 한 사람은 지역 유지의 아들이자 좌익들을 이끌었던 지도자였지만 봉기가 실패한 뒤에 도망쳤던 일본에서 공산주의의 현실을 깨닫고 전향하게 된 인텔리 사회주의자인 '배도수'다.* 그들의 동료로 등장하는 인물인 '이중달'과 그의 유복자인 '치모'가『아들의 아버지』에 언급되었던 국민보도연맹사건 피학살자 가족의 이야기를 변형한 것으로 추정된다. 김삼조와 배도수의 동료였던 이중달은 폭동이 진압되자 북한으로 월북한 뒤에 간첩으로 남파되지만, 붙잡혀 처형당한다. 이중달의 유복자인 치모는 서울대 법

---

* 김원일의『노을』에 대한 기존의 연구들은 대부분 '김삼조'만을 아버지에 대응되는 인물로 인식한다. 그러나『겨울 골짜기』의 빨치산 '김익수'가 김종표에 대응되는 인물이었던 것처럼 그의 소설이 아버지를 설명하기 위해 활용하는 인물형에 대해서는 좀 더 다양한 각도에서 살펴볼 필요가 있다. 전향한 뒤에 가족의 품으로 돌아온 배도수라는 인물은 월북한 좌익이었던 아버지와의 갈등을 풀어내고자 했던 김원일의 바람을 보여준다. 김삼조와 배도수라는 두 인물을 통해 김원일이 어떻게 아버지의 형상을 분할했는가는 4부 3장에서 다루고 있다.

대를 다니던 엘리트였지만, 민청학련 사건에 연루되어 제적당한 뒤 고향으로 돌아와 농촌계몽운동에 나서는 인물로 그려진다. 이러한 소설적 변형에서 주목할 점은 김원일이 오랜 시간 재현하기를 부담스럽게 느껴왔던 고향에서의 학살, 즉 반공국가의 가해 행위가 보이지 않게 되었다는 사실이다. 이는『마당 깊은 집』에서 고향에서 찾아온 낯선 손님의 이야기가 등장하지 않았던 이유를 설명해준다.

민주화 이전 시기에 김원일은 그의 고향이었던 진영읍에서 발생한 국가폭력 사건을 작품에서 잘 드러내 보이지 않았다. 1973년에 발표한 단편「갈증」에서는 진영을 전쟁에 휩쓸리지 않은 평화로운 후방 지대로 그리고 있었으며,『노을』에서도 1948년의 가상의 좌익 폭동에 휘말렸지만 정작 전쟁기에는 비교적 안정된 지역으로 묘사한다. 진영읍은 한국전쟁 발발 직후에 우익 계열 민병대와 해군 CIC의 주도로 수백 명이 보도연맹원학살사건으로 희생된 지역이었다.[64] 그러나 보도연맹사건에 대한 최초의 언급은「미망」(1982)에서 보도연맹원이었던 좌익 아버지의 모습을 통해서 간접적으로만 등장했으며,『겨울 골짜기』에서는 거창사건 이전에 발생했던 과거의 일로 언급되기만 할 뿐이다.

김원일의 소설에서 국민보도연맹원 학살과 같은 한국전쟁기 반공국가의 제노사이드에 대한 재현이 이루어지는 시기는 90년대에 들어서였다. 1993년부터『문학과사회』에서 다시 연재되었던『불의 제전』의 후반부에서 처음으로 보도연맹원학살사건이 등장했다. 1997년에 개작된 『노을』에서는 여순사건이나 제주4·3을 연상하게 하는 해방 이후 반공국가의 학살에 대한 서술이 추가되기도 했다.[65] 그러나 80년대 김원일은 거창양민학살사건처럼 당대 한국사회의 공식기억으로 자리를 잡은 학살 사건 이외에는 우회적으로 그리거나 변형해서 보여주고 있다. 80년대 김원일의 재현 전략을 생각할 때 가족을 찾아왔던 보도연맹원 유족의 이야기가 『마당 깊은 집』에 등장하지 않았던 것은 이상하지 않다. 전후에 학살의 기억을 이야기할 수밖에 없던 고향 마을을 떠난 이후를 배경으로 한 『마당 깊은 집』에서 제노사이드와 같은 반공국가의 가공할 폭력은 여전히 재현의 공백 지대로 남아 있었다.

전쟁기 제노사이드에 대한 기억이 『마당 깊은 집』에서 여전히 재현의 공백으로 남아 있었지만, 이 작품은 동시에 김원일의 작품세계에서 중요한 전환점이기도 했다. 서울 수복 당시에 가족과 헤어졌던 아버지를 전쟁 중 사망한 인물로 그리거나, 행방불명자로 설정하는 대신에 간접적이지만 그가 월북했다고 암시하고 있다. 김원일의 소설에서 아버지의 월북이 명시적으로 등장하는 것은 90년대 연재된 『불의 제전』의 후반부가 처음이다. 그러나 『마당 깊은 집』에서는 김원일은 아버지가 좌익으로서 월북했을 가능성 있다고 열어놓는다. 『마당 깊은 집』의 주인공 '길남'의 아버지는 서울 수복 무렵 때 사라진 인물이다. 길남은 아버지의 행방을 정확하게 알지는 못한다. 어머니와 누나는 길남에게 "아버지에 대해서 누가 묻는다면 비행기 공습으로 돌아가셨다고 대답하라고 신신당부"*한다. 그래서 그는 어른이 되어 결혼하기 전까지 아버지를 공습으로 인해 죽은 사람으로 알고 있었다. 그 이후 길남은 아버지를 "(폭격으로 - 인용자)정말 그렇게 돌아가셨는지, 납치, 아니면 단신 월북해버렸는지, 비명횡사했는지 확실히는 모르지만, 어쨌든 전쟁통에 행방불명"(50)된 사람으로 여긴다.

아버지를 「어둠의 혼」처럼 죽은 자로 그리지 않고, 행방불명된 이로 여긴다는 점은 전작인 「깨끗한 몸」과 유사하다. 「깨끗한 몸」에서 주인공 '갑해'의 아버지 역시 서울 수복 당시에 사라진 인물이다. 갑해는 아버지에 대해서 "퇴각하던 저들을 따라 이북으로 넘어가 버렸는지, 탈환하고 후퇴하는 그 갈림길의 아수라판에 비명횡사했는지, 우리 가족은 알 수 없"**다고 회상한다. 아버지의 행방불명 원인을 월북부터 사망까지 다양한 가능성으로 생각한다는 점에서 『마당 깊은 집』과 동일하게 보인다. 그러나 김원일 본인은 명시적으로 『마당 깊은 집』에서 아버지의 월북 사실을 처음 밝히고 있다고 말한다.

김원일은 90년대 초에 "『마당 깊은 집』을 쓰면서 이제 아버지가 월북했다고 밝혀도 좋겠다는 내 마음의 확신"[66)이 생겼다고 밝힌 바 있다. 작품 속 간접적 암시와 달리, 그는 아버지의 월북을 밝혔

---

* 김원일, 『마당 깊은 집』, 문학과지성사, 1998, 49~50쪽. 이후 인용 시 괄호 안에 제목과 쪽수만 표기한다.
** 김원일, 「깨끗한 몸」, 『마음의 감옥』, 문이당, 1997, 109쪽. 이후 인용 시 괄호 안에 제목과 쪽수만 표기한다.

다고 인식했다.[67] 김원일의 70~80년대 소설에서 아버지가 죽거나 행방불명된 것으로 묘사된 것과 달리, 그는 한국전쟁기부터 아버지의 월북 사실을 구체적으로 알고 있었다. 『아들의 아버지』에서 김원일의 가족은 자신이 그들을 데리러 갈 테니 꼭 기다려 달라는 아버지의 편지를 받았던 사실을 밝힌다. 그러나 며칠을 기다려도 그가 오지 않는 상황에서 서울이 한국군과 미군에 의해 장악되자 가족은 피난을 간다. 김원일의 아버지인 김종표는 차를 타고 약속 장소에 도착했으나 이미 가족과 엇갈린 상황이었고, 1·4후퇴 이후 1951년 1월에 서울이 다시 인민군에게 장악되었을 때도 그는 가족을 찾기 위해서 왔으나 그들과 만날 수 없었다.(『아들의 아버지』, 357~359쪽) 김원일의 가족은 아버지의 편지도 계속 가지고 있었고, 지인들을 통해서 그가 가족을 찾고 있었다는 사실을 전해 듣는다. 『마당 깊은 집』에서 아버지의 월북은 여러 가능성 중에 하나로 암시되지만, 「깨끗한 몸」에 비해 아버지가 좌익이었다는 점을 좀 더 분명하게 한다.

「깨끗한 몸」에서 갑해가 기억하는 아버지의 마지막 모습은 "모택동 복장에 납작 모자"(「깨끗한 몸」, 108)를 쓰고 있었다. 어머니는 갑해에게 "네 아버지는 개미 한 마리 마음대로 못 죽이는 위인이라 죄짓고 다닐 사람이 아니"(「깨끗한 몸」, 108)라고 말하면서 아버지가 좌익이었을 것이라는 아들의 의심에 반박하지만, 소년은 이를 그저 알 수 없는 일이라 여긴다. 반면 『마당 깊은 집』의 어머니는 아버지가 자발적인 좌익이었을 가능성에 대해서 부정하지 않는다. 그가 무언가에 관여하고 있으리라 의심했지만, 아버지에게 들은 것이 없기에 "남정네가 무슨 꿍꿍이 수작질을 하는지 몰랐"(『마당 깊은 집』, 50)다고 말할 뿐이다. 두 작품에서 아버지의 좌익 혐의에 대한 어머니의 말은 그의 행방불명 이유를 추정하는 과정에서 등장한다. 그래서 아버지가 자발적인 좌익으로서의 면모가 부각[68] 될 때, 그가 월북했을 개연성도 커진다. 김원일은 이처럼 간접적으로 아버지의 좌익으로서의 신념과 그가 월북을 선택했음을 보여준다. 그런데 아버지가 사회주의자였음을 좀 더 선명히 하는 이 작은 변화는 좌익 이념을 가진 인물에 대한 그의 소설 속 묘사가 크게 달라질 것임을 암시한다.

『마당 깊은 집』의 공간적 배경인 '마당 깊은 집'에는 다양한 이력을 가진 피난민 가족 여섯 가구가 세 들어 살고 있다. 길남의 가족이나 '김천댁' 같은 좌익 가족과 상이군인 가족인 준호네, 공산당의 박해를 받은 월남 피난민인 '경기댁' 등 반공국가의 시선에서 서로 다른 정치적 정체성을 가진 이들로 인식될 이들이 한곳에 모여 살고 있다. 그중에서 평양댁의 아들인 '최정태'는 남한의 반공국가와 반공주의를 강하게 비판하는 반골 기질의 인물로 그려진다. 그는 좌익인 남편이 월북한 김천댁 가족과 함께 북한으로 넘어가려고 시도했지만, 폐병 때문에 발각되어 홀로 한국군에 붙잡힌다. 그는 자신의 재판 중에도 "조선민주주의인민공화국이 남조선을 해방시켜야 할 당위성과 공산국가 사회가 이 조선 땅에 실현되어야 한다는 열변을 무려 사십 분에 걸쳐 토로"(『마당 깊은 집』, 250)할

만큼 사회주의에 대한 강한 신념을 가지고 있다. 80년대까지 김원
일의 소설에는 확고한 신념을 가진 사회주의자 인물형은 그리 많
지 않다. 특히 사회주의 이념에 상당한 지식을 갖춘 인물들은 회의
주의자(『겨울 골짜기』의 김익수)이거나 전향자(「미망」의 아버지, 『노을』의 배
도수)로 그려지고는 했다. 그러나 정태는 전쟁 이후에도 사회주의
자였을 뿐 아니라, 체포된 뒤에도 끝내 전향을 거부하며 28년 이
상 수감되어 있는 비전향 장기수였다. 전후에 한국사회에서 끝까
지 신념을 지키는 사회주의자인 정태는 김원일의 작품 속에서 예
외적이었을뿐더러, 그런 인물에게 반공주의의 정당성에 대해 논
쟁할 기회를 주어졌다는 사실 역시 주목할 필요가 있다.

상이군인인 준호 아버지, '박종모'의 옛 군 동료들이 찾아와 반
공 집회에 나가자고 권하는 것을 본 정태는 그에게 반공주의에 대
해 비판한다. 그는 이승만 정권의 반공주의가 "반공으루 인민을,
글티 않디, 백성을 꼼짝달싹 못 하게 묶어두고 평생 반토막 나라
제왕 노릇"(『마당 깊은 집』, 128)하려는 통치의 수단일 뿐이라 비판한
다. 준호 아버지는 "처형이나 고문이나 테러가 아닌, 순수한 뜻"(『마
당 깊은 집』, 129)에서의 반공주의에는 자신이 동의한다면서 자신이
북에서 경험했던 공산주의 사회의 문제점들을 지적한다. 그러나
정태는 자신은 단지 미군 폭격을 피해 어쩔 수 없이 북에서 남으로
피난을 왔을 뿐이며, 오히려 남쪽 사회가 더 많은 문제가 있다는
주장을 굽히지 않는다. 반공주의의 정당성에 대한 정태와 박종모
의 대화는 그 내용보다는 구도가 더 흥미롭다. 남과 북 사회에 대

한 상이한 입장을 가진 이들 사이의 대화, 특히 그 이념의 충돌 속에서 자행된 폭력에 대한 비판은 『노을』부터 『불의 제전』까지 여러 번 반복되었는데, 정도는 다르나 공통적으로 공산주의에 대한 비판 쪽으로 기운다. 정태와 박종모의 대화에서도 이는 반복된다. 전후 반공주의 사회에서 상이군인과 사회주의자가 반공주의를 두고 논쟁을 벌이는 대화의 구도는 눈길을 끈다. 반공국가의 모범적인 구성원과 그 대척점에 선 '빨갱이', 사회주의자에게 동등한 발언권을 주고 있기 때문이다.

박종모는 강원도 평강의 인민학교 교사였으나 문화공작대원으로 징집되어 전쟁에 참전하고, 이후 한국군에 귀순하여 귀순 용사로 구성된 소대의 소대장이 된 인물이다. 그는 공산주의 정권하의 실상을 경험하고 반공국가를 선택한 전향자이며, 국가를 위해 자신을 희생한 상이군인이었다. 한국전쟁 이후 이승만 정권은 상이군인을 "'호국의 신'으로 신화화한 전사자의 살아있는 분신"[69]으로 인식하게 했다. 반공국가는 전사자 숭배를 통해서 (반공) 국민의 형상을 제시하는 사회적 모델로 활용했다. 박종모는 적극적인 전향자이자, 상이군인이라는 점에서 이념의 측면에서 모범적인 (반공) 국민인 셈이다.* 반공국가와 인민공화국에 대한 정태와 박종모 사이의 대화는, 신념에 찬 사회주의자와 모범적인 반공 국민이 대등한 위치에서 말할 수 있다는 가능성을 보여준다.

『노을』에서 전향의 서사를 선보였던 김원일은 그의 후기 작업에서는 사회주의자와 사회주의자인 자신의 아버지를 전향해야 할 대상이 아니라 존중받을 수 있는 정치적 주체로 재현하고자 했다. 이런 변화를 압축적으로 보여주는 것이 자전적 소설『아들의 아버지』에서 사회주의자들에 대한 김원일의 긍정적 평가다. 김원일은 자신의 아버지나 그와 같은 사회주의자들이 다른 체제를 지향했던 이들이었으나, 순수한 민족애를 가지고 "이 땅에 평등한 민주사회를 실현하고 인간다운 삶의 가치를 추구하려 혼신을 기울였"(『아들의 아버지』, 8)던 이들이라 말한다.

기존 김원일에 대한 비평과 연구들에서는 그가 '좌익의 인간화'를 통해 반공국가의 악마적 타자화 전략에 맞섰음을 지적했지만, 그 인간화는 동시에 그들을 탈정치화하는 방식이었다고 평가받았다.[70] 그러나 민주화 이후 김원일의 좌익 재현은 인간적 측면뿐 아니라, 그들의 정치적 주체성 역시 함께 강조했다. 1997년에 완결된『불의 제전』에 1987년 판과 달리 좌익의 정치적 진정성을 인정하는 표현[71]이 추가된다거나 공산주의의 현실에 대해 비판적이던 김익수의 말이 김원일이『겨울 골짜기』의 '정본'이라고 밝힌 2004

---

* 상이군인은 반공주의 이념의 잣대에서는 가장 모범적인 (반공) 국민이었다. 그러나 현실에서는 상이군인은 장애 등으로 인해 경제활동이 제한되었고 국가의 원호 사업이 유명무실했기 때문에 사회적 냉대와 빈곤한 삶을 견뎌야 하는 이들이었다. 상이군인의 빈궁한 현실과 애국자라는 정치적 평가 사이의 불일치는 전사자와 상이군인이라는 모범을 통해 국민을 창출하고 사회를 통제하는 '원호정치'의 균열을 노출했다.(김봉국, 「이승만 정부 초기 애도 - 원호 정치 : 애도의 독점과 균열, 그리고 그 양가성」, 『애도의 정치학』, 길, 2017, 146~151쪽)『마당 깊은 집』에서 박종모에 대한 묘사 역시 이러한 이념적 위상과 경제적 현실 사이의 균열상은 세밀하게 보여주고 있다. 동시에 그는 도덕적인 인물로 그려짐으로써 모범적인 (반공) 국민의 위치를 유지한다.

년 개정판본에서는 "공산주의는 무산 대중을 위한 좋은 사상인 점만은 틀림없"[72]다는 신념을 가진 이로 바뀌기도 했다.

민주화 이후 『불의 제전』의 완결과 이후 주요 작품들에 대한 반복적인 개작 작업을 거치면서 김원일은 좌익의 정치적 주체성을 보여주려고 노력했다. 『마당 깊은 집』에서 신념을 지키는 사회주의자 정태가 반공주의에 대해 모범적인 반공 국민인 상이군인과 대등하게 말할 수 있는 주체로 그리는 장면은 이후 김원일의 소설에서 좌익의 정치적 주체성이 회복되어 갈 수 있음을 암시한다.

『마당 깊은 집』에서 신념을 지키는 사회주의자인 정태의 서사는 대구를 배경으로 한 다양한 인간 군상에 대한 묘사 중에 하나에 불과하다. 그러나 좌익 2세이자, 신념을 가진 지식인 사회주의자였던 아버지의 존재를 해명하기 위해서 부단히 노력해온 작가 김원일에게 정태의 서사가 가지는 의미는 작지 않았을 것이다. 『마당 깊은 집』이전까지 김원일의 소설에서 사회주의자 인물형들은 그 정치적 주체성을 계속 지켜내지 못했다. 악마화된 '빨갱이'와 전향자, 회의주의자 사이를 배회하던 김원일의 소설 속 좌익 인물형은 정태라는 사례를 거치면서 점차 정치적 주체로서 회복되어 갔다. 김원일은 『마당 깊은 집』을 쓰면서 그제야 아버지가 월북했다는 것, 끝내 사회주의자의 신념을 지키기 위해서 반공국가에 맞서 다른 국가를 선택한 인물이었다는 사실을 말할 수 있게 되었다. 그때까지 쓰지 못하고 있던 『불의 제전』의 후반부, 가족과 헤어지고 월북한 사회주의자 아버지의 이야기는 『마당 깊은 집』을 거치

소설과 구술사, 자전적 글쓰기의 전략   311

면서 가능했던 장면이었을지 모른다.

『마당 깊은 집』은 김원일의 가족사 재현에서 정치적으로는 덜
민감한 전후 시기를 다룬다. 그러나 민주화 이후 이행기 정의 국면
이 시작된 이후 그가 사회주의자 인물형의 정치적 주체성을 어떻
게 그릴 수 있을지 가늠하게 해주는 중요한 경험이었다. 그리고 이
는 90년대 이후 김원일의 문학을 설명할 때 가장 중요한 작품의 개
작이 어떤 방향으로 전개될지를 결정한 경험이기도 했다. 그의 문
학은 점차 반공주의의 굴레에서 벗어나 해방기 사회주의자들의
정치적 주체성을 재평가할 수 있었기 때문이다. 그리고 이는 그가
문학을 통해 도달하고 싶었던 '아버지의 진실한 재현'을 위해 거쳐
야 했던 길이었다.

'고백'[73] 에서 '증언'으로

1970년 장편 『나목』이 『여성동아』 장편소설 공모에서 당선되
어 작품 활동을 시작한 소설가 박완서는 한국전쟁을 전후한 시기
자신의 가족사에 대한 소설을 반복해서 쓴 작가였다. 『나목』, 『목
마른 계절』, 「부처님 근처」, 「엄마의 말뚝」 연작, 『그 많던 싱아는
누가 다 먹었을까』, 『그 산이 정말 거기 있었을까』 등 한국전쟁기
와 가족사에 대한 작품은 양적으로 상당할 뿐 아니라, 그의 문학세
계를 대표하는 작품이었다. 한국전쟁기의 체험을 중심으로 한 박

완서의 가족사 소설들은 등단작인『나목』이나 등단 다음 해에 그의 첫 연재소설이었던『한발기』(이 소설은 1978년에 수문서관에서 단행본으로 간행될 때『목마른 계절』으로 제목이 바뀐다) 등 초기 활동부터 후반까지 꾸준히 반복된다. 그런 박완서가 자신의 가족사에 대해 완전히 드러낸 작품이라 평가[74]한 것은 1995년에 발표한 장편『그 산이 정말 거기 있었을까』(이하『그 산』)였다.

『그 산』은 1992년에 발표된 자전적 장편소설『그 많던 싱아는 누가 다 먹었을까』(이하『싱아』)의 후속작이다. 박완서의 가족사 소설의 완성판이라고 할 수 있는 이 두 작품에 수록된 에피소드는 거의 "소설이나 수필 속에서 한두 번씩 우려먹지 않은 경험이 거의 없었"[75]던 것이었지만, 다른 작품에서와 달리 소설적 변형을 최소화했다. 90년대 연이어 발표된 박완서의 자전적 장편소설 속 가족사 재현이 전작과 달라진 것은 작가가 소설쓰기의 방식을 바꾸었기 때문만은 아니었다. 박완서가 이미 여러 차례에 걸쳐서 반복해서 써왔던 이야기를 전과는 달리 실제 사실에 부합하는 방향으로 쓸 수 있게 해주었던 작가 자신의 의지만큼이나 민주화 이후의 사회적 변화가 중요한 문제였다. 그가 가족사를 반복해서 써왔던 것은 반공국가에서 좌익 가족으로 살아야 했던 현실과 깊이 관련되어 있기 때문이다.

긴 시간 가족사에 대한 소설을 써온 박완서가 가장 자주 활용한 에피소드는 오빠의 죽음이었다.『나목』(1970)에서 주인공의 오빠들은 한국전쟁 중 폭격으로 인해 사망하고,『목마른 계절』(1978)에서는 공산주의에 환멸을 느낀 좌익이던 오빠가 인민군인 '황소좌'의 총격에 살해당한다.[76] 「엄마의 말뚝 2」(1981)에서는 『목마른 계절』과 유사하게 오빠를 의심하던 인민군 보위군관이 난사한 총에 맞았으나 즉사하지 않고 며칠을 앓다가 사망한다. 반면에 『싱아』(1992)에서 오빠는 한국군의 오발 사고로 총상을 입고, 『그 산』(1995)에서는 총상을 입은 오빠가 8개월의 투병 끝에 사망하는 것으로 그려진다. 박완서가 수십 년에 걸쳐 반복해서 소설화했던 오빠의 죽음은 시간이 흐를수록 사실에 근접해간다. 1970년에 발표된 『나목』 속 오빠의 죽음에 대한 에피소드가 실제 사건과 가장 이질적이다. 이 작품에서 오빠는 두 명이며 동시에 사회주의 이념과 무관한 사람이다. 그들의 죽음 역시 도심에 가해진 폭격에 우연히 휘말린 비극적 사건으로 그려진다. 『목마른 계절』 이후부터는 오빠가 사회주의자였다는 사실과 총기 오발 사고가 등장하지만, 직접적인 사인은 인민군의 살해로 그려진다. 박완서는 민주화 이후인 1990년대에 발표된 『싱아』와 『그 산』에서는 오빠의 이념적 지향이나 죽음의 경위를 실제 사실에 부합하는 방식으로 그린다. 이러한 변화를 가능하게 한 것은 죽음의 기억을 억압하던 반공국가의 금제가 점진적으로 약화되어 가던 역사적 흐름이었다.

1985년의 한 대담에서 박완서는 자신의 작품 속에 등장하는 "모든 죽음을 빨갱이가 반동이라고 해서 죽인 것으로만 썼"[77]다고 밝힌다. 『목마른 계절』이나 「엄마의 말뚝 2」에서 오빠의 죽음을 인민군에 의한 총살로 그렸던 시점에서 몇 년 지나지 않은 시기였다.

박완서는 자신의 소설 속에서 재현되는 한국전쟁기의 사건들이 반공국가의 공식기억에 부합하는 방식으로 왜곡되었음을 밝혔지만, 이 문제의식이 그의 작품 속에서 본격화되는 것은 이보다 4년이나 지난 1989년의 「복원되지 못한 것을 위하여」부터다. 이 소설에서 전쟁 중 한국 정부의 재소자 학살로 가족을 잃은 인물들이 등장하면서 좌익을 유일한 가해자로 그려온 서술에서 이탈하게 된다.* 이러한 변화를 가능하게 해주는 것은 「복원되지 못한 것을 위하여」에서 묘사된 민주화 이후 월북작가 해금과 출판자율화조치 같은 이행기 정의 국면의 전개였다. 민주화 이후 국가폭력의 과거사를 다시 기억하고 사태의 진상규명과 피해자의 권리 회복을 요구하는 목소리가 분출한다.[78] 그러나 「복원되지 못한 것을 위하여」 속 은닉대본의 사례처럼 폭력적 과거사에 대한 재현은 점진적으로 이루어졌다. 『싱아』가 미완으로 끝나고 그보다 3년 뒤에 발표된 『그 산』에서 전쟁기 가족사에 대한 재현이 종결될 수 있었던 것은 이행기 정의 국면이 점진적으로 진전되는 양상을 반영한다. 그러나 한편으로 그보다 앞서 국내외의 정치적 상황이 재현의 영역을 확장하는 현상 역시 존재했다. 1972년 7·4남북공동성명은

---

* 『목마른 계절』에서 "빨갱이라는 손가락질 한 번으로 저세상으로 간 목숨, 반동이라는 고발로 산 채로 파묻힌 죽음" 등 한국 정부가 가해자였음을 암시하긴 했지만, 실제 소설 속에서는 이를 보여주는 구체적인 장면이 등장하지 않는다.(박완서, 『목마른 계절』, 세계사, 2012, 431쪽. 이후 인용 시 괄호 안에 제목과 쪽수만 표기.) 반공국가가 가한 가해의 가능성은 언급하지만, 구체적인 장면을 보여주지 않는 양상은 80년대 중반까지 박완서가 일관되게 유지해온 방식이었다.

소설과 구술사, 자전적 글쓰기의 전략　　　315

반공주의 서사 안에서 비인간화되어 있던 '빨갱이'라는 이미지를 인간화할 수 있는 전환점이었다.[79]

박완서는『한발기』(1971~1972)와「세상에서 제일 무거운 틀니」(1972)을 시작으로 좌익이었던 가족사에 대한 소설 쓰기를 본격화한다. 오빠가 좌익 경력자였다는 사실뿐 아니라, 박완서 자신을 모티프로 한 인물이 좌익 성향에 가까웠다는 점 역시『목마른 계절』에서 고백하고 있다는 사실은 주목할 만하다. 그러나 이러한 가족사에 대한 글쓰기는 실제 사실을 이야기하기보다는 허구적으로 변형한 부분이 더욱 두드러진다.『목마른 계절』에서 이는 좌익이었던 오빠가 인민군 치하에서 오히려 냉소적인 태도를 보이면서, 그가 공산주의 체제의 현실을 냉철하게 판단하고 있는 이념을 버린 좌익[80]으로 그려진다. 이는 좌익 가족사를 소설화하면서도 가족 구성원을 향한 이념에 의한 적대적 시선을 회피하기 위한 장치다. 실제 심약한 지식인에 가까웠던 박완서의 오빠는 국민보도연맹에 가입하는 등 전향한 좌익이었다. 그러나 그 전향의 동기에는 가족의 현실적인 삶에 대한 고민 등이 포함되어 있으며, 그는 북한 체제뿐 아니라 남한 사회에 대해서도 두려움에 떨던 사람이었다. 그런 그를 인민군 치하에서 공산주의의 참극을 명확하게 직시하는 전향자로 설정하는 것은 오빠의 이야기를 보여주는 한 방식이기도 하지만, 동시에 이념적으로 불온한 가족 성원을 가졌던 '나'의 전향 서사를 뒷받침하는 내용이기도 하다.『목마른 계절』에서 박완서 자신을 모티프로 한 주인공 '진이(하진)'는 열렬한 좌익이었던 오빠 '하열'의 영향으로 좌익 성향을 가진 인물이다. 그는 오빠가 전향을 하자 그를 변절자로 여긴다. 그러나 소설의 후반부로 갈수록 진이는 공산주의의 실상을 체험하게 되면서 오빠의 전향을 이해하게 된다. 소설의 최후반부에 인민군 장교인 황소좌에게 오빠가 잔인하게 살해당함으로써 진이는 공산주의의 잔혹함을 가장 비극적인 방식으로 확인한다.

인민군에게 오빠가 살해당한 사건은 진이의 전향을 확정적 사실로 만든다. 좌익인 가족 구성원의 존재는 반공국가가 다른 가족들을 불온한 이념을 가진 존재라 의심하는 근거다. 반공국가가 사상 통제의 수단으로 활용했던 연좌제의 논리는 사상의 문제를 개인의 신념이 아니라 가족공동체의 집단적 정체성을 규정하는 지표로 인식했음을 보여준다.[81] 이는 불온한 사상을 가진 존재, 즉 "빨갱이"였던 가족의 이야기를 말하는 일이 왜 위험한 일이었는가를 설명해준다. 이념은 개인의 신념이 아니라 가족이라는 집단이 무엇인지 식별하게 하는 한 축이었으며, 그 불온성은 국가가 가족을 통제해야 할 정당성을 제공했다.* 특히 한국전쟁기에 자행되었던 제노사이드는 연좌제의 공포를 끔찍하게 각인시켰는데, "빨갱

---

* 한국의 반공국가가 국민보도연맹과 같은 사상 통제의 수단을 창안할 때 참고하고 영향을 받았던 일본의 사상 전향 조직이었던 '대화숙'은 전향 대상자의 가족을 함께 관리함으로써 전향자를 장악하려고 했다.(강성현, 『한국 사상통제기제의 역사적 형성과 '보도연맹 사건'. 1925-50』, 서울대학교 사회학과 박사 논문, 2012, 170쪽) 한국의 반공국가가 활용한 전향과 사상 통제의 제도적 수단에는 처음부터 가족이라는 대상이 명확하게 인식되어 있었다.

이"의 집안은 가족이 대신해서 처벌받아야 한다며 아무 혐의 없던 다른 가족을 살해하는 '대살'代殺이 횡행했기 때문이다.[82] 좌익 가족사에 대한 소설 쓰기는 그러한 두려움을 짊어져야 하는 일이었고, '꾸며 쓴 이야기'인 소설은 반공국가의 폭력으로부터 작가 자신을 보호하기 위한 은닉대본의 장이었다. 전향자로서 오빠의 면모를 강조한 『목마른 계절』이 진이의 전향 서사가 되었던 것은 바로 그러한 가족사 재현의 위험을 낮추는 한 방식이었다.

『목마른 계절』의 진이의 전향은 3중으로 겹친 자신의 혐의를 거두기 위한 서사였다. 일차적으로 오빠의 영향을 받은 자신의 좌익 이념을 버리는 과정이었으며, 전향자이기는 했으나 좌익 경력을 가진 오빠라는 불온한 가족 구성원에 대해 해명해야 했다. 그리고 반공주의 국가인 대한민국 체제가 아니라 공산주의 치하의 서울에서 남아 있었다는 사실, 즉 부역 혐의에 대한 의심스러운 시선을 해명해야 했다. 한국전쟁기에 피난을 가지 않고 서울에 잔류한 이들을 이승만 정권은 좌익이나 좌익 동조자 혹은 기회주의자로 보았다.[83] 서울 수복 이후 좌익 혐의자로 몰린 이들은 자신이 좌익이 아니었음을 해명해야 했다. 이러한 위태로운 상황 속에서 자기 증명을 해야 했던 잔류 문인, 즉 '잔류파'들은 살아남기 위해서 '반공의 철저성'을 치열하게 고백해야 했는데 그 주요한 방식 중 하나가 공산주의와의 접촉을 그들의 본질을 깨닫게 하는 기회였다고 말하는 방식[84]이었다. 이러한 잔류파 문인들의 고백 서사는 "북한 사회의 부정적인 면모를 성토하면서 반공의 체험적 사례를 국가

이야기로 편입시키며 이데올로기적 순응을 자발적으로 보여주는 대표적인 국민 이야기"[85]로 기능했다.

박완서의 『목마른 계절』 속 진이의 전향 서사는 이러한 잔류파 문인의 고백 전략과 거의 유사한 방식으로 작동했다. 이러한 경향은 이선미가 지적했듯이 1970년대 박완서의 전쟁 소재 소설들이 부역 혐의에 대한 사회적 기억과 깊게 연관[86]되어 있기 때문이다. 그런데 『목마른 계절』 속 부역의 문제에서 한 가지 주목해야 할 부분이 있다. 소설 속 진이의 부역 행위가 실제 박완서 가족의 부역과는 전혀 다른 동기에 의한 것으로 그려지고 있다는 점이다. 『그 산』에서 가족의 부역은 자발적인 것이 아니라 생존을 위해서 불가피했던 상황적 선택으로 그려지지만, 오히려 『목마른 계절』에서는 좌익 이념에 따른 자발적 참여로 그려지는데 이는 공산주의의 현실을 직시하고 좌익을 혐오하게 되는 의식 변화로 이어진다.[87] 실제 박완서의 체험보다 『목마른 계절』 속 부역 행위가 이념적으로 더 불온한 동기로 그려진 셈이다. 그러나 이는 인물의 전향 과정과 맞물리면서, 오히려 더 극적인 효과를 가져온다. 투철했던 좌익이 오히려 더 강한 비판자로 변화함으로써 전향의 진정성에 힘을 실어주는 것이다. 『목마른 계절』 속 부역 혐의의 자발성은 오히려 진이의 전향을 위한 예비 단계로 기능한다.

『목마른 계절』에서 박완서의 가족사 '고백'은 한국전쟁기를 거치며 확립된 전향 서사의 구조를 차용하여 가족에 가해진 의심의 시선을 회피하는 전략이다. 『목마른 계절』은 연재본에는 등장하

지 않았던 오빠의 비극적 죽음의 장면 등을 추가하고, 박완서 본인
이 경험한 전쟁의 구체적 장면들이 지워지면서 "공산주의의 비정
성과 전제성을 비판하는 형식"[88]을 선명하게 한다. 『목마른 계절』
의 가족사 '고백'은 반공국가의 공식대본에 부합하는 방향으로 작
동함으로써, 공식기억에 편입되지 못한 다른 기억들을 재현하는
증언의 성격이 더욱 약화된다. 이는 70년대에 좌익 가족사를 재현
하는 과정이 가진 한계를 명확하게 보여준다.

  같은 해 발표된 김원일의 『노을』은 그의 고향 진영읍을 배경으
로 가상의 좌익 폭동을 통해서 반공주의 공식대본의 논리를 따르
면서 가족사를 그리기도 했다. 이와는 대조적으로 역시 같은 해인
1978년에 「순이 삼촌」을 발표하면서 제주4·3에 대해 공식기억과
다른 방식으로 그렸던 소설가 현기영이 이듬해에 군 수사기관에
끌려가 모진 고문을 당했다. 좌익 가족을 둔 작가들이 과잉적응하
거나 은닉대본을 통해 은폐된 가족사를 '고백'하는 전략을 취하게
했던 두려움은 너무나 현실적인 위협이었던 셈이다.

  「엄마의 말뚝」 연작은 박완서의 가족사 재현에서 일종의 징검
다리와 같은 역할을 한다. 연작의 1, 2편의 내용인 아버지의 죽음
이후 '대처'로 이주한 어머니와 남매의 성장기, 그리고 '어머니의
신앙'이었던 오빠의 죽음은 『싱아』와 『그 산』의 중심 서사이기도
했다. 『목마른 계절』이 좌익 성향이었던 하진이 전쟁의 참상과 공
산주의의 실체를 경험함으로써 반공국가의 (반공) 국민으로 전향하
는 과정이라면, 전쟁 이전의 가족사를 포괄하는 「엄마의 말뚝」 연

작은 그 체험을 개인적 성장의 과정 쪽으로 무게를 옮겨간다. 『싱아』와 『그 산』에서 전쟁과 가족사의 기억은 박완서가 작가라는 정체성을 획득하고 성장해가는 과정으로 나타나는데, 이는 『목마른 계절』의 '국민 되기'(전향)의 서사가 「엄마의 말뚝」 연작을 거치면서 '나'와 가족의 문제로 초점을 옮겨가는 과정과 연속되어 있다.

특히 「엄마의 말뚝 2」는 어머니의 투병기 사이에 오빠의 죽음이라는 전쟁의 기억을 배치함으로써, 전쟁 기억을 반공국가와의 관계보다는 가족의 문제로 해명하려는 시도를 더 선명하게 했다. 「엄마의 말뚝 2」에서 『목마른 계절』 속 황소좌 대신 '보위부 군관'이 오빠를 살해한다. 작은 변화 같지만 이런 서술의 변화는 좀 더 실제 사건에 다가가는 과정이었다. 『목마른 계절』에서 총격에 즉사한 오빠와 달리 「엄마의 말뚝 2」에서 총상을 입은 오빠는 며칠간 앓다가 죽는다. 며칠 차이일 뿐이지만, 그 죽음의 기간은 가족의 죄의식을 설명해준다.* 오빠가 치명상을 피했음에도 제대로 된 치료를 받지 못해 죽었기 때문이다. 그리고 죽음을 맞이하는 "며칠 동안에도 오빠의 실어증은 회복되지 않"[89]았다는 사실은 그에게 신체적 폭력뿐 아니라 전쟁의 공포라는 정신적 폭력이 계속되

---

* 『목마른 계절』에서도 오빠는 총기 오발 사고로 환자가 된다. 하열이 근무하는 학교에 모였던 제2국민병으로 징집된 한국군 병사의 실수로 발사된 탄환에 다리가 관통되었는데, "생명에 절대 관계없"(『목마른 계절』, 271쪽)는 상처로 설명된다. 인민군 황소좌의 총격으로 인해 이 오발 사고는 오빠의 직접 사인이 아니라 가족이 피난을 가지 못하는 이유가 된다. 반면 『그 산』에서는 청년방위군 사병의 총기 오발 사고가 오빠가 죽게 된 결정적 원인이었다.

었음을 간접적으로 보여준다.

　『목마른 계절』과 「엄마의 말뚝」 연작을 거치면서 변화해온 박완서의 가족사 재현은 『싱아』와 『그 산』에 이르러서 새로운 국면을 맞이한다. 민주화를 기점으로 본격화된 한국사회의 이행기 정의 국면의 전개 과정은 박완서를 비롯한 한국의 작가들에게 큰 영향을 끼쳤다. 「복원되지 못한 것들을 위하여」에서 기억을 억압했던 폭력의 굴레가 완전히 사라진 것이 아님을 보여주기는 했지만, 동시에 "제주도에서 있었던 4·3사건을 비롯해서 여순반란사건, 거창학살사건, 근래의 광주사태까지 그동안 망각을 강요당한 사건들이 논픽션으로 또는 소설로 봇물을 튼 듯이 쏟아져나"90)오는 시대이기도 했다. 이런 이행기 정의 국면의 형성 과정은 박완서가 두 편의 자전적 소설을 출간하는 90년대 내내 더욱 가속화되었다.91) 두 편의 자전소설을 통해 박완서가 처음으로 자신의 가족사를 완전히 밝힐 수 있었던 데는 이러한 이행기 정의 국면의 전개가 분명 적잖은 영향을 끼쳤을 것이다. 그리고 이러한 상황 속에서 박완서는 전작들에서 취했던 '고백'의 서사 전략과는 다른 방식으로 가족사를 재현한다. 『싱아』에 와서 박완서는 과거의 기억을 억눌러왔던 이들과의 대결 의식을 선명하게 하면서, 증언의 의지를 강하게 보여준다.

　이 거대한 공허를 바라보는 것도 나 혼자뿐이었고 앞으로 닥칠 미지의 사태를 보는 것도 우리뿐이라니. 어떻게 그게 가능한가. 차라리 우리도 감쪽같이 소멸할 방법이 있다면 그러고 싶었다.

그때 문득 막다른 골목까지 쫓긴 도망자가 휙 돌아서는 것처럼 찰나적으로 사고의 전환이 왔다. 나만 보았다는데 무슨 뜻이 있을 것 같았다. 우리만 여기 남기까지 얼마나 많은 고약한 우연이 엎치고 덮쳤던가. 그래, 나 홀로 보았다면 반드시 그걸 증언할 책무가 있을 것이다. 그거야말로 고약한 우연에 대한 정당한 복수다. 증언할 게 어찌 이 거대한 공허뿐이랴. 벌레의 시간도 증언해야지. 그래야 난 벌레를 벗어날 수가 있다.

그건 앞으로 언젠가 글을 쓸 것 같은 예감이었다. 그 예감이 공포를 몰아냈다.*

『싱아』의 결말부에서 1·4후퇴로 서울에 피난령이 내려진 상황에서 박완서의 가족은 피난을 가지 않기로 한다. 박완서는 한국 정부가 도망치고, 아직 인민군이 장악하지 못하고 텅 비어 있는 서울의 공허를 바라보는 유일한 목격자가 된다. 피난으로 인해 권력의 진공 상태가 된 서울은 차라리 "형무소에 인공기라도 꽂혀 있다면 오히려 덜 무서울 것 같"(『싱아』, 282쪽)은 미지의 공포를 기다리는 두려운 장소다. 그러나 박완서는 그 공허한 도시가 권력에 의해 아직 식별되지 않은 공간이라는 점을 인식하면서 인식을 바꾼다. 그

---

* 박완서, 『그 많던 싱아는 누가 다 먹었을까』, 세계사, 2012, 283쪽. 이후 인용 시 괄호 안에 제목과 쪽수만 표기한다.

는 '반동'과 '빨갱이'라는 가독성 높은 기준을 통해서만 사회를 바라보는 남과 북의 두 국가가 포착할 수 없는 회색 지대의 세계를 바라볼 수 있는 자가 바로 자기 자신이라고 생각한다. 그리고 그는 유일한 목격자로서 자신이 이를 증언해야 할 책무가 있다고 생각한다.『목마른 계절』의 후반부에서도 전쟁의 참상을 기억하고 이를 전달해야 한다는 인식은 나타나지만, 그것이 가진 의미는 사뭇 다르다.

『목마른 계절』의 진이는 미망인이 된 올케와 대화하면서 오빠의 죽음과 같은 참상을 이야기하고, 전해야 한다고 말한다. 그런 참혹한 기억만이 "전쟁을 미리 막아보려는 노력과 인내의 밑바탕"(『목마른 계절』, 432)이 될 수 있기 때문이다.『목마른 계절』에서 진이의 이야기하기는 전쟁을 해볼 만한 것으로 인식하는 이데올로기에 맞서려고 한다. 그러나 앞서 살펴보았듯이『목마른 계절』속 가족사 재현은 한국사회를 지배하고 있는 이데올로기인 반공주의의 공식대본과 타협하는 '고백'의 전략 속에서 이루어졌다. 진이의 이야기하기는 반전과 탈이데올로기라는 윤리적 가치를 내세우고 있지만,『목마른 계절』은 전향 서사의 외형을 통해 불온한 가족사를 완곡어법[92]의 형태로 '고백'하고 있던 것이다. 반면에『싱아』의 화자인 '나'(박완서)는 자신을 (반공) 국민이라는 형상 속으로 편입시키려는 전향의 언어를 사용하지 않는다. 오히려 자신을 '빨갱이'로 규정했던 권력의 언어와 충돌하려고 한다. 박완서가 '벌레의 시간'이라고 칭하는 전쟁기에 좌익 혐의자로 반공국가의 탄압을 받았던 기억은 그가 전쟁의 참상과 함께 증언해야 할 대상이다. 그러나 이 증언하기의 목적은 기억을 보존하고 전달하기 위함만이 아니다. 그를 벌레로, '빨갱이'라는 비인간화된 타자로 못 박으려는 국가의 '정의Definition'93)에 맞서려고 한다.

이웃의 고발로 의심의 대상이 된 박완서의 가족은 '빨갱이'를 찾아내려는 청년단체들의 위협 때문에 고초를 겪는다. 오빠가 의용군으로 끌려간 사실을 알렸지만, 그들의 눈에 가족은 '빨갱이'일 따름이었다. 그들이 자신을 벌레 취급한다는 사실에 심각한 모멸감을 느낀다. 그 고통스러운 경험은 그에게 지우고 싶은 기억이지만, 동시에 결코 망각해서는 안 되었다. 자신이 이를 망각하게 될 때, 그는 영원히 벌레로 남겨질 것이기 때문이다.

> 나는 밤마다 벌레가 됐던 시간들을 내 기억 속에서 지우려고 고개를 미친 듯이 흔들며 몸부림쳤다. 그러다가도 문득 그들이 나를 벌레로 기억하는데 나만 기억상실증에 걸린다면 그야말로 정말 벌레가 되는 일이 아닐까 하는 공포감 때문에 어떡하든지 망각을 물리쳐야 한다는 정신이 들곤 했다.(『싱아』, 268)

'나'는 벌레로 남겨지지 않기 위해서 기억을 말해야 한다. 증언하는 일이 "정당한 복수"가 될 수 있던 것은, 바로 자신을 '빨갱이'로 정의한 반공국가의 가독성을 해체할 수 있기 때문이다. 생의 마지막 순간까지 박완서는 벌레의 시간과 맞서는 일이 자신이 글쓰기를 하는 원천이었다고 밝힌다. 그는 생전 마지막 강연에서도 전쟁에서 경험했던 폭력적 상황을 "잊지 말고 기억하자, 그래서 언젠가는 이것을 증언"하기 위해 "언젠가 소설을 쓰리라"고 다짐하면서, 가해자들을 "소설 속에 등장시켜서 악인을 악인으로" 그려내려고 했다고 밝힌다.[94] 벌레의 시간에 맞서기 위해서 박완서는 소설가로 거듭난다. 이 소설가는 『싱아』에 와서 증언의 주체가 되어서 반공국가의 공식기억과 공식대본을 교란하고자 한다. 90년대 자전소설 속에서 다시 반복된 박완서의 가족사는 반공주의의 공식대본과 타협하는 '고백'의 전략이 아니라, 그에 맞서 과거의 의미를 새롭게 창출하려는 주체를 만들어낸다.

『싱아』와 『그 산』에는 사회를 (반공) 국민과 '빨갱이'로만 식별하려는 반공국가가 가독성을 높이기 위해서 사용하는 제도적 장치가 반복적으로 등장한다. 시민증과 도민증 같은 신분 증명을 위한 서류는 피난과 점령 상황에서 생존을 좌우하는 강력한 식별 수단이다. 이런 신원 증명 장치는 권력 목적이 더 쉽게 달성될 수 있도록 사회 성원들의 정체성을 단순화함으로써 사회에 대한 가독성을 높인다. 전쟁 중 국민에 대한 이념적 가독성을 높이려는 시도는 전쟁 피난민에 대한 보호 조치보다 선행되었다.[95] 마을 단위의 주민 조직인 '국민반'을 통해서 국민에 대한 감시 통제 장치인 '유숙계'를 운영하면서 국민반 책임자인 반장에게 시민증을 발부할 수 있는 권한을 부여했다.[96] 이처럼 강박적으로 작동한 식별 체계는 '프로크루스테스의 침대'처럼 단순화된 기준에 부합하지 않는 모든 요소를 잘라낸다. 이 국가의 식별 장치 안으로 수용되기 위해 감내해야 할 대가가 무엇이었는지는 전쟁기를 다루는 박완서의 자전적 소설들에서 반복적으로 등장했다. 『목마른 계절』부터 『그 산』까지 피난을 위해 신원을 증명해줄 도민증을 얻으려던 오빠의 노력은, 역설적으로 그가 총상을 입고 피난을 갈 수 없게 된 원인 이었다. 국가가 만든 사회의 경계 안쪽에 속한 자임을 증명하려는 시도가 오히려 생존의 위기를 가져왔다. 이러한 가독성의 문제는 또 다른 국가권력인 북쪽의 인민공화국 역시 마찬가지다. '빨갱이' 와 '반동'을 정의하고, 그들을 제거하려는 두 개의 국가 사이에서 끝없이 반복되는 자기 증명의 요구는 전쟁의 가장 고통스러운 부 분이었다.

그래, 우리 집안은 빨갱이다. 우리 둘째 작은아버지도 빨갱이로 몰 려 사형까지 당했다. 국민들을 인민군 치하에다 팽개쳐두고 즈네들 만 도망갔다 와가지고 인민군 밥해준 것도 죄라고 사형시키는 이딴 나라에서 나도 살고 싶지 않아. 죽여라, 죽여. 작은아버지는 인민군 에게 소주를 과 먹였으니 죽어 싸지. 재강 얻어먹고 취해서 죽은 딸 년의 술 냄새가 땅속에서 아직 가시지 않았으리라. 우리는 이렇게 지지리도 못난 족속이다. 이래 죽이고 저래 죽이고 여기서 빼가고 저기서 빼가고, 양쪽에서 쓸 만한 인재는 체질하고 키질해서 죽이 지 않으면 데려가고, 지금 서울엔 쭉정이밖에 더 남았냐? 그래도 뭐 가 부족해 또 체질이냐? 그까짓 쭉정이들 한꺼번에 불 싸질러 버리고 말지.*

작은 숙부가 부역 혐의로 처형된 이후, 극도의 긴장 상태에 있던 '나'는 숙부가 경찰서로 연행되어 조사를 받자, 경찰서를 찾아가 형사들 앞에서 애원하는 대신 분노를 토한다. 끝없이 자기 증명을 요구하는 반공국가의 식별 과정에 자포자기한 심정으로 토해내는 분노의 말은 국가권력이 사회를 자의적으로 나누는 경계 세우기, 즉 '국민 만들기'의 과정이 가장 끔찍한 형태의 폭력임을 고발한다. 차미령의 지적처럼 전쟁기 국가의 신원 증명 장치에 대한 박완서의 문제 제기는 반공국가로 성립되었던 한국사회에서 시민권의 형성이 목숨의 문제에서 비롯되었음을 보여준다.[97] 그런데 이 신원 증명 장치 앞에서 개인은 무력하게 식별되기만 하지 않는다. 차미령은 박완서 소설 속 인물들이 각기 다른 체제, 국가가 요구하는 상이한 증명서를 교차해서 사용하거나 정해진 요건과 다르게 사용하면서 '신원 연출'을 감행하기도 하는데, 이는 가짜 피난이라는 문제와 연결된다는 점을 날카롭게 지적한다.[98] 잔류파와 도강파를 나누는 피난 여부, 국민임을 확인하기 위한 신원증명서 등 국가가 가독성을 높이기 위해 사용한 장치들은 끔찍한 폭력적 경험이다. 그러나 동시에 자신의 가족을 보호하기 위해서 이를

* 박완서, 『그 산이 정말 거기에 있었을까』(이하 『그 산』), 세계사, 2012, 136~137쪽. 이후 인용시 괄호 안에 제목과 쪽수만 표기한다.

이용하고 적극적으로 속여야 할 대상이 되기도 한다. 이는 국민 식별을 위한 제도적 장치를 속이기 위해 은닉대본을 사용한 사례로 읽어낼 수 있을 것이다.

『싱아』와 『그 산』 같은 박완서의 90년대 자전소설은 이처럼 생애사 속 은닉대본의 실천을 재현함으로써, 반공국가의 폭력성을 고발한다. 그리고 이는 때로 서로 적대함으로써만 자신을 규정할 수 있는 반공국가와 인민공화국이 실상 거울쌍처럼 서로 구분되지 않는 존재라는 점 역시 폭로한다. (향토방위대에서 근무하는 것이) "나는 겨울에 인민위원회에서 일할 때하고 너무도 상황이 비슷해서 문득문득 지금 어느 쪽 세상에 살고 있는지 헷갈리려고 했다"(『그산』, 149)는 서술은 "체질하고 키질해서 죽이지 않으면 데려가"는 양쪽(반공국가와 인민공화국)의 행위가 실상 동일한 폭력의 반복일 뿐임을 보여준다. 그렇게 이 증언하는 주체는 반공국가가 이념에 따라서 만들어 낸 사회의 경계를 기억의 재현을 통해서 새롭게 나누는 정치의 주체이기도 했다.[99]

『싱아』와 『그 산』의 서술자인 '나', 박완서의 주체화 과정은 정치적 차원에 한정되지 않는다. 특히 『그 산』에서 박완서의 가족, 특히 '나'와 올케는 전쟁의 고난 속에서 가족을 지키기 위해 생계부양자[100]가 된다. 김양선은 『그 산』에서 여성 인물은 전쟁을 증언하는 주체이자, 가족을 먹여 살리는 가모장家母長이 되는 과정을 거치며 성장해가는 주체[101]라는 점을 짚어준다. 박완서가 그리는 전쟁의 풍경에서 생활과 생존을 위한 노력은 물리적 폭력 그 이상으로 위험하고 중대한 문제였다. 특히『그 산』의 후반부는 가족의 생계를 부양하기 위해서 경제활동에 나서는 '나'와 올케의 이야기가 중심이 된다. 이러한 전투 이외에 생계 부양과 생존은 전투와 정치를 통해서만 전쟁을 기억하는 남성 경험 중심의 기억과 구분되는 여성의 전쟁 기억을 구성하는 중요한 축이었다.[102]

박완서의 첫 소설인『나목』의 배경이 되는 미군 PX 근무 경험 뿐 아니라, 자매다과점 같은 상업 활동 그리고 1·4후퇴 이후 빈집에 남겨진 식량까지 모아가면서 생계를 이어갔던 경험이 그의 자전소설에서 강렬하게 묘사된다. 생존을 위해서 합법과 불법을 오가기도 하는 이 생계 부양 서사는 전쟁 기억의 재현이 사실에 근접해가는 과정을 보여주기도 한다. 박완서는『나목』에서 어머니를 오빠들이 폭격으로 죽은 뒤에는 먹는 것에 무관심한 인물[103]로 그린다. 그러나『그 산』에서는 "사랑하는 가족이 숨 끊어진 지 하루도 되기 전"에 "팥죽을 단지 쉴까 봐 아귀아귀 먹"(『그 산』, 191)는 가족의 모습을 보여준다. 폭력과 죽음의 공포만큼이나 생존을 위한 절박함이 전쟁의 참상을 보여주는 처절한 기억이 되었던 셈이다.

『싱아』와『그 산』에서 생계 부양자 여성의 서사는 미군 PX 근무나 상거래 같은 공식적인 경제활동뿐 아니라 도둑질이나 밀거래 같은 지하경제, 그리고 동원과 부역에 따른 배급 등 전시경제 전반을 보여준다. 총기 오발 사고로 심각한 부상을 입은 오빠 때문에 피난을 가지 못한 박완서의 가족은 서울의 빈집을 뒤지며 먹을거리를 구하기 위해서 "도둑질보다는 낫게 들리"(『그 산』, 38)는 '보급투쟁'에 나선다. 가족의 도둑질은 엄혹한 전쟁 상황에서 생존이 가장 중요한 가치로 부각되었음을 보여준다.

> 그들이 전쟁을 하고 있는 것 못지않게 나도 식량과의 전쟁을 하고 있었다. 빨리 세상이 바뀌길 바라는 건 이제 자유니 민주주의니 하는 이념의 문제가 아니었다. 우리 집 식량이 바닥나기 전에 먹을 것이 유통되고 먹을 걸 살 돈이 없으면 하다못해 구호물자라도 얻어먹을 수 있는 세상이 와야만 했다.(『그 산』, 51)

가족에게 식량을 구하는 일은 그 자체로 또 하나의 전쟁이었고, 이념을 내세운 전쟁의 명분보다는 생존의 조건이 더 중요했다. '나'는 인민군 점령 하의 서울 인민위원회 일을 도와달라는 마부 신씨의 말을 거절하지 못한다. "입에 풀칠할 최소한의 생존권을 요구할 바에야 좋은 정부 나쁜 정부 가릴 게"(『그 산』, 55) 없기 때문이다. 생존의 요구는 부역자와 반동을 분별하려는 국가의 식별 체계보다 우선하는 것이었다. 체제에 대한 비판의 기준 역시 이념의 잣대가 아니라 생존의 논리가 대신한다. 『그 산』에서 인민공화국에 대한 '나'의 반감은 예술단의 위문 공연을 보면서 "굶주림의 공포 앞에 양식 대신 예술을 들이대며 즐기기를 강요"(『그 산』, 63쪽)하는 체제에 대한 분노에서 비롯된다.

생계 부양자 여성의 노동은 생존을 위해 부당한 일을 감내하는 과정이었지만, 동시에 가족 내 노동이라는 영역을 벗어날 수 있게 하는 기회이기도 했다. 전쟁 직전인 1949년에 28.4%에 불과했던 여성의 경제활동 참여는 전쟁이 한창이던 1951년에는 63.7%까지 폭증한다.[104] 특히 상업 분야에서의 참여가 가장 활발했는데 1951년과 52년에는 전체 상업 분야 종사자의 거의 47%가 여성들이었다.[105] 이는 전쟁으로 인한 생계 부양자 여성의 등장이 가족의 위기이자 동시에 사회 활동의 제약을 완화하는 조건이라는 점도 보여준다. 한국전쟁 여성 구술사에서 생계 부양자로서의 경험은 전쟁 중 긍정적 경험의 사례로 이야기되기도 한다. 『그 산』에서 '나' 역시 인민위원회나 향토방위대, 자매다과점, 미군 PX 여급 등 다양한 직업을 경험하면서 말단이지만 권력에 가까워지거나, 상당한 돈을 벌게 되면서 가족의 존중을 경험한다. 그러나 생계 부양자로서 경험은 한편으로 강한 수치심을 동반하기도 했다.

『그 산』에서 생계 부양자 여성의 수치심은 사회적 편견에서 비롯되지만 동시에 여성 자신의 가치 기준과 현실의 삶 사이에 나타난 불일치를 반영하는 것이었다. 한국전쟁으로 인한 남성 부재의 상황에서 가족의 생존을 위해 여성은 생계 부양자로서 가족의 경계 바깥으로 나가 노동해야만 했다. 여성들이 사회로 나가 일해야 하는 것이 불가피해졌음에도 불구하고 집 밖에서 일하는 여성들에 대한 한국사회의 편견은 여성의 내면에조차 남아 있었다.[106] 가정의 바깥에서 일하는 여성은 성적으로 타락할 수 있는 존재로 인식되었으며, 이러한 시선은 특히 전쟁미망인들에게 더욱 가혹하게 가해졌다.

『그 산』에서 전쟁미망인이 된 올케는 장사를 시작하고는 가족의 생계를 책임지는 귀한 몸이 된다. 그러던 올케가 가족과 밥을 먹던 중 구토를 하자, 어머니는 며느리가 혹여나 미군을 상대로 성매매를 한 것이 아닌지 의심하고 그를 추궁한다. 그 말에 올케는 자신이 가족의 생계를 위해서 '양갈보'들을 상대로 어떻게 장사를 했고, 그들을 바라보며 느꼈던 그의 불쾌했던 감정들을 토해내며 시어머니를 몰아붙인다.

올케의 구토는 전쟁 중 성매매에 나선 여성들을 혐오하면서도 그들을 상대로 장사하는 자신이 다를 바 없다는 자기혐오의 신체적 반응이었다. 그런 와중에 전쟁미망인이 된 자신을 의심하는 시어머니의 시선은 생계 부양자 여성에게 강한 분노와 수치심을 체험하게 한다. 전쟁 중 미군을 대상으로 한 성산업에 간접적으로나마 연결된 것은 성매매 여성들을 고객으로 장사를 한 올케만이 아니었다. 미군 PX에서 일하던 '나'는 올케의 '양갈보' 이야기를 자신이 이해할 수 있다는 사실에 부끄러움을 느낀다. 일본 등에서 수입된 외설 잡지들이 "헌 신문지처럼 도처에 굴러다니는"(『그 산』, 255) PX에서 일하고 있었기 때문이다. 미군을 대상으로 한 성산업에 간접적으로나마 연결되었다는 인식은 '나'에게 "온 식구가 양키한테 붙어먹고 사는 거야말로 남루와 비참의 극한"(『그 산』, 256)이라는 강한 수치심을 느끼고는 구토를 한다.

『그 산』에서 생계 부양자 여성의 수치심은 구토라는 신체적 증상으로 반복적으로 나타난다. 오빠의 죽음 직후에도 살아남기 위해서 마치 그 사건을 없던 일처럼 대하는 가족의 모습에 토악질이 올라오는 것 같은 감각을 느끼기도 한다. 구토는 박완서의 70년대 소설부터 반복적으로 등장했던 신체적 반응이었다. 차미령은 박완서 소설 속 구토의 상상력의 원형이 「부처님 근처」에서 나타난 살아남기 위해서 죽음(의 기억)을 삼키다가 이를 소화하지 못하는 고통이었다고 설명한다.[107] 구토는 전쟁의 상처가 현재에도 반복되고 있음을 보여주는 신체적 증상[108]이기도 하지만, 동시에 상처 입은 자아가 그 고통으로부터 자유를 찾으려는 행위[109]이기도 한 것이다.

『그 산』에서 '나'의 구토는 생존을 위한 가족의 행동과 자신 사이의 거리를 확보하고자 하는 바람을 반영한다. 구토는 생존을 위한 가족의 행동을 내가 반성할 수 있는 주체임을 확인시켜준다. 박완서의 소설 속에서 전쟁은 생존을 위해 개인의 윤리를 내려놓는 삶의 태도를 학습한 순간이며, 이로 인한 죄의식과 수치심을 가족주의의 외피로 둘러싼 자기보존 의식으로 정당화한 경험이었다.[110] 전쟁 중 생존의 가능성을 높여주는 작은 권력과 이윤에 기뻐하는 가족과 자신의 모습을 보며 느끼는 '나'의 수치심과 부끄러움, 구토는 생존주의의 욕망에 잠식되지 않으려는 주체의 자기반성을 보여준다.

수치심을 통해 가족과 반성적 거리감을 확보하는 『그 산』의 '나'는 소설의 후반부에서 어머니의 굴레에서 벗어나 독립적인 주체가 되고자 한다. 『그 산』에서 가족과 어머니로부터 벗어나려는 '나'

의 바람은 가정 밖으로 나서는 생계 부양자 여성의 서사를 뒤집는 결혼과 가정주부 되기를 통해 실현된다. 가정 밖의 경제활동을 그만두고 결혼을 통해 가족 내부로 환원되는 '나'의 행보는 표면적으로는 사회로 나갔던 여성 주체를 다시 가족 질서 안으로 편입하려는 전후 한국사회의 욕망에 순응하는 것처럼 보인다.[111) 권명아의 지적처럼 박완서의 소설 속에서 가정주부 인물을 통해 재현되는 중산층 가족은 전쟁과 근대화 이데올로기의 결과물이자, 생존과 계층 상승과 같은 '뿌리내리기'라는 가족주의적 욕망이 실상 전쟁으로 인한 '뿌리 뽑힘'의 결과였음을 비판적으로 보여주고 있기 때문이다.[112)

전후 한국사회에서 정상가족은 반공주의에 순응하고 경제발전에 매진하며 정치를 의식하지 않고 국가 가부장에 순응해야 한다는 숨은 준거[113)를 내재하고 있었으며, 「부처님 근처」 같은 박완서의 전작들은 그러한 가족의 형태가 전쟁의 경험 속에서 만들어졌음을 잘 보여준다. 「부처님 근처」에서 전쟁 중 아버지와 오빠의 죽음을 은폐하기로 한 모녀는 딸이 "처자식의 먹이를 벌어들이는 것 외에는 자기가 속한 사회에 섣불리 참여하지도 저항하지도 않는 남자"와 결혼한다. 반공주의 사회 안에서 죽음에 대한 공포와 적대감에서 도망칠 심리적 도피처로 안정된 가족을 향한 것이다.[114) 「부처님 근처」의 결혼은 전후 반공국가가 재건하려는 질서 속으로 편입되는 여성의 모습을 보여준다.

그러나 『그 산』에서 '나'는 "처자식만 알 착실한 남자"와의 결혼을 권하는「부처님 근처」의 어머니가 아니라, "공부 많이 하고, 마음만 먹으면 무엇이든지 할 수 있고, 될 수도 있"(『그 산』, 316)다며 딸의 결혼을 반대하는 어머니를 두고 있다.「엄마의 말뚝」연작을 통해 가시화되었던 어머니의 욕망은, 그에게 신앙과도 같은 아들을 통해 가문의 부흥을 바라면서도 딸에게는 전근대적 여성의 굴레를 벗어나길 바라는 이중적 욕망이었다.『그 산』에서 '나'가 결혼을 통해 가정을 이루는 과정에서「부처님 근처」와 달리 어머니와 대립하고, 그의 기대를 저버린다. 어머니와 '나' 사이의 대립 관계는『그 산』의 생계 부양자 여성 서사가 전쟁기에 대한 여성 구술사와 구별되는 독특한 지점이다.

딸이 가부장적 가족제도 외부에 선 독립적 여성이 되기를 바라는 어머니의 욕망과 "나에게 보통 딸 이상의 기대를 걸고"(『그 산』, 303) 있는 어머니로부터 벗어나려는 '나'의 바람이 충돌한다. 전쟁 중 생계 부양자 여성으로서 사회적 활동을 하던 '나'가 가정주부가 되어 가족의 경계 안으로 재배치된다는 점에서 표면적으로「부처님 근처」와 동일한 상황처럼 보인다. 그러나 결혼을 둘러싸고 '나'와 어머니 사이의 대립이 추가됨으로써, 실제 그 의미는 상당히 달라진다. 결혼이 익명적 다수의 삶 안에서 조용히 자신을 은폐하려는 전략이 아니라, 오히려 고유하고 독립적인 주제가 되려는 욕망으로 나타나기 때문이다.

『그 산』에서 어머니는 딸을 다른 가문의 구성원으로 내주게 되었다며 결혼을 반대한다. 그러나 '나'는 자신이 결코 어느 가문과 가족에 속한 한 사람이 되지는 않겠노라고 다짐한다.

> 보셔요, 엄마. 두고 보셔요. 엄마가 그렇게 억울해하는 건 당신의 생
> 살을 찢어서 남의 가문에 준다는 생각 때문인데 두고 보셔요. 나는
> 어떤 가문에도 안 속할 테니. 당신이 나를 찢어내듯이 그이도 그의
> 어머니로부터 찢어낼 거예요. 우린 서로 찢겨져 나와 싱싱한 생살로
> 접붙을 거예요. 접붙어서, 양쪽 집안의 잘나고 미천한 족속들이 온
> 통 달려들어 눈을 부릅뜨고 살펴봐도 그들과 닮은 유전자를 발견할
> 수 없는 전혀 새로운 돌연변이의 종種이 될 테니 두고 보셔요.(『그
> 산』, 321)

'나'는 결혼을 통해서 어떤 집단에 소속되어 구분되지 않는 존
재, 익명적 다수에 속한 인물이 아니라 그 모두와 이질적인 "새로
운 돌연변이의 종種"이 될 것이라고 다짐한다. 권명아는 전쟁과 같
은 국가폭력 앞에 놓였던 박완서 소설 속의 인물들이 안전을 얻기
위해 각 개인으로 구별되지 않는 집단 내부의 익명적 구성원이 되
는 길을 선택했다고 주장한다. 살아남기 위해서 필사적으로 시민
증과 도민증을 얻으려고 했던 오빠처럼 박완서 소설 속 주체는 "자
기됨의 내적 지표를 상실하고 철저히 외적 요구와 외적 규정에 종
속된 주체의 부자유"와 안전을 교환한다는 것이다.[115] 「부처님 근
처」에서 '나'의 결혼 역시 사회에 저항하거나 의견을 개진하지 않
을 남성과의 결혼을 통해서 반공국가의 모범적 국민이라는 다수

에 속한 익명적 존재로 자신을 숨김으로써 안전해지려는 바람이었다. 그러나 『그 산』에서 '나'의 결혼은 가문이라고 하는 집합적 다수의 일부가 되는 길이 아니라, 오히려 철저하게 고유한 존재가 되려고 한다. '나'는 안전을 위해 자신을 지워나가는 거래에서 이탈하고 있는 셈이다.

『그 산』은 전후 '나'의 결혼으로 끝맺음으로써 자기됨과 안전 사이의 거래가 어떻게 끝날 것인지 명확하게 보여주지 않는다. 그러나 『싱아』에서 반공국가의 공식기억에 맞서 증언하는 주체로 거듭나려는 '나'의 행보와 연결하여 보았을 때, 이 고유한 자신이 되려는 주체의 시도가 가진 의미는 분명해진다. 『싱아』와 『그 산』에 와서 '나'는 타인의 시선을 의식하여 이야기를 꾸며내는 화자가 아니라, 기억을 자신의 목소리를 통해 말함으로써 벌레의 시간을 은폐하려는 이들과 맞서는 주체가 된다. 그리고 이는 동시에 딸을 자신의 욕망 속에 가두려고 했던 어머니와의 관계 역시 새롭게 만들어가는 길이기도 하다. 「엄마의 말뚝」 연작에서 전쟁의 상처와 어머니와 딸 사이의 관계를 함께 묶어내려는 박완서의 주체 만들기의 서사는 『싱아』와 『그 산』에서 이 이중의 억압을 하나로 묶어 극복해낸다.

훼손된 공동체와 소설가의 성장

제주4·3문학을 대표하는 작가 현기영의 작품세계는 1987년의 6월항쟁 이후 적지 않은 변화를 겪게 된다. 현기영은 그를 제주4·3문학을 대표하는 작가로 만들었던 중편소설「순이 삼촌」(1978) 이후 다양한 소재와 형식으로 제주의 역사와 4·3의 기억을 소설화해왔다. 80년대 초까지 발표된 그의 4·3 소재 작품들은 (정치적 주체의 성격이 부재한 희생자로서의) '양민'의 수난으로 사건을 바라보는 경향이 두드러졌다면, 80년대 중반부터는 (정치적 주체로서) '민중'적 성격이 그의 작품들에서 점차 선명해진다. 조선왕조 말기에 제주도에서 연이어 발생했던 민란인 '방성칠의 난'과 '이재수의 난'을 배경으로 한 현기영의 첫 번째 장편소설인『변방에 우짖는 새』는 저항적인 민중성과 4·3의 기억을 연결하는 작업의 본격적인 출발점이었다.

이재수의 난을 이끌었던 장두 이재수가 "4·3의 장두 이덕구를 영웅으로 받아들이기 어려운 처지에서 그는 우리가 가슴에 품을 수 있는 유일한 영웅의 이름"[116]이었다는 현기영의 자전소설 속의 한 대목에서 알 수 있듯이 제주 민란의 소설화는 제주4·3항쟁의 민중 저항적 면모를 그리는 우회로이자 반공국가의 공식기억과는 다른 역사적 맥락을 구성하는 과정이었다. 또 다른 장편인『바람 타는 섬』(1989)에서는 제주4·3의 전사前史로 식민지하 제주 잠녀들의 투쟁사를 배치함으로써, 이재수의 난부터 4·3항쟁으로 이어지는 '항쟁의 전통'이라는 역사적 계보를 제시한다. 제주잠녀 투쟁은 1930년대 최대의 국내 항일투쟁[117]이라는 점에서도 중요하지만, 동시에 '항쟁의 전통'이 식민지라는 근대적 상황과 맞물리며 제주인들이 새롭게 '민족'과 '민중'이라는 (정치적) 자아를 발견하는 과정[118]이라는 점에서 1980년대 민중운동과 4·3을 연결하는 교두보가 되어 준다.

80년대 발표된 일련의 역사소설들을 통해 현기영은 제주4·3항쟁을 반공 이데올로기적인 공식기억과는 전혀 다르게 해석할 역사적 근거를 찾는다. 현기영에게 항쟁의 전통은 전근대의 지역 문화로 한정되지 않는다. 오히려 민주화운동이라는 근대 시민 정치로 이어지는 과정이자 민중의식이 발원한 역사적 사건으로 재구성된다. 그래서 현기영에게 70~80년대 민주화운동은 민중의 정체성을 회복하고 공동체를 재발견하는 과정으로 이해된다.[119] 현기영이 70~80년대 한국 민주화운동에서 민중성을 강조하고 있는 것은 그가 민중문화운동에 받은 영향을 보여준다. 이 시기 대표적인 민중문화운동인 마당극운동[120]에 영향을 받아 현기영이 장편 『변방에 우짖는 새』를 마당극으로 개작한 사례가 대표적이다. 전통적 민중문화에 대한 현기영의 관심은 제주의 역사에 대한 그의 관심과 민주화운동의 영향을 함께 반영한다. 이처럼 1980년대 현기영의 역사소설은 제주4·3을 양민 수난사에서 민중항쟁으로 전환하기 위한 밑거름이었다. 이러한 작업의 누적을 통해서 현기영은 4·3소설에서 그동안 꺼려왔던 제주인들이 저항을 선택하게 되는 과정을 90년대에 들어서면서 그리기도 했다.

단편 「거룩한 생애」(1991)는 해방 이후 제주 사회의 혼란과 4·3의 직접적인 도화선이 되었던 1947년 3월 1일의 경찰의 발포[121]와 무장대의 봉기, 학살까지의 과정을 한 잠녀의 생애를 통해 그리는 소설이다. 이 작품에서 현기영은 피해자로서의 양민이었던 '도피자'들을 중심에 놓으면서도 전작들과 달리 부분적으로나마 '산사람'(무장대를 부르는 은어)의 시각을 반영한다.[122] 양문규는 이 소설에서 본격적으로 현기영의 4·3소설 속 민중 재현이 수난에서 민중 저항으로 전환되었다는 점을 주목하면서 6월항쟁 이후의 정세 변화에서 그 이유를 찾고 있다.[123] 이러한 지적은 일견 타당하지만, 현기영의 소설이 항쟁의 전통을 그리는 연속적인 과정을 고려하지 않으면 이 변화를 충분히 설명할 수 없다. 민중 저항의 계보를 그리는 항쟁의 전통은 현기영이 제주4·3항쟁 당시 이덕구가 이끌던 무장대의 역할을 제한적으로 평가하고, 그들보다는 피해자였던 제주의 양민들을 중심으로 사건을 재현[124]하는 이유를 설명해준다. 이덕구가 (민란의 지도자인) '장두'로서 제 역할을 하지 못했다고 보기 때문이다.[125] 이처럼 현기영의 제주4·3소설의 변화는 민주화라는 역사적 상황에 의해서 촉발된 측면뿐 아니라 역사적 논리를 획득하는 과정도 깊게 결부되어 있다. 반면에 「위기의 사내」 같은 경우처럼 민주화가 재현의 변화를 가져온 직접적인 동인인 경우도 있었다.

현기영의 자전적 중편소설인 「위기의 사내」(1988)는 소설가이자 영어 교사인 '한기웅'이 6월항쟁의 시위 행렬에 합류하는 과정을 따라가는 작품이다. 소설은 「순이 삼촌」을 발표하고 수사기관에서 고문당했던 사건 등 현기영 본인의 경험을 비교적 상세하게 그리고 있다. 현기영은 자신의 고향인 제주의 비극을 반복해서 그려왔던 작가지만, 「위기의 사내」 이전까지 자전적인 소설을 쓰지 않는 작가였다. 그는 간접적으로 제주4·3의 경험을 반영하고 있는 등단작 「아버지」에서 노형리의 불탄 풍경[126]을 그리기도 했지만, 작품 속 사건은 실제 그의 경험과는 상당히 동떨어져 있었다. 그의 대표작인 「순이 삼촌」 역시 그 자신의 경험이 아니라, 한날한시에 430여 명에 달하는 주민들이 몰살당했던 북촌 마을을 배경으로 했다. 이는 현기영의 고향인 노형리에 대한 소설을 쓰는 일이 위험하다는 마을 어른들의 반발 때문이었다.[127] 현기영은 제주 각지를 취재하며 이를 바탕으로 소설을 썼지만, 자전적 소설은 「위기의 사내」에서야 본격적으로 시도한다. 이 소설에서 그는 1987년 6월항쟁을 배경으로 4·3의 기억을 억압하는 반공국가와의 대결을 전면화했는데, 이는 민주화로 인한 재현의 확장 국면에서 가능한 일이었다. 현기영의 자전적 소설쓰기 작업 역시 박완서와 마찬가지로 90년대에 자신의 소설가로서의 자아가 확립되는 과정을 보여주는 장편소설로 확대된다.

현기영의 자전적 장편소설인 『지상에 숟가락 하나』(이하 『지상』)는 그가 제주4·3의 참화를 경험했던 유년시절부터 청년으로 성장해서 제주를 떠나기까지의 과정을 그리고 있다. 『지상』을 『실천문학』에 연재하던 당시 한 인터뷰에서 현기영은 이 소설에 자신의 문학을 결정지은 여러 배경이 등장한다고 말하면서, 그중 특히 제주도의 자연을 강조한다.* 『지상에 숟가락 하나』에서 제주의 공간성은 "폭력적 근대와 대척적인 신화적 공동체"[128]로 그려지며, 이 소설 속 아이들에게 신화적 세계를 체험하게 해주던 것은 제주의 자연과 설화다.[129] 제주의 자연만큼이나 제주의 공동체적인 삶은 작가의 성장에 중요한 역할을 했던 배경이다. 이 소설에서 제주에서의 삶에 대한 현기영의 재현은 공동체로서의 삶과 그 공동체를 둘러싼 제주의 자연, 그리고 이 둘의 불가분의 관계를 파괴한 폭력의 경험이 뒤엉킨다.

삼국시대까지 탐라국이라는 독립 국가로 존재했고, 한반도에 병합된 이후에도 제도적 차별과 물리적 거리, 이질적 문화로 인해 육지와 구별되는 지역성이 강했던 제주는 식민지기 근대화의 충격 속에서 오히려 공동체의식이 강화되었다.[130] 현기영 역시 제주도를 육지와는 구분되는 고유한 역사와 문화를 가지고 있는 공동체로 제주를 이해했으며, 그가 4·3을 이해하는 관점 역시 제주라는 공동체와 제주민들이 공유하는 공동체주의에 기반하고 있었다. 현기영은 『바람 타는 섬』의 배경이 되는 1931년 잠녀투쟁을 아

---

* 박철 「스산한, 그리고 따듯한」, 『실천문학』 여름호, 실천문학사, 1995, 255쪽. 제주의 자연 이외에도 가족과 친구들, 유년기의 독서, 아버지 부재의 경험 등이 그가 작가로 성장한 배경으로 함께 언급되는데, 이는 『지상에 숟가락 하나』의 주된 내용이기도 하다. 그런 점에서 이 소설은 성장소설이자 작가의 탄생을 보여주는 과정이기도 하다.

나키즘적 성격으로 설명하는데, 이는 제주의 공동체주의 문화와
잘 어울리는 아나키즘이 지역공동체에 맞게 토착화되었기 때문이
라고 보았다.[131] 제주에서 우세했던 아나키즘의 사례는 냉전의 이
데올로기적 대립이라는 구도로 규정되었던 제주4·3에 대한 반공
국가의 공식기억에서 벗어나 이를 설명하는 근거가 된다. 공식기
억에서 4·3이 발발하게 된 원인으로 지목된 이데올로기는 제주
공동체에 의해서 토착화되지 않는 한 뿌리를 내릴 수 없었으며 공
동체주의와 접합하는 방식으로만 정착할 수 있었다. "개인이 표방
한 이데올로기가 무엇이든간에 섬 주민이라면 모두 하나로 묶어
공동체주의자라고 불러야"[132] 한다는 현기영의 말은 그가 왜 4·3
을 제주 공동체의 항쟁 전통으로 설명하는지 이해하게 한다.

　『지상』에서 그려지는 현기영의 성장기는 한 개인의 경험일 뿐
아니라, 공동체의 일원이라는 인식을 형성하는 과정이기도 하다.
이는 김원일과 박완서의 자전소설과 『지상』의 가장 큰 차이점이
다. 앞서 살펴본 것처럼 김원일과 박완서의 자전소설은 가족이라
는 범위를 넘어서는 집단과 유대감을 형성하지 않는다. 오히려 타
인들로부터 자신과 가족을 보호하기 위해서 가족 관계를 숨기거
나 고향을 떠나와야만 했던 경험을 보여준다. 반공국가의 시선을
피하기 위해 자신을 둘러싼 사회적 관계를 은폐하는 은닉대본의
사례는 『지상』에서는 뚜렷하게 나타나지 않는다. 이는 육군 헌병
인 아버지를 둔 군인 가족이라는 이유도 있지만, 지역 안에서 좌익
과 우익의 차이보다 제주도와 육지의 중앙 권력이라는 대립과 차

별의 구도가 선명했던 4·3의 특수성이 더 큰 이유였다.

제주 안에서 좌익과 우익이 나뉘기는 했으나 한 가문 안에서 "우리 식구는 군인 가족, 막내이모는 경찰 가족, 나머지 샛이모를 포함해서 모두 '폭도 가족'"*이라는 서로 다른 정치적 정체성이 뒤엉키는 상황이 일반적이었다. '빨갱이 섬'이라고 낙인찍힌 지역적 차별이 제주민들의 4·3 체험 속에서 더 선명한 경험이었다. 반공국가가 제주에서 자행한 제노사이드는 지역이라는 경계를 통해서 공격할 대상을 식별[133]해냈으며, 이는 다른 육지 출신과 제주민 사이의 위계를 만들었다. 육지와 섬, 중앙과 지방이라는 위계화된 지역 차별은 군·경찰, 서청과 같은 토벌대 대 무장대라는 반공국가의 공식기억이 설정한 대립 구도가 은폐해온 복잡한 갈등을 보여준다. 같은 군인과 경찰 사이에서도 제주 출신이라 차별받았고, 한국전쟁 중 육지에서 온 피난민들에게도 "토박이들은 그 피난민들이 단지 육지인이라는 사실만으로도 기가 죽"었다. 지역 차별은 "민간 차원에서도 주객이 뒤바뀌는 식민지와 비슷한 상황"(127)으로 이어진다.

현기영이 공동체로서의 제주도를 4·3을 체험한 주체로 내세우고, 자신 역시 그 공동체의 한 일원으로 인식한 데에는 지역이라는 대립 구도가 큰 영향을 끼쳤다. 다만 이러한 그의 공동체주의적 면

---

* 현기영, 『지상에 숟가락 하나』, 실천문학사, 1999, 53쪽. 이후 작품 인용 시 괄호 안에 쪽수만 표기한다.

모가 육지와 제주의 관계를 배타적으로 인식하는 것은 아니다. 「위기의 사내」에서 4·3의 비극을 다른 지역의 비극과 연결했듯이* 제주의 공동체주의는 (공동체 회복운동으로서) 민주화운동과 연결되며, 이는 4·3에 대한 시민사회의 기억과 추모의 일반적 경향이기도 하다.[134] 정종현은 현기영이 4·3의 제노사이드적 성격을 인식했기 때문에 제주를 "육지와 절연되어 있는 하나의 우주로 구성"[135]했다고 지적했다. 이는 4·3의 제노사이드적 특성이 반공주의적 이념뿐 아니라 제주민들에게 "종족적으로 야만시 된 '토민'의 정체성이 이중적으로 겹쳐"졌기 때문이라고 인식했기 때문이다.[136] 그러나 제노사이드로서 4·3의 성격은 지역성을 유사인종주의화[137]하는 경향에서 드러나는 것이 아니라 제주 공동체라는 '집단'이 그 집단으로 존재할 수 있는 조건을 파괴당했기 때문이며, 현기영은 그 공동체 파괴의 경험을 강조하면서도 육지와의 관계를 단절적으로 보지 않았다. "변죽을 쳐서 복판을 울리게"[138]하는 것이 자신의 문학적 전략이었다는 현기영의 말처럼 그에게 제주4·3은 한반도의 다른 비극들과 마주 보게 하는 인식의 준거

* 현기영의 자전적 소설인 중편 「위기의 사내」에서는 그가 『순이 삼촌』을 출간한 직후 경찰에 끌려가 받았던 취조와 고문을 묘사하는 장면이 등장한다. 책을 쓰게 된 이유를 묻는 수사관의 말에 "금기를 덮어두면 덮어둘수록 역사는 전철을 되풀이할 뿐 한치도 발전 못한다"고 진술했는데, "그 역사의 전철이 바로 그해 5월 광주에서 되풀이되고 말았"다고 회고한다.(현기영, 「위기의 사내」, 『마지막 테우리』, 창비, 2015, 232쪽) 이 소설에서 현기영은 광주민주화운동과 제주4·3이 같은 폭력의 구조가 반복된 사건이라는 인식을 보여 준다.

였다.

제주4·3에서 반공국가는 지역을 폭력의 경계로 활용했다. 그로 인해서 4·3의 기억에서 제주도 내부의 갈등은 유사한 폭력을 경험한 다른 지역에 비해서는 크게 부각되지 않았다. 현기영이「해룡이야기」같은 초기 단편에서 4·3을 전설 속에서 해룡으로 묘사되는 '왜구'라는 외부에서 온 폭력으로 빗댄 것처럼 사건은 공동체 외부와 내부의 경계를 선명하게 하는 경험이었다. 그렇기에 4·3에서 반공국가가 자행한 잔혹한 폭력은 현기영에게 공동체 자체를 파괴하는 행위로 이해되었다. 제주 공동체가 반공국가에 의해서 훼손당했다는 현기영의 인식에서 주목할 점은 이를 단순히 물리적 폭력의 형태로만 바라보지 않았다는 사실이다. 그는 4·3이 제주 공동체가 존재할 수 있는 조건들이 훼손당하는 사실, 즉 제노사이드로서 어떻게 작동했는가에 대해 명확하게 인식하고 있었다.

『지상』에서는 제주의 공동체적 삶을 보여주는 과정에서 무속신앙의 이미지와 서사가 반복해서 등장한다. 소설에서 유년기의 현기영은 지역의 전설을 전하는 민담이나 굿판, 노래나 어른들의 이야기를 통해 무속신앙이 제주와 그곳에서의 삶을 설명하는 방식을 체험한다. 이 무속신앙의 서사와 이미지는 생명의 탄생 과정이나 죽음 등 아이가 삶을 이해할 수 있도록 돕는 인식의 틀을 제공함으로써 현기영의 유년기 성장 과정의 중요한 축을 이룬다. 그렇기에 무속신앙의 이미지는 4·3으로 인한 공동체 파괴를 상징적으로 보여주는 소재가 되기도 한다.[139] 제주에서 '업신' 또는 '칠성

신'이라 불리며 해쳐서는 안 될 영물로 여겨졌던 뱀이 4·3 이후에는 아이가 장난으로 죽일 수 있는 흉물스러운 짐승이 되고 만다. "(4·3 – 인용자)사태의 그 무서운 재앙불에 숱한 사람 목숨과 업신들이 죽었는데, 무슨 믿음이 남아"(185) 있을 리 없기 때문이다. 이처럼 무속신앙과 같은 제주 공동체 문화의 상실을 가져온 가장 강력한 충격은 제주4·3의 끔찍한 참화였다. 제주 공동체의 상실은 무속신앙과 같은 종교적·문화적 변화만을 의미하지 않았다. 불타버린 현기영의 고향 마을 노형리처럼 제주도의 지역사회는 반공국가의 폭력에 의해서 광범위하게 파괴당했지만, 그만큼이나 새롭게 건설되었다.

『지상』에서 현기영과 그의 가족들은 노형리가 파괴당한 이후에 해안가 인근으로 강제 이주를 당한다. '건설부락'이라고 이름 붙여진 집단수용소는 파괴된 고향집을 대체하는 공간이 아니라, 반공국가가 제주민들은 통제하고 감시하기 위한 전략이었다. '건설부락' 혹은 '재건부락'이라고 불린 이 집단수용소는 1949년 5월경부터 초토화된 제주의 중산간 마을의 이재민들을 수용하기 위해 건설되었지만, 이는 단순 거주지가 아니라 무장대를 마을과 고립시키기 위한 전략촌으로 건설되었다.[140]

대게릴라 전술의 일환이었던 전략촌의 건설은 만주국에서의 군사적 경험을 4·3 진압을 위해서 이식한 결과였다.[141] 전략촌은 포로수용소 같은 강제수용소와 달리 "방벽 안은 국민이 되기를 요구받는 주민의 생활공간이자, 개발이 추진되고 동시에 행정체계의 말단에 편입되는" 장소였으며 이는 일본제국의 만주국 건설만이 아니라 미국의 냉전기 개발 전략에서도 공통적으로 등장하고, 이후 한국에서는 새마을운동이라는 형태로 새로운 국가를 만드는 정치적 수단으로 활용되었다.[142] 제주에 건설되는 전략촌, 건설부락은 토벌대에 의한 파괴를 수습하는 것이 아니라, 제주 공동체가 반공국가에 의해서 (반공) 국민으로 재구성이 되는 제노사이드적 폭력의 과정이었다. 현기영은 4·3과 한국전쟁으로 이어지는 일련의 과정을 "중앙의 질서"로 편입되어 "과거와의 단절"(149)을 경험하는 것으로 파악했다. 이는 건설부락을 벗어난 이후의 삶도 다르지 않았다. 현기영은 건설부락으로 상징되는 반공국가의 개발을 폭력으로 바라보았다. 이는 4·3을 공동체 상실의 과정으로 파악한 『지상』에서 현기영이 제주의 자연을 주목한 것과도 관련되어 있다.

『지상』에서 그려지는 제주의 자연은 물리적인 환경으로 그 의미가 한정되지 않는다. 제주의 자연은 제주 공동체가 공유하는 삶의 조건이며, 그 구성원의 자의식을 형성하는 중요한 축이었다. 아름답지만 척박한 제주의 자연에서 살아남아 삶을 이어갔다는 사실은 현기영에게 제주 공동체의 자긍심의 근거였다. "고향땅의 자연은 내 자아 형성에 매우 중요한 몫"(14)이었다는 현기영의 말처럼 『지상』에서 제주의 자연은 공동체의 구성원으로서 자신을 구성하게 한 중요한 기준이었다. 그렇기 때문에 제주의 자연이 훼손되는 상황은 곧 제주 공동체라는 집단적 삶의 형식이 파괴되는 것으로 인식되었다. 그가 거친 제주의 대지, "고향 산천 도처에 지표 위로 노출된 거친 암석의 무리들, 대지의 뼈다귀들"(161)을 매혹적으로 묘사하면서도 그곳을 찾은 관광객들의 우울한 시선으로 바라보았던 이유는 그 자연이 공동체적 삶에서 벗어나 자본의 질서 속에 편입되었기 때문이다. 자연이 근대국가에 의해서 개발의 대상이 되는 과정은 공동체가 놓여 있던 기성의 삶의 조건이 외부에 의해서 재구성되거나 파괴되는 폭력으로 인식되었다.

현기영은 제주 해군기지 건설을 "아름다운 자연에 대한 무자비한 학살이라는 점"에서 "제주4·3처럼 제노사이드 시각에서 봐야"[143] 한다고 주장했던 사실은 이러한 인식을 뒷받침해준다. 사회학자 조효제는 제노사이드를 환경의 관점에서 살피는 최근의 논의들을 검토하면서 집단에 대한 폭력이 그들의 통합적 일체성이 해체되는 문화·환경 조건을 향한 파괴의 방식으로 나타날 수 있음을 주목한다. 그래서 그는 생태계에 대한 파괴 행위로서의 에코사이드Ecocide와 인간 집단에 대한 파괴 행위인 제노사이드가 개념적으로나 실제적으로 연계된다고 주장한다. "자연환경이 파괴되어 사람과 환경 간의 유대가 끊기면 집단정체성이 사라지는 '문화적 방법'의 제노사이드가 발생"[144] 한다는 것이다. 이는 현기영이 제주4·3이라는 제노사이드를 고발하는 과정에서 자연 개발에 대한 비판적 시선을 갖게 된 것을 설명해준다. 80년대 단편 「아스팔트」에서 제주의 대지를 덮은 아스팔트 도로는 4·3의 트라우마를 환기하는 소재였다. 94년 작 단편 「마지막 테우리」에서는 제주도에 건설되는 골프장이 4·3의 폭력을 경험한 노인의 삶과 겹쳐지며, 제노사이드 이후 삶의 불모성이 현재에도 반복되는 과정으로 그려진다.[145] 『지상』에서 제주의 자연이 공동체적 삶과 작가의 자아를 구성한 핵심으로 제시된 것은 4·3이라는 제노사이드가 무엇을 파괴했는가에 대한 현기영의 명확한 인식을 보여준다.

제주 공동체가 4·3으로 인해서 어떻게 파괴되었는지 『지상』은 제도·문화·환경의 차원에서 그 폭력의 영향을 보여준다. 공동체의 파괴는 현기영 자신의 성장 과정에 지울 수 없는 깊은 상흔을 남긴다. 강인한 제주 공동체의 자부심은 4·3의 참화로 인해서 회복하기 어려운 상처를 입는다. 전쟁을 피해서 제주에 온 피난민들 앞에서도 섬사람이라는 이유로 위축되었을 만큼 제주는 자부심의 근거가 아니라 반공국가 앞에서 해명해야 할 자신의 혐의가 되고 만다. 현기영의 소설에서 반복되는 해병대로 자원입대해서 빨갱이가 아님을 증명하려고 했던 제주민들의 '출병'은 『지상』에서도 과잉적응의 사례로 나타난다. 제주인의 자기 증명 노력은 소년 현기영의 우상이었던 '신석이형'의 이야기에서 조금 다른 방식으로 나타난다. 모두의 기대를 한 몸에 받던 수재인 신석이형은 어려운 환경에서 서울의 대학으로 진학하려고 노력했고, 어린 현기영은 그를 '장두' 같은 영웅으로 보았다. 그러나 그가 폐결핵으로 죽자 현기영은 그 일을 뛰어난 힘을 가지고 있었으나 끝내 좌절한 장수 설화 속의 비극적 운명처럼 받아들인다. 신석이형의 죽음은 "그 섬 고장 젊은이로서 비상을 꿈꿔본 자"가 느꼈을 "장사의 팔다리에 매달린 바윗돌들"의 "숙명적 무게"(327)로 다가온다. 이러한 좌절감은 현기영이 우울한 문학청년으로 자라게 한 조건이었다.

『지상』은 4·3 전후 제주 공동체가 경험한 폭력과 주체성의 위기를 적확하게 묘사하면서 동시에 작가 현기영이라는 인물의 성장 과정을 겹쳐놓는다. 신석이형의 좌절을 장수 설화로 상징되었던 제주민들에 대한 차별과 연결하는 현기영의 시선은 공동체의 삶 속에서 개인을 위치시키고 있음을 보여준다. 그래서『지상』에서 현기영의 성장 과정은 제주 공동체가 4·3이라는 폭력을 경험한 이후 어떻게 변화해갔는지를 보여주는 것이기도 하다. 제노사이드로서 4·3은 제주의 전통적인 문화와 생활의 공간, 자연환경들을 파괴하고 반공주의 국가의 전망에 부합하는 방향으로 제주를 새롭게 만들어낸다. 남한만으로 단독정부를 수립하려는 계획에 반발했던 제주4·3은 곧 독립 이후 한반도에 새로운 국가와 사회를 어떻게 구성할 것인지, 반공주의 국가라는 새로운 주권의 기획과 지역사회와 다른 사회적 주체들 사이의 요구가 충돌하는 장면이었다. 이 과정에서 반공주의 국가는 극단적인 폭력을 통해서 반공주의적 기획에 부합하지 않는 유형으로 판별되는 집단과 개인을 '빨갱이'로 규정하고, 파괴함으로써 사회적 주체를 단일화한다.[146] 단일한 사회적 전망을 제주에 투영하고자 하는 반공국가의 설계도는 제주 공동체가 가지고 있는 항쟁의 전통이라는 역사적 맥락을 냉전 이데올로기의 이분법적 경계로 덮어버린다. 반공국가의 '가독성'*은 냉전의 양극적 대립 구도 이외에 다른 맥락을 인정하는 방식으로 작동하지 않음으로써, 제주 공동체를 통해 연결되었던 제주민들 사이의 관계성은 단절되며 '(반공) 국민'과 '빨갱이'라는 국가의 기획과 그 구성적 외부로 분할된다.

제주 공동체의 역사적 맥락 속에서 작가 자신의 성장 과정을 서사화하는 『지상』의 작업은 반공국가의 가독성 속에서 양극적 세계로 분할되었던 제주 공동체의 사회적 맥락이 근대적 주체를 구성할 수 있다는 사실을 보여준다. (반공) 국민을 유일한 정치적 주체이자 사회의 성원으로 승인하는 반공국가의 기획 속에서 제주 공동체는 그 구성원들의 정체성을 설명해주는 사회적 근거가 될 수 없다. 그리고 이는 제주4·3이 왜 제주 공동체의 지속을 파괴하는 제노사이드로 나타날 수밖에 없었는가를 설명해준다.

반공국가가 (반공) 국민의 구성적 외부로 밀어낸 제주 공동체와 그 구성원들의 정체성을 현기영은 한국사회에 성원권을 가지는 정치적 주체, '민중'으로 재규정함으로써 회복하려고 했다. 조선조부터 일제강점기를 거쳐 4·3까지 이어지는 항쟁의 전통을 일련의 역사소설들을 통해서 조명했던 현기영은 『지상』에서는 제주 공동

---

* 반공주의 국가는 이념성을 통해 국민과 국민 아닌 자를 구분해낸다. 이러한 반공주의적 시선은 제임스 스콧이 제시한 국가가 스스로 내세운 사회적 목적에 따라 사회와 그 구성원을 단순화하는 '가독성' 개념에 부합한다. 국가의 가독성은 시민을 조직이 내세운 사회적 목적과 기준에 따라서 단순화되며 개별의 고유한 상황들은 거의 고려되지 않는다.(제임스 C. 스콧, 전상인 옮김, 『국가처럼 보기』, 에코리브르, 2010, 135쪽) 한국의 반공국가가 지역사회의 혈연의 복잡성을 고려하지 않고, 정치적 정체성을 단정적으로 분류해내는 방식은 이 가독성의 작동을 보여주는 대표적인 사례일 것이다.

체라는 '민중'적 주체가 작가라는 근대적 주체를 형성하는 과정을 보여줌으로써 반공국가가 근대사회의 외부로 밀어낸 이들의 위치를 새롭게 한다. 제주 공동체의 구성원으로서의 작가의 자아가 형성되는 과정을 보여주는 소설은 반공국가가 4·3에 부여한 역사적 맥락을 (민주화 운동이라는 근대적 정치 행위와 연결된) 항쟁의 전통으로 대체함으로써, 제노사이드를 통해 주권이 기획한 단일한 사회의 전망을 복수화한다. 반공국가의 공식기억에 맞서 폭력의 역사를 조망하려는 이행기 정의 국면에서 현기영의 자전소설은 민주화운동과 연결된 민중이라는 정치적 주체성을 제주 공동체에 부여하고, 이를 통해 새로운 사회적 전망을 창출하려고 한다. 『지상』에서 전면화된 제주 공동체라는 민중적 주체의 형상은 지역적 전통이 오히려 이행기 정의라는 근대적 정치 행위에 깊숙하게 관여했음을 보여준다. 권헌익의 지적처럼 "정치적 삶의 문제에서는 (전통적) 공동체를 반드시 (근대적) 사회와 대비되는 존재로 이해할 필요가 없"[147]다는 사실이 분단문학에 대한 논의에서 자주 잊혀졌음을 생각한다면 『지상』에서 현기영이 제주 공동체를 형상화하는 과정이 왜 중요한 것이었는지는 더 부연할 필요가 없을 것이다.

3장

제노사이드의 계보화와
해원解冤의 서사*

이행기 정의와 소설 형식의 변화

한국사회에서 이행기 정의 국면은 1990년대를 지나 2000년대가 되면 더욱 가속도가 붙는다. 그 이전까지 파편적으로 나뉘어 있었던 과거사 문제에 대한 대응을 총괄하는 통합 국가기구인 '진실·화해를위한과거사정리위원회'(이하 과거사위)가 등장하면서 체계화된다. 2005년에 '진실·화해를 위한 과거사정리 기본법'이 국회에서 통과되면서 같은 해에 출범한 과거사위는 시기와 유형, 지

---

* 이 장의 내용은 저자의 논문인 「폭력적 역사의 계보와 5·18의 기억 – 임철우의 『백년여관』을 중심으로」(『영주어문』, 영주어문학회, 2022)를 대폭 수정·보완한 것이다.

역 등으로 나뉘어 개별적으로 이루어졌던 국가폭력 과거사에 대한 진상 조사 등을 통합적으로 조사하는 독립적인 국가기구였다. 87년의 정치적 민주화로 본격화된 한국의 이행기 정의 국면은 2000년대에 이르러서 과거사 문제의 계보를 구성하는 단계로 나아갔던 셈이다. 물론 과거사위의 작업은 적잖은 한계가 있었고, 2000년대 후반 보수 정권으로의 정권 교체가 이루어지면서 운영도 상당히 제약되었지만 잊힌 사건과 사람들을 조명하는 것을 넘어서 새로운 사회적 기억의 줄기를 구성하는 데까지 이행기 정의 국면이 진전되었음은 분명하다. 국가적 기구에서의 이행기 정의의 진전이 파편화된 사건들을 통합적으로 살피는 단계로 나아갔을 때, 동시대 문학 역시 과거사 문제를 연속적인 계보로 묶어내려고 했다는 사실이 눈길을 끈다. 2000년대 중반, 소설가 임철우는 한국의 과거사 문제를 하나의 계보로 묶어내기 위해서 기존의 작품과는 상당히 다른 이질적인 소설을 발표한다.

소설가 임철우는 한국전쟁과 광주민주화운동 같은 한국사의 역사적 비극들에 대한 소설을 꾸준히 발표해온 작가다. 임철우가 국가폭력의 과거사를 재현하는 방식은 상당히 다채로웠다. 그가 80년대에 발표한 「그들의 새벽」이나 「직선과 독가스」처럼 국가폭력의 기억을 추상화하면서 간접적인 재현을 시도하거나, 「곡두 운동회」의 경우처럼 반공국가의 시선을 의식하여 서술자의 입장을 설정한 작품도 있었다. 반면에 「곡두 운동회」와 마찬가지로 한국전쟁기 민간인 학살 사건을 소재로 한 작품인 「아버지의 땅」의 경우

전쟁기의 폭력 구조가 여전히 지속되고 있다는 문제의식을 선명하게 보여주기도 했다. 이처럼 1980년대 발표된 임철우의 소설 안에서도 과거사 문제를 재현하는 방식은 편차가 상당히 컸다. 과거사 문제를 재현하는 임철우 소설의 변화는 특히 1987년의 민주화를 거치면서 더욱 두드러진다. 민주화 직후부터 그는 고향인 전라남도 완도군 평일도에서 자행되었던 민간인 학살 사건인 '나주부대사건'[148)에 대한 소설을 계속 써왔다. 그의 초기작인 「곡두 운동회」의 소재이기도 했던 나주부대사건은 민주화 이후의 소설들에서는 이전과는 전혀 다른 관점에서 그려진다. 그중에서도 특히 임철우의 첫 번째 장편소설인 『붉은 山 흰 새』의 사례를 주목해야 한다.

『붉은 山 흰 새』는 나주부대사건을 모티프로 한 작품이지만, 소설의 배경은 1970년대로 학살 사건을 경험했던 섬사람들이 간첩 침투 사건을 겪으면서 국가폭력의 굴레에 여전히 묶여 있음을 보여준다. 그런데 80년대 말에 연재된 이 소설은 다른 작품의 1부로 기획되었던 것이었다. 『붉은 山 흰 새』는 90년대 임철우의 대표작인 대하소설 『봄날』의 1부가 될 예정이었지만, 1990년에 별도의 단행본으로 묶여서 출간된다. 그래서 『붉은 山 흰 새』의 인물 중 일부는 『봄날』에도 등장했다. 『봄날』의 전사로서 기획한 『붉은 山 흰 새』는 임철우가 자신의 소설쓰기에 있어서 중요한 원체험이었던 두 역사적 사건, 나주부대사건과 광주민주화운동을 연속적인 사건으로 묶어내고자 했음을 보여준다. 국가폭력의 과거사, 특히 한국전쟁을 전후한 시기의 민간인 학살과 광주민주화운동을 연관된 사건으로 바라보는 인식을 보인 작가는 임철우만은 아니었다. 현기영의 소설이나 산문 속에서도 광주를 4·3의 기억과 마주 세우는 모습이 반복되기도 했었다. 그러나 임철우처럼 국가폭력의 과거사를 연속적인 계보 안으로 묶어서 통합하려는 시도는 드물었다.『붉은 山 흰 새』와『봄날』로 이어지는 기획은 2000년대 이후에는 20세기 한국사의 역사적 비극들을 하나의 계보로 통합하는 작업으로 이어졌다. 국가폭력의 역사를 단일한 계보 안에서 묶어 내려고 했던 작업이 임철우의 후기 대표작인『백년여관』이다.

임철우는 10년에 걸쳐서 광주민주화운동의 전개 과정을 사실적으로 재현한『봄날』을 집필하고 몇 년간의 침묵 끝에 장편『백년여관』을 발표한다. 작가 본인의 표현처럼 '다큐멘터리적'으로 집필했던 대하소설『봄날』과 달리,『백년여관』은 시공간적인 구성이 명확하지 않고 유령과 같은 환상적 요소들의 사용이 두드러진다. "여태까지 임철우의 세계 안에서 소설은 공적인 매체로 존재하고 있었는데, 이번에는 사적인 것들을 위한 소설적 장치들"[149]이 적극적으로 사용되었다는 문학평론가 서영채의 평가처럼,『백년여관』은 과거사 재현의 양상에서 임철우의 이전 작들과 상당한 차이를 보였다.『백년여관』과 전작들의 차이는 소설의 형식적 특징에 국한되지 않는다. 임철우의 소설에서 핵심적인 역사적 사건은 광주민주화운동과 나주부대사건이다. 이 두 역사적 경험은 임철우의 초기 작품 활동부터 반복적으로 소설에 나타났다. 이 두 사건을 연결한다는 점에서 『붉은 山 흰 새』는 『백년여관』의 전사라 할 수 있다. 『붉은 山 흰 새』는 "연재를 시작하기 직전까지만 해도, 팔십년 오월 며칠 동안의 기간만을 다루어볼 생각"이었으나 계획 된 1부와 2부 중, 고향 섬을 배경으로 한 1부 이야기만 연재하여 별도로 묶은 소설이었다.[150] 소설의 2부는 대하소설 『봄날』로 1998년에야 간행될 수 있었다. 나주부대사건과 광주민주화운동 을 연결하려고 했던 임철우의 노력은 『붉은 山 흰 새』이후 14년이 나 지난 뒤에야 『백년여관』으로 결실을 볼 수 있었다.

『백년여관』은 나주부대사건과 광주민주화운동뿐 아니라 제주 4·3, 베트남전쟁 등 한국사회가 경험한 역사적 비극들을 적극적 으로 하나의 서사로 묶어낸다. 폭력의 역사를 통합하고 계보화하 겠다는 의도는 작중 핵심적인 공간이자 작품의 표제이기도 한 '백 년여관'이란 이름에서도 확인할 수 있다. 1999년의 세기말을 배경 으로 100년 만의 큰 일식을 통해 이승을 떠나가는 원혼들의 세계 를 보여주는 『백년여관』은 20세기 한국사의 비극들을 종합한다. 그리고 소설 속의 청자('당신')로 설정된 작가, '이진우'는 소설쓰기 를 통해 이 비극들을 기록하고자 한다. 서영채는 『백년여관』에서 '이진우'가 짊어지고 있던 광주에 대한 죄의식을 주체화를 위한 과 잉윤리로 진단한다.[151] 그리고 그 윤리적 주체는 광주만이 아니라 한국사의 모든 비극적 사건들을 아우르는 글쓰기의 주체이기도 하다. 『백년여관』의 작가는 광주에 대한 죄의식을 통해 다른 역사 적 사건을 하나로 묶어내는 주체로 거듭난다. 그렇게 임철우는 소설가의 주체화 과정을 통해 광주의 기억을 폭력적 과거사의 계보를 만드는 매개로 위치시킨다.

임철우는 『백년여관』을 통해 광주의 기억과 다른 국가폭력의 역사를 매개하는 데 성공했다. 이러한 폭력의 계보를 그리는 작업은 임철우의 전작들에서도 시도된 것이었지만, 리얼리즘이었던 전작들과는 극명하게 다른 『백년여관』의 글쓰기를 통해 달성될 수 있었다. 그렇다면 그는 왜 폭력적 역사의 계보를 쓰기 위해서 원혼과 무속의 세계를 향해야 했는가? 그가 '다큐멘터리적 형식'으로 써야만 했던 『봄날』[152] 이후 몇 년간의 침묵 끝에 도달한 지점이라는 점이 그의 전작과 극명하게 대비되는 선명한 환상성이라는 점을 주목해야 한다. 이 장에서는 임철우가 『봄날』 이후 광주를 재현하는 방식이 『백년여관』에서 어떻게 변화했는가를 살피기 위해 폭력적 과거사의 계보화 양상과 무속적 세계라는 환상성이라는 두 측면을 중심으로 검토하고자 한다. 이를 통해서 임철우의 작품 세계에서 『백년여관』이 자리한 위치를 규명하고, 제노사이드의 계보화라는 상상력이 이후 작품들에서 어떻게 펼쳐졌는지 살필 것이다.

『백년여관』의 배경이 되는 '영도'는 임철우의 고향인 전남 완도군 평일도가 모델인 공간이다. 임철우의 소설에서 고향 평일도는 한국전쟁기의 비극적 역사의 공간으로 재현된다. 초기작인 「곡두운동회」를 시작으로 단편 「물 그림자」, 장편 『붉은 山 흰 새』와 『백년여관』 등 임철우의 작품 속에는 평일도와 완도 일대에서 자행된 나주부대사건이 반복해서 등장한다. 한국전쟁 중 퇴각하던 경찰 병력이 국민보도연맹원을 대상으로 자행한 대규모 학살이었던 나주부대사건은 어린 임철우에게 어른들이 들려주던 이야기를 통해 추체험된 사건이었다.

전쟁을 직접 경험한 세대는 아니었지만, 임철우에게 한국전쟁 중 그의 고향에서 자행되었던 일련의 폭력적 사건들은 역사적 상상력의 기원이었다.* 그가 전쟁 미체험 세대 작가의 첫 번째 주자로 평가[153]받을 만큼 한국전쟁에 대한 소설을 반복해서 써왔던 데는 이러한 유년기의 경험이 적잖은 영향을 끼쳤다. 그러나 임철우의 소설 연구는 한국전쟁 문제보다는 광주민주화운동과의 관계에 집중되었다. 이는 전쟁 미체험 세대라는 임철우의 세대적 위치와 대비되는 광주에 대한 그의 경험과 죄의식의 문제가 연구의 핵심적인 과제로 받아들여졌기 때문이다.[154] "(비극적 사건을 연결하는 - 인용자) 줄기를 이어주는 연결 고리에 현재진행형으로서의 '5·18'과 그 원체험에 있는 '한국전쟁'이 있다는 것을 인지할 때 임철우의 작품세계를 이해할 수 있다"[155]는 손미란의 지적처럼 한국전쟁이 남긴 상처는 임철우에게 현실적인 문제였다. 아버지의 좌익 혐의

---

* (완도 일대에서 자행된 나주부대사건 등) "그런 얘기들은 어린아이 특유의 상상력에 힘입어 추체험된 탓인지, 마치 제가 직접 겪은 현실처럼 느껴질 정도였습니다. (중략) 어린 저한테 한국전쟁은 원체험 같은, 그러니까 현재형이었어요. 어쩌면 저의 최초의 상상력은 그 섬과 바다의 아름다운 풍경과 함께 끔찍하고 무시무시한 전쟁의 기억에서부터 시작되었는지 모르겠습니다."(김정한, 임철우, 「역사의 비극에 맞서는 문학의 소명」, 『실천문학』 겨울호, 실천문학사, 2013, 84쪽)

로 그 자신이 연좌제로 묶여 있었기 때문이다.[156] 임철우에게 한국전쟁은 광주만큼이나 힘겹게 견뎌내야 했던 역사의 무게였다.

나주부대사건의 전모를 다루는 임철우의 작품들은 민주화 이후인 1980년대 말엽부터 본격적으로 발표된다. 1977년에 가상의 간첩 침투 사건을 배경으로 한 『붉은 山 흰 새』에서는 '낙일도'라는 이름으로 나주부대사건 당시 지역의 위기를 사실적으로 재현했다. 그리고 임철우가 당시 학살 사건에 참여한 경찰을 만난 뒤에 발표한 「물 그림자」에서는 가해자의 입을 통해 사건의 전모에 다가간다. 이처럼 그의 소설에서 반복해서 등장한 나주부대사건은 『백년여관』에서도 국민보도연맹학살사건의 주요한 사례로 등장한다. 하지만 이러한 연속성에도 불구하고 영도의 공간성은 다른 작품 속 '고향 섬'과는 상이한 이미지로 구성되었다. 그곳이 더는 작중 주인공의 고향이 아니기 때문이다.

『백년여관』에서 소설가 임철우 자신을 투영한 인물은 소설가 이진우다. 작품 속 이진우는 임철우 본인의 삶을 그대로 반영하고 있다. 그는 분단과 5·18을 자신의 주된 소설 소재로 쓰면서 1990년대 말에는 『봄날』에 해당하는 작품을 발표한 뒤 몇 년간 작품 활동을 하지 못했다. 그는 대학 동기이자 광주민주화운동에 대한 희곡을 강박적으로 쓰다가 40대의 나이에 병사한 친구 '케이'를 1980년 광주에서 몇 번이나 외면했다는 죄의식에 시달린다. 이는 『봄날』을 완성한 직후 임철우가 그의 자전적 소설인 「낙서, 길에 대하여」에서 자신의 친구인 극작가 박효선을 외면하며 가져야 했던 죄의식의 서사와 정확하게 일치한다. 이처럼 이진우는 임철우의 분신으로 형상화되었지만, 정작 그는 영도에서는 철저한 외부인이다. 오히려 영도에서 유년기를 보내고, 그곳을 고향으로 생각하는 인물은 박효선을 모티프로 한 케이다. 영도는 케이의 아버지와 할아버지의 고향이며, 아버지를 따라와서 유년기를 보낸 그는 "난 왠지 여기가 내 진짜 고향처럼 느껴"*진다고 말한다. 이러한 설정은 케이가 광주 태생의 박효선을 모델로 한 인물이라는 점에서 주목을 요한다. 오히려 임철우를 모델로 한 이진우에게 영도는 반년 남짓 투옥되었던 케이가 바다가 보고 싶다고 해서 함께 찾았던 여행지일 뿐이다. 영도는 임철우의 작품세계에서 주요한 모티프였던 나주부대사건이 자행된 평일도에 대응되지만, 정작 이진우와 영도의 관계는 단절되어 있다. 그 섬을 케이의 정신적 고향으로 설정함으로써, 박효선과 임철우의 성격은 일부 겹친다.

영도의 공간성이 평일도와 달라지는 지점은 작가와의 관계만은 아니다. 소설에서 상당한 분량을 차지하는 것은 제주도 태생인 4·3 생존자 '강복수'와 그의 가족이 경험한 4·3 당시의 수난사다. 『백년여관』 속 영도의 등장인물 중 상당수는 강복수나 무당인 조천댁처럼 제주4·3을 경험한 제주 태생의 인물들이다. 이는 『백년여관』과 마찬가지로 평일도를 모델로 한 소설인 『붉은 山 흰 새』

---

* 임철우, 『백년여관』, 문학동네, 2017, 104쪽. 이후 『백년여관』 인용 시에는 괄호 제목과 안에 쪽수만 표시한다.

속 지역민들의 구성과 비교하면 차이가 극명해진다. 『붉은 山 흰 새』는 전쟁과 학살로 인해 상처 입은 지역 내부의 관계를 집중적으로 조망한다. 소설 속에 등장하는 학살은 경찰 병력과 인민군 등 외부에서 온 이들의 힘이 결정적이었다. 그러나 작품에서 가해자를 대표하는 인물은 마을의 내부자였던 경찰 '최판돌'과 '최달식' 부자이며, 이들 역시 마을 안에서 자행된 살육의 보복에 나선 이들로 그려진다. 『붉은 山 흰 새』에서 낙일도의 비극은 "거의 모두가 서로 친척이자 이웃이었던 섬사람들은 이젠 거기에 또 다른 숙명적인 원한 관계로써 묶여져"157)버렸다는, 공동체 내부의 끔찍한 분열과 상처로 그려진다. 반면 영도는 4·3 피난민과 전쟁 피난민들이 가진 끔찍한 폭력의 기억이 공간성의 핵심적 요소로 자리하고 있다.

영도는 일제강점기 강제동원과 일본군 '위안부', 제주4·3과 한국전쟁기 학살, 베트남전쟁과 광주민주화운동 등 한국현대사 100년의 비극적 사건들이 교차하는 공간이다. 이를 위해서 임철우는 평일도가 가지고 있던 지역성을 약화시키고, 다른 역사적 경험들이 교차하는 장소로 만들었다. 『백년여관』에서 나주부대사건으로 인해서 가족을 잃은 인물 역시 전쟁 중 피난민으로 영도에 왔었던 '요안'으로 등장한다. 『붉은 山 흰 새』에서 가장 중요한 지역적 경험이었던 나주부대사건도 『백년여관』에서는 지역사회만의 경험으로 한정하지 않는다. 영도를 이처럼 복합적 공간으로 설정하는 과정은 역설적으로 뚜렷한 단일화의 과정이기도 하다.

나주부대사건을 다루었던 전작들이 지역사회 내부가 서로 피해자이자 가해자라는 복합적인 갈등으로 분열되는 것과 달리『백년여관』에서는 섬사람들이 모두 역사의 피해자로서의 경험을 공유한다.[158]『붉은 山 흰 새』의 '최달식'이나「물 그림자」의 '김억만'처럼 수십 명의 빨갱이를 자기 손으로 죽였다고 하는 전직 경찰 '황씨 영감'이라는 인물이 언급되기는 하지만, 그는 이미 작중의 시간에서는 수년 전에 다른 지역으로 떠난 사람이다. "이 소설엔, 피해자만 있지 가해자는 없"기 때문에 "자기의 내면, 자기와 자기 자신과의 사이에 존재하는 화해"[159]만이 가능할 것이라는 임철우의 말처럼, 영도에 모여든 사람들은 지역과 사건이 다양하지만, 피해자 정체성을 공유한다는 점에서는 매우 동질적이다.

지역적 특성을 해체하고 상이한 사건을 경험한 인물들의 관계를 동질적으로 묶어내려는『백년여관』의 재현 전략은 임철우의 문학적 원체험인 나주부대사건과 광주민주화운동을 안정적으로 통합한다. 이를 통해 두 역사적 사건만을 연결하는 것이 아니라 다른 한국사의 비극적 사건들까지 백 년간의 역사적 계보로 이어진다. 이 과정에서 집단 내의 갈등 문제가 선명했던 전작들과 달리 영도 내부의 사회적 관계는 피해자 집단으로 견고하게 합쳐진다. 이와 같은 인물들의 통합성은 산 자들의 관계에만 적용되지 않는다. 영도의 바다 주변을 떠도는 혼령들은 개별 사건들로 나뉘지 않고 역사적 비극으로 인해 희생된 원혼들로 함께 묶여서 고통에서 해방될 수 있는, 백 년에 한 번뿐인 제의의 순간을 기다린다. 산 자만이 아니라 죽은 자들의 땅이기도 한 영도의 무속적 공간으로서의 특징 역시 사건들을 통합하는 기능을 한다. 환상성을 전면화하면서 전작들과 차별화되는 『백년여관』의 서술적 특징은 광주뿐 아니라 한국사회의 폭력적 역사를 계보화하려는 소설의 문제의식과 긴밀하게 연결되어 있다.

기억을 새롭게 쓰는 주체

임철우가 『봄날』을 집필하기 위해서는 그 자신의 노력뿐 아니라 사회적으로 선행되어야 할 과제가 산적해 있었다. 일차적으로 광주의 5월을 전면적으로 다루어도 작가의 안전을 보장받을 수 있어야 했다. 이는 87년의 6월항쟁을 거치면서 가능해졌다. 그러나 광주에 대한 소설을 안전하게 발표할 수 있다는 것만으로는 부족했다. 그는 광주의 5월을 허구적 상상력이 아니라 역사적 진실을 다큐멘터리적으로 그리고자 했고, 이를 가능하게 해준 것은 광주청문회 과정에서 접할 수 있게 된 계엄군 내부의 자료들이었다.[160] 임철우가 『봄날』을 쓰는 과정에서 의존한 역사의 실증적 자료들은 적잖은 수가 공문서와 같은 국가의 공식 기록을 구성하는 요소들이었다. 그러나 광주민주화운동을 비롯해 대다수의 국가폭력 사건들은 국가의 공식기억에서 배제되어 망각을 강요받았거나, 반공주의 국가의 논리로 재구성된 것이었다.

민주화운동과 깊게 결합하여 정치적 파급력을 가지고 있었던 광주의 사례와 달리 대다수 국가폭력 희생자들은 정치적·사회적으로 고립되어 있었다. 80년대 말에서 90년대 초에 들어서면서 폭력적 과거사 문제에 대해 언론인, 학자, 예술인 등이 적극적으로 과거의 자료를 발굴하고 증언을 공식적으로 기록하면서 폭력에 대한 기억을 문서화 할 수 있었다. 그러나 그 이전까지 국가의 공식기억에 대항하는 역사적 기억과 기록은 공식적 자료의 형태로 존재하기 어려웠다. 이러한 경향은 특히 한국전쟁을 전후한 시기의 사건들에서 더욱 두드러지는데, 4·19혁명 직후 전국 단위 유족회 활동과 국회 조사 등을 통한 공식적 진상규명 활동이 5·16쿠데타로 집권한 군부 세력에 의해서 강력하게 탄압받았기 때문이다.[161] 공식적 기록으로 남겨질 수 없는 폭력의 기억을 보존하고 이를 전달하는 대안적 공론장으로 기능한 것은 무속의 세계였다.[162]

『백년여관』에서 핵심적인 소재가 되는 무속적 세계는 제주4·3과 한국전쟁기 학살 등 국가폭력에 대한 대항기억을 형성하는 문화의 핵심이었다.『봄날』의 다큐멘터리적 구성이 공식 문건과 언론 보도, 영상물 등과 같은 근대적 기록물에 기반했지만,『백년여관』은 구술적인 무속의 세계와 결부되어 있었다. 당시 진상규명 작업이 본격화하지 않았던 다른 국가폭력 사건[163]을 묶어내기에는『봄날』과 같은 다큐멘터리적 구성을 활용하기는 어려웠다.『백년여관』에서 무속적 세계가 전면화된 데는 한국사의 비극들이 무속과 의례라는 문화적 형태를 통해서 대항기억을 형성해왔던 것이 중요한 원인이었다. 무속과 의례의 문제는 광주민주화운동의 기억을 4·3과 보도연맹사건 등 한국사의 다른 비극들과 연결할 수 있는 주요한 연결 고리였던 셈이다. 그리고 2부에서 살펴보았 듯 임철우의 소설 세계에는 매장과 같은 죽은 자에 대한 의례의 문제가 은폐된 과거사를 불러내는 주요한 소재로 사용한다. 「개도둑」과 「아버지의 땅」처럼 무덤을 가질 수 없는 아버지의 문제를 다룬 작품이나 제노사이드의 기억을 환기하는 집단 제사의 장면 등이 「곡두 운동회」 등의 작품에서 반복해서 등장했다. 반면 무속적 세계의 등장은 『백년여관』에서 본격화되지만, 임철우가 무속을 반공국가에 저항하는 문화적 형식으로 바라본 것은 이보다 10년 이상 앞선 그의 첫 장편소설인 『붉은 山 흰 새』부터였다. 이 작품은 무속을 대항기억의 형식으로 제시하지는 않는다. 그러나 반공국가와 반공주의의 적대적 시각이 무속을 향한 적대적으로 바라보았음을 포착하고 있다.

『붉은 山 흰 새』에서 반공주의적 기독교 세계관과 '낙일도'의 무속적인 전통 신앙의 장소인 당집이 충돌한다. 『붉은 山 흰 새』와 「붉은 방」에서 반공주의와 기독교는 친연적 관계로 재현된다. 한국의 기독교가 반공주의의 주요한 세력이었으며 월남민 중 상당수를 반공전선에 동원하는 구심점으로 기능했다는 사실[164]을 고려한다면 이러한 구도는 상당히 익숙해 보이기도 한다. 하지만 주목할 점은 작품 속의 반공주의적 기독교가 무속을 공산주의와 같은 계열의 위협으로 인식한다는 점이다.

마귀떼가 여러분들까지도 모두 눈뜬 장님으로 만들어버리고 만 때문입니다. 첫 번째, 눈에 안 보이는 마귀는 바로 공산주의, 빨갱이 물이 든 사람들입니다. (중략) 달숙은 그 다음 두 번째, 눈으로 볼 수 있는 마귀의 정체에 대해 말했다. 그녀는 손을 들어 창밖을 가리켰다. 그리고는 바로 저 골짜기 건너 맞은편 산기슭에 있는 당집이야말로 마귀가 숨어 있는 소굴이노라고 외쳤다. 얼마나 많은 섬사람들이 아직도 하나님을 경멸하고 저주하고 침을 뱉으며 욕을 퍼붓고 있는가. 얼마나 많은 사람들이 당할머니라는 마귀를 섬기면서, 그곳에 제사를 지내고, 절을 하고, 소원 성취를 빌면서 하나님을 욕되게 하고 있는가고, 그녀는 앙칼진 목소리로 저주와 증오와 분노의 판결을 내렸다.*

『붉은 山 흰 새』에서는 반공국가의 폭력을 대표하는 인물로 악질 경찰인 최달식과 그 가족들이 등장한다. 최달식의 여동생인 '달숙'은 신실한 기독교 신자이자 동시에 그의 가족들만큼이나 광적인 반공주의자다. 달숙은 낙일도 사람이 수백 년간 모셔온 당집을 불태우는데, 이는 이교도에 대한 종교적 반감에서 비롯된 것이 아

* 임철우, 『붉은 山 흰 새』, 문학과지성사, 1990, 253~254쪽. 이후 인용 시에는 괄호 안에 제목과 쪽수만 표기한다.

니었다. 전쟁 중 월북한 것으로 알려진 낙일도 출신의 지식인 '조성태'가 1977년에 간첩이 되어 남파되자, 그를 잡기 위해 최달식과 경찰들이 섬에 파견되어 조성태 일가를 간첩 혐의로 붙잡는다. 보도연맹원 출신 생존자였던 '천진수'도 조성태의 지인이라는 이유로 경찰에게 심문을 받고 나서 정보원으로 포섭된다. 오빠인 달식을 통해서 이를 알게 된 달숙은 자신이 다니는 교회 집사이자 연정을 품은 대상이었던 천진수의 좌익 경력에 혐오감을 느낀다. '빨갱이' 천진수를 향한 욕망과 혐오로 몸부림치는 달숙은 당집을 바라보며 "저 사탄의 소굴에 불벼락을 내리"(『붉은 山 흰 새』, 224쪽)겠다 다짐한다. 당집에 대한 달숙의 분노는 좌익에 대한 혐오의 감정과 동일시된다. 반공주의 기독교 신자이자, 국가폭력의 실행자였던 악질 경찰의 가족이었던 달숙을 통해서 임철우는 반공국가와 무속 사이의 대립 관계를 가시화한다. 전쟁 중에 학살 사건으로 초토화되었던 낙일도는 다시 간첩에 대한 의심과 지속되는 반공국가의 적대로 인해 위태로워진다. 낙일도가 혼란스러운 와중에 달숙이 당집을 불태우면서 반공국가의 위협과 무속적 세계의 파괴가 겹친다.

임철우는 『붉은 山 흰 새』를 통해 무속과 반공국가 사이의 불편한 관계를 포착한다. 그러나 임철우가 무속의 세계를 소설에서 사용하는 방식은 대항기억을 구성하는 대안적 공론장으로서의 무속은 아니었다. 『백년여관』이 발표되던 시기에 제노사이드에 대한 한국사회의 공식기억은 더 이상 반공국가의 공식기억이 아니었기 때문이다. 90년대 임철우의 대표작인『봄날』에는 광주민주화운동에 관한 연표가 수록되어 있다. 이 연표의 마지막은 1997년 전두환과 노태우의 사면 조치다. 광주의 가해자들에 대한 사면 조치는 한국사회의 제도적 이행기 정의 국면의 진행이 법적 처벌과는 다른 방향으로 전환했음을 보여준다. 이는 대다수 국가의 이행기 정의 국면이 '응보적 정의'가 아닌 '진실·화해' 모델로 대표되는 '회복적 정의'로 진행되었던 흐름을 따랐던 한국의 상황[165]을 보여준다.

처벌보다는 사회의 회복에 초점을 맞춘 진실·화해 모델의 회복적 정의 개념을 현존하는 구 정치 세력의 영향력을 의식한 정치적 타협의 산물이라고만 비판할 수는 없다. 사실상 2차대전 이후의 전범재판 같은 사례를 제외하고는 최고 권력자를 처벌한 사례가 전무한 것이 냉혹한 현실이기 때문이다. 전세계 진실화해위원회 중 가장 강력한 권한을 가지고 있었던 남아프리카공화국의 진실화해위원회조차 이 조직이 (2차대전 후 유럽 전범을 재판한) 뉘른베르크가 될 수 없다고 말했다는 일화가 이를 잘 보여준다. 그러나 그렇다고 해도 끔찍한 국가폭력을 경험했던 광주의 시민들에게 이행기 정의 국면의 이러한 전개는 실망스러운 상황이었다. 그래서 응보적 정의, 즉 처벌과 응징이라는 수단을 통해서 불의를 중단하려는 정의의 형태를 요구하는 목소리들이 나타나기도 했다.[166] 그럼에도 제도적 이행기 정의가 진행되면서 국가폭력과 제노사이드의 과거사에 대한 기억의 조건은 극적으로 변화하게 된다.

광주와 광주 시민들의 명예를 회복하기 위한 '5·18민주화운동 등에 관한 특별법' 등이 시행되면서 제도적 이행기 정의 국면을 진행하는 국가에서 광주를 탄압한 반공국가의 공식기억을 대체할 신 공식기억이 만들어졌다. 광주에 대한 음모론을 반복하는 역사 부정론자의 사례처럼 반공국가의 공식기억, 즉 구 공식기억은 여전히 기억을 둘러싸고 대립하고 있다.[167] 그러나 반공국가의 폭력을 이야기하는 것은 더는 금기가 되지 않는 시대, 오히려 너무나 당연해져서 오히려 무관심해진 새로운 기억의 조건이야말로 임철우가 직면했던 곤경이었다.

『백년여관』에서 작가 이진우는 과거를 망각하는 사람들에 맞서서 소설쓰기를 통해서 기억을 전달하려는 인물이다. 하지만 광주의 기억이 민주화 이후 국가의 신 공식기억으로 자리를 잡았으며, 대작『봄날』을 이미 완결한 시점에 망각에 맞서는 글쓰기라는 문제의식을 이해하기 위해서는 부연이 필요하다. 반공국가의 억압 이후에도 과거사를 망각 속으로 소멸하게 하려는 힘을 살피지 못할 때, 망각에 저항하는 글쓰기는 단지 개인의 윤리성으로 환원되어 버리고 말기 때문이다. 김영삼은 임철우의『백년여관』은 기억과 망각의 틀만으로는 쉽게 설명될 수 없으며, 소설 속에서 강조되는 글쓰기의 행위란 주체로 하여금 '나-돌아보기'를 반복하게 하는 반성적 행위임을 주목해야 한다고 지적한다.[168] 그는 케이에 대한 이진우의 죄의식과 광주에 대한 케이의 죄의식이 그들이 글쓰기를 반복하게 하는 동기이지만, 이 글쓰기의 핵심은 증언 자체가 아니라 윤리적 주체가 '나-돌아보기'라는 반성적 행위를 지속할 수 있는가에 있다고 지적한다.[169] 이러한 입장은 서영채가『백년여관』을 죄의식을 통한 윤리적 주체화의 과정으로 설명한 것과 같은 맥락이다.『백년여관』의 글쓰기는 작가가 타자를 공감하고 응대하는 윤리적 주체로 거듭나는 핵심적 방법이다. 그러나 이 글쓰기의 위력은 오직 자기 내부로만 향하지 않는다.

김영삼과 서영채의 논의에서 임철우의 글쓰기는 작가가 윤리적인 주체로 거듭나기 위한 과정이었다. 이는 과거사에 대한 증언과 재현의 글쓰기만으로 해결할 수 없던 죄의식이 그의 소설에 결부되어 있었기 때문이다. 그들의 논의 속에서 이 윤리적 주체가 타자와의 관계를 통해 획득하는 것은 개인의 윤리다. 그러나 주목해야 할 것은『백년여관』속 이진우의 위치가 완벽하게 임철우 개인과 동일시될 수 없듯이 영도라는 공간과 그곳에 자리한 사람들 역시 온전히 타자가 아니라는 점이다. 앞서 살펴보았듯이 평일도가 영도로 재구성되는 과정에서 그 공간의 고유한 지역성을 일정 부분 해체하고 상이한 지역적 경험들의 통합이 이루어졌다. 한국현대사 100년을 아우르기 위해서 영도에는 평일도와는 다른 역사의 경계와 맥락이 형성된 것이다. 이는 임철우에서 이진우로, 박효선에서 케이로의 전환 과정과 마찬가지다. 실제 인물과의 결정적 차이라 할 수 없지만, 케이가 영도의 내부자가 되고 이진우가 영도의 외부자가 된 이 작은 변화는 실제의 임철우와 박효선 사이의 경계를 새롭게 긋는다. 영도라는 공간 내부의 사람들의 관계성 역시 새롭게 설정되면서 피해와 가해의 대립적 구도가 사라진다.『백년여관』속의 글쓰기는 윤리적 주체로 자신을 갱신하는 과정이지만 동시에 타인들 역시 새롭게 재구성하는 일이기도 하다.

『백년여관』의 윤리성이 타자와 맺는 관계에서 주목해야 할 점은 타자와 자신이 맺은 관계들이 재구성된다는 점이다. 광주민주화운동과 제주4·3, 국민보도연맹원 학살이 별개의 사건이 아니라, 하나의 역사적 계보로 묶이는 것처럼 각기 다른 상처를 입은 이들이 영도에서 하나의 제의를 통해 상처를 극복해간다. 이렇게 연결된 타인들이 짊어진 것은 자기만의 죄의식일 수 없다. 김주선은 임철우의 초기 소설들에서 책임성이 강조되고 있음을 지적한다. 그에 따르면 임철우의 소설에서 구조적 폭력에 직간접적으로 연루될 수밖에 없었던 이들의 책임 문제가 반복해서 다루어지는데, 이는 적극적 동조가 아니더라도 묵인과 외면, 무지까지 포함한다.[170] 아이리스 매리언 영에 따르면 이러한 구조적 책임성은 전체 과정의 인과적 관계를 추적할 수 없기에 개인이 자신의 잘못만큼을 책임질 수 없다. 그는 구조적 책임성을 감당하는 방식은 부정의한 구조를 변화시키는 것이며, 이러한 변화의 책임은 그 구조의 피해자들 역시 공유하고 있다고 보았다.[171] 이처럼 구조적 책임성을 짊어진 주체는 폭력의 구조를 바꿔가야만 한다. 여기서 망각에 대한 임철우의 저항이 가진 의미가 분명해진다.

김주선은 임철우의 소설 속에 등장하는 망각이 구조적 폭력에 연루되어 있는 자가 책임을 거부하기 위한 전략이라고 지적한다.[172] 이러한 망각은 과거의 기억이 폭력에 의해 말해질 수 없는 상태에 놓여 있는 것과는 다르다. 폭력적 과거사에 대한 기록과 재현, 증언에 어렵지 않게 접근할 수 있는 사회라 하더라도 대다수 사람들은 이를 외면할 수 있다. 사회학자 스탠리 코언이 '문화적 부인Cultural denial'이라고 부른 사회적 외면과 망각은 국가에 의해 시작될 수도 있지만, 자생력을 가지고 확장하면서 인권침해가 지속되는 사회를 만든다.[173] 그래서 제노사이드 연구자 중에는 부인을 제노사이드의 마지막 단계로 제시하는 이들이 적지 않다.[174] 제도적 이행기 정의가 진행되는 사회에서도 이러한 문화적 부인이 작동할 수 있다. 1995년 출간된 『그 산이 정말 거기에 있었을까』의 '작가의 말'에서 박완서가 느끼는 "불도저의 힘보다 망각한 힘이 더 무섭다"[175]는 불안처럼 말이다. 『백년여관』에서 이진우가 마주한 사회적 망각 역시 이와 다르지 않다. "세상은 그해 봄을 그렇게 간단히 뭉뚱그려 치워내고 있"(『백년여관』, 291쪽)기 때문이다. 그렇다면 이러한 망각, 기억의 부인에 맞서고자 하는 주체에게 필요한 역량은 과거를 기억하고 말하는 것만이 아니라, 이를 통해 사회를 바꾸는 것이어야 한다.

『백년여관』의 서사는 이진우가 다시 소설을 쓸 수 있는 주체로 회복되어가는 과정이다. 글쓰기의 회복 과정에서 두 가지를 주목할 필요가 있다. 하나는 삼 년간 글을 쓰지 못했던 이진우가 다시 글을 쓰고자 하는 욕망에 사로잡힌 계기가 과거를 망각하려는 이들에 대한 분노라는 점이다. 전쟁과 과거사에 대한 소설들이 이미

시효가 다했다는 작가와 평론가의 말을 들은 이진우는 그 사건들이 "온 생애이거나 평생의 족쇄일 수밖에 없는 사람들"(『백년여관』, 22)이 있다며 분노한다. 그때 소설쓰기의 욕망과 함께 자신을 영도로 부르는 환청을 듣기 시작한다. 이진우의 소설 쓰기는 사회적 망각과 부인의 문화에 대척점에 서 있다. 두 번째 지점은 영도에서 이진우가 체험한 모든 역사적 사건과 고통의 기억이 그에 의해서 앞으로 쓸 것으로 남겨져 있다는 사실이다. 『백년여관』의 화자의 목소리를 듣는 청자인 '당신'은 작중 소설가인 이진우다.[176] 청자 이진우는 등장인물로서 그의 행보에서는 경험할 수 없는 사건들과 이야기를 모두 들을 수 있었다. 그래서 "소설은 당신의 머릿속에 거의 완벽하게 정리되어 있고, 이젠 그것을 문장으로 옮기는 작업만 남아 있을 뿐"(『백년여관』, 377)이다. 『백년여관』의 전체 내용은 소설가 이진우가 다시 써야만 한다. 이는 『백년여관』에서 나타난 역사의 계보화 작업이 글쓰기의 주체에 의해 수행될 것임을 보여준다.

『백년여관』에서 이진우가 글쓰기의 주체가 되어가는 과정은 사회적 망각에 대항해서 '백년여관'에 모여든 그 모든 폭력적 역사의 계보를 그가 다시 쓸 수 있는 역량을 획득하는 것이다. 랑시에르는 "모든 주체화는 탈정체화이고, 어떤 장소의 자연성에서의 일탈이며, 아무나 자기 자신을 셈할 수 있는 주체의 공간의 개방"[177]이라고 규정한다. 주체화가 탈정체화인 까닭은 사회가 고유한 질서를 통해 그어놓은 삶의 경계로 인해서 정해진 볼 수 있는 것과 볼 수

제3부 민주화 이후 제도적 이행기 정의와 문학의 재현

없는 것의 나눔을 새롭게 할 수 있는 것이 주체의 힘이기 때문이다. 주체는 그를 정체화해놓은 사회의 경계를 새롭게 나눌 수 있는데, 이는 자신뿐 아니라 공동체 자체를 변화시키는 정치를 실행한다.[178] 주체로서 이진우의 역할은 자기 자신을 회복할 뿐 아니라, 영도에 모여든 사람들과 역사적 사건들의 관계를 새롭게 나눈다. 이를 통해 개별의 사건과 경험들이 백 년의 역사적 계보로 묶일 수 있다. 그렇기에 『백년여관』에서 주체의 글쓰기는 사회의 나눔을 새롭게 하면서 기성의 사회적 질서, 인식과 경합한다.

『백년여관』에서 계보화된 폭력적 역사와 이를 망각하려는 사회의 경합은 소설의 후반부에서 동시적으로 진행된 두 개의 의례를 통해 확인된다. 무당인 조천댁은 백년 만에 혼령들이 해방될 수 있는 일식을 맞이해 위령의 굿판을 준비한다. 그런데 같은 시각에 영도 역사상 최대 규모의 축제가 준비되는데, 영도항 신부두 공사를 축하하기 위해서다. 망자에 대한 위령의 의례와 지역 개발을 위한 축하의 의례가 동시적으로 진행되고, 위령굿이 끝나고 자유를 찾은 혼령들이 떠나며 빛나는 작은 불빛은 축제에서 터뜨린 폭죽의 굉음과 불빛에 가려진다. 정명준은 조천댁의 굿이 가졌어야 할 의례적 완결성이 축제에 의해 침해받았다는 사실을 지적하면서, 이를 "역사의 반복과 야만을 떠올리기 충분한 불길하고 흉한 조짐"으로 읽어낸다.[179] 그런데 이 두 의례의 대립은 단순히 축제의 소음과 빛 때문만은 아니다. 오히려 임철우의 소설 속에서 신부두 공사로 상징되는 개발주의가 국가폭력과 깊게 관련되어 있기 때문이다.

영도항 신부두 공사로 상징되는 개발주의는 하나의 사회적 기획이다. 이는 폭력의 역사적 계보를 묶어냄으로써 이를 망각하려는 사회를 변화하려는 작업인 위령의 굿판과 대립한다. 『봄날』을 완결한 직후 임철우가 발표한 자전소설 「낙서, 길에 대하여」에서는 그가 살고 있는 신도시의 인공적이고 직선적인 공간성에 대한 강한 반감을 토로하면서 이야기를 시작한다. 임철우는 직선과 직각이 "언제나 뭔가를 지시하고, 명령하고, 구속하고, 규제하고 억압하고, 규격화시키고, 획일화시키려는 음흉한 의도를 지니고 있다"면서 "그것들에게서는 폭력과 독재와 파시즘의 냄새가 은밀하게 풍긴다"[180]고 말한다. 이러한 폭력적인 직선성은 해안가와 논둑, 돌담벽 같이 고향의 공간성과 대비된다. 「낙서, 길에 대하여」의 서두에 등장하는 직선에 대한 임철우의 강력한 반감을 주목해야 하는 것은 이 자전소설이 『백년여관』에 등장하는 핵심적 사건들을 다루고 있기 때문이다. 직선에 대한 비판에 뒤이어서 임철우는 자신이 친구 박효선을 광주에서 몇 번이고 외면했던 일에 대한 죄책감을 토로하는데, 이는 『백년여관』에서 이진우와 케이의 서사를 구성하는 이야기이기도 하다. 직선 혐오와 광주에 대한 기억이 겹쳐 있는 양상은 80년대 임철우의 초기 단편에서도 확인할 수 있다.

임철우의 1984년작인 「직선과 독가스」에서 광주에 대한 만평을 그린 것으로 추정되는 만화가인 '허상구'는 광주에 대한 죄의식을 독가스 냄새처럼 느낀다. 그가 겪는 증상은 독가스 냄새를 맡는 환후幻嗅만이 아니다. 그는 독가스 냄새를 맡게 된 이후부터는 직선을 그리지 못하게 된다. 그에게 직선이란 "세상의 모든 사물을 추호의 의심도 없이 두 쪽으로 날렵하고도 완전하게 갈라 놓는 바로 그 강력하면서도 단호한 선"181)이다. 「직선과 독가스」에 나타난 직선의 속성은 「낙서, 길에 대하여」의 "지시하고, 명령하고, 구속하고, 규제하고, 억압하고, 규격화시키고, 획일화시키"는 직선과 같다. 「직선과 독가스」의 직선은 광주의 참상을 자행하고 억압적 사회를 만든 폭력적인 국가권력의 속성을 반영한다. 그런데 직선을 국가권력의 속성으로 본 것은 임철우만이 아니었다. 건축가 르코르뷔지에게 직선은 인간 이성을 상징하는 것으로 보았으며, 그의 대규모 도시개발의 정신은 직선과 그 직선에 의해서 명확하게 분절된 공간적 분할을 의미했다.182) 직선을 통한 도시 공간의 분할은 사회의 전통과 자율적 주체를 인정하지 않는 계획의 독재였다. 르코르뷔지에의 직선적 도시개발의 철학은 건축의 영역이었지만, 그 정신은 제임스 C. 스콧이 '하이 모더니즘'이라 명명한 근대적 세계관을 공유하고 있었다.

하이 모더니즘의 실행자로서 근대국가는 가독성 수단을 통해서 사회를 단순화할 뿐 아니라, 합리화의 도구를 통해 "새로운 사회를 만들기 위한 포괄적인 '처방'"을 강요할 수 있었다.183) 사회공학적 폭력이었던 제노사이드의 실행은 하이 모더니즘의 세계에 대한 인식을 공유했다. 직선적 공간의 구조화와 이를 통해 실행되는 개발주의는 새로운 사회에 대한 전망을 독점하고 사회공학적 폭력을 수행하는 국가의 모습과 겹친다. 김동현은 제주4·3을 제노사이드뿐 아니라 제주 개발로 이어지는 연속적인 근대의 폭력성 체험이었다고 지적한다.[184] 현기영이 『지상에 숟가락 하나』에서 개발을 제주4·3의 연속으로 보았듯이 김동현은 제주 개발을 목표로 한 60~70년대 "근대화론이 반공주의적 억압의 세련된 표현"[185]이었을 뿐이라고 비판한다. 김동현의 비판처럼 냉전기 근대화론은 반공주의적 질서를 구축하는 핵심적인 이데올로기[186]였으며, 제노사이드와 같은 국가폭력을 수행하는 전략촌과 같은 통제 수단들이 이후 근대화 개발 전략으로 이어지기도 했다. 『백년여관』에서 위령굿은 임철우의 전작들에서 나타난 직선적 세계, 개발주의와 국가폭력을 관통하는 하이 모더니즘과 충돌한다.

하이 모더니즘을 상징하는 직선의 세계는 계획을 세우는 권력 이외에 다른 주체를 허용하지 않는다. 그래서 자신과 사회를 새롭게 갱신하려는 글쓰기의 주체와 대립한다. 글쓰기의 주체는 자신뿐 아니라 사회를 새롭게 나누고자 하지만, 직선의 세계는 독단적으로 특정한 사회적 경계를 강제하기 때문이다. 『백년여관』에서 개발주의와 무속의 의례가 출동하는 장면은 과거사 진상규명이 법적 처벌의 단계를 지나간 이후 폭력적 과거사의 기억이 어떤 정치적 상상력과 연결되어 있는가를 보여준다. 과거사 문제의 해결을 넘어서 폭력적 구조가 반복되지 않을 사회를 만들고자 하는 이행기 정의의 과제는 새로운 사회와 역사의 관계를 구성할 수 있는 주체를 요구한다.

괴물의 연대기와 외부화된 해원

『백년여관』에서 임철우는 제노사이드와 같은 국가폭력의 기원에 자리한 개발의 논리, 하이 모더니즘과 무속적 세계의 대립 구도를 선명하게 그려냈다. 그러나 개발로 상징되는 직선의 폭력성에 대한 임철우의 비판적 시선은 그의 이후 작업에서 확장되지는 못했다. 제주의 자연에 대한 개발을 제노사이드로서의 4·3에서 연장된 에코사이드로 비판했던 현기영과 달리, 임철우는『백년여관』이후에 폭력의 배후에 자리한 하이 모더니즘의 문제를 계속 천착하지는 않았다. 대신 그는 국가폭력의 역사적 계보화와 폭력의 재현과 치유의 수단으로서 무속과 같은 설화적 세계라는『백년여관』을 지탱했던 두 개의 축을 활용해서 어두운 기억과 마주하는 소설 쓰기를 계속해간다.

임철우는 나주부대사건과 같은 제노사이드와 광주민주화운동, 베트남전쟁 등 국가폭력의 기억을 개별의 사건으로 분리하지 않는다. 그는『백년여관』을 기점으로 한국사회에서 자행되었던 역사 속의 폭력들을 하나의 계보로 묶어낸다. 이러한 계보화의 작업은『백년여관』이후에도 계속되는데, 2014년 세월호 참사라는 또 다른 참혹한 기억이 이 계보에 더해졌기 때문이다. 세월호 참사 이듬해인 2015년에 발표한 중편소설인 「연대기, 괴물」에서는 제주 4·3부터 국민보도연맹사건, 베트남전쟁과 광주민주화운동의 참혹한 기억의 계보가 2015년까지 확장된다. 한 60대 노숙인의 투신자살 사건으로 시작하는 이 소설은 한국사에 드리운 괴물의 그림자에 쫓겨온 노인의 이야기를 통해 국가폭력이 현재에도 반복되고 있음을 보여준다.

「연대기, 괴물」에서 주인공인 '진태'는 공적으로는 '송달규'라는 이름으로 불렸다. 어머니가 친정집에 버리고 간 그를 외조부가 다른 이의 호적에 올려서 키웠기 때문이다. 한국전쟁기에 국민보도연맹학살사건을 겪었던 마을에서 자란 진태는 아버지를 한 번도 만난 적이 없었다. 그의 아버지인 '김종확'은 마을에서 학살을 자행했던 서북청년단 무리의 대장으로, 진태의 어머니인 '옥례'의 남편을 살해하고 그녀를 성폭행했다. 제주4·3과 국민보도연맹사건의 가해자였던 아버지와 잔혹한 폭력의 피해자인 어머니를 둔 진태의 삶은 해방 후 한국현대사 국가폭력의 연쇄 속에 갇혀버린다. 진태는 베트남전쟁에 참전해서 원치 않게 또 다른 학살의 가해자가 되고, 광주민주화운동의 잔인한 폭력에 소중한 이들이 희생되는 일도 겪는다. 폭력의 상흔은 육체적으로도 그를 괴롭힌다. 고엽제 후유증이 치유되지 않는 흉터로 진태의 몸에 새겨진다. 하지만 진태의 삶을 옥죄는 것이 과거만은 아니다. 언제나 그의 곁을 배회하는, 현재까지 사라지지 않은 괴물의 그림자가 있기 때문이다.

폭력의 트라우마로 세상으로부터 도망쳐 25년간 수용 시설에 은둔했던 그는 세월호 참사라는 참혹한 폭력과 그 이후의 광경들을 목격하고 다시 세상으로 나선다. 「연대기, 괴물」에서 세월호 참사는 이를 방치한 국가의 무능을 넘어서, 그 책임에서 벗어나기 위해 다시 가해자로 돌변하는 국가의 모습을 서북청년단의 귀환을 통해 가시화한다. 세월호 참사의 유가족들을 공격하던 보수 정치세력과 단체들 사이에서 '서북청년단 재건 준비위원회'라는 조직을 준비했기 때문이다. 수용 시설에서 뉴스를 보던 진태는 화면 속에서 낯설지만 익숙한 얼굴을 발견한다. 서북청년단 재건 준비위원회 사이에 선 노인을 보고는 그가 아버지인 김종환이라고 확신한다. 그리고 서북청년단의 귀환을 본 직후 그는 일생 동안 자신을 괴롭혀온 괴물의 환영을 보게 된다.

> 그만 돌아서려던 그는 한순간 두 발이 얼어붙어버렸다. 끄끄끄 끅……끌끌끌끌끌. 거대한 검은 그림자가 저만치 숲 언저리에서 순식간에 휙 스쳐 갔다. 그놈이었다. 평생 동안 그의 곁을 떠나지 않는 그 정체불명의 괴물. 공포에 질려 턱을 덜덜 떨면서도 그는 맨발인 채로 서둘러 놈을 뒤쫓기 시작했다.[187]

「연대기, 괴물」에 드리운 폭력의 그림자는 『백년여관』 후반부에 나타난 직선성, 하이 모더니즘적 개발과 같은 추상적이거나 제도적인 형태가 아니라 괴물적 실체를 가지고 있다. 서북청년단으로 대표되는 폭력의 가해자들이 여전히 활동하고 있기 때문이다. 이 과거의 가해자들은 세월호 참사의 피해자들을 향한 현재의 폭력이 횡행하는 장소에서 고개를 내밀고 있다. 현재의 폭력을 통해 과거의 가해자들을 복권하려고 하는 상황은 이행기 정의에서 형성된 과거사에 대한 사회적 인식을 뒤엎고자 했던 보수 정치 세력의 반격이라는 맥락 위에 놓여 있었다.[188] 제노사이드와 같은 국가폭력의 가해자와 그들의 목소리는 세월호 참사라는 또 다른 폭력을 통해서 관념과 제도라는 추상적 형태를 벗고 구체적인 형상을 획득한다.

「연대기, 괴물」은 이행기 정의 국면에 내재한 불안, 과거의 폭력을 수행했던 가해자와 그 세력이 응징되지 않고 남아서 언제든 다시 돌아올 수 있다는 위태로움을 보여준다. 「연대기, 괴물」은 정치적 타협 속에서 이루어질 수밖에 없었던 제도적 이행기 정의에 대한 악몽인 셈이다. 직선과 같은 폭력의 추상적 상징이 「연대기, 괴물」에 나타날 수 없었던 것은 바로 이러한 폭력의 구체성 때문이다. 소설은 진태의 시선을 통해 세월호의 죽음이 개별적 사건이 아니라 한국 현대사 속 폭력의 연대기를 이루고 있는 한 부분임을 보여준다.

진태는 자신의 아버지이자 한국 현대사를 배회한 국가폭력이라는 괴물의 환영을 죽이기 위해서 칼을 가지고 보수단체의 집회가 이어지는 광장으로 향한다. 그러나 진태는 김종확을 찾지 못한다. 그는 단지 광장에서 세월호의 비극과 피해자를 향한 폭력적 언어들이 난립하는 상황을 마주하고는 고통스러운 환각에 시달리다가 달려오는 열차에서 "그의 아비였고, 또한 바로 그 자신"이었던 "세상 모든 악의 형상"인 괴물의 모습을 보고는 칼을 든 채로 뛰어든다. 「연대기, 괴물」에서 폭력은 극복되지 않고, 계속 새로운 피해자와 가해자를 만드는 끝나지 않는 괴물의 연대기만이 이어질 뿐이다. 그런데 「연대기, 괴물」에서 임철우가 보여준 폭력이라는 괴물에 대한 무력하고 절망적인 감각은 역설적으로 돌발적이고 일시적인 사건이었다. 「연대기, 괴물」을 전후한 작품들, 특히 『백년여관』의 핵심적 축 중 하나였던 무속과 설화적 세계가 중심이 되는 작품들에서는 치유와 화해는 시간의 흐름 속에서 주어지는 외부적 사건이 되어가기 때문이다.

연작소설집 『황천기담』에서 임철우는 『백년여관』에서 본격화했던 무속적 서사를 설화적 세계로 확장한다. 『황천기담』에는 조천댁과 같은 산 자와 죽은 자를 매개하는 무당과 같은 인물은 등장하지 않는다. 『백년여관』에서 소설쓰기의 능력을 회복한 작가는 신적 존재와 감응하는 무당의 도움 없이도 근대의 세계에서 벗어난 '황천'의 기이한 이야기를 찾아내고 또 들을 수 있다. 『백년여관』에 등장하는 사건들이 소설가 이진우가 앞으로 쓰게 될 이야기로 존재하는 것처럼 『황천기담』 역시 쇠락한 마을인 황천을 방문한 소설가가 앞으로 쓰게 될 소설의 공간으로 제시된다. 연작소설집을 구성하는 5편의 중단편들은 「칠선녀주」와 「묘약」을 제외하고는 직접적으로 연결된 사건들은 아니다. 한때 금광업으로 크게 성장했었지만, 광맥의 고갈과 전쟁 등으로 쇠락한 황천의 역사를 보여주는 각각의 이야기들은『백년여관』처럼 하나의 역사적 계보를 구성하지 않는다. 산 자와 죽은 자가 마주하는 무속적 제의를 넘어서서 인간의 탐욕을 상징하는 기이한 괴물까지 등장하면서 설화적 세계가 펼쳐진다.

『황천기담』에 수록된 소설 중 중편소설인「월녀」(2010)는 무속적 의례를 통해 한국 현대사의 비극과 그 희생자를 위로하는 서사라는 점에서『백년여관』과 가장 닮아 있는 작품이다. 소설은 황천극장이라는 공간에서 역사의 피해자였던 이들과 고통받는 원혼들이 '장월녀'라는 여성의 의례를 통해 위로받는 과정을 보여준다. 『백년여관』에서 심방인 조천댁에 대응하는 월녀는 일반적인 무당의 모습을 하고 있지 않다. 황천극장의 소유주인 월녀는 신을 받아 무당이 된 이가 아니라, 자신이 경험한 고통 때문에 타인의 목소리를 들을 수 있게 된 인물이다.

> 그녀에겐 특별한 능력이 한 가지 있었다. 그것은 타인의 몸안에 갇혀 있는 말, 토해내지 못한 이야기를 알아듣는 능력이었다. 감옥에서 고문을 당해 몇 번이나 의식을 잃었다가 깨어난 후부터였다. 타인의 가슴속에 차마 언어가 되지 못한 채 돌덩이로 얹혀버린 말, 목구멍에

---

* 임철우,「월녀」,『황천기담』, 문학동네, 2014, 203쪽. 이후 인용 시 괄호 안에 작품명과 쪽수만 표기한다.

간혀버린 핏덩이의 말들이 그녀의 귀에는 또렷하게 들려왔다.*

　월녀의 황천극장은 고통스러운 과거를 안고 살아가는 황천의 사람들뿐 아니라, 비통한 죽음을 경험한 원혼들이 모여 있는 장소이기도 하다. 월녀는 자신의 죽음을 앞두고 황천의 고통받는 이들과 황천극장의 원혼들을 치유하는 의례를 진행한다. 한순미는 임철우가 「월녀」에서 역사적 트라우마를 치유하는 서사적 장치로서 제주 영개울림굿을 서사적 장치로 활용했다고 지적했다.[189] 영계울림굿은 망자를 위로하고 갈등을 치유하는 제주 무속의 의례 중 하나다. '영혼의 울음'을 뜻하는 영계울림이지만 "연희 기능은 '위로부터 인사하고 당부의 말을 이룬다'는 '부분문안'"으로 "가족들과 굿에 모인 일가친척·이웃들은 눈물을 흘리며 조상 영혼의 인사와 분부에 응답"[190]하는 과정으로 진행된다. 그런데 영계울림굿이라는 차원에서 「월녀」에서 진행된 위로의 의례를 보게 되면흥미로운 차이가 발견된다. 바로 청자의 문제다.

　「월녀」에서 영혼들은 황천극장에 모여들어 쉬고 있을 뿐, 그 목소리를 들려주지 않는다. 월녀에 부름을 받고 황천극장으로 모여든 일곱 명의 남자들이 경험한 비극적 기억을 전달할 뿐이다. 제노사이드의 끔찍한 기억부터 개인적 비극까지 그들이 숨겨온 고통스러운 기억이 펼쳐지고 월녀의 도움으로 그들과 원혼들은 위로를 얻는다. 『백년여관』에서 조천댁이 진행한 굿판도 영혼의 목소리를 듣기보다는 '백년여관'에 모여든 이들의 이야기가 전달되는 구조로 짜여 있다. 현대사의 비극을 기억하고 그 자리에 모여든 이들이 영계울림굿에서 자신의 이야기를 하는 영혼에 대응한다고 말할 수 있다. 그렇게 보았을 때, 「월녀」에는 심방의 역할을 한 월녀를 제외하고는 누구도 그 사연을 듣지 않는다. 단지 비극적 기억을 말할 이들이 모여 있을 뿐이다. 반면에 『백년여관』에는 그 모든 사건을 듣고서 이를 소설로 쓰게 될 작가 이진우가 있다. 이진우가 없는 공간에서 일어났던 일조차 그를 청자로 상정하고 말하는 『백년여관』의 서술적 특징은 청자의 존재를 통해 굿판 속 대화의 구조가 성립할 수 있게 만든다. 반면 「월녀」에서는 대화의 과정이 아니라 설화적 세계의 힘을 매개하는 월녀의 신성한 모성이 그들을 치유한다.

> "오오, 내 자식들아! 어서 오너라."
> 월녀는 두 팔을 벌려 넷을 한꺼번에 품어 안는다. 그들이 조급하게 품을 파고든다. 아직 처녀의 몸인 월녀는 젖가슴을 활짝 열고, 자신의 비밀스런 네 개의 유방을 드러낸다. 월녀의 품에 안긴 그들은 희고 둥근 달덩이를 각자 하나씩 차지한다. 그리고 허겁지겁 제 몫의 젖꼭지를 찾아서 입에 문다. (「월녀」, 223)

상처 입은 남자들을 위로하는 월녀는 초월적인 모성성의 상징이 된다. 소설에서 치유의 의례가 펼쳐지는 것은 월녀의 생애 마지막 날이기도 하지만, 동시에 어떤 신비한 힘이 작용하는 날이기도 하다. "해마다 단 하루, 왕벚나무에 꽃이 활짝 피었다 지는 바로 그날"에 월녀는 "육신도 잠시나마 싱싱한 젊음을 되찾"(『월녀』, 195)는다. 그리고 치유의 의례가 펼쳐지는 때 역시 바로 그날이다. 주기적으로 반복되는 특별한 시간에 신화화된 모성의 개입을 통한 치유라는 서사의 구조는 『백년여관』에서도 반복되었다. 평론가 이소는 『백년여관』과 『황천기담』, 『돌담에 속삭이는』과 같이 임철우 후기의 소설들에서 "역사의 외부나 초월로서"의 여성성이 등장하며 이러한 (역사의) 외부인인 여성성과 '여성 신화'에 기대는 남성 서사가 반복해서 등장했다고 지적한다.[191]

그의 비판처럼 환상성이 전면화된 임철우의 후기 작품들은 역사의 고통을 치유하는 과정에 신화적 모성을 전면화했다. 임철우의 후기 경장편 소설인 『돌담에 속삭이는』(2019)에서도 제주4·3 때 비극적으로 죽은 어린 삼남매, '몽희', '몽구', '몽선'의 영혼을 위로하는 이는 여자들과 아이들을 지켜주는 신령인 '폭낭 할망'이다. 폭낭 할망은 오랜 시간 바다 깊이 빠져 있던 어머니의 혼이 아이들을 찾아올 때까지 그들을 보호한다. 『돌담에 속삭이는』의 주인공 '한민우'는 고통받는 이들의 존재를 느낄 수 있는 예리한 눈을 가지고 있어 제주를 떠도는 아이들의 영혼을 감각하고 있지만 그는 해원의 과정을 어렴풋하게 바라볼 따름이다. 아이들의 영혼은 어머니의 혼과 재회하고서야 '서천꽃밭섬'이라는 신화적 세계로 향할 수 있다. 신성한 모성은 해원의 길을 열지만, 이는 시간의 흐름 속에서 가능해진 일로 남을 따름이다. 시간의 흐름과 신성한 모성의 결합을 통한 해원이 계속 반복되는 셈이다.

시간과 모성, 이는『백년여관』에서도 동일한 해원의 기제였다. 그러나 두 작품과 다르게,『백년여관』에서 진행되는 의례에는 대화의 과정에 참여하며 이를 소설로 쓰게 될 작가인 이진우가 있다. 이진우에게 소설쓰기는 광주에 대한 죄의식을 책임지는 주체의 행동이다.[192] 해원의 굿판에서 고통받은 이들의 기억과의 대화에 참여한 청자 이진우는 소설쓰기를 통해 책임지는 주체로 회복해 간다. 이진우의 글쓰기는 앞으로 일어날 것이기에 글쓰기의 주체가 해야 할 미래의 행동을 전제하고 있다. 환상적인 설화적 세계에서 이루어진 치유의 의례는 이진우의 소설을 통해 사회와 관계를 맺는다. 그러나「월녀」와『돌담에 속삭이는』에서는 그러한 연결 고리를 찾을 수 없다. 고통을 감각할 수 있는 이들이 있을 뿐이다. 이는『백년여관』과 달리 이후 작품들에서는 주체의 책임성의 문제가 점차 약해져 갔다는 사실을 보여준다. 정치학자 아이리스 매리언 영은 제노사이드와 같은 거대한 사회적 폭력에 대한 책임은 개인의 윤리가 아니라 구조적 부정의가 작동하지 않도록 그 구조를 바꾸려는 사회적 노력의 문제라 설명한다.[193] 임철우의 후기 소설에서는 점차 그런 사회적 책임의 문제를 예민한 감각을 가지고 그 고통을 바라보는 이들이 대신해간다.

사회적 책임성이 점차 개인화된 윤리로 전환되는 이러한 흐름은 임철우가 경험한 현실적 곤경을 반영하는 듯 보인다.「연대기, 괴물」에서 계속 되살아나는 역사의 폭력에 절망적으로 몸을 던지는 비극이 개인의 윤리로 향해가는 과정 사이에 있다는 사실이 눈길을 끈다. 『돌담에 속삭이는』에서 괴물의 그림자는 보이지 않는다. 서북청년단 재건이나 국가폭력의 과거사를 정당화하려 했던 움직임이 대통령 탄핵이라는 정치적 격변과 함께 다시 주변으로 밀려났기 때문이다. 어느 날 영혼을 인도할 구원의 순간이 찾아오듯이 괴물의 시간 역시 그렇게 사라졌다. 이행기 정의 국면을 추동하는 정치와 사회적 변화는 작가들에게 새로운 재현의 가능성을 열어주기도 하지만 동시에 그 변화하는 현실이 문학적 실천을 압도할 수도 있다. 임철우가 『봄날』의 연표를 두 가해자의 사면으로 끝을 맺고 『백년여관』이라는 새로운 서사를 시도하게 한 그 시대의 조류는 괴물의 시간까지 삼키면서 역설적으로 작가의 행동반경까지 침식해 들어간 듯 보인다. 그래서 치유의 시간은 점차 시대가 전해주는 선물이 되어가고, 작가는 그 순간을 볼 수 있는 윤리적 시선을 가진 자로만 남게 된다.

한국사회의 이행기 정의 국면에서 문학은 긴 시간 동안 말할 수 없는 금기를 재현함으로써 반공국가의 공식기억에 맞서는 대항기억의 거점이 되었다. 그러나 민주화 이후 정치, 사회, 학문의 영역으로 이행기 정의의 주도권이 옮겨가면서 문학은 새로운 역할을 강구했다. 4부에서는 김원일과 현길언의 소설을 통해서 제도적 이행기 정의의 진행에 대응하는 제노사이드문학이 극명히 대비되는 양상들을 살펴볼 것이다. 현길언이 제도적 이행기 정의가 만들어 놓은 신 공식기억을 비판하고 구 공식기억을 복권하려고 한다. 반

면에 김원일은 제도적 이행기 정의의 진행과 발맞춰서 자신의 소
설을 계속 개작하면서 재현의 영역을 확장하면서 그를 괴롭혀온
반공주의의 굴레에서 벗어난다.

공식기억의 교체와
주체의 복권

제
4
부

1장

민주화가 품지 못한 것
— 외국과 외부, 내부와 내면[*]

제도적 이행기 정의와 그 외부들

1988년 제도적 민주화 이후 2020년대까지 이어지고 있는 한국 사회의 이행기 정의 국면은 진전과 퇴보, 경합과 타협을 반복하는 지난한 과정이었다. 80년대부터 탈냉전기의 아시아·아프리카·동유럽·남미 등에서 동시다발적으로 전개된 국가폭력의 과거사를 해결하려는 노력이었던 '이행기 정의'는 한국사회에서는 정치적·제도적 차원에서는 민주화 이후부터 2020년대까지 긴 시간 지

---

[*] 이 장은 저자의 논문인 「민주화가 품지 못한 것」(『현대문학의 연구』 82호, 한국문학연구학회, 2024)를 수정·보완한 것이다.

속되고 있는 장기적 과제로 남아 있다. 노근리 특별법을 비롯해 다양한 과거사 해결을 위한 입법이 이루어지고 『제주4·3사건 진상조사보고서』로 대표되는 민주화 이후 독재 시대의 공식기억을 대체하는 '신 공식기억'을 형성했다는 점에서 탈냉전기 다른 지역의 이행기 정의의 사례보다는 성과를 낸 편이라는 평가를 받기도 한다. 그러나 동시에 역사부정론의 백래시와 피해자의 위계화[1]와 같은 반작용과 한계 때문에 여전히 미완의 작업으로 남아 있다.

한국의 제도적 이행기 정의의 과정은 '진실·화해를위한과거사정리위원회'(이하 진화위)의 2기가 2024년에도 계속 활동하고 있다는 점에서 여전히 현재진행형이지만, 제도화에 의해 오히려 경색되고 말았던 여러 쟁점이 산재해 있다. 예를 들어 현기영이 『제주도우다』(2023)에서 제기했던 4·3 당시 무장대를 어떻게 평가할 것인가에 대한 질문은 한국사회의 이행기 정의의 제도들 안에서는 괄호쳐놓고 판단을 보류하면서도, 동시에 희생자의 범주에서는 이들을 배제한다.[2] 또한 국가폭력의 가해자들에 대해서도 명확한 입장을 제시하고 있지 않다. 법과 국가기구와 같은 제도의 영역이 과거사를 둘러싼 한국사회의 긴장과 쟁점의 많은 부분을 논의하지 않거나 다른 형태로 호명하는 방식을 통해서 비가시화하고 있다. 한국사회에서 오랜 시간 말할 수 없는 기억으로 은폐되고 있었던 제노사이드 사건을 재현하고 그 사회적 기억을 형성해온 매체이자 실천이었던 한국문학은 이러한 제도적 이행기 정의가 눈 감거나 공회전하고 있는 지점들을 여전히 응시하고 있다. 한국사회의 장기적 이행기 정의 국면에서 나타난 문화적·문학적 이행기 정의의 과정과 제도적 이행기 정의 사이의 불일치와 간극이 남아 있는 이러한 다층화된 기억의 구조는 현재까지도 지속되고 있다. 즉 이행기 정의의 제도와 법률이 바라보지 못한 지점들이 문학 속에서 재현되고 논의되고 있다.

이 장에서 주목하는 문학에서의 이행기 정의와 제도적 이행기 정의 사이의 간극은 네 가지 쟁점으로 구성되어 있다. 바로 외국과 외부, 내부와 내면이다. 민주화 이후 제도적 이행기 정의는 한국의 과거사에 나타난 비극적인 국가폭력 사건의 진상을 규명하고 피해자의 회복을 돕고 그러한 폭력이 반복되지 않는 사회를 만들고자 했다. 이러한 방향성은 동시대 다른 이행기 정의를 지향하는 국가들의 방향과 비슷한 것이지만, 한국이 직면한 지정학적 긴장과 쟁점들을 모두 다루고 있지는 않다. 즉 분단으로 대표되는 한반도에서의 지정학적 갈등과 냉전적 대립 구조의 지속, 그리고 남과 북의 두 국가 사이에 그어진 경계와 미국과 같은 외국의 행위는 주요한 해결의 과제로 다루어지지 못해온 것이다.

대한민국의 주권의 외부와 전쟁과 학살에 관여한 외국의 책임과 역할은 이행기 정의의 제도 속에서 제대로 포착되지 못했다. 대한민국 헌법에서는 휴전선 이북의 한반도 전역도 한국의 영토로 인식하지만, 이행기 정의의 전개 과정에서 현재 한국 정부가 지배하고 있는 지역이 아닌 곳에서 발생한 문제이거나 혹은 학살을 피해서 해외로 이주한 코리안 디아스포라에 대해서는 거의 다루지 않았다. 대표적인 사례가 황석영의 장편소설 『손님』에서 다루었던 한국전쟁 중 황해도 신천에서 발생한 신천양민학살사건은 진상규명의 대상에 포함되어 있지 않으며, 제주4·3으로 인해 일본 등지로 도망친 피난민의 상당수는 4·3의 피해자로 인정받지 못했다.[3] 또 노근리사건으로 대표되는 한국전쟁기 미국에 의한 민간인 학살 사건의 경우 한국과 미국 정부의 진 상조사와 '노근리사건 희생자 심사 및 명예회복에 관한 특별법' 등이 제정되기는 했지만, 미국 정부에서 그 법적 책임을 인정하고 있지 않을 뿐 아니라 한국 정부 역시 국가배상의 책임을 지지 않았다. 노근리 이외에도 한국전쟁 중 광범위한 미군 폭격의 문제가 진화위 1기에서 조사되었으나 미국의 책임과 인정은 노근리사건에 한정했을 뿐이다. 게다가 책임자 처벌이나 사과, 배상 없이 유감 표명과 지원금 지급 수준에 머물렀다.

한편 내부와 내면의 문제에서도 민주화 이후의 제도적 이행기 정의 과정에서는 적잖이 공회전하고 있었다. 내부의 문제, 즉 한국 사회에 존재하는 제노사이드 사건 및 국가폭력에 대한 '문화적 부인'의 문제는 역사부정론보다 강력하게 작동하고 있는 망각의 기제다. 이행기 정의 국면에서 제주4·3과 광주민주화운동, 거창양민학살, 노근리사건 등은 한국사회의 신 공식기억을 구성하고 있지만, 대구10월항쟁, 여순사건과 국민보도연맹학살사건 등은 제도적으로 받아들여졌음에도 불구하고 사회적인 인식에서는 주변화되었다. 이러한 문화적 부인 속에서 형성된 사회적 망각은 제노

사이드 문제에서 사회에 대한 반성적 사유의 가능성을 찾지 못하
도록 만들었다. '제노사이드적 심성'*의 문제, 즉 제노사이드를 수
행할 수 있게 했던 사회와 인간의 심리 기제에 대한 윤리에 대한
성찰은 주변적인 문제로 남게 되었다. 특히 회복적 정의를 추구하
면서 가해자를 조명하기보다는 개별 사건의 피해 사실에 집중해
온 제도적 이행기 정의는 가해자의 위치에 대한 반성적 사유의 문
제를 짚어내지 못했다.

이 장에서는 2000년대 이후 발표된 4편의 장편소설을 중심으
로 민주화 이후 한국의 제도적 이행기 정의 국면에서 주변화되었
던 외국과 외부, 내부와 내면의 문제를 한국문학에서 어떻게 성찰
하고 있었는지 밝히고자 한다. 여기서 분석하는 작품은 이동희의
『노근리 아리랑』(2007)과 황석영의 『손님』(2001), 조갑상의 『밤의
눈』(2012)과 이청준의 『신화를 삼킨 섬』(2003)이다. 이 작품들을 통
해 법률과 국가기구와 같은 제도의 영역에서 공식화된 방식으로
이행기 정의 국면에 대한 접근이 이루어지고 있던 때에 문학적 이

---

* '제노사이드적 심성'이라는 용어는 로버트 제이 리프턴이 처음 사용한 것으로 홀로코스
트와 같은 제노사이드 사건을 가능하게 했던 심리적 기제와 가치판단과 인식의 틀을 지
시하는데, 리프턴이 이 개념을 강조한 것은 제노사이드적 심성은 다른 형태의 폭력을 수
행하는 데서도 나타날 수 있다고 보았기 때문이다.(허버트 허시, 강성현 옮김, 『제노사이
드와 기억의 정치』, 책세상, 2009, 148~152쪽) 제노사이드의 실행을 가능하게 하는 이
러한 정신적·사회적 조건들은 한나 아렌트의 '악의 평범성' 개념이나 스탠리 밀그램의
사회심리학 연구, 지그문트 바우만의 홀로코스트와 현대 사회학에 대한 연구 등에서 반
복적으로 다루어졌던 주제다. 이 글에서는 제노사이드적 심성을 제노사이드 이후에도
남겨진 제노사이드를 가능하게 했던 심리적 기제를 포괄하는 용어로 사용할 것이다.

행기 정의는 국가가 바라보지 못한 지점들을 조명하고 있었음을 보여줄 것이다.

외국과 외부, 국가의 제도가 닿을 수 없는 자리

　W. G. 제발트는 자신의 책인『공중전과 문학』에서 제2차 세계대전 이후 독일 문학에서 어떠한 경험에 대한 집단적 망각이 나타나고 있었다고 지적한다. 바로 제2차 세계대전 중 독일에 영국과 미국이 감행한 무차별적인 폭격과 그로 인한 대량살육이라는 피해의 기억이 독일 문학에서 지워져 있었다는 것이다.[4] 제발트의 지적처럼 독일문학사뿐 아니라 전후 독일의 사회적 기억 속에서 민간인을 표적으로 한 연합군의 전략 폭격은 말할 수 없는 것으로 남겨져 있었다. 특히 수만 명이 희생되었던 드레스덴 대공습의 경우 이 사건을 대표하는 문학작품이 독일문학이 아니라 미국의 소설가 커트 보니것의 장편『제5도살장』(1969)[5]이라는 사실은 독일 사회의 집단적 망각을 잘 보여준다. 이러한 집단적 망각은 홀로코스트의 가해자였던 독일인들이 피해의 경험을 말하기 어려웠던 상황을 반영하고 있다. 이는 일본에서 히로시마와 나가사키의 원폭 피해를 통해서 자신들을 피해자로 정체화하고, 도쿄 대공습의 기억 역시 피해의 서사로 재구성해가고 있다는 사실[6]과 미묘한 대조를 이룬다. 그런데 폭격의 기억이 사라진 나라는 독일만이 아

니었다. 한국전쟁 중 광범위한 미군의 폭격이 자행되었던 한국 역시도 폭격의 기억, 특히 한국의 민간인을 향해서 3일에 걸쳐서 집요한 공격을 가해서 수백 명의 사망자를 발생시킨 노근리사건의 기억은 1990년대 이전까지는 한국사회에서 은폐되어 있었다.

한국전쟁 개전 직후인 1950년 7월 25일에서 29일 사이에 미공군과 미육군 제7기병연대가 수백 명에 달하는 민간 피난민을 공격해서 학살한 노근리사건은 한국전쟁 중 미군이 자행한 대표적인 민간인 학살이다. 노근리사건은 1994년에 학살 생존자이자 희생자 유가족이었던 정은용*이 쓴 실화소설『그대, 우리의 아픔을 아는가』(1994)에 의해서 처음 알려지게 되었으며 이후 1999년 AP통신의 탐사 보도 등을 통해서 국제적으로 주목받는 학살 사건으로 쟁점화되었다. 2000년대 들어서는 한국과 미국정부가 진상조사에 착수하여 학살 사건이 있었음을 인정하고 이후 '노근리사건 희생자 심사 및 명예회복에 관한 특별법'(이하 '특별법')의 제정과 추모 시설인 노근리평화공원이 건설되는 등 제도적 이행기 정의의 과정을 거쳐 한국사회의 신 공식기억을 구성하는 주요 사건 중 하나가 되었다. 그러나 노근리사건의 피해자들은 2022년 대법원의 판

---

* 노근리사건 당시에 두 자녀를 잃은 경찰인 정은용은 1960년대부터 노근리사건의 진상 규명과 미국의 책임을 확인받기 위해 활동했던 인물로 노근리사건희생자유족회의 회장을 역임하기도 했다. 특히 그의 소설인『그대, 우리의 아픔을 아는가』는 AP통신의 보도로 이어지면서 노근리사건의 진상 규명에 있어서 결정적 역할을 한 작품으로 평가받는다.

결에서도 국가배상의 책임을 인정받지 못했으며[7] 미국 정부 역시 대통령의 유감 표명과 추모비 건립 지원, 유가족을 위한 장학금 등 사건에 대한 국가책임을 제대로 인정하지는 않는다는 점에서 미완의 문제로 남아 있다.

소설가 이동희가 2007년에 발표한 장편소설 『노근리 아리랑』은 은폐된 기억으로서의 노근리가 아니라, 미국과 한국 정부에 의한 진상조사가 진행되고 미국의 클린턴 대통령이 직접 유감 표명을 하면서 제도적 이행기 정의의 과정이 일단락된 시점을 배경으로 한다. 『노근리 아리랑』은 기자이자 시인인 이림이 노근리사건으로 사망한 자신의 첫사랑인 김문자의 시신을 찾고 진상을 규명하려는 과정을 따라가는 작품이다. 국제사회에 잘 알려진 제노사이드 사건인 캄보디아의 킬링필드를 의식해서 '죽음의 들판'이라는 부제가 붙은 이 소설에 대해서 작가는 "노근리사건을 그런 세계적인 사건으로 부각시키"[8]려는 목적을 가지고 집필한 것이라 밝히고 있다. 『노근리 아리랑』은 사건에 대한 국제사회의 인식을 중요하게 염두에 두고 있을 뿐 아니라, 노근리사건의 가해자였던 미국에 대한 분열된 인식을 보이고 있다는 점이 눈길을 끈다.

『노근리 아리랑』은 소설적 완성도 면에서는 높은 평가를 할 수 없는 작품이다. 주인공인 이림이 문자의 시신을 찾기 위해서 그의 동생인 김문식을 찾는 서사를 제외하면 대부분 2000년대 중반 유가족과 시민사회가 노근리사건을 해결하고 피해자의 명예회복을 위해서 진행했던 여러 활동과 그 과정을 사실 그대로 그리고 있다. 특히 2006년 7월에 진행된 '노근리양민학살사건 56주년 합동 위령제'의 준비와 진행의 과정이 작품을 아우르는 큰 틀로 제시되어 있다.

(한 종교로 특정되지 않는) 신과 주인공이 대화하면서 참상의 책임을 따지는 장면이나 이림의 개인사 정도가 내용을 소설적 형식으로 구성해주는 제한된 서사적 장치일 뿐, 노근리사건에 대한 소설의 의미화는 르포에 가까운 사건과 상황에 대한 서술과 화자에 의한 웅변적인 주장을 통해서 이루어진다. 그러한 작품성의 한계에도 불구하고 『노근리 아리랑』을 주목해야 하는 이유는 드물게도 이 행기 정의의 진행 과정을 전면에서 조명하고 있는 소설이기 때문이다.

『노근리 아리랑』에서 중요한 등장인물 중에는 실존 인물인 노근리사건희생자유족회의 회장인 정은용이 있다. 작품 속에서 정은용은 그의 실제 행보와 이력을 거의 그대로 기술하고 있는데 4·19 직후인 1960년에 정은용이 노근리사건을 고발하는 서신과 손해배상청구서를 주한미군 법무 대위에 보낸 내용 등은 실제 그의 생애사와 거의 다 일치한다. 문서의 인용과 실제 사실을 그대로 기술하는 방식은 『노근리 아리랑』의 르포적 성격을 구성하는 중요한 서술 전략이다. 이 소설이 노근리사건과 그 이후 진상규명의 과정을 재현하는 방식은 거의 전적으로 피해자 증언과 문서 자료, 언론 보도 내용, 유족단체 등의 행적을 거의 그대로 가져오는 방식으로 쓰였다. 이는 동시에 소설의 많은 부분이 별다른 문학적 효과를 발휘하지 못하게 하는 원인이기도 하다.

『노근리 아리랑』이 다른 한국전쟁기 제노사이드 문제를 다룬 소설들과 크게 구분되는 지점은 외국, 즉 미국과의 관계를 사건의 중심축으로 삼고 있다는 점이다. 노근리사건 자체가 미군에 의해 자행된 학살극이었다는 점에서 이는 당연한 것처럼 보인다. 그러나 미국이 깊이 관여했던 제주4·3과 같은 제노사이드 사건의 재현들에서는 미국에 대한 논의는 잘 나타나지 않았다. 현기영이 민주화 이후 발표한 단편 「쇠와 살」(1992)에서 4·3이 일어나게 된 폭력의 구조를 질문하면서 '미 군사고문단' 더 나아가 당시 미국 대통령이었던 트루먼을 호명[9]하지만 일회적인 서술에 머물렀으며 다른 작품들에서는 미국에 대한 언급 자체를 찾아보기 어렵다. 미군정하에서 진압이 시작된 제주4·3뿐 아니라 국민보도연맹사건과 같은 한국전쟁기 제노사이드에 대해서도 미국은 정확하게 인지하고 있었지만, 대한민국의 주권 영역이라면서 사실상 학살을 묵인했다.[10]

제노사이드 문제에 있어서 미국의 불개입과 방조는 시대와 정권을 가리지 않고 일관된 태도[11]였지만, 동시에 제2차 세계대전 이후 제노사이드 범죄를 단죄하기 위한 국제법적 토대를 만들고 가해자들을 단죄하는 과정에도 미국은 주요한 역할을 했다. 제노사이드 방지를 전후체제의 성격으로 만들었으면서도 동시에 이를 묵인과 방조하는 정책을 함께 유지한 것이다. 이러한 미국의 묵인 혹은 지원은 제노사이드를 가능하게 하는 주요한 원인 중 하나로 꼽힌다.[12] 그럼에도 미국의 책임은 제노사이드의 재현하는 대부분의 소설에서 거의 나타나지 않았다. 이는 반미를 반체적 행위로 인식한 반공국가의 성격도 영향을 끼쳤겠지만, 동시에 한국전쟁에서 강력한 동맹군이었던 미국의 역할도 중요하게 작용했던 것으로 보인다. 미국의 가해 문제를 다루는 『노근리 아리랑』의 입장이 혼란스러워지는 지점도 바로 한국전쟁에서 "한반도의 공산화를 막은" 미국의 역할에 대한 평가에서 비롯된다.

> 자꾸 얘기가 가지를 벋는데, 좌우간 미국은 우리 나라를 구해 주었고 그러기 위해서 많은 미군 장병들 많은 장군들도 무참히 희생되었다. (중략) 그런데 과연 과연 그럴 수밖에 없었던가. 다른 방법은 없었던가. 그래서 결국 잘 하였다는 것인가. 군인도 사람이니 인간적으로 거리낌이 없었던가, 라기보다 군사적으로 전략적으로 또는 작전상 전쟁윤리상 문제가 없었던가, 하는 것이다. 그것을 묻는 것이다.*

『노근리 아리랑』에서는 2000년대 미국의 아프간, 이라크 전쟁 등으로 당대의 국제사회가 가한 비판을 인용하면서도 한국전쟁 중 미국과 미군의 역할을 함께 강조한다. 그러한 도움을 인정하면

---

* 이동희, 『노근리 아리랑』, 풀길, 2007, 197~198쪽. 이후 작품을 인용할 때는 괄호 안에 쪽수만 표기한다.

서도 노근리와 같은 잘못은 인정하고 진상을 확인하자고 주장한다. 이러한 소설의 시각이 실상 수세적인 대응이라는 점은 북한을 호명하는 방식과 비교할 때 뚜렷해진다. 『노근리 아리랑』에서 북한과 인민군에 대한 시각은 각 상황마다 진폭이 크게 엇갈린다. 예를 들어 인민군이 민간인을 학살한 사례를 제시할 때는 '북괴'(22)라는 멸칭을 사용하지만,《조선인민보》와 같은 북한 측 언론 보도나 미군에 의해 노획된 인민군 공문서 등을 언급할 때는 비교적 중립적 용어인 '북한'을 사용한다. 이념보다는 생존이 중요했던 민간인의 시각에서 전시 상황을 그릴 때는 '인공'이나 '조선인민공화국' 같은 명칭을 사용하기도 한다.

이러한 용어 사용의 혼란은 북한에 대한 반공주의적 적대(와 공산화를 막은 미국에 대한 긍정적 평가)를 유지하면서도 노근리의 진상을 파악하기 위해서 북한 자료에 의존해야 하는 모순적 상황에서 비롯된 자기 정당화의 필요성을 보여준다. 이림은 "우리 기자들, 신문들이 쓰지 못하였으니 아니 안 썼으니 북한이 쓴 것이라도 입증 자료로 내놓는 것"(207)이라고 항변하고, 노근리에 대한 북한 측 기록을 믿을 수 있느냐는 미 고위 관료의 반문에 미국의 노획 문서라는 점과 미군이 공개하지 않는 자료의 대체제라면서 북한 자료를 활용할 수밖에 없었음을 소명한다. 이러한 정당화의 필요는 우방인 미국과 주적인 북한이라는 냉전적 가치 평가 안에서 노근리사건을 이야기해야 하는 이의 곤경을 반영한다.

『노근리 아리랑』은 미군의 가해로서 노근리사건을 호명하고,

클린턴 행정부에서 유감을 표명한 이후에도 국내외적인 정치적 이유로 사건의 의미를 축소하려는 미국을 비판한다. 그러나 동시에 우방인 미국을 비판하는 것이 북한을 지지하는 것이 아님을 분명히 하면서 냉전적 이분법을 반복하고 있다. 소설의 마지막 장에서도 노근리에 대한 책임을 축소하려는 미국을 비판한 뒤에 북한에 대해서는 전쟁의 책임을 따지고, 외교적인 대북정책을 주장하는 당시 집권세력 민주당 정부에 대해서는 적에게 온건주의적 태도를 취하고 있다며 강력하게 비판한다. 미국에 대한 비판이 곧 냉전 구도에서의 이탈이 아님을 증명하려는 이러한 혼란스러운 주장의 나열은 『노근리 아리랑』에서의 재현이 냉전적 이념 속에 강하게 묶여 있음을 보여준다. 그로 인해 소설은 노근리사건 등 미군에 의한 민간인 학살이 발생하게 된 군사주의*에 대한 어떠한 비판적 인식도 보여주지 않는다. 한국전쟁의 미국의 참여에 대한 정당성을 결코 의문시할 수 없기에 노근리는 "군사적으로 전략적으

---

* 김태우는 한국전쟁 중 남한 지역에 대한 미공군의 폭격에서 민간인을 대상으로 한 공격이 반복되었던 심리적 요인으로 군사적 기능주의에만 집중한 군인 양성과 개인적 성과만을 강조하던 당시 참전 군인들의 태도, 점령 지역 내 모든 이들을 북한군과 동일시하고 군인으로서의 직업윤리를 내세워 명령에 대한 복종을 정당화하는 태도 등을 들었다.(김태우, 『폭격』, 창비, 2013, 186~194쪽) 이러한 미군의 태도와 군사 문화는 이 시기 미국만의 특징이 아니며 군사주의 일반의 경향이었다. 홀로코스트와 전쟁범죄에 가담한 독일군의 심리를 분석한 죙케 나이첼과 하랄트 벨처는 그러한 폭력이 나치즘이라는 인종주의적 이데올로기보다는 (이라크 전쟁 중 민간인을 공격한 미군 병사에게도 나타난) 군사주의 문화의 영향이 더 크게 작동했다고 주장한다.(죙케 나이첼·하랄트 벨처, 김태희 옮김, 『나치의 병사들』, 민음사, 2015, 462~491쪽.) 이러한 군사주의는 제노사이드적 심성을 구성하는 한 요소였다.

로 또는 작전상 전쟁윤리상 문제"로 축소될 수밖에 없다. 이처럼 미군이 전시에 저지른 잘못으로 노근리가 포착될 때, 한국전쟁 중 민간인을 향한 다른 미군 폭격이나 제노사이드에 대한 방조와 묵인 등의 문제로 논의가 확대되지 않는다. 노근리는 예외적 사건[13]으로 남게 되고, 신 앞에서 인간이 어떻게 그런 짓을 할 수 있느냐는 피상적인 질문을 던질 수밖에 없다.

『노근리 아리랑』이 이행기 정의 국면의 진행 속에서도 미국이라는 외국에 대한 비판의 논리가 냉전의 구도 속에 갇혀 있음을 보여주었다면, 황석영의 『손님』은 민족의 외부에서 온 이념의 대립이라는 '손님'과 무속 문화로 표상되는 민족 화해의 대비를 통해 냉전적 적대의 구도를 해체한다. 『손님』은 1950년 10월에서 12월 사이에 미군과 한국군에 의해 점령된 황해도 신천 지역에서 기독교계를 주축으로 한 반공·우익 치안대가 자행한 신천양민학살사건을 소재로 한 작품이다. 『손님』은 황해도 진지노귀굿이라는 무속의 형식을 빌려온 작품으로, 황석영이 망명 생활을 하던 1990년대 초에 「호구별성」이라는 제목의 중편소설로 처음 기획되었다.[14] 『손님』의 소재가 된 신천양민학살사건은 미군과 한국군의 점령지에서 발생한 학살 사건이지만, 휴전선 이북 지역의 사건이기 때문에 한국의 제도적 이행기 정의의 대상에서 제외되었다. 한국의 이행기 정의 국면에서 배제된 신천양민학살사건의 기억은 대한민국이 아닌 다른 한반도 이북 국가의 공식기억을 구성하는 주요한 사건이다. 북한의 공식기억에서 신천양민학살사건은 미국에 대한 적대를 정당화하는 역사적 근거기 때문이다.

황석영은 『손님』의 '작가의 말'에서 1989년 방북 당시에 신천양민학살사건을 기념하기 위한 시설인 '미제 학살기념 박물관'에 방문했던 일을 계기로 작품을 구상하게 되었다고 밝힌다. 미제 학살기념 박물관이라는 시설의 명칭에서 알 수 있듯이 북한의 공식기억에서 황해도 신천에서의 학살 사건의 가해자는 한국군이나 지역 우익과 기독교도 등이 아니라 미군이다. 북한은 신천양민학살사건을 '신천대학살'이라고 부르면서 이 지역에서 미군이 3만5천 명에 달하는 주민을 학살했다고 주장한다.[15] 한국에서도 이 신천 지역에 대한 역사적 인식이 없었던 것은 아니었다. 1950년 10월에 있었던 신천 지역 기독교계와 지역 우익, 월남민 등이 북한 정권에 맞서 봉기한 사건을 '10·13반공의거'라 부르면서 1970년대 반공교육에 활용했다.[16] 황석영의 『손님』은 냉전적 대립 구도 속에서 남과 북의 두 국가가 구성한 공식기억 모두와 충돌하는 형태로 신천양민학살사건에 대한 사회적 기억을 구성했으며, 2000년대 이 사건에 대한 한국사회의 재인식에 강력한 영향을 끼쳤다.[17] 『손님』은 남과 북의 두 개의 국가 모두의 공식기억과 문학적 이행기 정의의 과정이 충돌했다는 점에서 예외적인 작품이다.

신천양민학살사건에 대한 북한의 공식기억인 '신천대학살'이란 미군만이 가해자로 제시된 서사는 한국전쟁 중부터 북한정부에 의해 적극적으로 구성되었다. 한국전쟁 중인 1951년에 전쟁 피해를 조사하기 위해서 국제민주여성연맹에서 파견한 진사 조사위원들은 신천 지역도 방문한다. 신천사건을 조사하는 과정에서 조사위원들이 만난 학살 생존자들은 모두 미군에 의해서 수만 명이 살해당했다고 증언했다. 국제여맹의 한국전쟁 조사보고서인 『우리는 고발한다』 We Accuse에서는 신천 지역 학살 사건의 가해자들을 '미군'과 '미군 통제하의 한국군'이었다고 제시했다. 역사학자 김태우는 이러한 조사 결과는 당시 사건을 증언하는 생존자와 조사위원의 만남을 주선하고 증언을 청취할 수 있도록 통역원을 배치한 북한정부에 의해서 우익 치안대가 제외된 결과였을 것이라 주장한다.[18] 북한의 공식기억인 '신천대학살'은 인민의 반미 정서를 고취하고 전쟁에서 자신들의 정당성을 강화하기 위한 서사로 활용되었다. 그러나 『손님』에서는 신천양민학살사건을 체험했던 '류요섭' 목사의 방북과 그 과정을 함께하는 영혼들의 대화를 통해서 냉전기 한반도의 두 국가가 형성한 냉전적 공식기억을 이중으로 해체한다.

　『손님』은 신천양민학살사건의 가해자였던 우익·기독교 치안대에 속해 있었던 '류요한' 장로의 유해를 그의 동생인 류요섭 목사가 고향으로 가져가면서 시작된다. 소설은 류요섭이 생존자와 가족, 그리고 당시 사건으로 희생된 이들의 영혼과 만나면서 사건의 실체를 밝히고 화해에 이르는 과정을 보여준다. 『손님』은 개신교 성직자인 류요섭 목사를 주인공으로 내세우지만, 소설의 구조는 무속의 형식을 빌려온다. 목사를 주인공으로 한 이 무속 서사는 기독교와 무속이라는 종교 간의 충돌은 거의 나타나지 않는다. 류요섭의 유년기에 증조할머니가 "서양구신"이 아닌 "조상을 잘 모세야 사람구실을 하넌 거"*라면서 가족들의 기독교 신앙에 대한 반감을 드러내고 증손주에게 무속적 세계를 알려준다. 그러나 기독교와 무속이라는 이질적인 두 종교는 류요섭 안에서 충돌하지 않는다. 그는 진지노귀굿의 12마당을 따라 진행되는 서사 속에서 죽은 자와 대화하는 무당의 역할을 담담히 행한다. 『손님』에서 과거 시점으로 증언되는 신천 지역의 갈등의 축은 외부에서 온 '손님'인 서구적 근대, 즉 기독교와 공산주의의 대립과 이를 통해서 표면화된 신천 지역의 누적된 경제적·사회적 격차에서 비롯된 계급적 갈등이다.[19] 반면 류요섭이 방북하여 고향을 찾아가게 되는 현재 시점은 북한의 공식기억과 이에 부합하지 않는 신천 지역 주민과 생존자들, 그리고 망자가 가진 기억 사이에 갈등의 축이 존재한다.

『손님』에서 신천양민학살사건의 기억을 둘러싼 현재 시점의 갈등은 공간적 이동을 통해 전개된다. 북한을 방문한 류요섭은 신천대학살 박물관을 방문하게 된다. 북한에서 그에게 허락된 경로는 사회주의 국가의 목표에 따라 구성된 공간을 지나서, 사회적 기억을 재생산하기 위한 '기록물보관소'[20]인 신천박물관으로 향해서 '반미 교양'[21]을 구성하는 공식기억과 마주하게 한다. 그러나 공식기억과는 다른 기억을 가진 그는 형인 요한과 형과 대립했던 '순

---

* 황석영, 『손님』, 창비, 2001, 38~39쪽. 이후 인용 시 괄호 안에 쪽수만 표기한다.

남이 아저씨'의 유령과 마주하면서 공식기억을 해체해간다. 그가 신천을 방문할 수 있게 되면서 공식기억을 학습하는 경로에서 이탈하고 유령들 그리고 기억을 말할 수 없는 생존자들과 만나게 된다. 소설 속 류요섭의 이동 경로는 신천대학살이라는 북한의 공식기억에서 이탈하고 유령의 기억과 만나게 하는 서사의 전략이다.[22]

신천박물관으로 대표되는 공식기억의 공간에서 이탈한 기억의 서사는 권력의 의지에 따라 수직적으로 구성된 학습의 경로[23]가 아닌 수평적인 대화의 장으로 이동한다. 이러한 대화를 가능하게 하는 것이 바로 무속의 기능이다. 무속은 유교 가부장적인 남성화된 사회의 공식적 관계에서 다룰 수 없는 문제나 사회적 소통이 이루어지는 여성적 의례[24]였으며, 제노사이드라는 근대국가의 폭력을 경험한 이후에는 공식적으로 말해질 수 없는 사건의 기억을 권력의 눈을 피해 보존·재생산하는 대항담론장으로 기능했다.[25] 『손님』에서 무속적 세계는 (남과 북 모두) 분단체제 속에서 허락하지 않았던 대립하는 두 입장 사이의 수평적 대화가 가능해지는 대안적 공론장으로 기능한다.

두 사람이 쓱 나타나 마주앉는 것이다. 요섭은 이제 놀라지 않는다. 하나는 백발의 늙은 요한 형이고 다른 하나는 중년의 순남이 아저씨다. (중략) 떠나구 보니 벨루 끔찍하디 않두만. 공평하게 얘기해봐야 되디 않가서. 한이 없이 가야 떠돌디 않구.(118~119)

기독교와 우파 치안대에 속했던 요한과 조선인민공화국의 지역 인민위원회 구성원인 순남이 아저씨는 신천양민학살사건에서는 가해자와 피해자의 관계였지만, 죽음 이후에는 과거의 기억을 증언하는 대등한 대화의 상대로 류요섭 앞에 나타난다. 이들의 대화는 (반공주의와 연합한) 기독교와 (38선 이북의 지배적 이데올로기였던) 공산주의 사이의 이념 대립이라는 냉전적 대결 구도를 축으로 형성된 남과 북의 공식기억 모두와 어긋나는 기억을 증언한다. 이념과 전쟁은 지역 내에서 역사적으로 누적된 갈등을 표면화하고 극단화하는 장치였다. 분단과 한국전쟁 그리고 조선의 경제·사회적 질서 속에서 누적된 계급적, 지역적, 신분적 갈등의 서사가 교차하는 증언과 기억 속에서 냉전적 해석은 힘을 잃고, 화해와 재인식의 가능성을 찾게 된다.

내부와 내면, 문화적 부인과 제노사이드적 심성

민주화 이후 한국사회에서 제도적 이행기 정의는 1990년대에서 2000년대 초까지 광주민주화운동과 제주4·3, 군 의문사나 거창사건, 노근리사건 등 개별적인 국가폭력 사건들에 대해 별도의 입법과 진상조사를 진행했다. 그러나 2000년대 중반 과거사 문제를 통합적으로 다루는 국가기구인 '진실·화해를위한과거사정리위원회'가 출범하면서 각각의 특별법이 아닌 포괄적인 진상규명과 해결의 방향으로 전환된다. 이는 민주화 이후 제도적 이행기 정의의 국면에서 과거사 문제를 쟁점화하는 사회적 기준이 크게 낮아졌음을 의미한다. 80~90년대에 쟁점화되었던 국가폭력의 사례들이 인지도가 있는 사건이거나 지역적 기반이 분명한 경우였으며, 한국전쟁기 제노사이드 사건의 대부분은 논의조차 되지 못했다. 제노사이드 이후 수십 년간 반공국가의 공식기억에 의한 억압과 사회적 적대 속에서 경험한 사회적 고립이 피해자들의 증언과 진상규명 활동에 나서기 어렵게 하는 요인이었다.[26] 진화위와 같은 통합적인 과거사 기구의 출범은 개별 특별법 등에 의존하여 파편화되고 피해자의 고립에서 비롯된 이행기 정의의 어려움을 극복하기 위해 논의[27]되기 시작하여 시민사회의 입법 투쟁을 거쳐 제도화되었다. 진화위는 피해자와 생존자의 진정을 받아서 수많은 과거사 사건에 대한 진상규명 작업을 진행하였는데 관련 분야 전문가조차 전체 내역을 다 파악하기 어려울 만큼 광범위하게 진행되었다. 이러한 제도적 진전은 잊힌 역사로 남아 있던 제노사이드 사건들 상당수가 국가적 공식기억에 등재될 수 있었다. 그러나 민주화 이후 신 공식기억을 구성하게 되었다고 해서 한국사회의 공통기억으로 수용되었다거나 그 피해가 회복되었다고 말할 수 있는가? '국민보도연맹원 학살사건'(이하 보도연맹사건)을 다룬 조갑상의 소설들은 민주화 이후 이행기 정의 국면에서 사회의 공통 기억으로 복원되지 못한 제노사이드의 역사를 다시 불러낸다.

1980년《동아일보》신춘문예에 당선되며 작품 활동을 시작한 소설가 조갑상은 이창동 등과 함께 80년대부터 보도연맹사건을 이르게 소설화해온 작가 중 한 사람이다. 일반적으로 보도연맹사건을 전면에서 다룬 첫 소설로는 이창동의 단편 「소지」(1985)가 꼽히는데, 조갑상은 1986년 자신의 단편인 「사라진 하늘」에서 처음 보도연맹사건을 소재로 삼은 이후 2020년대까지 꾸준히 그에 대한 작품을 발표하고 있다. 조갑상이 다작의 작가는 아니었기에 보도연맹사건에 대한 소설도 양적으로 많지는 않다.

그의 첫 번째 소설집인 『다시 시작하는 끝』(1990)에 실린 「사라진 하늘」과 세 번째 소설집인 『테하차피의 달』(2010)에 수록된 단편 「어느 불편한 제사에 대한 대화록」, 그리고 장편소설인 『밤의 눈』(2012)과 네 번째 소설집인 『병산읍지 편찬약사』(2017)에서는 표제작 「병산읍지 편찬약사」(2016)와 단편 「해후」(2014), 장편소설인 『보이지 않는 숲』(2022) 등이 보도연맹사건을 다룬다. 전체 편수로 보면 결코 많은 양은 아니지만, 그의 활동 기간 내내 보도연맹사건을 소설화해왔다. 대표작인 『밤의 눈』의 경우 출간은 2012년에 되었지만 2002년에 인터넷 소설 플랫폼인 '이노블타운'에 연재한 『표적』이라는 소설을 개작한 작품이었다.[28] 경남 지역 보도연맹사건과 진상규명에 나섰던 유족회를 다룬 『밤의 눈』은 10년 이상 창작과 개작 과정을 거친 작품이었다. 조갑상에게 보도연맹사건은 그의 문학에서 평생을 거쳐서 해명하고자 했던 핵심적인 문제였다.

『밤의 눈』은 1950년 가상의 공간인 '대진읍'에서 자행된 보도연맹사건과 4·19혁명 직후 피학살자 유족회의 진상규명 활동, 5·16 쿠데타 이후 군부정권의 탄압과 동원, 부마항쟁에 이르는 과정까지 30년에 가까운 긴 시간 동안을 다루는 작품이다. 『밤의 눈』의 배경인 대진읍은 보도연맹사건으로 극심한 피해를 입었던 경남 김해시 진영읍을 모델로 한 공간이다. 소설의 주인공인 제노사이드 피해자 '옥구열'과 '한용범'은 각각 실존 인물인 '김영욱'과 '김영봉'을 모티프로 했다. 김영욱과 김영봉은 진영읍의 보도연맹사건에서 학살 생존자와 가족을 잃은 피해 유족으로 4·19 직후부터 61년까지 활동했던 경남지역 피학살자 유족회에서 진상규명과 책임자 처벌 등을 위해 함께했던 이들이다.

김영욱은 민주화 이후에도 진상규명 활동을 이어가 전국유족회 상임대표로 2000년대 진화위를 출범시킨 과거사법 제정을 위해 적극적으로 나섰다.[29] 진영의 지식인이자 유지였던 김영봉은 보도연맹에 가입되어 있어서, 사건 당시 총살 현장에서 총격을 입고도 기적적으로 살아남아 도망친 피해자다. 당시 학살을 자행했던 지역 유지와 민병대는 김영봉이 살아있음을 알게 되자 그의 여동생인 김영명을 살해한다. 경남 김해 진영읍은 소설가 김원일의 고향이기도 한데, 『밤의 눈』이 소설화한 진영읍의 보도연맹사건은 그의 대표작인 『불의 제전』 후반부의 주요 사건으로 등장할 뿐 아니라, 2010년 강출판사에서 나온 김원일 전집에 수록된 『불의 제전』 개정판에 이름을 밝히지는 않았으나 김영봉의 이야기가 추가되기도 했다.

『밤의 눈』에서 주목할 점은 소설의 제목이기도 되는 '밤의 눈', 달에 부여된 상징성이다. 소설 속에서 밤의 눈이라는 이미지는 김영봉을 모델로 한 인물인 한용범이 학살 현장에서 총격을 받기 직전에 올려다본 하늘 위에 있던 달이 자신과 이 상황을 응시하고 있음을 보여주는 표현이었다. 한용범은 달이 밤의 눈으로서 자신을 바라보고 있다는 사실에 안도한다.

> 몇 사람이 소리치며 몸을 일으키고, 같이 묶인 사람들이 비명을 내지르는 순간, 땅! 하는 소리가 울렸다. 한용범은 그 순간 자신도 모르게 달을 보았다. 밤의 눈. 허벅지인지 옆구리인지가 뜨끔하다 싶더니 앞사람들이 벼 가마니 쓰러지듯 풀썩 몸을 덮었다. 그는 달이 공포가 아니라 밤의 눈으로 자기를 지켜보고 있음을 의식을 놓기 직전에야 알았다.*

『밤의 눈』에서 달의 상징성을 이해하기 위해서는 그의 전작인 「사라진 하늘」을 살펴볼 필요가 있다. 마찬가지로 보도연맹사건을 다루는 「사라진 하늘」에서는 보도연맹에 강제로 가입된 지식인 '재엽'이 반공국가에 의해서 살해당하고, 그의 아버지인 '한실영감'도 폭격을 받아 사망한다. 흥미로운 점은 죽음을 맞을 때 이 부자의 시선이 모두 하늘을 향하고 있었다는 점이다. 총살을 당하

---

* 조갑상, 『밤의 눈』, 산지니, 2012, 149쪽. 이후 인용 시 괄호 안에 쪽수만 표기한다.

는 재협은 "별도 없는 먹장 하늘"을 바라보고, 폭격을 당한 한실영 감은 "하늘에는 그냥 아무것도 없"[30]는 상황에서 죽어간다. 텅 비거나 가려진 하늘과 학살 현장을 응시하는 밤의 눈으로서의 달은 극명하게 대비되는 이미지다. 조갑상은 다른 작품들에서도 보도연맹사건의 희생자를 달이 응시하고 있지 않을까에 대해 질문을 던지면서, 밤의 눈인 달을 반공국가의 공식기억을 만들어 낸 가해자들과는 다른 역사의 목격자[31]로 의미화한다.

보도연맹사건은 한반도에서 발생한 단일 제노사이드 사건으로는 최대 규모지만 사회적 평가와 그에 대한 인식의 수준은 높지 않다. 민주화 이후 공식기억에 등재되어 있음에도 불구하고 사회적 외면 속에서 축소된 보도연맹사건의 기억은 이중적인 망각의 공포(반공국가의 억압과 문화적 부인)에 맞서야 했다. 역사의 목격자인 달의 존재는 가해자가 피해자의 목소리를 억압하면서 만들어낸 공식기억에 저항하는 대항기억이 자라는 토양이자 더 나아가 사회적 기억의 영역 역시 다시 재편할 수 있다는 희망의 근거가 된다.

『밤의 눈』을 구성하는 6개의 장 중에서 보도연맹사건이 일어났던 1950년이 배경인 것은 2장인 '그해 여름' 하나뿐이다. 2장은 분량 면에서는 소설의 절반가량을 차지하고 있지만, 학살 이후인 60~70년대의 상황을 묘사하는데도 그만큼의 분량이 할애되어 있다. 3장인 '유족회'에서는 대진읍과 인근 지역의 보도연맹 유족들이 '대금 피학살자 유족회'를 결성하고 진상 조사와 책임자 처벌을 요구하게 된다. 그러나 군부 쿠데타 이후 유족회는 반공국가에 의해 처벌 대상이 되고, 이후 살아남기 위해서 사회적으로 고립될 뿐 아니라, 유신헌법 국민투표에 누구보다 먼저 나가 찬성표를 던지는 '과잉적응'을 통해 (반공) 국민임을 증명해야만 하는 처지에 놓인다. 『밤의 눈』은 4·19 직후 시도되었던 이행기 정의의 노력이 군부의 탄압에 의해 무력화[32]되고, 유족들이 진상규명의 희망을 잃고서 (반공) 국민을 창출하려는 반공국가의 '가독성' 장치를 피하기 위해 반공주의적인 자기 재현, 즉 '고백'의 전략을 활용하는 양상을 보여준다.

하지만 이러한 적응 방식이 곧 반공주의의 내면화는 아니다. 고백의 자기 재현 속에서도 반공주의의 기억을 전복하려는 저항적 역량은 보존되는데, 『밤의 눈』에서는 마지막 장에서 부마항쟁의 시위대 행렬에 옥구열이 합류하는 과정을 보여줌으로써 이를 분명하게 한다. 옥구열은 보도연맹사건의 피해자들을 연좌제로 묶어서 언제든 시국 사건에 희생시킬 수 있는 "우리의 영원한 표적"(326)으로 삼는 반공국가만이 아니라, 한국전쟁을 거치며 반공주의를 내면화한 이웃으로부터도 "대한민국 국민이몬 다 같은 국민인 줄 아나"(355)라며 차별받는다. 그러나 유신철폐와 독재타도를 외치는 부마항쟁의 시위 대열에 합류한 그는 생존을 위해 반공국가에 순응하는 (반공) 국민이 아니라 "식당에서 소주를 마시며 할 말을 하는 국민"(378)이 될 수 있기를 소망한다.

반공국가의 억압적 통제 기구였던 국민보도연맹은 전향을 통해 좌익과 사상범 등을 (반공) 국민으로 전환하는 것을 그 사회적 역할로 내세우면서, '탈맹'이라는 조직에서의 이탈을 최종적 목표로 삼았다.[33] 표면적으로 탈맹은 반공국가의 적대적 타자였던 '빨갱이'의 표상에서 이탈하여 국민으로 승인되는 해방의 절차였으나, 이는 순응적인 (반공) 국민으로서 반공국가 포획되는 것일 뿐이다. 이러한 전향의 작업을 달성할 수 없다고 판단되는 전시 상황에서는 통제할 수 없게 될 이들을 제노사이드의 표적으로 바꿔서 살해한다. 그래서 국민보도연맹은 『밤의 눈』에서 정치적 주체성을 인정하지 않는 반민주적 기구[34]로 그려진다. 『밤의 눈』의 마지막 장면에서 옥구열의 시위대 합류는 고백의 자기 재현에 갇혀 있던 피해자가 시민으로서 자신의 주체성을 회복할 수 있음을 보여주며, 한국사회의 민주화와 과거사를 극복하는 이행기 정의가 결부되어 있음을 확인해준다.

『밤의 눈』에서는 부마항쟁이라는 민주화 시위를 통해 보도연맹사건의 은폐된 역사를 기억하는 것과 피해자의 사회적 권리 회복이 가능할 수 있음을 보여준다. 그러나 2016년 작인 「병산읍지 편찬약사」에서는 민주화 이후 이행기 정의 과정에서 나타난 사회적 망각의 기제인 문화적 부인이 여전히 작동하고 있음을 보여준다. 「병산읍지 편찬약사」는 병산읍이라는 지역의 역사를 기술하는 병산읍지 『병산의 어제와 오늘』의 편찬 과정에서 보도연맹사건을 기억에서 지우고 축소하려는 지역 유지들과 이를 남기려는 역사학자 사이의 대립을 보여준다. 한국전쟁 중 병산읍의 경찰들도 보도연맹원에 대한 학살의 명령을 받게 된다. 그러나 당시 병산읍 지서

장이었던 '허형도'는 상부의 명령을 어기고 예비검속하여 수감되어 있던 보도연맹원을 풀어줘서 인명 피해를 크게 줄인다. 병산읍지의 현대사 부문의 서술을 청탁받은 역사학자 '이규찬' 교수는 허형도의 일을 읍지에서 주요 사건으로 상세히 기술한다. 허형도의 일화는 진화위 보고서에서도 고작 한 줄로 끝낸 내용이지만, 보도연맹사건에서는 거의 찾아볼 수 없는 극히 예외적으로 양심적 행동한 인물이라 생각했기 때문이다. 그러나 읍지 편찬을 주도하는 지역 유지들은 보도연맹사건에 대한 언급을 없애라고 이 교수에게 지속적으로 압력을 가한다.

지역 유지들은 해당 사건을 부정하기보다는 평가절하고 관련된 서술을 축소하라고 요구한다. 이규찬은 이러한 요구에 내용을 줄여보지만 "그런데 마음보다 손이 성급하게 유족회 결성과 합동묘 파괴가 담긴 문장을 지우고 있"*는 자신의 모습을 발견하고는 그들의 방침을 수용할 수 없다며 반발한다. 결국 유지들은 이규찬 교수 대신에 다른 학자에게 원고를 교정하도록 한다. 바뀐 원고에서는 허영도의 사례는 실제 역사적 인과가 뒤바뀌면서 가해자였던 반공국가가 오히려 피해를 줄인 것으로 재구성한다.

저번에 무슨 교수가 쓴 글에서는 지서장이 창고 문을 열어준 뒤에

---

* 조갑상, 「병산읍지 편찬약사」, 『병산읍지 편찬약사』, 창비, 2017, 84쪽. 이후 인용 시 괄호 안에 쪽수만 표기한다.

도경에서 처형금지 명령이 내려왔다고 되어있는 것 같아서 하는 말입니다. (중략) 그걸 부위원장님이 왜 몰라요. 하긴 앞에 글이 워낙 편향이 심해 내용이 백 프로 옳다고 단정할 자신도 없긴 하지만, 명령 불복종 문제도 지우고 정부의 개입이 있어 희생을 줄인 건 사실이니까 이렇게 배치한 거지. 이게 무슨 문제가 되겠습니까.(90)

병산읍 유지들은 지역의 보도연맹사건이 가진 역사적 의미를 축소하였을 뿐 아니라, 사건을 실제 역사와 다르게 해석하고 평가함으로써 가해의 역사를 은폐하는 전략을 구사한다. 평가절하와 내용 축소가 문화적 부인의 양상을 보여준다면, 사건의 인과를 뒤바꾸는 서술은 해석적 부인[35]의 작업을 통해서 가해의 역사를 지워버리고 반공국가의 잘못에 저항했던 이들을 오히려 그에 복종한 인물의 서사로 재구성했다. 이러한 부인의 문화는 제도적 이행기 정의 이후에도 제노사이드의 기억이 놓여 있는 사회적 곤경을 보여주면서, 지속적인 문화적 이행기 정의 작업의 필요성을 요청한다.

조갑상의 소설이 민주화 이후 사회적 기억의 내부에 존재하는 은폐와 망각의 연속을 포착한다면, 이청준은 제도가 말하지 않은 내면의 문제, 제노사이드적 심성의 영역을 조명한다. 이청준은 70년대 발표한 단편 「소문의 벽」(1971)에서 한밤중 모자를 찾아온 의문의 무장한 남성이 비추는 '전짓불'을 통해서 제노사이드에서 나타나는 가독성 장치의 공포를 가시화했다.

어느 날 밤 경찰인지 공비인지 알 수 없는 사람들이 또 마을을 찾아들어왔다. 그리고 그 사람들 중의 한 사람이 우리 집까지 찾아들어와 어머니하고 내가 잠들고 있는 방문을 열어젖혔다. 눈이 부시도록 밝은 전짓불을 얼굴에다 내리비추며 어머니더러 당신은 누구의 편이냐는 것이었다. 하지만 어머니는 그때 얼른 대답을 할 수가 없었다. 전짓불 뒤에 가려진 사람이 경찰대 사람인지 공비인지를 구별할 수 없었기 때문이다. 대답을 잘못했다가는 지독한 복수를 당할 것이 뻔한 사실이었다.[36]

식별할 수 없는 권력이 "당신은 누구의 편이냐"는 질문에 이쪽 혹은 저쪽이라는 이분법적 선택 속에서 갇히게 된 상황은 한국전쟁기 제노사이드 피해자의 운명을 봉인하는 강력한 폭력이다. 전짓불 앞에서의 자기 증명이라는 트라우마적 경험은 70년대 이청준의 소설 속에서는 오히려 공동체가 경험한 제노사이드 사건을 증언하는 형식[37]이었다. 「소문의 벽」에서 나타난 자기 증명의 공포는 이청준 소설의 주체들에게 '피의자 의식'을 형성하게 하는 강력한 기제다. 이청준은 자신의 소설 속에 나타난 피의자 의식이 "시대가 국가권력과의 관계에서 볼 때 국민들 모두를 피의자로 몰아넣는 시대인 것 같이 여겨졌기 때문"에 나타났으며, 당시 한국 사회의 현실에는 "신문자, 혹은 수사관과 피의자밖에 없"[38]었다고 말한다. 그런데 역설적이게도 민주화 이후 90년대에 이청준은 오히려 가해자로서의 의식을 전면에 내세운다.

이청준은 단편 「가해자의 얼굴」에서 한국전쟁 중 보도연맹사건을 경험한 중년 남성인 '김사일'의 시선을 통해서 제노사이드의 기억을 가해자의식을 중심으로 구성하려고 한다. 그는 한국전쟁 초기인 1950년 6월에서 9월까지 결혼하여 혜화동에 사는 누님의 집에 더부살이를 한다. 김사일의 자형은 'ㅂ연맹'에 가입된 사람이었다. 개전 직후 예비검속 대상이 되어 잡혀간 자형은 끝내 돌아오지 않는다. 자형은 "남쪽을 위해 나섰던 ㅂ연맹 사람들은 한강도 건너지 못하고 모두 떼죽음을 당했다는"* 소문을 통해서 죽었다고 추정될 따름이다. 김사일의 누님 집에는 ㅂ연맹과 관련된 사람들이 세 차례 방문했다. 김사일은 그중 마지막으로 찾아온, 자형처럼 ㅂ연맹원으로써 쫓기고 있던 사내의 일에 죄의식을 느낀다. 그 사내는 김사일에게 자형의 행방에 대한 여러 소식을 전하지만 실은 자신을 숨겨달라는 도움의 요청을 우회적으로 전하고 있었다. 그러나 반공국가의 위협을 의식한 김사일은 그의 속내를 눈치채고 있으면서도 끝내 그를 외면하고, 이후 그가 살아남지 못했을 것이라고 추정한다. 이후 전쟁 때의 일을 회고하는 김사일은 "그 전쟁은 죽은 자들만의 삶을 빼앗아 간 게 아니"고 "운 좋게 명을 부지해 나온 사람들도 영혼에 치명적인 타격을 입"(513)혔다며 자신 역시 전쟁의 피해자였다고 말한다. 그러나 김사일의 피해자 의식은

---

* 이청준, 「가해자의 얼굴」, 『가해자의 얼굴』, 문학과지성사, 2019, 504쪽. 이후 인용 시 괄호 안에 쪽수만 표기.

양가적이다. 87년 여름에 남과 북이 서로 동일한 수난자의 위치에서 만나서 화해를 도모하는 방식으로 대화해야 한다고 주장하는 운동권인 딸 수진에게 김사일은 오히려 "가해자의 마음가짐이나 자세로 임해야 한다"(523)고 주장한다.

> 그런데 한동안 세월이 흐르다 보니, 처음에 피해자의 자리에 있던 사람들은 그간 피해자로서의 과도한 자위권과 반격권을 누림으로 하여 어느덧 새 가해자의 딱지를 얻게 되고, 이들 앞에 가해자로 억압을 받아온 사람들은 그간 수난과 자기 회복의 갈망 속에 목소리가 서서히 드높아가면서 새로운 수난자로서의 요구를 내세우고 나서는 형편이었다. 수난자 의식은 그런 식으로 일정한 시간대를 거치면서 항상 새 가해자로 변신해가는 과정을 좇게 되고 그 수난자와 가해자의 자리를 번갈아가면서 복수와 보상, 억압과 수난의 악순환을 되풀이하게 되란 말이다.(527)

김사일이 가해자의 마음가짐을 강조한 것은 죽음의 위협을 받는 보도연맹원을 외면했다는 죄의식 때문이다. 그런데 흥미로운 것은 민주화 즈음인 87년의 여름을 이해하는 그의 방식이다. "피해자로서의 과도한 자위권과 반격권을 누림으로 하여 어느덧 새 가해자의 딱지"를 얻는 이들은 실상 한국사회의 이행기 정의 국면에서 나타난 적이 없는 기이한 쟁점이다. 90년대 후반 전두환, 노태우의 사면 이후 한국의 이행기 정의 국면에서는 가해자에 대한 처벌의 논의는 주변화되고 진화위 모델로 대표되는 회복적 정의의 방향으로 움직인다.[39] 특히 소설의 배경이 되는 80년대 후반에서는 한국전쟁을 전후한 시기 제노사이드 문제에 대해서는 오히려 처벌의 논의를 꺼내기 어렵다는 인식[40]이 나타나기도 했다. 이러한 이질적 삽화의 모티프가 된 사건이나 상황은 불분명하다. 그러나 제2차 세계대전 이후 세계의 기억 문화에서는 피해자성이 오히려 민족국가의 정치적 정당성을 강화하는 경향이 나타나기 시작했던 '희생자의식 민족주의'의 확산*은 김사일의 주장과 관련된 사례로 추정할 수도 있다. 그러나 이보다 직접적으로 가해자의식에 대한 이청준의 관심은 오히려 「병신과 머저리」와 같은 그의 초기 작업으로 거슬러 올라간다. 서영채는 「병신과 머저리」부터 「가해자의 얼굴」로 이어지는 이청준 소설 속 죄의식의 양상을 분석한다. 서영채에 따르면 이청준의 작품에서 강력하게 나타나는 죄의식은 한국전쟁의 트라우마에서 비롯된 세대적인 무력감을 해소하기 위해 책임을 질 수 있는 주체화의 과정[41]이라고 분석한다. 「가해자의 얼굴」 속 가해자의식 역시 마찬가지다.

　　「가해자의 얼굴」에서 김사일의 가해자의식은 일차적으로 자기

---

* 임지현은 제2차 세계대전 이후 홀로코스트와 히로시마·나가사키 등에 대한 사회적 기억이 형성되는 과정에서 민족의 영광스러운 역사를 통해 권위를 확보하던 민족국가의 문화가 피해자로서의 정체성을 통해 도덕적 정당성을 확보하려는 '희생자의식 민족주의'라는 새로운 기억 문화로 재편되었다고 주장한다. 임지현은 특히 탈냉전기 이행기 정의 국면인 80~90년대가 희생자의식 민족주의가 크게 확산된 중요한 기점으로 삼고 있다.(임지현, 『희생자의식 민족주의』, 휴머니스트, 2021 참조.)

보존을 위하여 피해자의 요청을 외면했다는, 폭력의 수동적 동조자라는 고통스러운 사실에서 비롯된다. 바우만은 홀로코스트와 같은 제노사이드에서 자기보존과 (제한된 사회적 선택지 속에서의) 합리적 이익의 추구가 역설적으로 피해자로 하여금 폭력의 구조에 동조하게 만드는 사회적 장치였다고 주장한다.[42] 피해자의 자기보존의 추구는 가해의 구조에 동참하게 하는 제노사이드적 심성을 이루는 한 축이었다. 가족과 자신을 보호하기 위한 김사일의 태도는 그의 의도와 관계없이 반공국가의 제노사이드에 협력하였고, 그로 인한 책임에서 자유롭지 못하다. 그러나 가해자의식은 바로 폭력의 구조 속에 종속된 자로서 겪게 된 주체성의 상실을 회복하는 전략이기도 하다.

김사일은 딸에게 "그 가해의 장본을 외세니 이데올로기니 될수록 바깥이나 먼 데서만 찾"으려 한다고 나무라면서, 오히려 "실제의 대립이나 다툼은 현실의 우리 삶 가운데서 빚어"진 것이며 "우리 개개인의 현실적인 삶"(526)이 중요하다가 주장한다. 폭력의 책임을 스스로에게 돌리는 가해자의식이 도달하는 것은 책임을 질 수 있는 개인 주체의 자리인 셈이다. 즉 가해자의식은 폭력의 구조에 종속됨에 따라 상실했던 주체성을 회복하려는 이청준의 주요한 전략이다.[43] 그렇기에 이후 가해자의식은 윤리적 주체로 대체되는데, 이를 잘 보여주는 작품이 제주를 배경으로 한 장편『신화를 삼킨 섬』이다.

『신화를 삼킨 섬』은 79년 12월 신군부가 쿠데타로 집권하고 광주민주화운동의 참상이 발생하기 전까지 몇 달간 육지 등에서 온 무당들이 주축이 되어서 준비하는 큰 굿인 '역사 씻기기 사업'과 4·3의 역사를 둘러싼 제주 사회 내부의 갈등, 이를 통해 정치적 이익을 얻으려는 육지의 권력과 충돌을 보여준다. 그 싸움에 아랑곳하지 않고 육지 무당인 '유정남'과 아들 '정요선'은 '조 만신' 등 제주 심방과 함께 죽은 자를 추모하기 위한 굿판을 벌인다. 『신화를 삼킨 섬』에서 제주로 모인 육지의 무당들은 역사 씻기기 사업을 통해서 새 권력에 대한 여론을 긍정적으로 바꾸기 위해 신군부가 동원한 인력들이다. 소설에서 무속의 역할은 이중적인데, 하나는 신군부를 위해 지역사회의 역사적 갈등을 정리하기 위해 동원된 정치적 의례이다. 이는 역사 씻기기 사업의 막바지에 발견된 4·3의 유해들을 둘러싸고 유족 단체인 '청죽회'와 '한얼회' 사이의 대립을 통해 구체화된다. 광주민주화운동의 발발 직전까지 고조되는 육지의 정치적 긴장과 유해와 죽은 자로 상징되는 4·3의 기억에 대한 제주 내부의 갈등은 역사 씻기기 사업의 진행과 함께 구체화된다.

씻김굿을 하던 중 한얼회가 유해를 강탈하고 이를 저지하려는 청죽회와 충돌하면서 역사 씻기기의 굿판은 중단된다. 그런데 신군부에 의해서 기획된 역사 씻기기 사업이 멈춘 자리에서 육지에서 온 무당 유정남은 진짜 씻김굿을 준비한다.

아까 그 유골함 뺏긴 거? 그거 인제 와서 어느 누구 뼛가룬지나 알 수 있길래! 어차피 제 이름도 알 수 없는 혼백들이라는디. 그런디 제 집 혼백들 이름이라도 가릴 수 있다는 오늘 기주란 사람은 어쩨 여태까지 아직 코빼기도 안 보인 게여? 오늘 굿은 이 섬 떠돌이 귀신들을 다 대신해 그 한라산 혼백들을 씻길라는 것인디.*

무당 유정남은 유해로 상징되는 4·3의 기억에 대한 정치적 편가르기에 대해서는 전혀 신경을 쓰지 않는다. 그에게 중요한 것은 귀신이 되어버린 망자의 한을 씻는 일일 뿐이다. 여기서 두 번째 무속의 역할, 폭력으로 인해 훼손된 사회와 그 고통의 감정을 치유하는 윤리적 행위로서의 성격이 나타난다. 『신화를 삼킨 섬』은 제주를 신화적 공간으로 재현하면서, 기억의 정치를 둘러싼 갈등의 구조보다는 죽은 자를 추모하고 애도하려는 주체의 윤리성에 집중한다. 『신화를 삼킨 섬』에서 무속은 치유와 화해, 해원의 길을 탐색하는 문화로 표상된다.[44]

이러한 윤리는 역설적으로 이행기 정의 국면을 둘러싼 사회적 기억을 재구성하는 정치적 상황에 대한 무관심으로 나타난다. 이러한 거리 두기는 비극적 사건의 경험이 가진 정치적 주체성의 문제에 대한 이청준의 불신에서 비롯된다. 이청준은 비극적 사건으로 인해 가지게 된 마음의 고통, '한'은 외부가 아닌 내부로 향해야

---

* 이청준, 『신화를 삼킨 섬』, 문학과지성사, 2011, 350쪽. 이후 인용 시 괄호 안에 쪽수만 표기.

만 창조적 힘이 될 수 있다고 주장한다.* 내면이 아닌 외부로 향하게 되었을 때는 또 다른 형태의 폭력, 「가해자의 얼굴」에서 말한 "수난자와 가해자의 자리를 번갈아가면서 복수와 보상, 억압과 수난의 악순환"이 나타날 수 있다는 우려다.

> 그리고 이것이 정치의 예술화(충동, 황홀)가 홀로코스트(대학살)를 부르는 생물학적 이유이다. 정염에 휩싸인 국가는 불을 지필 에너지를 인민의 이드로밖에 달리 얻을 곳이 없다…… 저 나치즘의 유대인 학살, 군국 일본의 가미카제 광란이 바로 그런 끔찍스런 본보기 아닌가……(264)

『신화를 삼킨 섬』에서 길게 인용된 책의 한 대목은 내면으로 향했어야 할 한이 외부로 향하게 되었을 때 홀로코스트와 같은 가공할 폭력이 나타났음을 설명한다. 반면 내면으로 향하는 한의 창조적 힘이란, 윤리적 주체의 자기반성이다. 이청준은 "소설의 언어는 기본적으로 반성의 언어"[45]라 규정하는데, 가해자의식에 대한 탐구는 바로 이러한 반성의 언어에서 연장된다. 그 반성을 통해 주체가 도달하는 자리는 기억의 정치를 구성하려는 사회적 힘들의

---

* "그러니까 한의 요체는 그것을 푸는 쪽에 있는 셈인데, 이걸 바깥을 향해 풀려고 하면 창조적 힘을 얻지 못하고 폭력이 되기 쉽고, 문화적 장치를 통해 자기 안에서 삭일 때 비로소 창조적이 힘이 됩니다."(이청준·권오룡 대담, 「시대의 고통에서 영혼의 비상까지」, 『이청준 깊이읽기』, 문학과지성사, 1999, 35~36쪽)

경합이 아니라, 애도하고 추모하는 윤리적 주체가 짊어지는 책임
이다.『신화를 삼킨 섬』을 지탱하는 윤리적 주체의 논리는 분명 매
력적이지만, 이행기 정의의 전개 과정과 비교했을 때 의문을 가지
게 할 수밖에 없다. 반성하는 윤리적 주체는 과연 폭력의 구조를
끊을 수 있는가?

　윤리적 개인의 자리를 통해서 주체를 회복하려는 이청준의 작
업은 한얼회와 청죽회 사이의 갈등에 대한 유정남의 냉소처럼 탈
정치적인 주체를 가정한다. 가해자의식을 통해 다진, 그 폭력의 구
조에서 자신이 결코 자유롭지 않다는 반성적 의식은 역설적이게
도 폭력의 구조가 사회적으로 지속되느냐에 대해서는 무관심한
태도로 이어진다. 가해자의식으로 상징되는 집단적 책임성에 대
한 논의는 홀로코스트의 가해자였던 독일 사회의 책임성에 대한
고민으로 나타났다. 대표적으로 칼 야스퍼스는 법적·정치적·도
덕적 책임과는 구분되는 '형이상학적 죄'라는 개념을 통해서 당대
독일사회뿐 아니라 이후 세대조차 책임의 연대 구조 속에 포괄된
다고 주장했다.[46] 이러한 집단적 원죄는 이를 공유하는 이들이 책
임을 지도록 요청하는데, 거대한 사회구조 전체가 폭력의 수단으
로 기능했던 상황 속에서 파편화된 동조와 묵인으로 연결된 다수
가 짊어져야 하는 책임이란 그 폭력이 반복되지 않도록 구조를 바
꾸어야 한다는 책무다.[47] 내면으로만 향하는 반성은 개인의 윤리
가 될 수 있으나 폭력이 반복되지 않는 사회를 구성하려는 이행기
정의의 과제와는 단절적이다.『신화를 삼킨 섬』으로 이어지는 내

면에 대한 이청준의 탐구는 윤리적 주체를 회복하지만, 동시에 정치적 주체의 윤리에 대해서는 제대로 답하고 있느냐에 대해 질문을 던지게 한다.

2장

공식기억의 교체와
전도된 저항

신 공식기억의 등장과 역사부정론의 대두

　제주4·3은 한국의 이행기 정의 국면의 진행 과정과 한국문학과 이행기 정의의 관계를 설명하는 데 있어서 특히 중요한 역사적 사건이다. 제주4·3연구소 소장을 역임했던 김창후는 제주4·3의 진상규명운동이 전개된 역사적 과정을 '태동기', '모색기', '고양기', '법적 청산기'라는 4단계로 구분한다. 4·19혁명 직후 한국전쟁기 제노사이드에 대한 유족회 등의 진상규명 활동이 이루어지던 시기에 제주4·3의 진상을 조사하는 활동이 유족과 시민, 국회와 제주도 차원에서 이루어졌지만, 5·16쿠데타로 권력을 장악한 군부 정권의 탄압으로 1년 만에 좌절되고 만다.

짧은 진상규명 활동과 긴 침묵이 이어졌던 이 시기를 김창후는 태동기로 규정하는데, 이 태동기를 끝내고 본격적인 진상규명을 위한 노력이 시작되는 모색기의 기간을 1978년 9월 1일부터 1987년 6월 9일까지로 규정한다. 모색기의 시작일인 1978년 9월 1일은 현기영의 단편 「순이 삼촌」이 『창작과비평』 1978년 가을호를 통해서 발표되었던 날이다. 그는 「순이 삼촌」의 등장을 제주4·3의 진상규명 과정에 있어 일대 전환점으로 평가하고 있다.[48] 현기영의 「순이 삼촌」이 제주4·3에 대한 사회적 논의에 있어 일대 전환점이었다는 인식은 국가의 공식 보고서인 『제주4·3사건 진상조사보고서』[49]를 비롯해 관련 연구들이 공유하고 있다. 제주4·3은 문학이 제노사이드의 과거사에 대한 이행기 정의 국면이 형성되는 기점이 되었던 대표적인 사례다.

김창후가 제주4·3의 진상규명운동의 역사를 나누면서 마지막 단계로 제시한 '법적 청산기'는 '제주4·3사건 진상규명 및 희생자 명예회복에 관한 특별법'(이하 4·3특별법)이 제정되는 2000년 1월 12일을 기점으로 해서 현재까지 이어지는 기간이다. 4·3특별법은 한국사회의 이행기 정의 국면의 전개에 있어서 중요한 사례였다. 4·3특별법보다 앞서 1996년에 제정된 '거창사건 등 관련자의 명예회복에 관한 특별조치법'이 제노사이드와 같은 국가폭력의 과거사로 인한 피해를 회복하기 위한 국가의 역할을 법적 근거를 통해 제도화한 첫 사례였다. 하지만 법안에 근거하여 설치된 위원회가 역사적 사실에 대한 규명 과정을 진행하는 '진실화해위원회' 모델[50]은 4·3특별법과 그보다 한 달 앞서 제정된 '의문사진상규명에 관한 특별법'을 기점으로 한국의 이행기 정의 국면에 등장한다. 이 법안을 통해 설치된 '4·3사건 진상규명 및 희생자 명예회복위원회'와 '의문사진상규명위원회'는 사건을 조사하기 위해 광범위한 자료와 증언을 수집하고 이를 바탕으로 한 보고서와 자료집을 발간했으며 피해자 명예회복을 위한 절차 등을 정부에 권고했다.[51] 특히 4·3사건에 대한 정부 차원의 공식적인 보고서인 『제주4·3사건 진상조사보고서』(이하 『4·3보고서』)가 2003년에 공표된 직후에 노무현 대통령은 보고서 내용을 근거로 대통령 자격으로는 최초로 제주4·3에 대한 국가의 책임을 인정하고 공식 사과를 한다. 이는 한국 정부가 자행한 제노사이드에 대한 대통령의 첫 공식적 사과와 책임 인정이었다.

4·3특별법은 한국의 이행기 정의 국면에 있어 일대 전환점이었다. 특별법은 진실화해위원회 모델을 통해서 진상규명 활동이 진행하면서 이후 종합적인 이행기 정의 기구인 '진실·화해를 위한 과거사 정리위원회'(이하 '진화위')가 등장할 수 있는 초석이 되었다. 그리고 국가 차원의 공식 조사보고서의 공표와 대통령의 공식 사과를 통해서 반공국가가 만들어 온 제주4·3에 대한 기존의 공식 기억을 폐기하고, 새로운 공식기억, 즉 신新 공식기억을 확립한다. 이후 2010년대까지 제주4·3에 대한 신 공식기억을 폐기하기 위한 보수단체 등의 법적 소송이 계속 이어졌으나 헌재 등에서 모두 기각·각하[52]되었다.

제주4·3은 은폐된 기억을 증언하는 문학의 역할과 사회의 공식
기억을 갱신하는 이행기 정의의 역할을 모두 보여주었다. 그런데
역설적인 것은 이행기 정의 국면의 전개에 대한 문학적 저항이라
는 극단적인 사례 역시도 제주4·3을 둘러싸고 나타났다. 1980년
대 제주4·3의 문학적 재현에 있어서 현기영, 오성찬과 함께 가장
활발하게 활동한 작가로 평가받는 소설가 현길언[53]은 2000년대
후반부터 『4·3보고서』에 대해서 강력하게 비판하면서 제주4·3이
공산 반란이며 특별법과 보고서는 국가권력에 의한 역사 왜곡이
라고 주장한다. 이러한 현길언의 행보는 제주4·3희생자유족회를
비롯해 4·3 관련 단체와 피해자들로부터 강한 반발에 직면한다.
그러나 그는 자신이 발행인으로 있던 잡지인 『본질과 현상』의 지
면이나 '대한민국 정체성 총서' 시리즈 같은 극우 출판기획물 등을
통해서 제주4·3은 공산 반란이라는 주장을 반복한다. 그는 2020
년 사망하기 직전까지 연구와 저술, 창작을 통해서 제주4·3에 대
한 새로운 공식기억을 비판하고 반공국가가 만들었던 과거사에
대한 기억을 복원하려는 시도를 계속했다. 그가 『본질과 현상』에
서 2016년부터 2019년까지 연재한 생의 마지막 소설 제목이 『섬
의 반란』*이라는 점에서 알 수 있듯이 그는 말년까지 제주4·3을
공산 반란으로 규정했다.

  현길언은 제주4·3문학의 주요 작가 중 한 사람으로 평가받아
왔다. 그가 「집 없는 혼」과 같은 작품에서 제주 사람들을 억압하고
그 기억을 은폐하는 가해 주체로 그렸던 반공국가의 입장에서 4·

3을 이야기했다는 사실은 제주 사회뿐 아니라 연구자들에게도 곤혹스러운 문제였다. 현길언에 대한 연구와 비평은 그가 80년대에서 90년대 초까지 발표한 초기 작품들로 논의의 범위를 한정하는 경향이 두드러진다. 이승수 등은 현길언의 80년대 작품세계를 분석하면서 그 이후 작가의 행보나 작품에 대해서는 전혀 다른 연구방법론이 필요한 주제라고 주장한다.[54] 반면에 정종현은 현길언이 초기 작품부터 일관되게 가져왔던 반이데올로기적 성격과 개인적 체험의 강조, 주변성에 대한 논리 등이 역설적으로 더 강한 외부의 힘에 복속하는 숙명론으로 귀결되며 국가와 동일시하게 되었다고 분석한다.[55]

정종현의 지적처럼 초기 현길언 소설이 가졌던 특징들은 그의 2000년대 이후 행보를 일정 부분 설명할 수 있다. 다만 이러한 행보를 국가와의 동일시로 본다면, 정치권력에 의한 역사 왜곡에 저항한다는 그의 인식을 설명하기 어렵다. 『4·3보고서』이후 국가는 현길언이 주장하는 공산 반란이 아니라 국가의 불법적 폭력과

---

* 『섬의 반란』이라는 소설의 제목은 그가 2014년에 출간했던 책인 『섬의 반란, 1948년 4월 3일』에서 따온 것을 보인다. '제주4·3사건의 진실'이라는 부제가 붙은 이 책은 『4·3보고서』를 역사 왜곡이라 주장하면서 4·3의 본질을 남로당이 대한민국을 부정하고 인민공화국을 건설하려고 했던 조직적인 반란이라 규정한다. 『섬의 반란, 1948년 4월 3일』은 이행기 정의 국면에 맞서 반공국가와 군부 등의 국가폭력을 정당화하려고 하는 극우의 역사부정론 성격의 출판기획물인 '대한민국 정체성 총서'로 간행되었다. 현길언의 마지막 장편소설인 『섬의 반란』역시 그러한 시각에서 제주4·3의 의미를 규정하려고 했던 작품이다.

제주의 수난으로 제주4·3의 공식기억을 갱신했기 때문이다. 2000년대 이후 현길언의 행보는 자신의 인식이나 실제 그가 맞서야 했던 대상이나 국가권력의 역사 인식과의 싸움이었다. 즉 민주화 이전 한국사회에서 은폐된 제노사이드의 기억을 드러내기 위해 국가권력에 맞섰던 것처럼 현길언은 제노사이드를 부정하기 위해 권력에 맞선다고 믿었다. 현길언의 4·3 담론 안에서는 지배와 저항의 위치가 뒤바뀌어 있었다.

제노사이드로서 제주4·3의 역사를 부정하려는 현길언의 주장은 국가의 공식기억에 맞선 대항기억을 주장한다는 점에서 이행기 정의의 구도를 반복한다. 단 그 내용 면에서 공식기억과 대항기억의 위치를 뒤바꾼 형태이지만 말이다. 현길언의 전도된 저항이 등장한 맥락을 이해하기 위해서는 2000년대 이후 이행기 정의 국면의 진행이 기존의 공식기억과 대항기억의 위치를 바꾸었음을 이해해야 한다. 2005년에 제정된 '진실·화해를 위한 과거사 정리 기본법'은 한국사회의 이행기 정의의 국면에서 결정적인 사건이었다. 개별 사건과 지역 단위로 제정된 특별법을 넘어서 한국 현대사의 주요한 사건들을 포괄하는 통합 국가기구인 진화위가 이 법안을 통해 등장했기 때문이다. 김대중, 노무현 정부를 거치면서 진화위를 비롯해 2000년대에만 16개에 달하는 과거사정리위원회가 운영되었다.[56]

식민 지배부터 전쟁, 제노사이드, 고문과 인권 침해 등을 망라하는 광범위한 과거사 문제를 포괄하는 국가기구의 등장은 문학,

문화, 시민사회에서의 이행기 정의의 노력과는 전혀 다른 차원의 영향을 가져왔다. 입법, 행정, 사법 전 영역에서 반공국가가 자행했던 국가폭력을 고발하고 피해자의 명예를 회복하려는 조치가 상당한 정치적 저항에도 진전되면서(타협적이라는 비판에 계속 직면하기도 했지만) 과거사에 대한 사회적 기억을 바꿔왔다. 이는 민주화 이후에도 여전히 국가권력의 한 축을 차지하고 있던 반공주의적 정치 세력에 상당한 위기감을 느끼게 했다. 공식기억과 대항기억의 자리가 뒤바뀌는 이러한 기억의 역전을 한국의 보수 정치 세력은 '국가 정체성'의 위기[57]로 인식했다.

진화위가 등장하는 2000년대 중반 이후 이행기 정의 국면에 대한 반발은 새로운 국면에 돌입한다. 이행기 정의 국면에서 새롭게 등장한 공식기억에 맞서면서 조직적으로 대항 담론을 구축하려고 했고, 이 과정이 극단화되면서 '역사부정론History Denial'[58]이 나타나기도 했다. 민주화 이후 한국사회의 이행기 정의 국면에 대한 이러한 저항은 역설적으로 문화와 학문, 시민사회의 영역에서 출발해 국가의 공식기억과 담론을 대체해온 이행기 정의 과정을 모방한다.

한국사회의 이행기 정의 국면을 모방하는 보수 정치 세력의 대항 담론은 2000년대 중반 뉴라이트라는 새로운 보수 세력의 등장이 중요한 기점이었다. 한국현대사에 대한 역사 인식의 충돌은 국가폭력의 기억에 대한 용어 선택의 문제로 처음 표면화되었다. 1994년 '국사교육내용전개 준거안 연구위원회'가 국사 교과서에 실린 '제주4·3사건'과 '대구폭동사건'이라는 용어를 '4·3항쟁'과 '10월항쟁'으로 수정할 것을 제안하자 보수 언론과 보수 정치 세력 등에서 국가 정통성에 대한 부정이라고 비판하면서 제동을 걸었고, 결국 기존 용어가 그대로 사용되었다.[59] 이러한 반발에도 불구하고 이행기 정의 국면이 진행되면서 역사 연구와 문학, 문화, 교과서를 비롯해 사회적 공식기억을 구성하는 여러 영역에서 반공주의적 공식기억이 퇴조하는 흐름을 막을 수는 없었다. 특히 2000년대의 4·3특별법을 비롯한 과거사 법안과 진화위 등의 출범으로 대표되는 이행기 정의의 법제화가 이루어지고 제도적으로 정착해가자 이에 대한 정치적 저항 역시 노골화된다. 2000년대 중반 대안 보수 세력으로 등장한 뉴라이트 진영은 노무현 정부 시기의 이행기 정의 작업을 '자학사관'이라고 비판하면서 과거사 청산을 '지배 세력 교체와 기존질서 해체를 위한 과거와의 전쟁'이라고 규정한다.[60]

이행기 정의에 맞서는 뉴라이트의 대항 담론이 등장하는 과정에서 흥미로운 것은 해방 이후와 한국전쟁기의 역사 인식을 갱신한 주요 연구서인『해방전후사의 인식』의 담론 전략을 모방했다는 점이다. 1979년에 처음 발행되어 한국현대사 연구와 담론 지형을 갱신하는 데 주요한 역할을 했던『해방전후사의 인식』은 이행기 정의 국면의 형성에도 학문적 담론으로 큰 기여를 했다. 역사학자 박명림은 한국전쟁 연구의 경향을 정리하면서 '『해방전후사의 인식』에서부터 진실화해위원회'까지가 과거사를 바라보는 인식의 한 시대를 열고 닫았던 과정이라 평가한다.[61] 『해방전후사의 인식』은 단순한 연구서가 아니라 반공국가의 공식기억에 저항하는 새로운 연구자와 담론을 구성하는 주요한 담론장으로 기능했는데, 뉴라이트는 바로 이에 대한 안티 테제로서 『해방전후사의 재인식』을 기획한다.

『해방전후사의 재인식』(이하 『재인식』)의 등장은 단순히 이행기 정의 국면에 대한 정치적 반동으로만 설명하기는 어렵다. 1990년대 서양사학자 임지현으로 대표되는 배타적 민족주의에 대한 비판과 반성적 성찰의 목소리는 민족·민중적 역사관에 균열을 가했다. 특히 이러한 민족주의 비판의 경향과 맞물려 등장했던 탈근대주의적 입장을 공유했던 김철, 박지향, 김일영, 이영훈 등이 주축이 되어서 『재인식』을 기획한다.[62]

민족주의 비판이라는 담론 지형도를 뉴라이트의 관점에서 재구성하고자 했던 『재인식』은 건국절 논란으로 상징되는 국가 형성의 정통성과 기원에 대한 우파의 역사관을 대표했다.[63] 책의 기획에서 핵심적인 역할을 맡았던 경제사학자 이영훈은 『재인식』이 가진 의미를 민족주의 역사학에 의한 왜곡된 한국사 인식에 맞서서 "본성이 자유이고 분별력 있는 이기심인 인간 개체가 민족의 대안"이라고 주장하면서 "그런 인간을 역사의 기본 단위로 놓고 그들이 엮어낸 시장과 신뢰와 법치와 국가의 역사로서 20세기 한국사를 다시 써"[64]내려가는 작업이라고 설명한다. 이영훈의 인식이 『재인식』의 필자 전체를 대표하는 것은 아니지만, 이행기 정의에 대한 보수 진영의 대응과 인식을 잘 보여준다. 『재인식』이 등장했을 때 중앙일보와 같은 보수언론사들은 386세대의 좌파적 역사관을 형성하는 데 결정적 역할을 해온 『해방전후사의 인식』에 대한 뉴라이트의 반격으로 의미화한다.[65]

『재인식』을 통해서 대항 담론을 구성하려는 시도는 이후 역사 교과서라는 수단을 통해서 사회의 공적 기억을 재구성하려는 노력으로 이어진다. 이행기 정의 국면에 대한 한국 뉴라이트의 담론 투쟁은 일국적 현상은 아니었다. 이행기 정의의 과정에 대한 비판적 인식을 드러내는 '자학사관'이라는 표현이 역사부정론의 국제적 연결망을 잘 보여준다. 뉴라이트 단체였던 자유주의연대의 대표인 신지호가 2004년에 신문 칼럼에서 노무현 정부의 과거사 청산을 비판하면서 한국에서 처음 사용한 '자학사관'은 원래 일본 극우파인 '새역사교과서를 만드는 모임'(이하 새역모)이 만들어 낸 용어였다.[66] 새역모는 일본군 '위안부' 문제를 부정하면서 교과서를 통해서 역사부정론을 일본사회에 전파하려고 노력했다. 탈냉전기 이행기 정의가 국제적 현상이었듯이 역사부정론 역시 국제적 연대의 형태로 나타났다. 새역모와 같은 일본 극우와 한국의 극우가 일본군 '위안부' 문제에 대한 부정의 담론을 공유하듯 홀로코스트 부정론 등 다양한 역사부정론이 국제적 연대를 통해 담론을 공유하며 강화했다.[67] 역사 교과서를 둘러싼 논쟁 역시 이러한 역사부정론의 국제적 연대를 보여주는 주요한 사례였다.

『재인식』을 통해 대항담론을 전개하기 시작했던 뉴라이트 진영은 자신들의 역사관을 통해 집필된 교학사 교과서를 통해서 이행기 정의 국면에서 형성된 공식기억을 교체하려 했다. 2008년의 정권교체 이후 교육부의 교과서 검정 과정에서 역사 교과서에 집필에 대한 수정 권고안과 같은 제도적 수단을 통해 역사 기술에 영향을 끼치려고 하였으나, 상당한 반발에 직면했다.[68] 보수 우파 역사관을 대표하는 교학사 역사 교과서는 역사 교과서 서술을 우경화하려는 간접적 수단이 힘을 발휘하지 못하자 나온 대안이었다. 교학사 교과서의 역사 인식은 시민사회와 역사학계와 정치권으로부터 강력한 비판에 직면했다. 이에 뉴라이트 진영을 비롯해 당시 집권 여당이었던 보수 정당의 주요 정치인 등이 교학사 교과서를 지원하기 위해 '바른역사국민연합'이라는 단체를 조직하며 집단적으로 대응했다. 이들은 교학사 교과서 이외의 역사 교과서를 북한 교과서와 닮았다는 색깔론까지 내세우며 전면적인 역사 전쟁에 나섰으나, 단 한 개 학교만 교과서를 채택할 만큼 큰 실패를 맛본다. 이후 뉴라이트의 역사전쟁은 역사 교과서 국정화로 방향을 전환한다.[69]

2010년대 중반 역사 교과서 국정화를 둘러싼 논란은 권력을 장악한 보수 정치 세력의 강력한 공세에도 불구하고 사회적 반발에 가로막혀 주저앉게 되고, 이후 대통령 탄핵이라는 정치적 격변을 거치면서 완전히 좌절된다. 이러한 보수주의 역사관의 현실적 좌절은 이들이 더욱 극단화되는 결과를 가져왔다. 『재인식』을 기획했던 경제사학자 이영훈은 2019년에 『반일종족주의』를 발표하면서 역설적으로 한국사회와 한국인을 거짓말하는 나라와 국민이라고 감정적으로 비난하는 '극단적 자학사관'[70]을 주장하기에 이른다. 한국의 역사부정론을 주도했던 이들이 최종적으로 일본에 대한 역사 인식을 통해 대항 담론을 결집하는 과정은 이들이 "일본 우파의 역사수정주의/부정론"과 상호 참조하고 연대하는 것을 넘어 "글로벌 역사수정주의 흐름"과 연결되어 있음을 보여준다.[71]

　제주4·3에 대한 현길언의 역사부정론은 한국사회의 이행기 정의에 대한 보수 우파의 대항 담론의 전개 과정과 맞물려서 등장했다. 교학사 교과서를 둘러싸고 논쟁이 벌어지던 2013년에 현길언은 「과거사 청산과 역사 만들기」라는 글을 『본질과 현상』에 발표하면서 제주4·3에 대한 전도된 기억 투쟁을 시작한다. 「과거사 청산과 역사 만들기」에서 그는 노무현 정권 시기에 발표된 『4·3보고서』가 정치권력의 목적에 의해서 역사를 왜곡한 것이라 주장한다. 그는 제주4·3특별법을 비롯한 일련의 이행기 정의를 위한 조치가 한국사회의 주류를 교체하기 위한 전략적 차원에서 내린 정치적 행위라 인식[72]한다. 그러면서 제주4·3이 남로당에 의해 철저하게 기획된 공산 반란이라는 주장을 이어가면서 『4·3보고서』를 "정치적 힘과 돈의 논리"에 의해서 정치권력이 학자들의 학문적 양식을 지배하고 그들의 자발적 동원을 이끌어낸 결과물이라며 강하게 비난한다.[73] 이 글을 발표한 직후 그는 4·3유족회를 비롯해 제주 사회 안에서 강한 반발에 직면한다. 그러나 그는 오히려 『4·3보고서』를 비판하는 저서를 연이어 발표하면서 자신의 입장을 더욱 강화해간다. 역사부정론자로서 현길언의 이행기 정의에 대한 인식은 정치권력의 왜곡과 학자의 양심이라는 두 가지 층위로 구성된다. 이는 그의 작품세계에서 반복되었던 문제의식이기도 했지만 동시에 이행기 정의 과정에서 나타난 지역사회의 변화에 대한 소외의 감각이 작용한 결과이기도 했다. 다음 절에서는 『정치권력과 역사 왜곡』과 같은 현길언의 역사 서술을 분석하면서 이행기 정의의 맥락과 그의 문학적 입장이 만나는 지점을 설명할 것이다.

'섬의 반란'과 전도된 저항

현길언의 마지막 소설집인 『언어 왜곡설』의 표제작 「언어 왜곡설」(2016)에는 큰 사회적 물의를 일으켰던 국무총리 후보자 문창극의 인사청문회가 소설의 주요한 사건으로 등장한다. '식민지배와 남북 분단이 하나님이 우리 민족에게 내린 시련'이라고 말한 과거 발언이 공개되어서 '친일파'와 '자학적 역사의식'이라는 비판에 직면한 국무총리 후보자의 인사청문회 방송을 역사학자인 주인공 '나'는 안쓰럽게 지켜본다. 총리 후보자는 신앙 고백의 차원에서 말한 것일 뿐 결코 그러한 역사 인식을 가진 것이 아니라 해명하지만, 언론과 여론은 모두 그에게 적대적이다. 함께 방송을 보던 '나'의 가족들은 총리 후보자가 부당한 비난을 받고 있다고 말한다.

'나'는 그 말에 답을 하지 않지만, 그를 향한 언론의 비판 등이 가공할 위력을 가진 힘이라 느끼며 두려워한다. 「언어 왜곡설」은 제주4·3을 기념하는 학술대회에서 기조 강연을 맡게 된 역사학자가 학자적 양심에 반하지만, 제주 사회와 권력자들이 원하는 내용의 강연을 준비하면서 경험하게 되는 내적 고민을 총리 후보자의 낙마 과정과 교차하며 보여준다. 소설은 권력의 힘 앞에서 학자의 양심이 얼마나 쉽게 무너질 수 있는지, 그리고 현재의 국가권력이 어떻게 역사의 진실을 왜곡하고 있는지를 보수 성향 공직 후보자의 몰락과 학자의 타협을 통해 그린다.

현길언 말년의 단편소설인 「언어 왜곡설」은 제주4·3의 이행기 정의에 대한 그의 역사 인식을 적나라하게 보여주는 작품이다. 「과거사 청산과 역사 만들기」에서 역사를 왜곡하는 권력의 힘과 학자적 양심을 버린 학자들을 비판했는데, 이는 「언어 왜곡설」에서 제주 역사에 대한 강연을 맡은 역사학자 '나'의 모습으로 그려진다. 그런데 소설에서 학자를 굴복시키는 권력의 힘을 보여주는 사례가 국무총리 후보자 문창극의 낙마 과정이라는 점이 눈길을 끈다. 권력의 힘에 무너지는 인물이 당시 권력을 쥐고 있던 보수 정권의 이인자가 될 국무총리 후보자라는 사실이 현길언이 상정한 정치권력이란 무엇인지 가늠하게 해주기 때문이다. 또한 문창극 후보자의 역사 인식 문제는 제주4·3의 기억과도 관련되어 있었다.

박근혜 정부 시기 일본의 식민지배를 정당화하는 등 역사 인식 논란으로 낙마한 국무총리 후보자 문창극은 제주4·3을 '제주도

4·3 폭동사태'라고 지칭하면서 '공산주의자가 일으킨 반란'이라고 주장하여 4·3단체 등으로부터 격렬한 비판을 받았다.[74] 「언어 왜곡설」에서는 총리 후보자의 4·3 인식은 전혀 나오지 않고 식민지배에 대한 입장만을 보여준다. 문창극의 역사 인식은 이행기 정의에 저항한 뉴라이트 등 보수 우파의 역사 인식을 그대로 반복했다. 현길언은 4·3에 대한 역사부정론을 주장한 문창극을 통해서 이행기 정의 과정을 비판함으로써 당대 역사부정론의 흐름을 문학적으로 재현하게 된다.

현길언은 말년에 『섬의 반란』이라는 장편소설을 연재하면서 자신의 역사 인식을 문학을 통해서도 보이려고 했다. 하지만 생전에 완성되어 출판된 작품으로 한정한다면 그러한 경향을 대표해주는 작품은 단편인 「언어 왜곡설」이다. 그는 문학작품보다는 『섬의 반란, 1948년 4월 3일』(2014)이나 『정치권력과 역사왜곡』(2016)과 같은 산문이나 연구서 등의 형식을 통해서 자신의 주장을 발표하는 데 공을 들였다. 『섬의 반란, 1948년 4월 3일』(이하 『섬의 반란』)은 『4·3보고서』가 왜곡되었다는 그의 주장을 담은 소책자였다. 『정치권력과 역사왜곡』은 『섬의 반란』과 같은 주장을 좀 더 많은 분량으로 다룬 연구서 형식을 취하고 있으나 체계나 내용 면에서 본격적인 연구서라고 보기 어려운 자료집 성격이 강한 편이다.[75] 현길언은 몇 편의 논문과 저서를 통해서 제주4·3에 대한 진상규명이 정치적 편향과 역사 왜곡의 결과였다고 주장한다. 그는 제주4·3을 남로당 중앙당이 개입한 공산 반란이라고 인식하고 희생자들의 인권 침해와 명예회복을 목표로 하는 특별법과 보고서가 이러한 역사적 사실을 확인하기보다는 어떤 의도에 따라 작성되었다고 주장한다. 즉 희생자의 명예회복이라는 표면적 목표를 앞세우는 것이나 증언과 같은 개인의 기억에 의지하는 것은 공산 반란이었던 "4·3사건의 정당성을 드러내려는 의도가 숨어"[76]있음을 보여준다는 주장이다.

제주4·3의 새로운 공식기억이 된 『4·3보고서』에 대한 현길언의 비판은 근거 없는 억측이나 자의적 판단에 의존하는 경향이 강하다. 보고서 작성자들의 숨겨진 의도에 대한 추측을 중심으로 주장을 전개할 뿐 아니라, 실제 사실과 다른 가짜 뉴스도 주요한 논거로 활용하기 때문이다. 현길언은 노무현 전 대통령이 "대한민국은 태어나지 말았어야 할 나라"라고 발언했다는 주장[77]을 근거로 4·3 진상규명 보고서의 정치적 편향성을 주장했다. 그러나 해당 발언이 실제로 존재했는지 그 구체적 근거를 들지는 못해 4·3단체들로부터 강력한 비판을 받기도 했다.

해당 발언을 처음으로 주장한 이는 뉴라이트 계열의 역사 교과서 집필로 논란을 일으켰던 교학사 교과서의 대표 필진인 이명희 교수(당시 현대사학회 회장)로 그는 당시 보수 성향의 여당 국회의원 김무성이 주최한 '근현대사 역사 교실'이라는 행사의 강연자로 참여해 문제의 발언을 했다. 해당 발언에 대해 논란이 일자 이명희 교수는 당시 언론 인터뷰를 통해서 해당 주장이 실제로 있었는지 알지 못한다면서 "우파 진영의 보편적 인식"이었으며 "통용되는 이야기를 인용한 것"이라고 답했다.[78) 실제로 그가 해당 주장을 인용했다고 밝힌 극우 성향의 언론인 조갑제의 칼럼에서도 해당 발언이 있었다고 단언하지 않는다. 그 칼럼에서조차 노무현 대통령의 취임 연설에서 나타나는 역사관이 "대한민국은 태어나지 말아야 할 나라라고 몰아세워 온 386 친북좌파세력의 논리를 대변"[79)한다고 기술할 뿐이다.

『정치권력과 역사 왜곡』에서 현길언이 보고서의 정치적 편향성을 주장하는 주요한 근거가 되었던 노무현 대통령의 발언은 역사부정론자들에 의해 재생산되고 확대된 근거 없는 주장이었다. 그는 실제 그러한 발언이 존재하지 않는다는 4·3단체들의 비판을 자신의 책에 수록하면서도 이에 대해 별다른 반박을 하지 못한다.[80) 역사부정론자의 담론 재생산과 현길언이 연결된 지점은 유언비어의 재생산에 머물지 않는다. 이행기 정의 국면에 나타난 역사부정론자는 '실증론적 부정론'이라고 불리는, 증언의 격하와 국가기관의 공식 문서의 권위를 강조하는 경향이 있다.[81) 홀로코스트 부정론자부터 일본군 '위안부'에 대한 부정론, 그리고 현길언과 같은 제주4·3에 대한 역사부정론에서 이러한 실증주의적 부정론은 주요한 전략으로 활용되었다. 현길언은 『4·3보고서』 등이 활용한 증언 자료들에 대해서 강한 불신을 보인다.

현길언이 비판했던 증언 자료는 『이제사 말햄수다』와 『4·3은 말한다』 등 80~90년대 제주 4·3의 진상규명 과정에서 주요한 역할을 해왔던 시민사회와 언론, 학계의 작업물이다. 『4·3보고서』

는 이 자료뿐 아니라 자체적으로 1년 4개월에 걸쳐서 503명을 대상으로 한 증언 채록 작업을 진행했다.[82] 『4·3보고서』에서 증언이 주요한 역할을 차지한 데는 구술사가 부상한 20세기 후반 역사학계의 변화와 국제적 이행기 정의의 주요한 제도적 수단이 된 진실화해위원회 모델의 영향이었다. 한국사회에서 구술사 연구는 80~90년대 제주4·3과 일본군 '위안부' 등의 증언 채록으로 본격화된 이후, 2000년대 들어서 한국전쟁기 연구 등의 분야에서 주요한 연구 방법으로 정착했다.[83]

증언의 청취는 탈냉전기 이행기 정의 국면에 등장한 진실화해위원회 모델에서 역사적 진실을 규명하고 폭력을 치유하기 위해서 활용해온 주요한 수단이다. 국가폭력으로 인해 침묵을 강요받아온 이들에게 증언하기는 은폐된 진실을 밝히는 증명의 과정을 넘어서 사회적 회복과 치유의 과정이기도 하다.[84] 국가폭력의 역사를 규명하는 데 있어서 증언의 중요성은 증언을 통해 역사와 기억을 말하는 주체가 복수화될 수 있기 때문이다. 공적 문서를 생산하는 주체로서의 가해자 국가는 역사를 은폐하기 위해 물리적이거나 해석적·이데올로기적 수단을 통해 이를 부인하려고 한다.[85] 그래서 소설의 한 대목처럼 "공식 기록의 한계"가 분명하다는 사실을 자각하지 못한다면 "역사학은 당대의 지배 이념의 틀에서 역사적 진실을 찾는 수준에서 벗어날 수 없"*을 것이다. 다만 현길언이 이러한 문제의식을 자의적으로 적용하고 있다는 사실을 주목할 필요가 있다.

현길언은 『정치권력과 역사왜곡』과 같은 해에 발표한 소설 「언어 왜곡설」에서 역사학자인 주인공 '나'를 통해 역사적 기록을 남길 수 있는 권력의 격차 때문에 생기게 되는 공식 기록의 한계를 비판적으로 이야기한다. 권력의 수단이 되는 공식 기록과 개인의 경험을 이야기하는 수단으로서의 증언에 대한 현길언의 인식은 분열적이다. 『4·3보고서』가 인용한 증언에 대해서는 "증언의 진실성은 제한적"이며 희생자 명예회복을 위한 증언을 듣는 상황에서는 "청취자의 의도를 충족시켜 주려는 무의식적 욕구가 증언의 내용을 변질시킬 수" 있다고 비판한다.[86] 「언어 왜곡설」에서는 공적 기록물에만 의존한 역사가 편향적일 수 있다고 비판한 그였지만, 자신의 주장에 부합하지 않는 증언과 기록을 제거하고, 정부의 공식 기록만을 통해 역사를 보아야 한다고 주장한다.

현길언은 개인의 증언과 회고는 큰 사건을 종합적으로 설명하는 데 제한적이라고 주장하면서 증언을 군과 경찰, 미군 등 국가기구가 생산한 공식 문서에 종속시킨다. 이러한 실증적 사료의 강조는 두 가지 측면에서 주목해야 한다. 하나는 증언자를 검증의 대상으로 바라보지만, 국가기구의 공식 기록은 거의 전적으로 신뢰한다는 점이다. 그는 증언의 주체에 대해서는 "어떠한 처지와 정치적, 사회적 위치"에 있는지 비판적으로 검토해야 한다고 주장하는

---

* 현길언, 「언어 왜곡설」, 『언어 왜곡설』, 문학과지성사, 2019, 259쪽. 이후 인용 시 괄호 안에 쪽수만 표기한다.

데 반해 경찰과 미군정의 기록 등에 대해서는 "고유 업무 상황을 기록했다는 점에서 객관성"을 가지며 "필요에 따라 과장하거나 오도할 수 없"는 기록이 생산된다는 점을 강조한다.[87] 여기에 더해 "사건의 진실을 해명하기 위한 의도로 쓴" 회고록은 "역사적 진실보다는 개인의 삶에 더 무게를" 두는 회고록과는 다르다고 주장하며 사적 기록과 증언 행위의 진실성에 위계를 둔다.[88]

이는『섬의 반란』과『정치권력과 역사왜곡』에서 제주4·3의 진실을 보여주는 주요 자료로 수록한 자신의 자전적 수기인「한 작가가 겪은 제주4·3사건」을 의식한 것으로 보인다. 현길언의 실증주의적 부정론에서 주목해야 할 또 다른 문제는 이러한 접근이 자신의 문학적 입장과 충돌한다는 사실이다. 그는「껍질과 속살」(1986) 같은 소설에서 개인의 진실과 이념화된 역사를 대립시키면서 개인의 진실을 옹호했다.[89] 그러나『4·3보고서』를 비판하면서 그는 증언을 공식 문서에 종속시키면서 반공국가가 구성해온 이데올로기적 역사 부정에 동참한다.『4·3보고서』라는 새로운 공식 기억에 맞서 과거의 공식기억, 즉 반공주의적 담론을 재생산하는 현길언의 역사 인식은 이념화된 역사보다 개인의 진실을 강조해온 그의 문학론과 충돌하며 모순에 빠지고 만다.

이념화된 역사에 맞서 개인의 진실을 옹호하는 현길언의 문학적 입장은「언어 왜곡설」에서는 기이한 형태로 반복된다. 소설의 주인공인 역사학자 '나'는 국무총리 후보자 인사청문회를 보면서 역사적 진실을 억압하는 권력에 두려움을 느낀다. 그는 '양제해의 역모' 사건에 대한 강연을 맡게 된다. 19세기 초 제주에서 일어난 양제해의 난은 탐라국 재건을 위한 반란으로 기록되었다. '나'는 제주 관변 단체가 진행하는 학술대회에서 양제해의 난을 이재수의 난과 제주 잠녀투쟁, 그리고 제주4·3으로 이어지는 저항의 역사로 묶어서 강의하기로 한다.

그는 주최측인 관변 단체가 4·3을 민족저항운동으로 정의함으로써 제주 사람들의 자존심을 회복하고 그 상처를 치유하려고 한다는 것을 의식하고 있다. 그러던 중 그는 동료 역사학자 명교수가 대마도를 방문했다가 양제해의 5대손을 만났다는 이야기를 듣게 된다. 양제해의 후손인 그 남자는 양제해가 탐라국 재건이 아니라 탐관오리의 학정에 저항했던 것이지만 오히려 반역도로 몰렸고, 그로 인해 제주를 떠나야 했던 후손들은 대대로 그 진실에 대한 기록을 지켜왔다고 이야기한다. 명교수는 그 이야기를 말하면서도 '나'에게 그 자료를 주지 않았고, 그가 느낀 무력감을 이해하는 '나'는 강의에서 예정대로 양제해의 난을 탐라국 재건 운동이었다고 주장한다.

「언어 왜곡설」에 등장하는 양제해의 난은 소설 속 후손의 이야기처럼 탐라국 재건을 위한 반란이 아니라 관리의 학정에 저항하는, 장두가 이끌었던 민란에 가까웠다. 그러나 당시 제주 아전의 집단인 '상찬계'는 이를 반란 사건으로 조작한다. 그런데 양제해의 난의 진상이 밝혀진 과정은 소설 속의 내용과는 상당히 달랐다. 사건의 진실은 양제해의 후손이 그 기록으로 남기지 않았다. 양제해의 장인이었던 김익강이 사건에 연루되어 귀양을 갔을 때, 문순득이라는 사람이 그에게 사건의 전말을 전해 들었다. 문순득은 다시 정약용의 제자였던 실학자 이강회에게 김익강의 이야기를 전해주었다. 이강회는 『탐라직방설』이라는 책에 「상찬계시말」이라는 글을 남겨서 양제해의 난을 기록한다.[90] 일본의 교토대에 소장되어 있던 『탐라직방설』이 2008년에 『다산학단 문헌집성』이라는 책으로 묶여서 국내에 소개되면서 양제해의 난의 전모가 알려지게 되었다. 양제해의 난에 대한 진실이 알려지는 과정이나 시기는 「언어 왜곡설」의 내용과는 전혀 달랐다.

양제해의 난에 대한 새로운 사료가 발굴된 과정을 제주민속학 연구자였던 현길언은 잘 알고 있었을 것이다. 그런 그가 양제해의 난을 학자들에 의해서 발굴된 역사적 사료가 아니라 개인이 은밀하게 지켜왔지만, 역사학자들이 진실을 외면한 과거로 변형한다. 그는 양제해의 난을 역사학자들이 어떻게 해석하고 있느냐를 문제 삼고 있는 것이 아니다. 그가 비판하려 하는 핵심 대상은 현기영으로 대표되는 항쟁론, 즉 제주4·3을 제주 공동체가 가진 역사적 '항쟁의 전통'과 연결된 사건이라는 입장이다. 양제해의 난은 제주4·3으로 연결되는 항쟁의 전통이라는 역사적 계보를 구성하는 사례로 그리 자주 언급되는 사례가 아니다. 양제해의 난은 2008년 중반까지 탐라국 재건을 꿈꾸던 제주 독립운동으로 인식되었기 때문에 현기영 등이 주장한 항쟁의 전통이라는 계보와 연결되기 어려웠다.

현기영은『변방에 우짖는 새』에서 중앙에 대한 반란이었던 방성칠의 난과 장두가 희생한 항쟁인 이재수의 난을 비교한다. 이를 통해 그는 항쟁과 반란을 구분하고, 제주4·3을 반란으로 규정한 반공국가에 맞서는 대항 담론을 구성한다. 방성칠의 난을 비판적으로 인식해온 현기영[91]에게 양제해의 난 역시 항쟁의 전통을 보여줄 만한 좋은 사례는 아니었다. 오히려 새로운 자료가 발굴된 이후에야 항쟁의 전통에 부합하는 사례로 재평가 받을 수 있게 되었다. 반면에 현길언은 제주4·3으로 이어지는 저항의 역사적 계보를 만들고자 하는 제주 사회와 권력자들의 요구에 순응하는 역사학자들이 민란인 양제해의 난을 반란으로 바꾸려 한다는 것으로 그린다. 그리고 현길언은 이러한 '역사왜곡'이 "참여정부의 개혁정책에 의해서 4·3의 진상이 밝혀졌고, 그것을 근거로 제주도민의 피 맺힌 한이 어느 정도 풀어"(287)지게 되는 과정으로 이어졌다고 말한다.

제주4·3에 대한 대항 담론이었던 항쟁론은 4·3과 그 전사前史가 되었던 제주의 역사를 반란이 아닌 항쟁으로 규정한다. 그러나 현길언은 「언어 왜곡설」에서 양제해의 난을 '반란'으로 규정해야만 항쟁으로서의 4·3의 계보가 배치될 수 있는 것으로 변형한다. 양제해의 난에 대한 연구와 기억을 소설 속에서 변용하면서 현길언은 항쟁으로서 제주4·3을 주장하는 새로운 공식기억이 실상 '반란'의 서사에 의존하고 있는 것으로 그린다. 이는『4·3보고서』가 은연중 반란으로서의 제주4·3을 긍정하고 무장대의 입장에서 역사를 바라보고 있다는 그의 인식을 반영한다.* 양제해의 난이 장두의 민란이었다는 진실은 제주4·3에 대한 항쟁론적 해석에 더힘을 실어준다. 그러나 현길언은 제주4·3에 대한 새로운 공식기억이 개인의 진실을 은폐하고 반란을 긍정하고 있음을 보여주기 위해 양제해의 난을 둘러싼 기억의 정치를 소설 속에서 재구성한다.

「언어 왜곡설」에서 주인공인 역사학자 '나'의 태도에서 한 가지흥미로운 사실은 그를 굴복시키는 권력이 어떤 방식으로 포섭하는지 설명하지 않는다는 점이다. 그는 단지 은퇴한 이후에 "정부기관에서 만든 위원회에 참석하여 어른 노릇이나 하게 된 처지"가되었지만, 학자의 양식 등이 고작 "사회가 천박하지 않다는 것을증거하기 위한 알리바이"(259)일 뿐이라고 체념한다. 소설에서는박해받는 국무총리 후보자와 달리 주인공이 지역사회의 환대를받는 것 이외에 구체적인 위협이나 포섭은 나타나지 않는다. 소설에는 '나'와 대비되는 두 인물이 등장하는데, 하나는 국무총리 후

---

* 현길언은 『4·3보고서』가 진압군의 행위를 '초토화 작전'이나 '학살'로 기술하는 데 반해4·3은 '무장봉기', '구국 투쟁'으로 미화하고 남로당 측 구호를 그대로 표기하는 등 반란주체를 대변하면서 은연 중에 4·3의 정당성을 확보하는 목적을 가지고 있다고 주장한다.(현길언, 『정치권력과 역사왜곡』, 179쪽) 현길언은 용어의 사용이나 인식 등을 『4·3보고서』의 편향성을 보여주는 근거로 사용하지만 이미 2000년대 초 대법원은 제주4·3당시의 계엄이 불법이었다는 보도에 대한《제민일보》와 이승만 전 대통령의 양자 사이의 재판에 대한 최종 확정판결을 내리면서 초토화라는 용어를 사용("군·경 토벌대에 의한 무장대의 진압 과정에서 제주도 중산간 마을이 초토화되었고, 무장대와 직접 관련이없는 많은 주민들이 재판 절차 없이 살상당하는 등 피해를 입은 것이 사실"(대법원 2001. 4. 27. 선고 2001다7216 판결)이라고 했다. 초토화나 학살 등의 용어 사용이나 인식은『4·3보고서』등장 이전부터 이미 한국사회 안에서 합의된 내용이었다.

보자이고 다른 하나는 일본으로 건너간 양제해의 후손들이다. '나'에게 양제해 난의 진상을 전해준 제자 명교수는 양제해의 후손들을 보면서 자신이 역사의 진실을 전달하기 위해 그들처럼 헌신적이지 못했다고 하며 부끄러워한다. 그런 명교수를 '나'는 이해하면서도 제주의 관변 단체가 원했던 대로 양제해의 난을 4·3과 연결해 저항의 역사로 강의한다. 박수를 받으며 강의를 끝낸 '나'가 호텔로 돌아와서 본 것은 외조부가 독립군 활동했다는 사실을 확인해 친일파라는 멍에를 벗게 된 국무총리 후보자가 사퇴했다는 뉴스였다.

현길언은 국무총리 후보자를 권력의 희생자로 그리고 있지만, 그 권력으로 칭해지는 것은 당대의 지배적인 인식 이외의 무엇도 아니다. 「언어 왜곡설」에서 '나'가 권력과 타협했다는 식의 서술은 학자의 책무를 저버린 행동으로 그려지고 있지만, 그가 양심의 가책을 느끼게 하는 언어는 학문의 것이 아니라 종교적 언어라는 사실이 눈길을 끈다. '나'에게 국무총리 후보자 청문회에 대한 입장을 반복해서 물어보는 이는 그의 아내와 딸이다. 이들은 인사청문회 과정을 기독교도를 향한 박해처럼 해석한다. 딸은 '나'에게 왜 교회나 다른 목사들이 후보자를 위해서 나서지 않는 것인지 묻는다. "진실을 말하는 사람이 고통을 당하고 있는데, 교회가 침묵하면 비겁"(269)하다고 말하는 딸은 역사학자인 '나'를 향해서도 그가 어떠한 입장에서 어떻게 행동할 것인지를 반복해서 묻는다.

딸은 '나'에게 세상을 바꾼 언어가 성경에서 하와를 유혹한 뱀의 언어였다고 말하면서, 사람들이 믿고 싶은 것만을 이야기하는 거짓말이 곧 뱀과 같이 언어를 왜곡하는 타락이라고 그에게 이야기한다. '나'는 딸의 말을 "역사학이 언어 왜곡의 주범"인지 추궁하는 것처럼 느낀다. 이러한 종교적 언어에 의해서 역사를 둘러싼 다층적인 입장들이 선과 악, 진실과 거짓이라는 이분법적 도식으로 나뉘게 된다. 타락한 뱀의 언어를 쓰는 자들로 규정된 시각은 다른 관점이 아니라 적대의 대상일 뿐이다. 「언어 왜곡설」에서 현길언은 역사를 다르게 해석하는 이들의 목소리나 입장을 보여주지 않는다. 전작인 「껍질과 속살」에서는 주인공과 역사의 해석을 두고 대립했던 이들이 나름의 주장을 하지만, 선과 악을 나누는 종교적 세계관이 개입한 시점에서 그들의 입장이란 결국 유혹하는 뱀의 언어 이외의 무엇일 수 없다.

「언어 왜곡설」은 『정치권력과 역사왜곡』과 같은 저술에서 드러난 현길언의 역사부정론이 어떻게 소설적으로 재현되는지 보여주는 흥미로운 사례였다. 현길언은 양제해의 난에 대한 진실이 드러나게 된 과정을 재구성함으로써 개인의 진실과 이념화된 역사를 대립하는 그의 문학적 문제의식의 구도를 반복한다. 그러나 이를 위해 권력자인 고위공직자를 오히려 권력의 피해자로 만드는 기이한 변형이 나타나면서 그의 문제의식은 이전의 작품들처럼 선명하기보다는 오히려 혼란스럽고 모순적으로 보인다. 그는 국무총리 후보자를 권력의 희생자로 그리기 위해서 그의 인식을 정치적 이해나 이념을 드러내는 언어가 아니라 종교적 언어에 의존한다. 종교는 총리 후보자를 권력자가 아니라 박해받는 자로 만들어 주는 수단이자, 동시에 그를 공격하는 주장들을 "하와를 유혹한 뱀의 언어" 즉 인간을 타락하게 하는 "왜곡된 언어"(270)라고 비판하게 한다. 현길언의 소설에 나타난 기독교 이미지가 그의 극우적 역사관과도 관련되어 있다는 논의도 있다. 현길언은 서북청년회 창설에 깊이 관여했던 서울 영락교회의 교우들이 만든 제주영락교회의 신자였기 때문이다.[92] 제주4·3의 역사부정론에 보수 기독교 교회가 관여하는 사례[93]가 있었지만, 현길언과의 관계에 대해서는 추가적인 검토가 필요하다. 현길언이 「언어 왜곡설」에서 권력자를 기독교적 희생자로 그리고 있는 지점에서 주목해야 할 것은 그가 과거사 문제에서 자신과 같은 입장이나 정체성을 가진 이들을 고립된 사회적 소수라고 바라본다는 점이다.

탈이념적 피해자상과 우익의 소외감

현길언은 『4·3보고서』의 편향성을 주장하는 근거로 특정한 4·3단체 등의 입장이 반영되지 않았다는 점을 문제 삼는다. 그는 보고서의 작성 과정에서 군경 측의 입장을 대변하는 조사위원이나 제주의 우익측 입장이 잘 반영되지 않았다고 비판한다.[94] 『정치권력과 역사왜곡』에서 보고서를 비판하면서 이러한 왜곡과 편향성을 보완하기 위해서 주목해야 한다고 제시한 자료나 증언은 우익 계열 유족의 피해담이 대부분을 차지한다. 제주에서 우익 성향으로 분류되는 유족이나 피해자의 입장이 4·3의 이행기 정의 과정에서 소외되었다는 인식이 강하다. 반면 4·3유족회나 4·3연구소의 관계자 등이 위원회에 참여했다는 사실을 문제 삼는데 제주4·3의 역사적 주체는 그런 단체가 아니라고 보기 때문이다. 현길언은 제주4·3의 역사적 주체를 단 두 집단으로 단순화한다.

> 이런 사정을 고려하면 4·3사건이 조선민주주의인민공화국 수립을 위한 전초적인 반란임을 부인할 수 없다. 사건의 다양한 주체가 결국 하나의 주체로 결집된 것이다. 그것은 남한의 대한민국 정부와 북한의 조선민주주의인민공화국이다.[95]

현길언은 단편 「껍질과 속살」(1986)에서 "역사를 이념화할 때 개인의 진실은 은폐되기 쉽고, 더하면 개인의 삶 자체를 말살할 수도 있다"*고 경고한다. 그러나 2010년대 그는 제주4·3의 역사적 주체를 남과 북의 두 국가로 한정한다. 현길언은 제주4·3의 주체를 대한민국과 인민공화국이라는 두 개의 국가로 제한함으로써 국가폭력에 대한 비판을 국가 정체성에 대한 부정으로 매도한다. 이러한 정치적 극단화는 현길언이 이행기 정의 국면에서 소외되어왔

---

* 현길언, 「껍질과 속살」, 『껍질과 속살』, 나남, 1993, 202쪽. 이후 인용 시 괄호 안에 쪽수만 표기.

다고 인식했던 우파 유족과 피해자들의 입장을 강화한다.

　제주4·3 피해자들의 정치적 정체성은 이행기 정의 국면에 잠재된 갈등 요인 중 하나였다. 민주화 직후 반공주의 국가의 적대적 시선이 비교적 덜했던 군경이나 우익 피해자로 분류될 수 있는 이들의 유가족들이 유족회의 전면에 서게 되었다. 민주화 직후 처음 등장한 유족단체는 무장대에게 피살된 민간인의 유가족을 중심으로 조직된 '제주도 4·3사건 민간인 반공유족회'였다. 1988년에 결성된 이 유족회는 2년 뒤에 반공이라는 용어를 지우고 다른 민간인 희생자들까지 그 범위를 넓혀갔지만, 당시 유족회장은 4·3을 공산 폭동이라고 주장하면서 민중봉기 등으로 부르는 역사 왜곡에 유족회가 맞서고 있다고 주장했다.[96] 그러나 제주4·3 피해자 중 대다수는 군경과 우익 청년단 등에 희생된 이들이었다. 국가폭력의 피해자인 유족들이 회원의 다수를 차지하게 되면서 유족회의 성격이 바뀌었고 이 과정에서 상당한 갈등이 있기도 했다. 그러나 그런 갈등 속에서도 유족회는 유지되었을 뿐 아니라, 행방불명자 유족 단체 등과 통합하는 등 오히려 그 저변을 확대했다. 유족회의 변화에 대해서 현길언처럼 우파 피해자로서 정체화해온 이들은 강한 반감을 보이기도 했다.

　『4·3보고서』와 특별법 이후에도 유족회는 이념적 대립과 통합의 과정이 교차했다. 반공 유족회에서 시작해 가장 대표적인 유족단체가 된 '제주4·3희생자유족회'는 2013년에 제주의 전직 경찰들의 단체인 제주재향경우회와 화해와 상생 선언을 했지만, 같은 해에『4·3보고서』를 비판하는 극우 성향의 '제주4·3정립연구·유족회'가 출범하면서 기존 단체들과 충돌했다. 현길언은 제주4·3 정립연구·유족회의 창립 기념식에 강연자로 참석해서 제주4·3 의 가해자는 남로당인데 노무현 대통령이 4·3에 사과함으로써 피해자가 가해자에게 사과하는 상황이 되었다며 제도적 이행기 정의의 과정을 비판했다.[97] 현길언이 4·3유족회의 위원회 참여 등을 비판한 것은 우파 유족이 소외되고 있다는 인식과 관련되어 있었다. 그런데 주목해야 할 점은 현길언이 스스로를 우파 유족으로 인식하고 있지만, 그의 가족이 경험한 피해는 어느 한 측에 의해서만 가해진 것이 아니었다는 사실이다.

현길언의 할머니가 제주4·3 당시에 무장대에게 살해당하자 이에 보복하기 위해 아버지와 할아버지가 토벌대로 합류한다. 그러나 무장대 소속이었던 막내 삼촌은 경찰에 붙잡혀서 처형당했다. 현길언이 자신의 저서들에서 주요한 4·3의 자료로 제시했던 그의 자전적 수기인 「한 작가가 겪은 4·3」에는 무장대와 토벌대 모두에게 피해를 입은 이중의 피해자로서의 경험이 그려진다. 수기는 경찰이었던 셋째 삼촌이 무장대에 합류했던 두 동생의 죽음 때문에 평생을 괴로워했음을 이야기하며 끝을 맺는다.[98] 현길언은 복수의 피해자성을 가졌지만, 정작 2000년대의 작업들에서는 남로당만을 유일한 가해자로 지목한다.

제주4·3은 복수의 가해자에 의하여 복수의 피해자가 발생한 사건[99]이었다.『4·3보고서』에 따르면 가해의 주체가 확인된 피해

중 군경과 우익 단체와 같은 토벌대에 의한 희생자가 전체의 86.1%에 달했고 무장대에 의한 피해자도 1700여 명에 달했다.[100) 그래서 대다수 제주4·3유족들은 이중의 피해자였다. 다수를 차지하는 국가폭력 희생자들이 점차 유족회에서 무게감을 키워가는 상황에서도 단체가 분열하지 않을 수 있었던 데는 대다수 유족이 양쪽 모두로부터 가족을 잃은 피해자라는 사실도 중요했다.[101) 제주4·3의 가해자였던 토벌대와 무장대는 제주 주민들의 정치적 정체성을 '빨갱이'와 '반동'이라는 가독성 수단을 통해서 단순화함으로써 제노사이드를 자행했다. 그러나 유족들은 정치적 정체성에 따라 이분법적으로 나눌 수 없는 가족 관계의 얽힘을 통해 서로가 기댈 수 있는 접점을 찾아갔다. 현기영이 백조일손지지를 제노사이드에 맞서 제주 공동체 회복의 전략으로 제시했던 것처럼 가족 관계는 사회적 권리를 회복하기 위한 강력한 문화적 수단이었다. 그런데 현길언은 자신과 자신의 가족이 가진 이러한 복수의 피해자성을 부정한다.

현길언은 남로당을 제주4·3의 유일한 가해자로 만듦으로써 이중의 피해자였던 자신과 가족을 우익 계열 유족으로 확정한다. 우익 유족으로 피해의 경험을 단일화하기 위해서는 무장대에 가담했다가 처형당한 삼촌의 죽음 역시 남로당의 책임이라고 주장해야 했다. 현길언은 제주4·3이 공산 반란이었다고 하더라도 진압과정에서 발생한 반인권적 행위를 정당화할 수 없다고 주장한다. 그러나 추상적인 국가와 개인으로서의 실행자를 분리하는 방식으로 국가권력에게 실질적인 면죄부를 준다. 그는 초토화 작전 등 강경 진압 정책을 제노사이드로 분석한 『4·3보고서』를 비판하면서, 강경 진압이 곧 반인권적 사태를 만드는 것이 아니며 그러한 사례가 발생했다면 개별 지휘관의 문제라고 주장한다.[102] 그는 또한 이승만의 책임론 역시 개인으로서 그와 대통령직을 분리하면서 후자에는 책임을 물을 수 없다는 입장을 고수한다.* 그가 제주4·3의 역사적 주체를 남과 북의 두 국가로 단순화한 것은 이처럼 이념적인 양자택일을 강제함으로써 국가폭력에 정당성을 부여한다. 이렇게 반공국가의 가해는 면죄부를 받는 데 반해 남로당에 대해서는 반공국가에 의해 살해된 이들에 대한 책임도 묻는다. 그들의 잘못된 이념이 이 모든 사태의 원흉이기 때문이다.

현길언은 제주4·3을 이념에 따른 반란이라 규정하는 반공국가의 시각, 구 공식기억을 반복함으로써 저항 행위를 곧 다른 이념에 대한 헌신으로 규정한다. 그러나 법학자 이재승은 제주4·3을 미군정의 점령 상태에서 나타난 '저항권'의 문제로 바라볼 필요가 있다고 지적한다. 아직 어떤 사회체제도 성립되지 않은 '원초적 상황'에서 정치적 참여와 그 권리가 제한된 (미군) 점령 상태에서 민

---

* 제2차 세계대전 이후 국제사회는 홀로코스트와 같은 국가 범죄를 처벌하기 위한 국제기구인 국제사법재판소를 출범시켰다. 국제형사재판소와 자주 혼동되는 국제사법재판소는 국가의 행위 그 자체를 국제법적으로 처벌받을 수 있는 범죄로 다루는 국제법 기구다. 반면에 국제형사재판소는 권력자 개개인을 기소하고 처벌하는 국제법 기구로 운영되고 있다. 이러한 국제법상의 구분은 개인에게는 죄를 물을 수 있지만, 권력과 국가기구에게는 죄를 물을 수 없다는 현길언의 주장이 얼마나 사실과 동떨어져 있는지를 잘 보여준다.

족자결권을 위한 피점령자의 저항권 행사가 제주4·3이라는 형태로 나타났다는 것이다.[103) 제주4·3의 항쟁론을 국제법적 관점에서 뒷받침하는 이재승의 논의를 참고할 때, 현길언의 극단성은 더욱 선명해진다.

현길언은 정부 수립 이전에 일어난 제주4·3을 반공국가에 대한 반란으로 규정한다. 그에게 반공국가 이외의 다른 형태의 사회와 국가를 만들 수 있는 가능성을 반란과 동일시한다. 아직 어떤 체제도 만들어지기 전이었음에도 말이다. 그리고 이러한 시각은 새로운 사회를 만들 수 있는 주체의 가능성을 지워버린다. 민족자결권과 저항권이라는 국제법적 권리를 행사하는 주체로서 제주 사회를 바라보는 대신, 당시에는 아직 만들어지지도 않았던 반공국가에 대한 반란으로 단정할 뿐이다. 제주 사회의 주체성을 부정하는 시각은 이념에 현혹된 사람들이라는 형상으로 그의 소설 속에서 반복적으로 나타난다.

4·3 당시 군경에 의해 죽은 가족에 대한 책임을 남로당으로 돌리기 위해 현길언은 그들을 아무것도 모른 채로 이념에 현혹된 인물로 그린다.[104) 이념의 폭력성을 고발하기 위해 개인의 주체성을 부정하는 현길언의 재현 방식은 그의 초기작부터 반복되어왔다는 사실을 주목할 필요가 있다. 그의 초기작인 단편인 「불과 재」(1985)와 「未明」(1987)에서 이념은 사람을 현혹하는 위협으로 그려진다. 현길언의 소설 속에서 이념을 지역사회에 전파하는 교사와 같은 제주의 지식인들은 사람을 선동하는 위협적인 인물이면서도 동시

에 매혹적인 인물로 그려진다.[105] 현길언은 사람을 매혹하는 위협으로써 이념의 위험성과 이를 전혀 알지 못하면서도 휘말리게 되는 순수한 피해자성을 가정했다. 이념적 인간과 이념을 알지 못하는 피해자라는 이분법적 구도는 현길언의 초기작부터 나타나기 시작해서 이후 반공국가의 폭력을 정당화하고 남로당을 유일한 가해자로 만드는 논리의 근거가 되었다. 이는 다시 우익 피해자 정체성을 강화하는 기제가 됨으로써 4·3의 이행기 정의에 저항하려는 그의 행보와도 연결된다.

현길언의 80년대 주요 단편 중 하나인 「껍질과 속살」은 「언어 왜곡설」의 원형이 되는 작품이다. 「언어 왜곡설」에서 정치에 의해 재해석되는 역사의 사례가 조선조의 민란인 양제해의 난이라면 「껍질과 속살」에서는 식민지 시기 제주 해녀들의 저항이었던 '남도리해녀사건'을 다루고 있다. 남도리해녀사건은 현기영이 『바람 타는 섬』을 통해 소설화했던 1931년의 '잠녀항일투쟁'(또는 '해녀 항쟁')을 변형한 것으로 보인다. 잠녀항일투쟁은 제주 하도리의 해녀들이 해녀 조합의 부당한 행위에 저항하며 시작되었는데, 「껍질과 속살」에서는 남도리로 지명이 바뀌어 있다. 소설에서 기자인 '나'는 남도리 해녀 사건의 주동자로 알려진 해녀 '송순녀'가 이 사건을 소개한 책 『바다의 사냥꾼』의 내용이 실제와 다르다고 항의한 것을 취재하기로 한다.

그는 『바다의 사냥꾼』의 내용이 해방 직후 좌익 성향의 지방 잡지에 실렸던 글을 토대로 하고 있다는 사실을 알게 된다. 최초로

제4부 공식기억의 교체와 주체의 복권

이 사건에 대해서 기록한 잡지에서는 남도리 해녀 사건을 일제의 탄압과 수탈 속에서 "해녀들의 혁명 정신이 점점 성숙"해지다가 "반민족 반노동자·농민의 착취 세력인 일제에 항거하는 항쟁"(191)을 일으켰다고 설명한다. 이후에도 사건을 바라보는 시선이 민족주의로 바뀌었을 뿐 해녀의 삶을 보기보다는 그들을 "민족의식으로 무장되어 있는 여성"이자 "불평등과 부정의 압제적 힘에 대한 비판·저항할 수 있는 의식을 가지고 있는 사람"(182)으로 보는 시선이 재생산된다.

'나'는 수소문 끝에 송순녀를 만나게 되고 그가 해녀들의 투쟁이 어떤 사상이나 의식에서 비롯된 게 아니라 생존을 위한 저항이었을 뿐이라는 이야기를 듣는다. 그리고 생존을 위한 저항을 이념의 잣대로 바라본 이들 때문에 그가 겪었던 고초 역시 듣게 된다. 송순녀는 좌익 성향 잡지에서 남도리 해녀 사건을 조선공산당과 관련되어 있었다고 썼기 때문에 4·3 때 좌익 협력자로 의심받아서 끔찍한 고통을 경험한다. 그 사실을 알게 된 '나'는 사건을 기념하기 위한 학술대회에 발표자로 나와서는 '남도리 해녀 사건의 진상'이라는 주제로 발표에 나선다. 그는 해녀 정신을 제주의 저항정신으로 기념하려는 이들에게 이념에 의해 사건이 왜곡되어서 알려졌다고 주장하면서 해녀 사건이 '항일운동'이나 '반일저항운동', '여성해방운동' 등이 결코 아니었으며 "단지 그것은 생존을 지탱하려는 삶의 현장에서 일어날 수 있는 원초적인 싸움"(200)일 뿐이라고 주장한다. 그의 주장은 학술회의에서 강한 반발에 직면한다.

제주의 젊은이들 역시 "구체적인 개인의 삶이나 집단의 삶에서 역사적 의미를 발견해내는 것이 지식인의 역할"(201)이라며 그를 비판하지만, '나'는 역사적 의미보다 개인의 삶과 진실이 더 중요하다는 입장을 굽히지 않는다. '나'의 주장에도 아랑곳하지 않고 도민들의 모금으로 해녀 군상이 남도리에 세워지고, 송순녀에게는 '도민이 주는 여성상'이 수여되었으나 그는 끝내 수상을 거부한다.

소설 속에서 송순녀는 어떠한 이념과도 관련이 없는 개인으로 그려진다. 그는 이념도 알지 못하고 알 필요도 없던 여성이지만, 누군가 그를 이념이라는 잣대를 통해서 설명하게 되면서 모든 비극이 시작된 것으로 묘사한다.

> 그런데 세상 사람들은 한 인간의 피맺힌 삶의 실상이나 그 속에 감추어진 진실 같은 것은 깡그리 무시한 채 자기네 생각에만 맞춰서 멋대로 떠들어요. 어머님을 그 지경으로 만든 것은 이명균의 글 아닙니까. 해녀의 생존을 위한 순수한 행동이 왜 공산주의 이념의 껍질로 씌어놓았느냐 말입니다. 더구나 어떤 의도를 충족시키기 위해서 그렇게 해석되었다면 더욱 안 되지요. 그 해촌에서 미역이나 뜯고 소라나 잡는 여자들에게서 무슨 거창한 이념이 필요했겠습니까?(198)

송순녀의 딸은 이념이라는 껍질에 의해 어머니의 삶이 망가지고 말았는데, 여전히 세상은 자신들의 생각에 따라 그의 진실을 재단하고 있다고 비판한다. 이념이라는 가독성의 도구를 사용하는 것은 단지 국가권력만은 아니었던 셈이다. 그런데 이념이나 정치성과 완전히 분리된 '순수한 행동'을 강조하는 서사는 역설적으로 정치적 폭력과 그로 인한 긴장을 외면하는 장치가 되기도 한다. 사건의 진실을 폭로한 '나'는 이를 정치적으로 기념하는 대신에 해녀들을 위해 해결해야 할 구체적인 문제, 즉 "작업개선 방법과 조합 운영을 통한 해녀 이익 보호, 해녀의 보건 문제"(201) 등을 지원해야 한다고 주장한다.

남도리 해녀 사건이 경제적 원인 때문에 시작되었다는 그의 주장을 생각한다면 이는 자연스러운 귀결처럼 보인다. 그러나 사건과 소설의 배경 사이에는 50년의 시차가 존재한다. 송순녀가 경험한 고통에는 해녀의 열악한 경제적 조건도 있지만, 4·3 당시 서북청년단 등 토벌대가 남편을 살해하고 생존과 성을 거래하도록 강요했던 일들 역시 끔찍했다. 개인의 진실을 말하는 '나'는 이러한 폭력에 대한 고발이나 이로부터의 회복이 아니라 경제적 문제로 모든 것을 환원한다. 송순녀를 "그 지경으로 만든 것은 (사건을 이념의 관점에서 쓴 좌익 지식인인 – 인용자) 이명균의 글"이었기 때문이다. 개인의 진실을 봐야한다는 '나'는 개인의 삶과 정치를 분리함으로써 정치적 폭력을 비가시화한다.

「껍질과 속살」이 잠녀항일투쟁을 그리는 방식은 이보다 3년 뒤인 1989년에 현기영이 쓴 『바람 타는 섬』에서의 인식과 극명하게 대조된다. 현기영은 잠녀들의 투쟁을 외부에서 유입된 근대의 다양한 정치적 이념과 제주의 공동체주의가 연대한 사건으로 그려낸다.[106] 잠녀들의 저항은 이념과 생활 사이의 양자택일이 아니라 제주 공동체의 역사·문화라는 또 다른 인식과 행동을 통해 매개된다. 반면 현길언은 이념이나 정치적 의식과 생존을 위한 저항을 이분법적으로 나누고 있다. 해녀는 생존의 위협과 맞서야 했던 개인으로 형상화될 뿐이며, 개인적 진실은 이념화된 역사와 양립할 수 없는 것으로 그려진다. 「껍질과 속살」은 개인의 삶이 이념이라는 가독성 수단에 의해서 규정되었을 때 가해질 수 있는 폭력의 문제를 세밀하게 다루지만, 동시에 개인의 생활과 이념을 단절적으로 나누고 있다. 「껍질과 속살」에서 현길언은 공산주의로 한정하지 않고 이념과 개인을 대립시키고 있지만, 좌익의 이념은 특히 위협적인 것으로 그리고 있다.

제주4·3과 같은 냉전기 제노사이드에서 국가는 이념을 단일한 사회적 가독성 수단으로 활용하여 폭력의 대상을 규정하고 살해했다. 제거하고자 하는 적을 식별하는 국가의 가독성 수단이 무차별적인 파괴로 극단화되는 데는 가독성 수단이 제시한 이념적 분할선과 실제 사회의 다층적 사회적인 관계망이 불일치했다는 사실도 주요하게 작동했다. 즉 반공 국가는 이념을 통해 제거해야 할 위협인 '빨갱이'를 식별하려고 했지만, 실제 현실에서 읽어내기 곤란한 이념이라는 기준을 대신해서 가족과 같은 사회적 관계망에 의존해서 대상을 분류해야 했다. 가족의 정치적 정체성이나 행동을 이유로 누구든 표적이 될 수 있었다. 연좌제와 대살, 손가락총

등 반공국가의 제노사이드는 기존의 사회적 관계망을 따라 무차별적으로 확대되었다. 권헌익은 냉전기 국가폭력이 표적으로 삼은 것은 단독적인 개인이 아니라 "그 개인을 도덕적 인격으로 만드는 촘촘한 관계망"[107]이었다고 지적한다. 4·3을 경험한 제주의 피해자는 탈이념적인 존재가 아니라 오히려 수많은 정치적·사회적 관계와 연결된 이들이었고, 그 관계 속에서 사회와 세계의 변화를 감각했다. 탈이념성은 제주민들을 수동적인 피해자로 격하할 뿐이다.

현길언은 정치에 의해 희생당한 탈이념적인 개인, 개인의 진실을 강조하고 있지만 이는 역설적으로 4·3의 제노사이드가 실제 표적으로 삼았던 사회적 관계망을 비가시화한다. 그는 어떤 이념에도 연루되지 않은 피해자상을 만들어내기 위해 이념을 가진 인간을 특수화하면서 반공 국가의 논리에 동조해간다.[108] 현길언이 제주4·3의 폭력을 재현하는 방식에서 한 가지 흥미로운 점은 좌익으로 규정된 이들을 향한 폭력을 개인적인 원한이나 감정, 집단적 동요에 의한 것으로 그리고 있다는 점이다. 즉 군경과 토벌대 역시 탈이념적으로 그리고 있다.

「우리들의 조부님」이나 「무혼굿」의 가해자는 개인적 원한 관계 때문이었고, 「불과 재」와 「뿔 달린 아이들」에서 붙잡힌 무장대를 처형하는 이들은 분노에 찬 마을 사람들이다. 군경이나 서북청년단의 가해가 등장하기도 하지만 직접적인 묘사를 피하는 경우가 대부분이며 이 역시 개인적 원인이다.[109] 이처럼 국가폭력을 탈이

넘적인 행위로 그리는 방식은 이후 2000년대 현길언이 반공 국가의 가해를 정당화하는 논리로 이어진다. 그는 막대한 희생을 낳았던 소개 작전 등이 반인권적인 행위가 되었다는 사실을 인정하지만, 이는 어디까지나 지휘관 개인의 잘못일 뿐 그 자체로 폭력적인 것은 아니었다고 주장한다.[110] 소개 작전이 제주의 전통적 지역사회를 해체했던 사회공학적 폭력이었다는 점을 그는 거의 고려하지 않는다. 그가 제주 사회의 전통 사회가 무너진 것이 4·3의 가장 큰 피해였다고 주장했음에도 말이다.[111]

현길언은 이념성을 오직 무장대와 남로당의 성격으로 한정한다. 현길언은 이념을 무장대의 문제로 한정함으로써 제주4·3을 항쟁이나 저항의 차원에서 이해하는 주장들을 거부한다. 현길언은 저항이라는 행위가 나타날 수 있는 조건을 "이념과 세계관이 정립"되고 "치밀한 준비와 조직"이 있어야 한다고 주장한다.[112] 그는 저항을 곧 좌익의 이념적 행위로 단순화한다. 저항이나 항쟁은 이념에 의해서만 가능함으로 4·3을 저항사로 규정할 때 이는 곧 공산주의 반란임을 의미하게 된다고 보았다.

2012년까지 그는 제주4·3을 제주 문화의 특수한 주변성 때문에 발생한 탈이념적인 역사인 '수난사'로 규정해야 한다고 주장[113]했지만 그로부터 2년이 지나지 않아 '공산 반란'이라는 입장으로 돌아선다. 저항을 남로당의 이념 문제로 한정함으로써 반공 국가의 진압은 그 정당성을 의심할 수 없는 일이 된다. 제주4·3의 주체는 남로당과 한국정부뿐이며, 이 구도를 통해 바라볼 때 강경 진압은 반란 세력에 맞서는 국가 보위의 문제였기 때문에 정당성을 확보한다고 주장한다.[114] 현길언은 반공국가의 행위를 이념이나 사상의 문제와 분리된, 그 목적과 정당성 자체에는 의문을 품을 수 없는 국가의 행위로 바라본다. 즉 반공 국가에 대한 저항은 반란으로 그 의미가 규정될 뿐이며, 탈이념적인 개인의 수난만이 온전한 피해로 남게 된다. 다음 장에서 분석하겠지만 같은 시기 김원일이 다수의 정치적·사회적 전망이 충돌하는 이념적 각축장이었던 해방 공간에서 좌익을 포함한 다양한 정치 세력들을 각자의 방식으로 해방 조국을 위해 노력한 이들로 평가하는 것과 선명하게 대조된다.

현길언의 작품들은 수난의 역사로서 제주4·3을 그려왔지만, 탈이념적 피해자상[115]을 구성함으로써 반공 국가의 4·3 인식과 거리를 벌리는 데는 실패했다. 피해자는 이념이나 정치적 입장이 비어 있는 존재들이어야 하며, 역설적으로 이러한 피해자상을 대표하는 이들은 곧 현길언 자신과 같은 (그 호칭부터 정치적 정체화가 이루어졌음을 보여주는) 우익 피해자들이었다. 우익 피해자를 중심으로 4·3을 규정하는 것은 복수의 가해자를 겪어야 했던 복수의 피해자라는 현길언 자신의 가족사를 단일하게 통합하면서 이행기 정의 국면을 비판하는 명확한 논리를 구성해준다. 탈이념적인 개인이라는 피해자상이야말로 특정한 이념을 절대화하는 정치적 편향성을 내재하고 있었지만, 스스로 가정한 피해자 정체성이 이행기 정의 국면에서 주도권을 상실해가는 과정에 맞서서 국가라는 정당성을

주장할 수 있었다. 그가 자기 정당화를 위해 호명한 국가가 제주
4·3의 가장 큰 가해자였던 반공국가였음에도 말이다.

현길언의 역사부정론은 이행기 정의 국면에 대한 저항이 정치
적·학문적 영역에 제한되지 않고 문화적 이행기 정의의 중심 공
간이었던 문학에서도 이루어졌음을 보여준다. 현길언의 역사부정
론은 뉴라이트로 대표되는 동시대 역사부정론과 공명했지만, 그
가 4·3을 문학적으로 재현했던 방식의 연장이기도 했다. 그의 탈
이념적인 피해자상은 4·3의 반공주의적 공식기억에 저항해온 '항
쟁론'이라는 대항 담론과의 긴장 관계에 있었고, 이는 이행기 정의
의 과정을 거쳐 새롭게 형성된 공식기억에 대한 격렬한 저항으로
극단화된다. 현길언의 행보는 이행기 정의 국면의 복합적 양상을
보여준다. 기억의 복권은 기존의 공식기억과 싸워야 할 뿐 아니라,
새로운 대항기억의 형식으로 나타나는 역사부정론과 맞서야 했
다. 이행기 정의의 국가화·제도화는 은폐된 기억과 고통을 복권
하게 하는 강력한 사회적 동력이었지만, 동시에 격렬한 정치적 저
항을 불러오기도 하고 사회적 타협의 과정에서 또 다른 이들을 기
억의 영역에서 배제하기도 했다. 이러한 복잡성을 이해해야만
2000년대 이후 제노사이드문학의 흐름을 설명할 수 있다.

소설의 개작과
또 다른 '기획자'를 복권하기

정본 만들기와 소설의 개작

이행기 정의는 기존의 사회질서가 가진 폭력성을 비판하는 것을 넘어서, 이를 반복하지 않는 새로운 사회를 만들기 위한 과정이다. 제노사이드가 사회를 국가 주권이라는 단일한 힘에 종속시켜 극단적 사회공학을 실천하는 과정이었다면 이행기 정의 그 폭력에 파괴되었던 다양한 주체를 복원·복권하고 이들이 새로운 사회적 전망을 상상하고 주장할 수 있게 한다는 점에서 반대 작용을 일으킨다. 헌법에 한국 이행기 정의의 중요한 사건인 광주민주화운동의 정신을 추가하려는 노력이나 항쟁으로서의 4·3의 정명을 요구하는 목소리는 반공국가에 의해 살해된 자들을 희생자가 아닌 또 다른 사회를 꿈꿨던 주체들로 복권하려고 한다. 87년 체제의 공회전 속에서 이행기 정의의 과정은 진퇴를 거듭하며 여러 지점에서 기존의 한계를 넘지 못하고 있다. 그러나 문학 속에서 이행기 정의의 상상력은 그 경계를 넘는 가능성을 계속 찾고 있다. 개작, 소설의 다시 쓰기를 통해서 이행기 정의의 진행과 함께 자신의 아버지를 또 다른 사회를 꿈꾸었던 주체로 복권하려 했던 소설가 김원일은 이러한 문학적 상상력을 보여주는 작가다.

1942년 경남 김해 진영읍 태생의 소설가 김원일은 30권 이상의 소설을 출간한 다작의 작가다. 2009년부터 2015년까지 20권 이상 분량의 소설 전집을 간행하는 중에도 신작 장편소설과 소설집을 한 권씩 출간할 만큼 그는 50여 년간의 작가 생활 중에 거의 쉼 없이 창작에 매진했다. 그런데 사실 김원일의 작가로서의 성실성을 이야기할 때, 그가 출간한 소설의 권수로 가늠하는 것은 오직 절반의 사실만을 말해줄 따름이다. 김원일은 「광장」의 개작으로 유명한 최인훈만큼이나, 아니 그 이상으로 자기 작품의 개작에 몰두했던 작가이기 때문이다.* 김원일은 그의 전집을 간행하면서 대부분의 소설을 개작하여 개정판을 내려고 했다고 밝혔는데, 그 작품의 개작 과정에서 작업량이 상당히 방대했다.

---

* 김원일이 개작했다고 밝힌 작품의 목록은 전집을 기준으로 다음과 같다. 1) 장편소설 : 『겨울 골짜기』, 『늘푸른 소나무』, 『불의 제전』, 『아우라지 가는 길』, 『김씨네 사람들』 2) 중단편소설집 : 『미망/오마니 별 외』, 『도요새에 관한 명상/환멸을 찾아서』 이외에도 장편소설 『노을』도 작가가 밝히고 있지 않지만 개작되었다. 2005년에 문이당에서 간행된 중단편 전집 5권에 대해서도 개작이 이루어졌다고 밝히고 있다.

그의 주요 작품들은 개작 과정에서 전체 분량의 30~40%가량을 줄였는데, 여기에는 7권에 달하던 대작인『불의 제전』과 9권 분량이었던『늘 푸른 소나무』도 포함되어 있었다.[116) 김원일의 개작 작업은 1991년『노을』의 개정판을 발간한 것이 그 기점으로 보인다. 그의 주요 작품의 개작은 1990년대에서 2010년대까지 긴 시간 꾸준하게 이어졌다. 거창양민학살을 소재로 한 장편『겨울 골짜기』[117)는 전집판까지 포함해서 총 4개의 판본**이 존재한다. 그중 첫 개정판은 도서출판 둥지에서『겨울 골짜기』1·2로 1994년에 출간되었다. 김원일은『불의 제전』의 개정판을 출간하는 2010년대까지 소설의 개작 작업을 꾸준하게 이어간다.

김원일은 자신의 주요 작품 대부분을 개작했는데, 몇몇 작품의 개작 과정에서는 극명히 상반되는 태도가 나타난다는 점이 눈길을 끈다. 김원일은 2000년대 중반에 개정판을 간행한 두 소설,『늘 푸른 소나무』상·중·하(이룸, 2002)와『겨울 골짜기』(이룸, 2004)의 경우 이 판본이 작품의 '정본定本'이라고 밝힌다. 이렇게 작가가 정본이라고 밝힌 두 작품은 이후 소설 전집에 수록될 때도 개작하지 않았다.『늘푸른 소나무』와『겨울 골짜기』의 사례를 볼 때 김원일의 개작 과정은 소설의 완성본인 정본을 만드는 것을 목적으로 한다. 그의 소설은 개작 과정에서 인물의 성격이나 작품의 의미를 생

** 『겨울 골짜기』의 판본은 다음과 같다. 1)『겨울 골짜기』1·2(민음사, 1987), 2)『겨울 골짜기』1·2(도서출판 둥지, 1996), 3)『겨울 골짜기』(이룸, 2004), 4)『겨울 골짜기』(강, 2014). 이중 김원일 소설전집 판인 4)는 3)과 내용 면에서 동일한 재판이다.

성하던 주요한 내용 등이 수정되거나 삭제되면서 작품에 대한 기존의 비평이나 연구의 유효성을 의심하게 할 정도로 변화의 폭이 크다고 평가받기도 한다.[118] 반면에 비슷한 시기에 개정판을 간행했으면서도 정본이라 불리기는커녕 개작 사실조차 밝히지 않는 작품도 있다. 김원일의 대표작일 뿐 아니라 한국 분단문학의 대표작가로 손꼽히면서도 1979년 당시 대통령상인 '제4회 반공문학상'*을 수상하면서 반공문학이라는 비판을 받기도[119] 했던 장편 『노을』(1978)이 바로 그런 사례다.

『노을』은 김원일의 소설 개작 작업 중에서 초기 작업에 속한다. 1991년 5월에 문학과지성사에서 기존 세로쓰기 판형을 가로쓰기로 바꾼 개정판을 출간했다. 출간 당시 이 판본은 일부 문장 등을 고친 과정에 대한 명시 없이 재판으로만 표기되어 있다. 이 판본에서 문장이나 내용의 수정은 그리 많지 않다. 주목할 만한 부분은 "순사나 남선 군대는 좌익하는 사람 안 쥑있나?"[120]라는 한 문장이 추가되었다는 점이다. 이 짧은 문장의 추가는 이후 1997년 『노을』의 또 다른 개정판뿐 아니라 20년간의 김원일이 작품을 개작해가는 방향을 암시하는 의미심장한 전환점이었다. 김원일은 1997년에 다시 '재판'이라며 『노을』의 개정판을 출간한다. 개정판을 낼 때마다 '작가의 말'을 통해 개작 사실에 대해서 밝히는 김원일의

---

* 반공문학상은 한국문화예술진흥원에서 1976년에 제정한 문학상으로 1980년부터 대한민국문학상으로 명칭을 변경하고 이후 1992년까지 유지되었다.

제4부 공식기억의 교체와 주체의 복권

다른 작업과 달리 1997년의『노을』재판은 평론가 홍정선이 쓴 신판 해설을 덧붙인 것을 제외하고는 개정판임을 알 수 있는 표지가 거의 없다. 심지어 1991년 개정판 발행에 대한 내용은 서지 정보에서 빠져 있다.『노을』의 개작 작업에 대한 김원일의 침묵은 여러 의문을 불러일으킨다.

작품의 개정판을 냈다는 사실에 대해서 침묵하기에는『노을』이 그에게 중요한 작품이었다. 김원일 자신이『노을』을 그의 대표작 중 하나[121]로 꼽을 뿐 아니라, 그에게 상당한 마음의 짐을 안긴 작품이기 때문이다. 김원일은「어둠의 혼」(1973)에서 처음으로 남로당 간부였던 자신의 아버지, 김종표와 관련된 가족사를 소설로 쓴다. 1978년 작인『노을』은 김원일이 자신의 좌익 가족사와 고향 진영읍에 대한 이야기를 다룬 첫 번째 장편소설이었지만, 반공국가의 검열을 의식해서 아버지의 모습을 실제와는 전혀 다르게 쓴 작품이었다. 그는 반공국가가 허용할 수 있는 형태로, 아버지를 잔인하고 무식한 백정으로 그린다. 그리고 이 일로 김원일은 언젠가 소설에서 실제 아버지의 모습을 그려야 한다는 상당한 마음의 부담을 짊어져야 했다. 그런데 그는 이러한 사실을 2000년대 초 인터뷰에서 밝히면서도『노을』을 개작했다는 사실에 대해서는 어떤 언급도 하지 않는다.[122]

김원일의『노을』개작 내용을 보면 그의 아버지와 같은 해방기 한국의 좌익들에 대한 표현이 순화된 부분들이 눈에 띈다. 사회주의자들에 대한 멸칭이었던 '빨갱이'라는 표현이 중립적인 용어인

'좌익'으로 수십 곳에서 수정되고, 좌익 무장 세력을 좌익 쪽에서는 '유격대 · 빨치산 · 해방군'이라고 불렀다는 서술이 추가되었으며 '폭동'이라는 부정적 표현을 '봉기'로 수정하기도 했다.[123] 이러한 반공주의적 용어의 수정은 『노을』뿐 아니라 다른 작품의 개작 과정에서도 나타나는 주요한 특징이다. 이러한 용어 변경은 그가 『노을』을 쓰면서 자신을 괴롭게 했던 반공국가의 시선으로부터 거리를 두려고 했음을 보여준다. 뒤에서 자세히 분석하겠지만, 『노을』의 개작 과정에서 추가된 내용들 역시 반공국가의 폭력을 고발하고 좌익이 가졌던 입장에 대해서 제한적으로나마 정당성을 보여주는 등의 변화가 나타났다는 점에서 용어 변경과 비슷한 효과를 보여준다. 그러나 여러 차례 개작되어 정본을 만든 『겨울 골짜기』와 달리 『노을』은 더 이상 개작되지도, 정본을 확정하지도 않는다.

    김원일은 『노을』의 개작 사실을 밝히지 않았다. 그런데 그는 『노을』뿐 아니라 다른 작품들의 개작 과정에서도 그 목적이나 수정 내용 등에서 무언가를 숨기는 듯한 모습을 보인다. 『불의 제전』 개정판의 '작가의 말'에서 김원일은 자신이 작품을 크게 고쳤음을 밝히면서도 "소설을 구상하고 기고했을 때와 시대적 상황이 달라졌다고 해서 새 삽화를 첨가하거나 내용상 해석을 달리하여 개고하지는 않았다"[124]고 설명한다. 그는 소설을 개작한 이유로 작품의 완성도를 높이기 위해 부정확한 문장을 수정하고 이야기를 다듬었다고만 밝힌다. 이는 『겨울 골짜기』의 경우에도 마찬가지다. 그는 1994년에『겨울 골짜기』의 개정판을 출간하면서 초판을 낸 뒤로 소설을 개작하고 싶어 했었다고 밝혔는데, "내용이나 구성 때문이 아니라, 한마디로 문장이 엉터리였"[125]기 때문이라고 말한다. 그래서 그는 초판과 개정판 사이에 동구권의 붕괴와 냉전의 종식이라는 세계사적 변화가 있었음에도 내용을 고칠 생각은 없었다고 강조한다.

> 미루기만 하다 이제야 개정판을 내며, 내용은 달리 손대지 않았다. 그 소재는 나로부터 오래 전에 떠났고, 소설 출간 이후 세계 곳곳의 공산주의 정권의 붕괴에 따라 이념대결에서 경제대결시대로 세계 질서가 재편되었다고 해서 특별히 첨삭해야 할 데가 있다거나, 그러고 싶은 마음도 없었다. 다만 문장을 깎고 다듬으며, 없애도 괜찮을 부분 1백 매 남짓을 가지치기했다.[126]

김원일은 소설 개작에 대해서 유독 어떤 내용을 추가하거나 해석을 달리하지 않았다고 강조한다. 그러나 그의 주장과 달리 개작된 작품들에서는 이념을 가진 인물에 대한 판단이나 당시의 역사적 상황에 대한 묘사가 변화하는 등 내용상의 변화가 두드러지게 나타난다. 이러한 변화가 가진 의미가 무엇인지 추정할 수 있는 단서는『겨울 골짜기』'정본'의 작가 후기다. 거창양민학살사건을 소재로 한『겨울 골짜기』는 김원일 자신의 가족사와는 전혀 관련이 없는 공간을 배경으로 한다. 그러나 앞서 살펴보았듯이 김원일은

『겨울 골짜기』에 등장하는 좌익 인물을 통해 아버지를 이해하고자 했고, 이를 정본에 추가된 후기인 「불러보고 싶은 말, 아버지」라는 글에서 드러내고 있다.

> 20대 초반 진로를 문학 쪽으로 선택할 무렵부터, 아버지는 내게 새로운 모습으로 다가왔다. (중략) 군사정권의 확고부동한 냉전논리 속에 누구에게도 아버지의 이력을 말할 수 없었지만, 나는 소설을 통해 아버지의 진실한 모습을 드러내는 작업을 게을리 하지 않았다. 그 결과 내 이름 앞에 '분단문학 작가'라는 호칭이 따라다니게 되었다.[127]

『겨울 골짜기』의 정본에서 김원일은 자신의 문학이 아버지를 이해하는 과정이었다며 그에게 작품을 헌사한다. 작품을 아버지 김종표에게 바친다는 내용은 『불의 제전』 개정판에도 추가된다.[128] 그가 공식적으로 밝히는 개정의 이유인 소설적 완성도의 문제보다 남로당 간부였던 좌익 아버지, "처자식 내 몰라라 하고 사상에 미쳐 사라진 사내"[129]라고 가족으로부터도 원망받았던 그가 개작 과정에서 더 중요한 문제였던 것으로 보인다. 그러나 자신의 문학이 아버지에 대한 헌사였음을 밝혔던 『겨울 골짜기』의 정본에서도 그는 "문장을 다듬고 낱말을 보다 정확하게 박아 넣고, 곁가지를 대폭 쳐내"[130]는 작업을 했을 뿐이라고 밝힐 뿐이다. 90년대 이후 김원일의 소설 개작은 민주화 이전 그의 소설에서 두드러졌던 '고백'의 재현 전략과 유사한 양상이 반복되는 것처럼 보인다. 민주화 이후 좌익 가족에 대한 반공국가의 위협이 점차 해소되어 갔음에도 김원일은 왜 소설의 개작을 은폐한 것일까? 여기에는 좌익의 아들인 김원일과 한국사회의 이행기 정의 국면 사이의 복잡한 관계가 작용한다.

한국사회의 이행기 정의 국면은 민주화와 같은 국내적 요인과 냉전의 국제질서와 같은 국제적 요인이 교차하면서 전개되었다. 한국의 작가들이 좌익이었던 가족의 이야기나 제노사이드에 대한 재현을 시도하는 기점이 되었던 1972년의 7·4남북공동성명이 70년대 동서 간의 긴장이 완화되었던 데탕트 국면의 영향이었던 것처럼 말이다. 80~90년대 한국의 이행기 정의 국면은 김원일과 같은 좌익 2세 작가들에게 양가적인 감정을 가지게 한 시기였다. 김원일은 민주화 직후 복간·창간된 문예지『문학과사회』에『마당 깊은 집』을 연재하면서 아버지의 월북 사실에 대해서 처음으로 밝힐 수 있다고 확신한다.[131] 85년 이후 연재가 중단되었던『불의 제전』의 2, 3부 내용이 이후 연재가 될 수 있었던 것은 민주화 이후 과거사 재현의 정치적 금제가 약화되고 이행기 정의 국면이 본격화되었던 시대상과 분리해서 설명할 수 없다. 민주화 이후 연재가 재개된『불의 제전』의 후반부에는 아버지인 김종표를 모델로 한 남로당 간부 '조민세'가 월북하고 이후 한국전쟁에 열의를 가지고 빨치산 유격대로 참전하는 모습이 그려진다. 아버지의 월북을 밝힐 수 없었던 시기에는 김원일이 그릴 수 없다고 생각한 장면들이었다. 민주화 이후 이행기 정의 국면은 그가 필생의 역작이었던 『불의 제전』[132]을 쓸 수 있게 했던 핵심적인 조건이었다. 하지만 87년의 민주화로부터 몇 년 지나지 않아, 동구권 사회주의 국가가 연쇄적으로 붕괴하고 냉전이 종식되면서 좌익 아버지에 대한 소설쓰기의 과정은 더 복잡해진다.

한국사회의 정치적 민주화뿐 아니라, 냉전 종식이라는 탈냉전기 국제정세의 변화는 이행기 정의 국면을 구성하는 또 다른 조건이었다. 이 시기 국제적인 이행기 정의는 탈냉전이라는 세계체제의 변동에 영향받았을 뿐 아니라, 동구권과의 관계를 확장하는 외교정책의 변화는 접근할 수 없었던 중국 등 해외동포 문학의 개방은 월북작가 해금과 더불어 출판자율화조치 이후의 한국문학의 범위가 변화하는 데 한 축을 이루었다. 하지만 자본주의 질서에 맞서는 대항적 체제로서의 소련과 동구권의 연쇄적인 붕괴는 진보적인 문학운동에 심대한 타격을 준다. 김원일 역시 이러한 분위기에 상당한 영향을 받았다. 『불의 제전』 주인공들의 이념 문제가 냉전의 종식 이후 "공중분해"한 것 같았고, 『불의 제전』의 의미 역시 크게 퇴색되었다고 느꼈다고 밝힌 바 있다.[133]

냉전의 종식으로 인해 민주화 이후 활발해졌던 사회주의 이념에 대한 관심이나 대안적 가능성에 대한 검토가 힘을 잃으면서 분단문학에서의 좌익 재현 역시 그 의미에 대한 회의감이 커진다. 냉전체제가 점차 무너져가던 1991년 김윤식은 『노을』의 성취를 탈냉전기의 상황에서 재평가한다. 반공주의의 억압 속에서 좌익 아버지의 존재를 그리는 것이 ("아비는 남로당이었다"는 명제가) 한때 시대 정신일 수 있었겠지만, 남로당 최후의 잔당의 석방과 남북 화해의 분위기 속에서 "역사 범주에로 후퇴"하여 더는 "문학적 싸움(긴장 감)을 불가능케 한"다고 비판한다.[134] 이러한 비판적 시각은 민주화 전후 문학장의 변동에 대한 최근의 연구에서도 나타난다. 김명훈은 민주화와 탈냉전의 과정을 거치면서 형성된 87년체제하에서 좌익 2세 작가들이 반공주의적 사회와의 긴장 관계가 해소되고, 온전히 국민으로서 편입되는 '전향의 완수'를 거치게 되었다고 주장한다. 연좌제의 위협을 겪고 있던 그들을 옥죄었던 생존 강박은 민주화 이전에는 소설적 긴장을 부여하는 조건이었지만, 87년체제 이후 "국민이 되는 권리를 획득함과 동시에 이제 금지된 질문과 그 질문에 대한 답을 변형할 필요가 없"어지면서 이후의 작품들은 "그 전 시대 소설들에서의 긴장을 발견하지 못하"게 되었다고 주장한다.[135]

김명훈은 한국사회의 근대 체험을 '생존주의 근대성'이라 개념화한 김홍중의 분류를 따라 87년체제의 성립을 '냉전 생존주의'에서 '신자유주의 생존주의'로의 전환 과정으로 보고 이 시기 이후 반공 이데올로기 같은 좌익 2세 작가들의 재현을 제약하는 사회적 조건들이 사라졌다고 가정한다.[136] 그러나 앞장에서 살펴보았듯 이행기 정의 국면으로 돌입한 한국사회에서 과거사의 재현은 여전히 다양한 사회적 조건들의 영향을 받고, 또 이에 대응하기 위한 재현의 전략들 역시 새롭게 고민했다.

90년대는 제노사이드의 기억을 둘러싼 사회적 힘들이 사라지던 시기가 아니라, 이행기 정의 국면에 대응하면서 새로운 기억과 재현의 형식을 찾아가던 시기였다. 과거사 문제의 처리를 둘러싸고 보상의 차원에서 무마하려는 보수 정치 세력과 진상규명과 희생자의 명예회복, 가해자의 처벌을 요구하는 시민사회가 충돌했다.[137] 90년대 중반부터 이루어진 과거사법 입법은 2000년대 진실화해위원회의 등장으로 이어졌지만, 과거사를 둘러싼 격렬한 대립은 여전히 사회적·정치적 쟁점으로 남아 있었고[138] 이는 현길언의 사례가 보여주듯 한국문학에도 영향을 끼치고 있었다. 김원일의 소설쓰기의 과정 역시 이러한 이행기 정의 국면의 변화 양상에 적극적으로 대응해간다. 그가 대하소설『늘푸른 소나무』와『불의 제전』을 완성한 것도 이 시기였으며, 대표작들에 대한 광범위한 개작 작업도 이때에 진행한다. 그가『노을』의 개작에 대해서는 침묵하고, 개작으로 인한 내용상의 변화에 대해서는 숨겨왔다는 사실을 통해 확인할 수 있듯 그의 개작 작업은 결코 만만하지 않은 문학적 긴장을 짊어져야 하는 일이었다.

이 장에서는 김원일이 좌익 가족사와 한국전쟁, 고향의 사건 등의 문제를 천착한 장편『노을』과『겨울 골짜기』,『불의 제전』을 중심으로 1990~2010년대까지 그의 개작 작업이 어떻게 한국의 이행기 정의 국면과 맞물려 전개되었는지를 살펴볼 것이다. 김원일은 개작 과정에서 작품의 분량을 30~40%가량 줄이면서 장면 배치나 소설의 구성을 고치고 거의 모든 문장을 수정하는 등 방대한 작업을 했다. 여기서는 김원일이 이행기 정의 국면에서 받은 영향을 살펴보기 위해서 그의 작품 개작 중에서도 제노사이드 사건에 대한 재현과 좌익 인물의 형상화 측면에 집중해서 개작의 양상을 살펴볼 것이다.

제노사이드 재현의 확대와 구체화

『노을』은 김원일의 고향인 경남 김해 진영읍을 배경으로 하여 가상의 좌익 봉기를 중심 사건으로 한 소설이다. 소설에서는 1948년 여름 진영읍의 좌익들이 무장하여 봉기를 일으켜서 3일간 지역을 점령한다. 소설 속에서 이 사건은 사망한 마을 사람이 40여 명, 경찰에 붙잡힌 좌익이 70명[139)]에 달하는 대규모 유혈 사태로 그려진다. 김원일과 같은 진영 출신인 김윤식이 "진영에 이런 사건이 실제로는 없었다"[140)]고 단정적으로 말하는 것처럼 실제 진영읍에는 그와 비슷한 사건조차 없었다. 남로당원이 대한청년단원 등 우익 단체 회원을 테러하거나 습격한 일 등이 있었지만 무장봉기라할 만한 일도 없었고, 지역이 점령당한 적도 없었다.* 전쟁 전 진영 일대에서는『노을』에 등장하는 사건처럼 대규모 인명 피해가 발생하지 않았다. 그러나 한국전쟁이 발발한 직후인 1950년 6월에서 9월 사이에는 수백 명에 달하는 사망자가 발생했다. 한국전쟁 중 수십만을 희생시켰던 국민보도연맹원학살사건을 진영도 피하지 못했기 때문이다. 김해와 진영읍에서는 한국전쟁 중 국민보도 연맹원에 대한 대규모 학살 사건이 자행되었는데, 경남 지역의 민간인 학살 희생자 유족회 측에서는 이 지역에서 1220명에 대한 예비검속이 단행되어 750명 이상이 살해당했다고 추정하는데 진영의 학살 희생자만 해도 251명에 달했다.[141] 진영읍은 국민보도연맹원학살사건으로 최소한 수백 명의 사망자가 발생했던 참혹한 공간이지만, 『노을』에서는 "육이오 때 여게까지사 인민군이 몬 내리와서 우리사 전쟁 구경도 몬 했"[142]던 비교적 안전한 후방 공간으로 그려진다. 『노을』은 김원일의 작품 중에서 지역사·가족사와 소설 내용 사이의 간극이 유독 큰 작품이었다.

『노을』에서 소설의 중심 사건이 고향 진영의 실제 지역사와 전혀 다르게 전개된 것은 반공국가의 검열을 의식한 결과로 추정된다. 거창양민학살사건을 배경으로 한 『겨울 골짜기』의 경우 작품

---

* 1947~1949년 사이에 진영읍에서 있었던 좌익의 테러 및 폭력 사건으로 확인된 것은 '남로당원 황상태 대한청년단원 등 테러 사건'과 '민애청 경남 김해군 진영읍 본산리 맹원 야경단 습격사건', 이 두 건뿐이며, 경찰과 빨치산 사이의 교전은 1949년 11월 김해경찰서의 공비 소탕 작전 정도만을 확인할 수 있다.(홍승권, 배병욱, 「한국전쟁 전후 김해지역 민간인 학살의 실태와 성격」, 『제노사이드 연구』 4호, 한국제노사이드연구회, 2008, 91~92쪽) 이중 김해경찰서의 공비 소탕 작전은 『불의 제전』 초반부에 등장하는 진영읍 지구대와 빨치산 유격대가 충돌했던 '화차고개 전투'가 모티프가 된 사건으로 보이는데, 흥미롭게도 해당 전투가 있던 시점은 이미 김원일의 아버지 김종표뿐 아니라, 가족 전체가 서울로 올라간 이후다. 김원일의 가족의 서울행은 1949년 3월경이었기 때문이다.(김원일, 『아들의 아버지』, 문학과지성사, 2013, 228쪽) 김원일은 아버지 김종표를 모델로 한 소설 속 인물들을 빨치산으로 그렸다. 하지만 실제 김종표가 빨치산 유격대 활동에 나선 것은 전쟁 중 가족과 갈라진 이후였다. 김원일이 아버지를 빨치산으로 그렸던 문제에 대해서는 3부 3장에서 자세히 다루었다.

의 구성에서 학살 사건이 후반부에 너무 짧게 배치되었다는 점을 제외하면 실제 사건과 소설 내용이 그리 다르지 않았다. 마찬가지로 김원일의 고향 진영과 가족사를 소재로 한『불의 제전』역시 국민보도연맹 학살 사건과 같은 지역사에 대한 서술이 상세하고 정확한 편이다. 이렇게 작품간 비교를 하면『노을』이 유달리 사실성을 결여한 작품처럼 보인다. 그러나 김원일의 소설 개작이라는 문제를 고려하게 되면 이는 조금 다르게 보인다.

김원일은 자신의 가족사와 지역사의 이야기를 여러 차례 소설로 옮겼지만, 이를 사실 그대로 적으려고 한 경우는 그리 많지 않다. 김원일의 마지막 장편소설인『아들의 아버지』가 예외적으로 실제 지명과 인명을 거의 그대로 기술하고 역사적 사실에 충실하게 쓰고 있다고 밝힌 작품이며, 대부분의 작품에서는 소설적 허구를 통해 서사를 전개했다.[143] 그가 처음으로 좌익 아버지의 존재를 밝혔던 소설「어둠의 혼」도 좌익 아버지가 경찰에 붙잡혀 살해당한 허구적 사건을 보여주며, 아버지의 월북 이후 남겨진 어머니와 할머니 사이의 갈등을 다룬「미망」에서는 아버지는 국민보도연맹원에 가입했다가 실종된 이로 그린다. 그가 아버지의 월북 사실을 처음 밝힌 작품이라 했던『마당 깊은 집』역시 소설의 배경이되는 '마당 깊은 집'이라는 공간부터 허구적인 장소다. 김원일이 가족사에 대한 소설을 쓰는 방식은 역사적 사실을 증언하기보다는 허구로서의 소설쓰기를 통해 역사와 사회에 대한 작가적 시선을 보여주는 데 초점이 맞춰져 있다. 한국전쟁에 휩쓸리는 지역사와 가족사를 1950년 1월부터 10월까지의 10개월 동안으로 압축하는 『불의 제전』도 별반 다르지 않다.

　김원일이 이처럼 가족사, 특히 아버지의 이야기를 소설적 허구로 구성한 데는 연좌제의 공포에 대응하기 위한 고백의 재현 전략 때문이기도 하지만 당시 그가 아버지의 행적을 잘 몰랐다는 사실도 영향을 끼쳤다. 유년기에 아버지 김종표가 집을 비우는 때가 많았고, 전쟁 중에는 가족과 엇갈려 월북했기 때문에 김원일은 아버지의 삶에 대해서 자세히 알지 못했다. 그래서 그는 문학적 상상을 통해서 『불의 제전』 속 신념을 가진 빨치산이자 남로당 간부 '조민세'의 모습으로 아버지를 그렸는데, 이 소설 속 인물이 이후에 알게 된 바로는 실제 행적과 상당히 유사했다고 밝힌다.[144]

　김원일이 아버지 김종표의 행적을 알게 된 과정은 그가 발표한 여러 소설과 에세이에서 밝히고 있는데, 시기나 과정에 대한 설명이 조금씩 다르다. 공통적으로 아버지의 소식을 전해준 이는 한국 정보기관이 관리하는 '북한 간첩'으로 밝히고 있다. 그 인물을 통해 알게 된 아버지의 행적은 그가 전쟁 중 2년여간 빨치산으로 활동했고, 북에서 여러 공직에 있었으며 간첩을 양성하는 교관인 대남연락부 지도원으로 있었으며 1976년에 62세의 나이로 사망했다는 내용 등이다. 그런데 이 소식을 알게 된 게 언제라고 단정하기 어렵다. 발표 시점이 늦은 작품일수록 정보기관과 접촉한 시기가 앞당겨지기 때문이다.

　2000년대 초 발표한 「자전 에세이 1」이라는 글에서는 자수한 북한 간첩으로부터 1998년에 듣게 되었다고 밝힌다.[145] 또 2012년에 출간된 전집판 중편소설집 『도요새에 관한 명상/환멸을 찾아서 외』의 '작가의 말'에서 「환멸을 찾아서」(1984)를 발표하고 10년쯤 뒤에 아버지의 소식을 듣게 되었다고 한다.[146] 소식을 들은 시기가 1994년 전후로 앞당겨지는 것이다. 그리고 1년 뒤 2013년에 발표한 장편소설 『아들의 아버지』에서는 아버지의 소식을 전해 듣게 된 시기가 1980년대 후반으로 나온다. 국가안전기획부에 보호를 받는 남한 출신의 전향 간첩 'S'가 김원일에게 모종의 경로를 통해 북한에서 김종표의 행적에 대해서 증언했다고 설명한다.[147] 반면 자전적 단편 「아버지의 나라」(2015)[148]에서는 안기부가 아닌 "중앙정보부에서 조사를 받던 남한 출신 북한 간첩"이 아버지와 안면이 있는 사이라 그의 말을 기록한 메모를 중앙정보부 요원에게 전달받은 것으로 나온다.[149] 중앙정보부가 1981년 국가안전기획부로 그 명칭이 변경되었음을 생각할 때 「아버지의 나라」에서 김원일이 김종표의 소식을 전해 듣게 된 시기는 늦어도 1981년 이전이다.

김원일이 실제 아버지의 행적을 알게 된 시점이 언제인지, 현재 밝혀진 자료만으로는 확정할 수 없다. 다만 발표 시점이 늦은 글일수록 김원일이 아버지의 행적을 알게 된 시기가 빨라지며, 그 과정 역시 도움을 준 이부터 전달 과정이 구체적으로 제시되었다. 2010년대 김원일의 자전소설들을 통해서 정보기관을 통해 1950년 이후 김종표의 행적을 알게 된 시기는 추정하면 70년대 후반이나

1980년, 늦으면 80년대 후반 정도인 것으로 보인다. 「아버지의 나라」의 내용처럼 중앙정보부 요원을 통해 아버지의 소식을 알게 되었다면 『불의 제전』 속 조민세의 형상화도 이에 영향을 받았을 가능성도 고려해야 한다. 다만 이병주의 『지리산』 등 당대 다른 빨치산문학의 존재를 생각한다면 중앙정보부를 통해 소식을 들었다고 해도 그것이 김종표를 빨치산 조민세로 그리게 한 결정적 요인은 아니었을 것이다.

김원일이 아버지의 행적에 대해서 상세히 알게 된 시점은 아무리 빨라도 그가 작품 활동을 시작하고 10년 이상 지난 뒤였다. 반면에 그의 고향 진영에 있었던 학살 사건에 대해서는 어린 시절부터 알고 있었을 가능성이 매우 높다. 1955년에 아버지의 부하 중 국민보도연맹 학살 사건으로 사망한 이의 아내가 대구에 그의 가족을 찾아온 사건[150]은 김원일에게 오랜 시간 뇌리에 남았는지 이후 『노을』에서 진영의 토착 좌익인 '이중달'과 그의 아내, 그리고 유복자인 '치모'의 이야기로 변형되었다. 김종표를 제외한 김원일의 가족들은 1950년 10월 서울 수복 때 진영으로 내려왔다. 다른 가족들은 대구로 갔지만 김원일은 53년까지 진영에 남아 있었다. 그가 진영읍에 돌아온 시기가 보도연맹사건 직후였다.

이 시기 진영에서는 한국전쟁 중 극히 예외적으로 학살 사건의 가해자에 대한 처벌이 이루어졌는데, 개인적 원한 관계를 국민보도연맹학살사건을 기회로 풀려고 했던 지역 유지 중 일부가 처벌받았다.[151] 이는 이들이 지역의 명사였던 목사 강성갑을 살해했다는 사실이 알려지면서 미국 선교단체와 국제연합 한국재건단 UNKRA이 한국 정부에 압력을 가했기 때문이다.[152] 김원일은 보도연맹사건 이후인 1950년 말에 2년간의 서울살이를 마치고 고향으로 돌아왔지만, 가해자에 대한 처벌 등으로 학살 사건이 많은 주목을 받던 시기에 진영에 있었다. 국민보도연맹원 학살 사건은 『불의 제전』에서는 민주화 이후인 92~93년 사이 『문학과사회』에 연재된 분량에서 묘사되지만, 이미 1980년대 그의 다른 작품들에 등장했다. 「미망」(1981)에서 '나'의 아버지는 국민보도연맹에 가입했다가 실종되었고, 『겨울 골짜기』(1987)에서도 주인공 '문한득'의 큰형인 '문한병'은 전향한 좌익으로 국민보도연맹에 가입했다가 학살당한다.* 이를 보면 김원일은 한국의 작가 중에 국민보도연맹학살사건을 비교적 이른 시기부터 언급해온 작가였다. 그런 그가 『노을』에서는 정반대로 반공국가의 학살 사건을 좌익의 봉기로 그리고 있다.

국민보도연맹학살사건이 자행되었던 진영의 지역사와 가상의 좌익 봉기를 중심으로 펼쳐지는 『노을』 사이의 간극은 소설의 개

---

* 반면 마찬가지로 좌익에 협력했던 문한득의 자형은 보도연맹이 창설된 뒤로도 "닭 잡아먹고 오리발 내밀 듯 끝까지 시침을 떼"어서 살아남는다.(김원일, 『겨울 골짜기』 1, 민음사, 1987, 72쪽) 『겨울 골짜기』의 초반부 문한득의 회고를 통해 등장하는 이 일화는 마을 사람들의 생활상을 보여주는 2부 '들피진 삶'의 초반부에서 보도연맹원 학살에 대한 상세한 과정으로 확장된다. 전향자였던 문한병은 전향자 단체에 가입했다가 살해당하고, 끝까지 과거를 속인 자형은 살아남았다는 서술은 80년대 중반의 김원일이 반공국가의 가독성 장치가 학살의 수단에 불과했다고 인식했음을 보여준다.

작을 거치면서 조금은 줄어든다.『노을』의 개작 과정에서 반공국
가의 가해라는 문제가 부분적으로나마 드러났기 때문이다.『노을』
에서 주인공 '김갑수'의 아버지인 백정 '김삼조'는 좌익들이 진영
을 장악한 이후, 자신과 가깝게 지냈던 '추서방'을 포섭하려고 한
다. 하지만 추서방은 좌익들이 주장하는 혁명의 정당성을 의심하
면서 그 폭력적 과정의 잔인성을 강하게 비판한다.

> 「그라모 부자 논을 뺏아서 소작인한테 나나주는 사람은 누구요? 그
> 렇게 논을 나나주고 나나준 문서를 맨드는 사람, 즉 지도하는 사람
> 이 역시 세력을 잡는 기 아니겠소. 그기 우째 공평한 시상이요? 사람
> 을 개쥑이듯 쥑이면서 서로 동무, 동무 카모 다요?」
> 「이 자석이 말이라 카모 다 말인 줄 아나? 핵명 첨에는 다 이런 법이
> 란다. 반동을 처치하는 기 우리들 일이다. 죽어서모 죽었지 협력을
> 몬 하겠다고 니가 니 손가락을 짤라뿌린 짓도 반동이기사 하지마는
> 정 그 카모 인자 손목을 댕강 끊어뿔께다!」
> 「손목을 끊든, 쥑이든 성님 맘대로 하소. 어젯밤도 누우이 말했지마
> 는 나는 절대로 이런 핵명은 찬성을 몬 해요!」[23]

공산주의 이념이 평등을 내세우지만 실제로는 분명한 권력의
위계로 나뉘어 있으며, 혁명을 위해서는 "사람을 개쥑이듯 쥑이"
는 잔혹한 집단이라고 비판한다. 1978년에 발표된『노을』초판에
서 김삼조는 좌익 세력에 대한 추서방의 비판에 원래 혁명은 그런

것이고 반동을 처단하는 것이 자신의 일이라며, 그를 협박한다. 김삼조는 좌익의 잔혹함과 맹목적 폭력성을 드러내 보이는 인물로 그려지며, 아들인 갑수조차 그런 아버지의 모습에 공포감을 느낀다. 『노을』의 재판에서도 김삼조와 진영 지역의 좌익들에게 부여된 이러한 부정적 성격은 크게 달라지지 않는다. 김원일이 실제 아버지의 모습과 다르게 반공주의의 적대적 시선 속에서 그를 재현했다는 부담에 시달렸지만, 가상의 사건을 다룬 『노을』의 이야기 구조상 실제 인물이나 지역사에 부합하게 고치기 어렵다. 그는 그 대신에 좌익뿐 아니라 반공국가 역시 잔인한 가해자였음을 드러내 보이는 장면을 추가했으며, 이는 개작 작업이 진행되면서 더 상세해진다.

A) "그라모 부자 논을 뺏어서 소작인한테 나나주는 사람은 누군교? 그렇게 논을 나나주고 나나준 문서를 맹그는 사람, 즉 지도하는 사람이 역시 세력을 잡는 기 아이겠소. 그기 우째 공평한 시상인교? 사람을 개 쥑이면서 서로 동무, 동무 카모 단교?"
"이 자슥이 말이라 카모 다 말인 줄 아나? **순사나 남조선 군대는 좌익하는 사람 안 쥑이나? 어데 우리만 쥑이나?** 핵명 첨에는 다 이런 법이라 카더라. 반동 분자를 처치하는 기 우리들 일이다. 죽어서모 죽었지 협력을 몬 하겠다고 니가 니 손가락을 짤라뿌린 짓도 반동이기사 하지만 정 그카모 인자 손목을 댕강 끊어뿔 끼다!"* (굵은 글씨가 개작된 내용 - 인용자)

B) "그라모 부자 논을 뺏어서 작인한테 나나주는 사람은 누군교? 그렇게 논 나나주고 그 문서 맹그는 사람, 즉 지도하는 사람이 높은 사람되서 세력 잡는 기 아이겠소. 그기 우째 공평한 시상인교? 사람을 개 쥑이듯 쥑이미 서로 동무, 동무 카모 단교?"

"이 자슥이, 말이라 카모 다 말인 줄 아나? **순사나 남조선 군대는 좌익하는 사람 안 쥑이더나? 남조선 개늠들, 해방되고 좌익하는 사람들 오죽 많이 쥑았나. 좌익하는 사람 근처에마 가도 헴을 잡아서 고문하고 쥑이고 안 했나. 그래 쥑인 사람이 수만명도 넘을 끼라.**"

"그 말이사 맞아예. 그러나……"

"**그러나 또 머꼬? 내 말이 사실 아이가. 그러이 어데 우리만 쥑이는 기가? 우리도 원쑤 갚는다꼬 반동늠들 처단하는 기제. 핵명 첨에는 다 이런 빕이라 카더라. 반동분자 처치하는 기 내한테 맽겨진 일이데이.** 햅력 몬 하겠다고 니가 니 손가락 짤라뿌린 짓도 반동이기사 하지마는, 니 증말 그캐싸모 인자 니 손목을 끊어뿔 끼다!"

"손목을 끊든, 쥑이든 성님 맘대로 하소. 어젯밤도 누누이 말했지마는 나는 절대로 이런 핵명은 찬성을 몬 해요!"** (굵은 글씨가 개작된 내용 – 인용자)

---

* 김원일, 『노을』, 문학과지성사, 1991, 250쪽. 이후 인용 시에는 괄호 안에 작품명, 연도, 쪽수만 표기한다.

** 김원일, 『노을』, 문학과지성사, 1997, 278~279쪽. 이후 인용 시에는 괄호 안에 작품명, 연도, 쪽수만 표기한다.

『노을』의 개정판들에서 봉기에 동참하도록 회유하려는 김삼조와 좌익을 비판하는 추서방 사이의 기본적인 대화 구도는 크게 달라지지 않았다. 하지만 재판에서 김삼조는 추 서방에게 과연 좌익들만이 가해자였느냐고 강하게 반발한다. 1991년 판인 A에서는 한국 군경의 학살에 대한 짧은 언급하면서 우리만이 가해자가 아니라고 항변한다. 1997년 판인 B에서는 이 내용이 좀 더 상세해지고, 그에 대한 추서방의 반응이 추가된다. 김삼조는 반공국가의 군과 경찰이 좌익을 대상으로 한 고문과 학살을 자행했다며, 봉기과정에서의 우익 인사 등에 대한 처형은 "원쑤갚는" 일이라고 주장한다. 반공국가에 의한 희생자 숫자를 열거하는 김삼조의 반박에 추서방은 그 말이 맞기는 하다며 말꼬리를 흐린다. 추 서방은 초판에서처럼 일방적으로 김삼조를 다그치지 못한다. 반공국가에 의한 학살은 좌익을 진압하는 군경에 의구심을 품게 만든다. 『노을』의 초판에서 김삼조는 진영의 경찰인 '최순사'를 위협하면서 그에게 "니 죄를 니가 알고 있겠제? 왜 니가 죽어야 하능가를 말이다"[153] 라고 말하지만, 그 구체적 이유를 설명하지 않는다. 추 서방과의 대화 이후에 나온 이 장면은 "핵명 첨에는 다 이런 법"이라는 말처럼 공산주의에 대한 김삼조의 맹목적 추종과 잔인성을 보여주는 장면으로 구성되어 있다. 그래서 아들 갑수는 아버지의 잔혹성을 들려주는 소리에 울음이 터져나오려고 한다. 『노을』의 재판에서 이 장면도 전체적인 구도는 동일하다. 대신 김삼조는 최순사가 죽어야 하는 이유, 그가 좌익에 가했던 폭력에 대해 고발한다.

> "니는 인밍 재판이고 머고 필요가 읎어. **좌익 잡아다가 지하실서 물 믹이고, 바늘로 손톱 밑 찌르고, 팬 거 다 기억하제? 그 여편네까지 빨가배끼서 고문한 거 다 알제?** 최순사, 그렇게 진 니 죄를 니가 알고 있겠제? 왜 니가 죽어야 하능가를 말이데이!" 아버지의 외침이 들렸다.(『노을』, 1997, 280쪽.) (굵은 글씨가 추가된 내용 – 인용자)

1997년 판의 김삼조는 최순사가 좌익과 그 가족을 상대로 잔혹한 고문을 저질렀다며, 그에게는 인민재판이라는 절차조차 필요하지 않다고 위협한다. 우익에 대한 살해가 반공국가의 좌익 학살에 대한 보복이었던 것처럼, 최순사 역시 그가 저지른 폭력 때문에 표적이 된다. 『노을』의 재판에서 김삼조는 맹목적으로 좌익에 선동되어 폭력을 휘두르던 초판에서의 모습과는 조금 달라진다. 이러한 미묘한 변화는 갑수를 괴롭히는 악몽 속 아버지의 모습에도 나타난다. 좌익들이 봉기하여 마을을 장악한 뒤 갑수는 마을 사람들 앞에서 아버지가 어머니를 잔혹하게 고문하는 꿈을 꾼다. 꿈속에서 김삼조는 아내를 마을 사람들 앞에 묶어두고는 자신을 배신한 그를 "희한한 방법으로 쥑이보겠"(『노을』, 1997, 275)다고 하고 끔찍한 고문을 가한다. 『노을』의 초판에서 꿈속 아버지의 만행은 마을 사람들을 위협하는 수단이다. 하지만 재판에서 갑수는 아버지의 가학성만큼이나 구경하는 마을 사람들의 무심함이 끔찍하다고

여긴다.'

C) 「나를 무꽁다리 같은 옛날 백정으로만 알고 동무들이 내가 시키
는 대로 안 한다 카모 재미가 없을 끼요. 재미가 없다 카는 말을 농
으로 들으모 우쩨 될끼다 카능거는 여러 동무들이 더 잘 알겠잉께,
내 더는 말을 않겠심더.」 (중략) 그럴 동안 구경꾼들은 아무말 없이,
여전히 웃지도 울지도 않는 멍한 표정으로 아버지의 짓거리를 보고
만 있었다. 「만세를, 만세를 부르란 말임더! 동무들, 인밍공하국 만
세를 부르라 카잉께!」(『노을』, 1978, 295~296)

D) 구경꾼들은 허수아비같이 멀뚱히 서서 아버지의 그 끔찍한 짓거
리를 보고만 있었다. 끔찍하다는 점은 아버지도 그랬지만, 아버지의
강포한 짓거리를 보고 섰는 구경꾼의 흐리멍덩한 얼굴도 내 눈에는
끔찍하게 보였다. (중략) 그럴 동안도 구경꾼은 멍한 얼굴로 아버지
의 짓거리를 보고만 있었다.(『노을』, 1997, 275)

인용 C에서 아내에게 가하는 폭력을 통해 인민공화국에 대한
충성을 강요하는 아버지의 말은 재판에서는 모두 지워진다. 갑수
의 원망은 아버지뿐 아니라 이를 방관하는 구경꾼인 마을 사람에
게도 향한다. 좌익 봉기의 전사前史로 반공국가의 학살을 배치했
듯, 갑수의 악몽 장면을 개작할 때도 아버지는 일방적인 가해자의
위치에서 벗어난다. 여전히 그의 행동에 비판적이지만 반공국가

의 시선을 그대로 반복하지는 않는다. 비판의 대상이 아버지뿐 아니라 이를 방관하는 주변인들로 확대된다. 이러한 변화가 그 폭력을 정당화해줄 수 없겠지만 아버지의 행동에 대해서 나름의 이유를 고민하는 인물로 갑수의 모습을 바꾼다. 어른이 된 갑수는 아버지와 함께 봉기에 가담했던 지역 좌익 이달수의 아들 치모와 대화하면서 자신이 알고 있던 사건의 내막을 들려준다. 갑수는 이달수가 혁명을 위해서는 폭력의 수단을 빌려야 한다고 믿었던 이라고 말하면서 동시대(70년대)에 테러를 자행하는 적군파와 극좌파의 발상을 가졌다고 말한다. 그런데 『노을』의 재판에서 갑수는 해방 후 한국사회의 혼란 때문에 "좌파 중 폭력 혁명의 남조선 해방론 주장이 만만찮"아졌다고 말하는 내용이 추가된다.* 이달수가 왜 그런 극단적 입장을 가지게 되었는지, 이를 이해할 수 있는 당대의 정황을 소설의 화자인 갑수가 인정한다.

『노을』의 개작 과정에서 나타난 내용상의 변화는 해방 후 한국사회의 혼란과 반공국가의 폭력 문제를 보여줌으로써 잔혹한 수단을 서슴지 않는 이들로 그려졌던 좌익의 위치를 좀 더 객관적으로 다루려는 방식으로 보인다. 반공국가의 공식기억을 재생산하는 계몽적 반공소설에 가까웠던 1978년 판 『노을』[154)은 90년대

---

* "사실 그 당시 남한은 난장판이었지. 한 해에 물가가 배 이상 치솟고, 도시는 실업자투성이고, 농촌 경제는 일제 말 못잖게 피폐했어. 미국 원조에 힘입어 떼부자가 생기는가 하면 친일 분자가 득세했으니, 좌파 중 폭력 혁명의 남조선 해방론 주장도 만만찮았다고 봐."(김원일, 『노을』, 1997, 329쪽)

들어 개작을 통해 반공주의적 서사로부터 이탈하려는 조짐을 보였고 이는 곧 김종표에 대한 역사적 평가를 바꿔가려는 과정들로 이어진다.

『노을』의 개작 과정에서 김원일은 반공국가가 자행한 제노사이드 같은 국가폭력의 문제를 이야기하려고 했다. 개작된 내용에서 김삼조는 추서방에게 반공국가의 군경에 희생된 이들이 수만 명에 달한다고 주장한다. 한국전쟁이 발발하기 전에도 한국사회에서는 대구10월항쟁과 제주4·3, 여순사건 등 수만 명이 학살당한 사건이 연이어 발생했다. 그런데『노을』에서 가상의 좌익 봉기가 발생하는 과거의 시간적 배경은 1948년 여름이다. 대구10월항쟁과 제주4·3의 발생한 이후지만 수만 명의 희생자가 발생한 시점은 아니었다.[155] 이러한 실제 역사와 김삼조의 발언 사이의 간극은 1948년 여름 가상의 시공간을 구성한 소설에서도 당대의 비극적 역사를 호명하려는 김원일의 의지를 보여준다. 90년대『불의 제전』의 연재를 재개하고 이후 작품을 개작하는 과정에서 김원일은 한국전쟁을 전후한 시기의 제노사이드 사건에 대한 구체적인 재현에 상당한 공을 들였기 때문이다.

김원일은『불의 제전』을 통해 한국전쟁이라는 한국현대사 최대의 비극을 소설화하려고 했지만, 역설적으로 한국전쟁기의 상황은 소설의 후반부에 가서야 등장한다. 소설의 전반부에서는 남로당계 빨치산 유격대의 활동과 경찰과의 대립, 진영 주민의 삶의 문제, 이데올로기와 토지개혁 등 80년대 중반까지의 연재 분량은 한국전쟁기 한국사회의 총체성을 드러내 보이려는 방향으로 평가받았다.[156] 이는 당대 빨치산문학, 특히 『태백산맥』이 이 시기를 그리던 방식과 비교될 수밖에 없었다. 반면에 작품의 시기가 한국전쟁기가 되자 소설의 초점은 상당히 달라진다. 연재 시기로 본다면 마지막 연재 매체인 『문학과사회』에 1992년 가을부터 소설 속에서 한국전쟁이 본격적으로 나타난다. 『불의 제전』의 후반부에서 두드러지는 것은 전쟁과 학살의 문제다.

『불의 제전』의 중후반부에서 소설의 배경은 진영읍이라는 공간을 벗어나 서울과 평양을 비롯해 전쟁 중 피난의 경로 등 한반도의 여러 지역으로 확대된다. 특히 한국전쟁이 발발하는 『불의 제전』의 후반부에서는 여러 인물이 서울과 진영 사이를 이동하면서 전쟁의 참상을 마주하는 지난한 과정이 펼쳐진다. 이러한 이동의 과정은 국민의 식별이라는 국가의 가독성 장치의 작동 문제와 연결된다. 냉소적이면서 중립적인 진영의 지식인인 '심찬수'는 서울과 진영을 오가는 과정에서 신원 증명을 위한 서류 발급, 통행허가증 발급 문제로 인민군에게 의심을 받는다. 그러나 고생 끝에 진영으로 돌아온 그는 인민군 점령지에서 돌아왔다는 사실 때문에 경찰에게 요주의 인물이 되어 고문당하기까지 한다.

E) 영감 동무, 나 이 한쪽 팔이 어떻게 날아간지 아시오? 만주서 중국 모택동 군대에 종군하며 왜놈과 싸우다 이렇게 됐소. (중략) 전쟁이 나자 인민군과 함께 서울로 들어와 군사 기밀을 취급하다 진주지

부 당 사업을 맡아 내려가는 길이오.*

F) 인공치하 서울에서 부역한 사실은 없는가, 조민세와 그의 처, 배
종두를 만났느냐, 따위를 묻는 과정에서 몽둥이질에 물고문까지 당
했다. 심찬수는 그들을 일체 만나지 않았다고 잡아뗐다. (중략) 괴뢰
군이 들어오고 7월 중순을 넘기자 남한 청장년 징집이 실시되었으
나 자신은 팔 없는 병신이라 빠졌고, 한강 부교 공사와 공공 반공호
공사 따위의 부역도 면제되었다고 말했다. (『불의 제전』 6, 1997, 229)

심찬수는 남과 북 두 개의 국가에 자신이 국민임을 증명하기 위
해 불구가 된 자신의 팔을 이용한다. 인민군 점령지에서 그의 팔은
모택동 군대를 돕다가 부상을 입은 명예로운 훈장이지만, 한국군
지역에서는 인민군 부역을 면제받아서 자신은 부역자가 아니라는
증거로 쓰인다. 국가의 가독성 장치에 대응하기 위해 자신의 과거
를 변형하는 심찬수는 고백의 전략을 통해 생존한다. 또 한 가지
주목할 사례는 '빨갱이' 낙인이라는 반공국가의 가독성 장치가 『불
의 제전』 초반부의 주요한 문제였던 토지개혁과 같은 경제적 갈등
상황 장면에서도 추가되었다는 점이다. 토지개혁 과정에서 토지
분배를 둘러싸고 지역 유지인 심찬수의 아버지 '심동호'가 불만을

---

* 김원일, 『불의 제전』 6, 문학과지성사, 1997, 75쪽. 이후 인용 시 괄호 안에 책 제목과 연
  도, 쪽수만 표기한다.

가진 농민들과 말싸움을 벌이면서 그들을 폭동을 계획하는 좌익이라고 몰아세운다. 1983년 판에서는 농민들은 "좌익이라니, 그말은 천만부당함더"[157]라고 반발하면서 자신들의 불만을 이야기한다. 반면에 1997년 판에서는 심동호는 좌익 대신에 '빨갱이'라고 말하고, 농민들은 "우리를 아주 쥑일라고 그카모 몰라도……"(『불의 제전』3, 1997, 43)라며 강하게 반발한다. 그들의 말싸움이 이어지면서 농민들은 더 나아가 "빨갱이라 함부로 부르지" 말라며 "우리도 대한민국 국민임더"라고 말한다. 반공국가에서 빨갱이란 호명이 곧 죽음의 위협일 뿐 아니라 국민의 외부임을 보여주는 이러한 장면이 추가되면서 『불의 제전』은 가독성 장치의 문제[158]가 더 선명하게 부각된다. 이러한 가독성 장치에 의한 폭력은 국민보도연맹과 부역자, 정치범에 대한 공격과 제노사이드의 문제로 이어진다.

　보도연맹 창설이나 좌익 혐의자 등을 가입시키는 조치는 『불의 제전』의 초기 연재본을 묶은 1983년 문학과지성사 판에도 짧게 언급되었다. 하지만 이후 『불의 제전』 중후반부에서는 관련된 서술이 늘어나면서 보도연맹이 국가폭력의 대표적 피해자들로 그려진다. 남한이 전쟁에서 유리해지자 부역 혐의를 받는 이들을 "보도연맹 가입자 쥑이듯 그대 다 쥑이뿌나?"(『불의 제전』7, 1997, 147) 하는 불안감은 국가폭력의 대표적 형상으로 보도연맹의 기억을 불러온다. 김원일은 『불의 제전』을 2010년 개작하면서 소설의 전체 분량을 크게 줄였지만, 아래의 인용문처럼 보도연맹사건에 대한 서술은 더욱 자세해지고 진영읍의 지역사와 관련된 새로운 장면들을 추가하기도 했다.

그럴 수밖에 없었으니 남한 정부는 남한이 좌익 폭동으로 공산화될까 지레 선겁 먹고 서울 방위를 포기한 직후부터 지역을 가리지 않고 감옥에 수감 중인 좌익이나 시중에 섞여 있던 좌익 혐의자를 추려내어 무차별 즉결 처형을 시작했던 것이다. 전쟁이 터진 다음 날 인천 지역에서 체포된 좌익 혐의자 사백 여 명을 집단 처형한 것을 시작으로, 7월 1일에는 대전과 그 인근 지역에서 체포된 천사백여명을 집단 처형해버렸다. 부산형무소에서도 서둘러 좌익 죄수를 솎아내어 집단처형하기 시작했다. 7월 3일에는 대전형무소에 수감 중이던 좌익수 칠천여 명을 대전 외곽 산내면 골짜기에서 처형해 매장해버렸다. (중략) 남한 군경만 그런 만행을 저지른 것은 아니었다. 6월 28일 서울로 진입한 인민군은 곧바로 서울대병원을 접수한 후, 개전 사흘 사이의 전투에서 부상당해 입원 중이던 국군 백오십 내지 이백 명과 의료진을 불문곡직 사살해버렸다. 사실 쌍방의 집단학살극은 이제 그 시작에 불과했다.*

재소자 학살과 국민보도연맹원 학살 그리고 인민군의 한국군

---

* 김원일,『불의 제전』4, 2010, 강, 43~44쪽. 이후 인용 시 괄호 안에 책 제목과 연도, 쪽수만 표기한다.

학살 등의 시기와 규모에 대해 상세하게 설명하고 있다. 이 부분은 97년 문학과지성사에서 나온 7권짜리 『불의 제전』에는 없던 내용이다. 김원일은 소설전집판인 『불의 제전』 2010년 판(이하 '전집판') 4권에는 '7월 3일'이라는 절을 추가한다. 이 절은 인민군이 이제 막 서울을 장악한 시점을 보여준다. 해당 절은 97년 판에서는 '7월 5일'이라는 절의 앞부분에 해당하는 내용을 별도의 절로 독립시키면서 상당한 부분을 학살 사건의 설명에 할애하고 있다. 이 시기 재소자 학살은 김원일에게 상당히 중요한 사건으로 보인다. 서대문형무소에 수감되어 있던 그의 아버지 김종표가 천운으로 6월 26~27일 사이에 있었던 재소자 학살에서 살아남았기 때문이다.[159]

국민보도연맹원학살사건은 『불의 제전』이 그리는 한국전쟁의 참상을 대표하는 주요 사건으로 반복적으로 등장한다. 심찬수가 진영으로 돌아온 이후에도 과거 알았던 여러 인물이 보도연맹에 가입했다가 사망했다는 사실을 전해 듣거나, 학살이 자행되었던 과정에 대해서 알게 된다. 게다가 진영에 2차 예비검속이 이루어지면서 그 역시 불안에 떨어야 했다. 전통적인 지식인이자 남북 모두에 비판적인 중립적인 입장을 취하던 안시원 역시 대통령 이승만이 "재판도 없이 보도연맹 가입자 수십만 명을 무참히 처형한 최종 결재자"(『불의 제전』 7, 1997, 121)였다고 비판한다. 전집 판에서는 "보도연맹 가입자 이십만여 명을 처형한 최종 결재자"로 그 숫자가 구체화 되었으며 인민군이 그 시기에 자행한 포로와 경찰, 우

익, 민간인 등에 대한 학살이 날짜와 지역, 희생자 숫자 등에 대한 상세한 내용이 추가되었다.[160)]

김원일은 남과 북을 가리지 않고 『불의 제전』 후반부에서 그들이 자행한 폭력을 상세하게 보여주고 있으며 이러한 장면들은 대부분 개작 과정에서 그 분량과 내용이 늘어난다. 이 과정에서 진영의 지역사 역시 좀 더 상세해지는데, 이를 잘 보여주는 사례가 전집판에 추가된 한 인물의 사연이다.

> "그런데 기적적으로 살아남은 사람이 한명 있어." 박도선이 심찬수에게 작은 소리로 말했다.
>
> "살아남다니요?"
>
> "경사짜리 경찰 하나와 육군 중위 하나가 양쪽에서 횃불을 들고 서 있는 가운데 다섯 명씩 일렬로 세우곤 수건으로 눈을 가린 후 가슴팍에다 검정색 원을 그린 과녁판 종이를 붙여놓고 삼십보 뒤쪽에서 사격을 했는데, 한 명만은 총에 맞지 않았어. 실수로 총알이 비껴갔는지, 아니면 양심적인 군인이 일부러 과녁판을 비껴나게 쏘았는지는 모르겠지만 말이야. 어쨌든 그 사람은 죽은 척 쓰러져 있다가 군인들이 아랫마을 사람들을 차출하려 내려가자 구덩이의 시체 더미에서 기어 나와 도망쳤어."(밑줄은 인용자 강조)
>
> (중략) "그 사람이 누군데요?"
>
> "알 만한 사람이지만, 구태여 알아서 뭘 해."(『불의 제전』 5, 2010, 45~46)

작품에서 직접 이름을 언급하지는 않고 있지만 해당 인물은 진영에 거주하던 일본 유학파 지식인 '김영봉'이다. 그는 경찰 진영지서 인사와 지역 유지 등에 의해 작성한 적도 없는 양심서가 제출되어 자신도 모르게 국민보도연맹에 가입된 경우였다. 보도연맹원 학살이 자행될 때 김영봉은 총격을 당했지만, 기적적으로 살아남아 도망쳤고, 이를 안 지역 민병대는 그의 여동생인 한얼중학교 교사 '김영명'을 대살했다.[161] 이후 김영봉은 1960년 진영 지역 국민보도연맹학살 사건에 대해서 '국회양민학살사건진상조사특별위원회'에 증언했다.[162] 그의 사연은 『아들의 아버지』에도 진영 지역이 겪었던 참혹한 과거를 보여주는 한 장면으로 상세하게 설명된다.[163]

김원일이 어떻게 이 사건들을 살펴보게 되었는지는 『아들의 아버지』의 내용을 통해 추정해볼 수 있는데, 그는 보도연맹사건에 대한 2000년 이후의 여러 서적을 참고하고 있으며[164], 그가 언급하고 있는 희생자 숫자 등은 60년대 피학살자유족회의 조사뿐 아니라 2000년대 진실화해위원회가 조사한 수치 등이 겹치는 내용이 발견된다. 김원일이 『불의 제전』을 완성하고 이후 개작하는 과정은 한국사회의 이행기 정의 과정에 영향을 받으면서 지역사와 한국사회의 비극적 경험에 대한 재현을 확대해가는 과정을 보여준다. 김원일이 『불의 제전』을 전집판에서 개작하면서 30% 내외의 분량을 줄였음에도 이 사건들에 대한 서술은 더 상세해진 것은 제노사이드 재현의 확대가 그의 소설 개작 작업에서 상당히 중요한 요소였음을 보여준다.

좌익의 정치적 주체화와 아버지의 복권

『불의 제전』의 후반부에서 갑해와 심찬수 등 소설의 주요 인물들이 서울에서 진영으로 돌아가는 과정에서 목격하는 사건은 작품의 초점이 전반부와 달라지고 있음을 보여준다. 이들은 이동의 과정에서 남과 북 양측이 부역자와 반동을 향해 가했던 폭력과 강압적인 동원 그리고 돌아온 고향에서 보게 되는 보도연맹원 학살 문제 등 소설 속 주요한 사건의 결이 한국전쟁의 기원이 되는 총체적 구조에 대한 관심에서 전쟁의 참상과 학살의 문제로 상당히 달라진다. 김명훈은 이러한 변화를 탈냉전기의 영향으로 설명한다. 동구권의 연쇄적인 붕괴로 인한 민중문학론의 쇠퇴 과정을 지켜본 김원일이 "경제적·이념적 대립에 의한 갈등에 초점을 맞추어 전개되던 『불의 제전』의 서사"를 "한국전쟁의 현장과 그 현장에서 끈질기게 살아남은 민중들의 생명력을 주의 깊게 관찰하고 묘사하는 방향으로 급격하게 전환"했다고 설명한다.[165] 탈냉전기의 상황과 『불의 제전』의 전반부와 후반부의 초점 이동은 깊게 연관되어 있다. 그러나 그것이 김명훈의 지적처럼 "한국전쟁과 이념의 문제는 작가 자신의 체험과 자신의 아버지로부터 물려받은 국민국가의 외부성에 대한 해명으로 축소"[166]되었다고 보기는 어렵다.

김원일은 오히려 탈냉전기 이행기 정의 국면을 거치면서 또 다른 이념을 가진 아버지를 정치적 주체로 복권하는 데 상당한 공을 들였기 때문이다.

『불의 제전』의 마지막 연재를 1992년 『문학과사회』 가을호에서 재개하고 그다음 호에 김원일은 민주화와 탈냉전 등의 급격한 사회적 변화 속에서 분단문학이 지속될 수 있는 방향을 새롭게 고민한다. 과거 분단문학이 정치적 주체를 그려온 방식이었던 남로당을 대신해서 전쟁과 북한체제를 기획한 이들, 즉 북로당을 전면에 내세워서 다루어야 한다고 주장한다.[167] 이를 반영하듯, 『불의 제전』의 후반부는 남로당계인 조민세가 월북한 이후 북한체제를 경험하는 과정과 남로당과 북로당 사이의 긴장과 대립을 여러 장면에서 보여준다. 이는 소설의 추가 연재 내용뿐 아니라, 기존 내용의 개작을 통해서 더 선명하게 강조된다.* 남로당과 북로당의 대립에 환멸을 느낀 조민세는 다시 빨치산 유격대로 돌아오게 된다. 『불의 제전』 후반부에서 북로당의 존재감이 강화되는 과정은 남과 북의 군사적 충돌이 본격화되는 한국전쟁기의 재현에서 필연적이다. 남한 내부의 저항 세력이었던 빨치산과 달리 반공국가에

---

* 1987년 판 『불의 제전』 2권 후반부에는 남로당계의 남파 군사교육을 대신할 회령군관학교 건립 과정에 대한 내용(김원일, 『불의 제전』 2, 중앙일보사, 1987, 330쪽)이 등장하는데 97년 판 3권에는 "북로당계의 이런 조치는 남로당계가 선점하고 있는 남반부 침투 공작에 견제 역할도 겸하고 있었다"(김원일, 『불의 제전』 3, 문학과지성사, 1997, 252쪽)는 서술이 새롭게 추가되면서 남로당과 북로당 사이의 대립을 더 강조한다.

맞서는 또 다른 체제로서의 인민공화국의 존재감을 보여줌으로써 가독성 장치를 통해 나뉘어 있는 이분법적 대립의 구도 그 자체를 문제 삼을 수 있었다. 김원일은『불의 제전』후반부에서 제노사이드의 재현 과정은 남과 북 두 국가가 자행한 사건들을 모두 상세하게 다루고 있다. 그런데 흥미로운 점은 이러한 제노사이드의 재현이 피난민, 즉 모범적 반공 국민으로 표상되는 월남민 역시 상대화하고 있다는 점이다.

반공국가에 있어 북한체제를 버리고 남쪽으로 내려온 전쟁 피난민들은 남한체제를 선택한 반공 국민이다. 피난이 곧 체제에 대한 순응이며 국민을 식별할 수 있는 수단이라는 사실은 한국사회의 피난민 이미지를 구성하는 주요한 축이었다. 그런데『불의 제전』의 후반부에서는 이러한 피난민의 의미가 상당히 달라진다. 이를 잘 보여주는 것이 월북 피난민의 존재다.

> 대구 밑 경산이구마. 지금 남조선 땅은 미치갱이 살인마들로 들끓심더. (중략) 남조선 반동들이 빨갱이 집안은 모조리 몰살한다며 죽창과 몽둥이를 들고 동네방네 돌며 설치이 서방이 보도연맹 가입자라 어데 배기낼 수 있어야지예. 식구들이 몽땅 친정 성주로 야반도주해 숨었다가 거게 마실도 그 작태라 공화국 땅으로 해방된 짐천에 생사 결단하고 나왔지예.(『불의 제전』6, 1997, 126)

심찬수 일행이 진영으로 돌아가는 길에 만난 노점을 하는 떡 장수 여성은 보도연맹원의 아내다. 그와 가족들은 경남 일대에서 자행되는 학살극을 피하기 위해 월북을 선택한다. 월남 피난민이 북한체제의 폭력과 야만을 증명하는 존재들이라면, 역으로 이 월북 피난민은 남한체제의 폭력을 고발한다. 소설 속에서 이 월북 피난민은 진영에 도착하기 전에 심찬수가 보도연맹원학살사건의 참상을 전해 듣게 되는 첫 번째 장면이기도 하다. 월북 피난민의 존재는 체제의 우월성을 정당화하던 월남 피난민 서사를 해체하고, 폭력의 문제를 남과 북 두 개의 국가 모두의 것으로 바라보게 한다. 심찬수와 함께 진영으로 돌아오는 과정에서 남과 북 양측이 가한 가공할 폭력의 참상을 목격하고 월북 피난민과 이야기했던 '서성옥'은 "공산 세상만 무섭은 게 아니라 민주 세상도 똑 한가지네예"(『불의 제전』 6, 1997, 181)라며 한국군 검문소를 피해 움직이려고 한다. 남과 북의 두 국가 모두가 폭력의 가해자일 때, 월남을 위한 피난은 체제의 정당성을 확인해주는 장치가 아니라 생존을 위한 선택 중 하나일 뿐이다. 『불의 제전』에서 피난의 의미는 이념과 정통성의 문제가 아니라, 계급 격차에 따라 서로 다른 이해관계를 가진 이들의 엇갈리는 선택의 문제로 전환된다.

전쟁이 격화되면서 안시원은 자신이 피난길에 올라야 할지 말아야 할지를 깊게 고민한다. 그가 생각할 때 평범한 농민들은 피난길에 올라야 할 이유가 없다. 그들에게 인민군이 점령한 상황이란 단지 "지주 몫을 대신하여 국가에 현물세 내고 나머지는 자기네 몫이"[168] 되는 것 이외에 달라지는 일이 없기 때문이다. 그는 해방 직후 인민위원회와 전국농민조합총연맹이 면 단위까지 빠르게 확산되고 이에 소작농들이 적극 가입했던 사실을 기억한다.[169] 좌익 계열 단체들은 미군정의 진압을 통해서 억눌러 놓았을 뿐 "농민의 희망은 불씨로 잠복해 있"으며 그렇기에 "지주 계급을 뺀 농민들이야말로 북조선의 이남 땅 해방에 피란짐 쌀 이유가 없다"(『불의 제전』 6, 1997, 214)는 것이 그의 판단이다. 반면에 사회주의 혁명을 전복하려는 사유재산 인정과 자유경쟁 체제에서 시장경제를 전통적인 것으로 생각하는 안시원은 피난길에 올라야 한다고 결론을 내린다. 안시원은 피난을 체제 선택의 문제로 보지만, 이를 선과 악의 이분법적 구분이 아니라 어떤 사회를 만들 것인가를 결정하는 과정으로 바라본다. 그는 "이 남한 땅에 여당·야당이 어딨"냐며 "진짜 야당하려던 사람은 다 북으로 갔"(『불의 제전』 4, 1997, 181)다고 말하기도 한다. 이런 표현은 안시원이 남과 북 두 국가의 선택이 여당과 야당이 나뉘듯 사회의 방향성 문제로 이해하고 있음을 뒷받침한다. 이러한 피난의 의미 변화는 월남민의 재현에도 반영된다. 평양에 살다가 북한 체제 성립 이후 남쪽으로 내려온 '허정우'의 가족들이 자신들의 월남을 성급한 일이 아니었는지 후회하는 내용이 추가된다.

몇 달 전, 그가 형 가족이 사는 사글셋방을 찾았을 때 형의 푸념이 떠오른다. "정우야, 살아갈수록 우리가 남한으루 성급하게 내래왔다는 생각이 들어. 쫑 가직 무식쟁이 설쳐대는 꼴 보기 싫어 내래왔다

만 여기 세상은 왜 이 꼴이디? 피양에 그대루 참구 있었담 한동안 부
르좌 계급으로 몰려 고생했갔으나 지금쯤 형편이 나아졌잖갔어? 남
한 세상 돔 보더라구. 수백만 귀환 동포가 유입됐디, 청장년 태반이
실업자디, 도적 거지는 들끓디, 시장을 자유경쟁에 맡게두니 모리배
매점매석은 날루 심하잖아. 법 위에 설쳐대는 놈들이 한둘이야?"(중
략) 월남한 지 이태 만에 겨우 인쇄소 식자공 일자리를 얻은 형이 부
업으로 날라온 일감이었다. 형은 명색 전문대학 중퇴자였다.(『불의
제전』 1, 1997, 35)

당시로서는 고학력자인 전문대학 중퇴자였던 허정우의 형은 월
남한 지 2년 만에 겨우 인쇄소 식자공 자리를 얻는다. 그는 남한사
회의 혼란상을 보면서 차라리 북에 남아 적응하는 것이 더 낫지 않
았겠느냐고 푸념한다. 경제적 사정 등을 이유로 월남에 대해 후회
하는 이 장면은 1983년 판에는 없던 장면이다. 1983년 판에서는
심찬수를 만나기 위해 허정우가 기다리고 있던 짧은 장면이었지
만, 97년 판에는 형과의 대화를 회상하는 장면이 삽입된다. 그들
에게 월남은 남한체제의 정당성을 인정하는 정치적 행위가 아니
라 더 나은 삶을 위해서 고민할 수 있는 하나의 선택지였을 뿐이
다. 허정우 일가의 월남은 출신 성분에 따른 북한에서의 차별과 남
한의 사회적 혼란과 경제적 위기 사이에서 결정해야 할 생존의 선
택이었다. 반면에 전향한 온건 좌익 지식인인 박도선에게 남과 북
은 자신의 정치적 목표를 달성하기 위한 선택할 수 있는 공간으로

그려진다.

A) 날림장 바닥 같은 정치 세계로부터 완전 결별을 작심하고 구월에 낙향하고 말았던 것이다. 자기 뜻을 펴는 데는 일개 정치꾼으로서의 행동대원보다 저술을 통해 더 많은 동지를 간접적으로 만나는 데 헌신하기로 결심했고, 지역사회에서 민중을 위한 교육에 봉사함으로써 후계자를 양성하기로 뜻을 바꾼 것이다.[170]

B) 그 난장 바닥 같은 정치로부터 결별을 작심하고 9월에 낙향하고 말았다. 오랫동안 열망했던 공동체 사회의 평등 개념이 남한보다는 북조선에 실현 가능성이 크므로 그는 북조선으로 올라갈까도 생각했다. 장자의 책임으로서 달린 가족을 이끌고 갈 짐도 부담이 되었지만 뜻을 펴는 데는 선택된 땅이 따로 없다는 쪽으로 그는 생각을 바꾸었다. 그는 혁명의 실천적 행동대원으로 나서기를 포기한 대신, 오물투성이의 더러운 물을 자체 정화하는 한갓 일꾼으로서, 지역사회 민중 교육의 봉사로 후계자를 양성하고 저술을 통해 뜻을 펴기로 결심했다.(『불의 제전』1, 1997, 93)

진영의 좌익 지도자 조민세의 후배이자 건국준비위원회에서 박헌영계 대학 담당 요원으로 활동하기도 했던 좌익 지식인 박도선은 박헌영이 월북한 뒤 중도 좌파 격인 여운형계로 옮겼으나 여운형 암살 이후 서울의 정치판을 떠나 낙향한다. 83년 판인 A에서 박도선은 서울에서 낙향한 뒤 저술가로서 사회에 봉사하겠다고 결심한다. 반면에 97년 판인 B에서는 그가 월북을 고민했었다는 내용이 새롭게 추가된다. 그는 북한이 남한보다 오히려 자신의 뜻을 실행하기에 더 유리한 조건이라고 판단한다. "오랫동안 열망했던 공동체 사회의 평등 개념"이라는 가치의 측면에서 북한이 더 유리한 환경이라고 본 것이다. 김원일은 『불의 제전』을 완결하면서 80년대 연재본과 다르게 월북을 정치적 선택의 영역으로 두고 있다. 이는 그가 『마당 깊은 집』을 발표한 이후 아버지의 월북 사실에 대해 쓸 수 있게 되었다는 회고처럼 이행기 정의 국면의 정치·사회적 변화와 소설의 개작이 연결되어 있음을 보여준다.

김원일은 『불의 제전』을 개작하면서 반공국가와 대립했던 이념으로서 사회주의를 해방기 한국사회에서 선택할 수 있었던 또 다른 정치적 가능성으로 고민하는 인물들을 보여준다. 전통적 지식인이자 남과 북 양쪽 모두에 비판적이던 안시원은 조민세와 같은 진영의 사회주의자들을 못마땅해한다. 그는 조민세와 같은 이들이 과격하게 행동한 것을 비판하는데 이 장면의 83년 판과 97년 판의 뉘앙스가 상당히 달라진다. 83년 판에서는 "그들이 사랑하는 것은 우리 현실을 전혀 고려치 않은 주입된 이념"[171]이라면서 진영의 사회주의자들이 가진 목표를 이식된 이념이라 비판한다. 반면 97년 판에서는 "그들의 희망이 우리 현실과 밀착되어 있대도 주입된 강제 이념에 그들이 맹종"(『불의 제전』 1, 1997, 231)하고 있다면서 그들의 문제의식이 당대 현실을 반영하고 있다는 투로 바뀐다. 여전히 사회주의를 이식된 이념이라고 비판하지만, 그들이 당대 한국사회의 주요한 문제들을 직시하고 있음은 인정한다. 그래서 안시원은 조민세 같은 이들에게 사회주의가 "그들 입장에서 보면 인민을 살리는 절대적인 민족주의의 길일 수도 있겠"(『불의 제전』 1, 1997, 231)다며 그들의 입장을 이해하려는 장면이 97년 판에 새롭게 추가된다. 작중 사회주의 이념에 대한 서술의 변화는 정치·경제적 문제뿐 아니라 문화예술에 대해서도 나타난다.

A) 「글쎄요. 그러나 선생님, 아무리 순수한 예술일지라도 그 시대를 그 예술 속에 융화시키지 못한다면 그것은 향기 없는 가화假花와 같잖을까요. 현 시대를 고통스럽게 직시하는 예술가의 정신이 그의 작품 속에 면면히 숨어 있어야 하고, 그것이 만인에게 보편적인 감동을 수반하여 전달될 때, 비로소 좋은 예술이 탄생되는 게 아닐까요?」 안천총 옆에 나란히 서며 서성호가 말했다.[172]

B) "선생님, 조선프롤레타리아미술동맹에서 주장한 미술 이론은 어떻게 생각하십니껴? 저로선 이를 전폭적으로 수용해야 한다는 입장이 아닙니다만." 서설구가 조심스럽게 묻는다.

"계급 미술을 말함인가?"

"예. 당파성·계급성·민중성을 서로 밀접하게 연관시켜 프롤레타리아의 혁명적 투쟁에 적극 참여해야 된다는 이론 말입니더. 귀족적 자본주의 경제체제를 발판으로 성장한 미술을 부르주아 착취 계급

의 독점 미술이라고 몰아붙이지 않습니껴. 프랑스 인상주의 미술은
자본주의 시대의 꽃인 셈이지요."

"난 그 방면의 소양이 없지만, 프롤레타리아 미술은 시각이 너무 편
중되지 않았어?"

"부분적으론 수용할 요소가 있잖습니껴."

(중략)

"그 생각에두 일리가 있어." 고집 센 안시원이 쉽게 동의한다.(『불의
제전』2, 1997, 148)

미술가 지망생인 '서성호'는 안시원에게 자신의 미술이 어떤 방
향을 지향해야 하는가에 대한 고민을 털어놓는다. 83년 판인 A에
서 그는 현실에 참여적인 예술의 가치에 대해서 이야기한다. 그런
데 97년 판에는 서성호가 자신의 예술론을 말하기에 앞서 민중적
예술로서 사회주의 리얼리즘의 미학과 이를 주창하는 조선프롤레
타리아미술동맹에 대한 이야기를 하는 B가 추가된다. B의 내용이
추가됨으로써 서성호가 고민하는 현시대의 고통을 직시하는 예술
이 사회주의적 예술관의 의미를 긍정하고 있는 것으로 그 맥락이
달라진다. 사회주의 예술에 대해서 나름의 정당성을 인정해주는
이러한 개작은 월북작가들을 호명하는 것으로 이어진다.

97년 판에 서성호가 연인과 예술을 이야기하는 장면이 추가되
면서 "하숙 같이하는 국문과 학생이 숨겨 놓고 읽던 이용악과 백
석 시집을 나도 읽어봤는데, 일제하 빈궁한 농촌 현실, 토속성, 자

연을 잘 조화시"[173]켰다며 월북작가들의 작품을 추천하기도 한다. 출판자율화조치 이후에 해금된 이용악과 백석 같은 월북작가에 대한 서술이 추가되면서 그에 대응하는 '재남파在南派'란 표현이 97년 판에 새롭게 등장한다. 미술 공모전에 작품을 제출하려던 서성호가 "재남파在南派 심사위원은 모두 순수 예술파"(『불의 제전』 1, 1997, 261)라면서 이를 의식해서 작품을 준비하고 있다는 대화가 추가된다. 월북작가와 재남파, 『불의 제전』의 개작 과정에서 남과 북으로 갈린 예술가들과 그들의 예술적 입장은 대등하게 비교될 수 있는 것으로 변화한다. 그리고 이는 『불의 제전』에서 소설가 김원일 자신을 모델로 한 소년 '조갑해'에게도 영향을 끼친다.

『불의 제전』의 마지막 장에서 고향 진영으로 돌아온 조갑해는 전쟁의 참상과 가정의 비극, 월북한 좌익 아버지의 아이라는 자신이 경험한 고통을 시쓰기를 통해서 치유하려고 한다. 그런 갑해에게 심찬수는 정지용의 시집을 주면서 "이 시집 저자는 북쪽 공화국으로 올라갔어. 그러니 숨겨두고 읽어야 해"(『불의 제전』 7, 1997, 255)라고 주의를 준다. 정지용은 1988년 1월에 납·월북작가 중에 처음으로 해금조치가 된 작가였는데 이는 83년부터 정지용의 아들이 아버지의 납북을 주장하면서 명예회복을 위해 노력했기 때문이었다.[174]

심찬수가 갑해에게 월북문인으로 분류된 시인의 작품을 권해주지만 반공국가의 시선에서 볼 때 비교적 온건한 인물이었다. 갑해는 서울에 있을 때 "윤동주 시집을 베껴두지 않은 게 못내 아쉽던 참에"(『불의 제전』 7, 1997, 255) 다른 이에게 윤동주의 시집을 빌려서 읽으며 전쟁 중에 절름발이가 된 자신의 고통을 시를 통해서 극복하겠다고 마음을 다잡는다. 그런데 개작된 전집판에서는 갑해가 베껴두지 못해 아쉬워하던 시집 목록에 이용악 시집이 추가된다.[175] 납북문인이었던 정지용과 달리 이용악은 조선문학동맹시분과 위원장을 역임하는 등 북한체제에 성공적으로 자리를 잡은 시인이었다.[176] 그는 사회주의자로서의 성격이 더 분명했던 작가였고, 이는 곧 반공주의 사회에서 그에 대한 언급이 더 부담스러울 수밖에 없음을 의미했다. 김원일 자신을 모델로 한 소년의 문학에 사회주의자 시인이 영향을 주었다는 내용이 2010년의 개작을 통해 추가되었다는 사실은 민주화와 해금과 같은 이행기 정의 국면의 점진적 진행에 영향을 받아서 재현의 제약을 조금씩 벗어냈음을 보여준다.

김원일은 『불의 제전』의 초기 판본들을 개작하고 소설을 완성하는 과정에서 사회주의라는 이념의 문제를 소홀히 다루지 않았다. 그는 오히려 해방 이후의 혼란 속에서 사회주의 역시 민족을 위한 하나의 선택이자, 한국사회에서 나타날 수 있었던 또 다른 정치적 가능성으로 존중하려는 모습을 보여준다. 이러한 정치적 인식의 변화는 사회주의자였던 그의 아버지 김종표에 대한 평가와도 직결된다. 83년 판에서는 진영의 평범한 주민은 "난도 좌익하는 사람이다 카모 이가 갈리"는데 지역의 지식인인 조민세는 왜 (사회주의) "그 일에 미쳤능강 알고도 모르겠"[177]다고 강한 반감을 보인다. 하지만 1997년 판에서는 이 주민의 반응은 반감이 아니라 의아함에 가깝게 바뀐다. 그는 "좌익하다 산으로 들어간 사람들, 그 심사를 모르겠"다며 의아해하는데 그렇게 배운 사람이 왜 "그 생고생을 하는지 모르겠"(『불의 제전』 1, 1997, 45)기 때문이다. 그는 좌익에 강한 반감을 보이지 않고 자신과 같은 배우지 못한 소작인은 농지를 얻을 수 있다는 기대에 참여할 수 있겠지만, 그런 지식인이 어려운 상황을 인내하는지 이해하기 힘들어한다. 조민세에 대한 진영 주민의 달라진 반응은 이 평범한 주민들이 지역의 좌익 지식인들에 대해 가졌던 실제 인식에 가까워진다. 그들의 증언에서는 좌익 지식인에 대해 대단한 인재들이었다며 신비화하거나 안타까움이 드러날 뿐 반공주의적인 강한 적대감을 비치는 경우는 드물었다.[178] 『불의 제전』의 개작 과정에서 안시원과 같은 주요 등장인물뿐 아니라 평범한 지역주민까지 조민세에 대한 이들의 시선은 적대적인 감정에서 존중과 이해로 변화되어 간다.

　『불의 제전』에서 조민세는 남한체제와는 전혀 다른 입장에 서 있으나, 강한 신념을 가진 혁명가로 그려진다. 그런데 이러한 묘사 역시 개작과 소설의 후반부 내용들을 통해 선명해진다. 87년 판에서 조민세가 여성 유격대원의 죽음을 떠올리면서 빨치산에서 여성 동지들의 역할에 대해 생각하는 장면이 등장한다. 그런데 97년 판에서는 이 회상이 혁명에 대한 그의 의지를 북돋아주었다는 내용이 추가된다.[179] 조민세의 월북 이후의 상황들 역시 북한의 전쟁 준비 과정을 보면서 혁명에 대한 의지를 불태우는 모습 등 혁명에 대한 강한 신념을 가진 인물로 묘사한다. 그런데 그가 북로당과 남로당 사이의 권력 다툼에 휘말리게 되면서 그는 북의 두 정치 세력의 권력욕과 대비되는 강한 신념을 가진 인물이라는 성격이 더 부각된다. 조민세는 권력을 얻을 기회가 있음에도 빨치산 유격대로 나서고, 이는 그가 가진 혁명에 대한 신념과 가족에 대한 그의 사랑을 증명한다.

> 조민세가 쓰러진 안진부의 양쪽 어깨를 잡고 흔들며 말한다. "진부, 잘 들어. 가족을 북으로 옮겨놓고 난 유격대를 지원해서 다시 내려온다고. 내 말 들어?" 안진부가 게슴츠레 눈을 뜬다. 조민세가 그의 얼굴에 대고 악을 쓴다. "난 다시 전쟁 전, 서울로 올라오기 전, 빨치산 시절로 돌아간다고. 그래서 진영에 남은 딸애를 빼내어 올 거야. 책상물림으로 눌러앉아 있지 않는다고, 너한테 그 약속만은 분명하게 하지!"(『불의 제전』 7, 1997, 62)

조민세는 남로당의 전략이 현실성 없다는 비판적인 보고를 올렸다가 남로당으로부터 배척받고 이후 북로당 갑산파에 포섭된다. 서울이 한국군에 의해서 수복될 상황이 되자 남로당 동지였던 먼 친척 안진부는 갑산파 실세가 된 조민세와 달리 숙청이 예상되는 자신 같은 남로당계는 북으로 피난갈 수 없다고 말한다. 안진부는 조민세가 갑산파의 뒷배로 북에서 자리를 잡으면서 갑산파 동료인 인민군 중좌 '한정화'와 결혼할 거 아니냐며 쏘아붙인다. 조민세는 그런 안진부를 설득하면서 자신은 결코 가족을 버리지도 않고, 빨치산 혁명가로서의 신념도 지킬 것이라고 말한다.『불의 제전』에서 조민세의 마지막 등장은 그가 이끄는 빨치산 부대가 태백산맥을 따라 남하하고 있다는 소식이다.

조민세가 갑산파 요직을 버리고 빨치산으로 돌아가는 것은 다른 가족과 헤어져 진영에 남겨진 딸을 구해 오려는, 가족에 대한 사랑 역시 증명한다. 서울 수복 이후 가족과 헤어지고 빨치산이 되는 조민세의 행보는 김원일의 아버지인 김종표의 실제 행적과 유사하다. 김종표는 1950년 9월 26일 서울 지휘부가 후퇴할 때 가족과 엇갈리게 되었고 이후 서울시당 청년당원과 시민 의용군으로 구성된 '김응빈 부대'에 배치되어 1952년 3월까지 강원도와 경북 일대에서 빨치산 유격대로 활동했다.[180]『불의 제전』후반부 조민세가 빨치산으로 남파되는 상황은 김원일이 정보기관을 통해 접하게 된 아버지의 행적을 참고한 것으로 보인다. 김종표는 소설 속 조민세처럼 남하하는 과정에서 가족의 행방을 수소문했었다. 1·4후퇴 이후 다시 서울이 점령되었을 때 김종표가 서울에서 가족을 찾고 있는 모습이 다른 진영 주민에게 목격되기도 했다.[181]『불의 제전』에서 조민세의 형상화는 김원일이 사회주의자였던 아버지의 신념을 존중하는 과정과 원망의 대상이었던 아버지의 사랑을 확인하면서 가족의 상처를 회복하는 방식이었다.

『불의 제전』의 개작은 제노사이드의 재현을 구체화하고『노을』에서 극단적으로 벌어졌던 지역사·가족사와의 간극을 좁히는 과정이었다.『불의 제전』에서 남과 북, 두 체제에 대한 비판은 사회주의자 아버지를 정치적 주체로 복권한다. 그는 남과 북 두 체제 모두와 거리를 두면서도 혁명에 대한 자신의 신념을 증명하고 실천하는 인물로 그려진다. 아버지가 가졌던 신념과 이념에 대한 존중과 긍정은『불의 제전』의 완성과 개작을 거치면서 더 선명해졌다. 한국전쟁기를 배경으로 하는 작품들을 김원일이 개작하는 과정은『노을』과『불의 제전』에서 보았듯 그의 사회주의자 아버지가 가졌던 입장의 정당성을 강화해간다. 이는 또 다른 소설,『겨울 골짜기』의 개작 방향도 마찬가지다.『겨울 골짜기』에 등장하는 김종표를 모델로 한 지식인 빨치산 유격대원 김익수는 87년의 초판과는 달리 정본인 2004년 판에서는 사회주의의 신념을 가진 인물로 그 성격이 변화한다. 87년 판과 94년 판에서 이승만 정권의 반감으로 빨치산에 합류한 인물로 그려지지만, 정본에서는 사회주의자로서 자신의 신념 때문에 자원입대한 인물로 그려진다.

A) "이제는 나도 뭐가 뭔지를 모르겠어요. 전쟁 전에는 이승만의 하는 짓거리가 하도 결증나서 북조선 말에도 솔깃했더랬는데, 의용군으로 뽑혀 나오자 이들의 주의 주장과 이론이 현실 앞에 신기루가 되고 말았오. 구역질만 날 뿐이라오. 포장 잘된 말들이지. 난 이제 누구의, 그 어떤 말도 믿지 않기로 했소" 하더니, 김익수가 꿇어앉았던 무릎을 세우며 무슨 결심이라도 한 듯 말하였다. "문동무, 나는 서울에 처자식이 있소. 반드시 살아남아 처자식을 만나야 해요. 어떤 사

선을 해매더라도 죽어서는 안되지." 말끝은 자기 자신에게 하는 다짐이었다.[182]

B) "공산주의는 무산 대중을 위한 좋은 사상인 점만은 틀림없소. 그래서 나도 징병 기피자로 무위도식하기보다 차라리 내가 좋아한 쪽편이 되어 통일 달성에 이바지하고자 조국 해방 전쟁에 지원했오. 남조선 자본제 사회가 빈부 격차가 심하고 부정부패가 많은 개판이라, 남조선 인민의 호응 아래 열화 같은 성원에 힘입어 전쟁이 쉽게 끝날 줄 알았지요. 그런데 미제가 끼어들구, 이제 중공군이 참전한다니, 전쟁은 장기전을 끌 것 같아요. 아무래도 이 전쟁은 통일 달성이 쉽지 않은, 잘못 벌린 전쟁이오. 북과 남을 철천지 원수지간으로 만들구……." 김익수 목소리가 풀이 죽었다. 그는 엉덩이를 털구 일어섰다. "그런 얘긴 그만 하구 근무나 섭시다."[183]

인용문 A는 87년 판『겨울 골짜기』에서 보초를 서려고 나간 문한득에게 자신이 왜 빨치산에 합류하게 되었는지 김익수가 설명하는 장면이다. 위의 내용은『겨울 골짜기』의 94년 판에서도 종결어미 정도를 제외하고는 거의 그대로 수록되었다.[184] 그는 이승만 정권에 반감을 가지고 의용군으로 입대하지만, 전쟁의 실상을 직면한 뒤로는 이념에 강한 환멸을 느끼는 인물이다. 남한 현실에 대한 불만으로 공산주의 이념을 가졌으나 인민공화국의 실상을 깨닫고 이념을 버리고 가족에게 돌아가고 싶어 하는 김익수의 모습은『노을』에 등장하는 좌익 지식인 배도수와 비슷하다.

　김원일은『노을』에서 아버지의 형상을 두 인물로 나누었다. 사회주의자 아버지에 대한 반공주의적인 재현은 잔인하고 무식한 백정 김삼조를 통해 그리고 있다. 반면에 지역 지식인이자 좌익 지도층이었던 아버지의 성격은 배도수라는 인물을 통해 보여준다. 그는 진영에서의 폭동이 실패한 뒤 일본으로 도망쳐 조총련에 합류했다가 사회주의의 실상을 깨닫고 귀국해서 전향한다.『노을』의 결말부에서 주인공 김갑수는 전향 후 가족에게 돌아온 배도수의 모습을 부러운 눈으로 바라본다. 배도수의 전향과 가족으로의 귀환은 아버지를 빼앗는 이념의 상처를 회복해가는 과정이다. 회의주의자 빨치산 대원인 김익수가 살아서 가족과 만나겠다는 결심은 이념보다 가족을 선택하는 인물로 그를 그리고 있다.

　인용문 B에서도 여전히 김익수는 전쟁에 대해서 회의적이지만, 공산주의라는 이념에 대한 강한 확신을 유지하고 있다. 그는 이승만에 대한 반감 때문이 아니라 이념에 대한 지지로 전쟁에 자원한다. 그가 전쟁에 대해 비관적으로 바라보는 것은 인민공화국의 실상 때문이 아니라, 국제전으로 비화되고 있던 한국전쟁의 전황 때문으로 바뀐다. 소설 속에서 그는 여전히 가족을 그리워하는 인물로 묘사되지만, 정본에서는 가족에 대한 사랑과 이념에 대한 환멸이 비례하지는 않는다. 이승만을 비판하면서도 "그렇다고 공산주의가 옳다는 것두 아니"[185)]라고 하던 김익수의 말 역시 정본에서는 사라진다.

『겨울 골짜기』의 정본에서 김익수의 성격은 전향자 배도수가 아닌 신념을 가진 빨치산 조민세의 모습에 훨씬 가까워진다. 다른 판본들에서 냉소적이고 감성적이며 관념적인 인물로 그려지던 김익수는 정본에서는 감성적이고 관념적 성격들이 사라진다.[186] 『겨울 골짜기』정본에서 김익수에 대한 재현의 변화는 김원일의 소설 개작이 사회주의자 아버지를 정치적 주체로 복권하는 작업이었음을 보여준다. 이것이 그가『겨울 골짜기』의 정본을 출간하면서 "소설을 통해 아버지의 진실한 모습을 드러내는 작업"[187]을 해왔다는 말의 진짜 의미일 것이다.

김원일은『아들의 아버지』에서 자신의 아버지 김종표와 같은 이들이 "우리가 추구하는 사회체제를 지향하지는 않았"지만 "이 땅에 평등한 민주사회를 실현하고 인간다운 삶의 가치를 추구하려 혼신을 기울"[188]인 이들이었다고 평가한다. 이해할 수 없는 수수께끼 같은 존재지만 그에 대해서 말할 수 없었던「어둠의 혼」의 아버지는, 40여 년이 흐른 뒤에 남과 북, 두 체제가 아닌 또 다른 민주사회를 만들고자 했던 정치적 주체로 재평가받는다. 반공국가는 좌익 아버지를 반공 국민과 빨갱이라는 이분법을 통해서 북한체제의 단순한 하수인으로 낙인찍고 공격했지만, 김원일은 아버지 김종표를 통해 한국전쟁의 혼란 속에서 사산되고 만 또 다른 정치적 가능성을 상상한다. 그는 아버지가 속했던 남로당계가 숙청당하지 않고 북한의 정권을 잡았다면 남북관계와 북한체제가 전혀 다른 모습이었지 않았을까 상상한다.[189] 그는 아버지를 통해 표상되는 정치적 상상력을 지금의 남과 북 두 체제 모두로부터 분리하면서, 그를 남한사회가 단순히 적대시해야 할 주체가 아니었음을 보여주려고 한다. 반공국가에 의해 악마화되었던 좌익 아버지의 이야기는 새로운 작품의 창작과 꾸준한 개작을 통해서 전혀 다르게 구성된다.

김원일은 한국사회의 이행기 정의 국면에 발맞춰서 자신의 소설을 꾸준히 개작해왔다. 그의 소설 개작은 제노사이드 재현의 확대가 보여주듯이 반공국가에 대응하는 고백의 전략 때문에 발생한 지역사·가족사와 소설 사이에 발생한 간극을 좁혀갔다. 이는 단순히 작품의 사실성을 높여가는 것만이 아니었다. 반공국가가 자행한 제노사이드를 소설에 사실적으로 재현함으로써, 그는 남과 북 두 체제 모두를 비판할 수 있는 위치를 확보한다. 그리고 그가 그리워했던 아버지를 그 두 체제 이외에 또 다른 꿈을 꾸었던 정치적 주체로 복원한다. 사회공학적 폭력으로서 제노사이드를 실행하는 주권은 하나의 사회적 전망을 통해 세계를 만들려고 한다. 인민 대 반동, 반공 국민 대 빨갱이라는 가독성 장치를 통해 남과 북의 두 체제는 사회를 파괴했다. 김원일이『불의 제전』의 후반부와 개작 작업을 통해 이행기 정의 국면에서 이야기할 수 있게 된 제노사이드를 문제를 전면화하며 이 두 체제가 각자 하나의 사회적 전망을 관철시키기 위해 자행한 폭력을 고발한다. 그리고 이를 통해 또 다른 사회를 꿈꾸었던 아버지는 그가 받아야 했던 정당한 역사적 평가를 회복한다.

김원일의 소설 개작은 제노사이드문학이 제도적 이행기 정의 국면의 한계를 넘어서는 것을 보여준 한 사례다. 반공주의 서사와의 불안한 타협 속에서 아버지를 그리기 시작한 그는 이행기 정의의 진전과 함께 그 이야기들을 새롭게 구성한다. 용서받지 못할 좌익이었던 아버지는 또 다른 사회를 꿈꾸고 실행하기 위해 헌신한 정치적 주체로 복권된다. 아버지 서사의 다시 쓰기가 소설의 다시 쓰기, 개작이라는 과정을 통해 치열하게 전개되었다. 아버지를 재평가하려는 김원일의 노력은 해방 이후 한국사회, "누구든지 어떠한 정치 세력이든지 사회의 설계 과정에 동등한 주체로서 참여할 수 있어야 한다는 사회계약적 상황"으로서 해방 이후 한국사회를 '원초적 상황'으로 이해할 수 있게 한다.[190] 이는 현재의 제도적 이행기 정의의 정치적 타협 속에서 말해지지 못한 상황이며, 동시에 사회를 단일한 기획 속에 가두려고 했던 제노사이드 실행자들의 기획을 전복한다.

결론

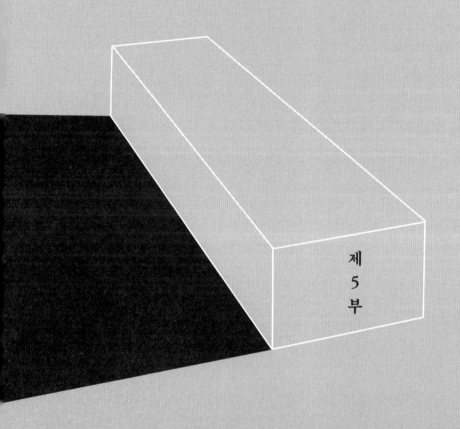

제
5
부

이 책은 현기영과 같은 4·3문학의 작가들과 김원일, 박완서, 임철우 등 분단문학의 작가들로 대표되는 한국의 제노사이드문학이 어떻게 역사적으로 형성되고 변화해왔는가를 규명하려는 문학사 연구다. 여기서는 7·4남북공동성명이 있었던 1972년부터 진실·화해를위한과거사정리위원회가 활동을 중단하는 2010년대까지를 한국사회의 장기적인 문화적 이행기 정의 국면으로 규정하고, 이 기간 동안 한국의 제노사이드문학이 사회적 기억과 정치적 정체성에 대응하며 변화해온 양상을 추적했다. 이 연구에서 제시한 제노사이드문학이라는 범주는 기존 한국문학 연구에서 통용되어왔던 분단문학이라는 광의의 개념이 한국전쟁을 전후한 시기에 대해 문학적 기억을 단순화하고 있다는 문제의식에서 비롯되었다. 분단의 과정에서 발생한 폭력적 사건들과 그 영향이 이후 극복되는 과정은 단일한 경로가 아니었다. 남북 사이의 분단은 냉전이 종식된 이후에도 여전히 대립을 이어가고 있지만, 제노사이드와 같은 국가폭력은 민주화 이후 이행기 정의 국면을 거치면서 상당한 변화가 있었다. 이런 이행기 정의 국면이 분단과 근대국가 건설, 그리고 전쟁과 제노사이드라는 근대적 폭력의 연속 속에서 형성된 한국문학의 구조에도 직간접적인 영향을 끼쳤다는 것이 본 연구의 주장이다.

1부에서는 한국문학 연구에서 그 성격이 제대로 이해되지 않았던 제노사이드의 개념을 근대 국민국가 형성을 위한 사회공학적 폭력으로 정의하고, 이 폭력에 맞서는 문화적 저항의 방식을 재구조화 이론으로 정리하였다. 근대성과 국가 건설 그리고 제노사이드의 친연성에 대한 이론적 자원을 바탕으로 이 책은 한국문학이 포착한 제노사이드의 문제를 폭력을 통한 국민 만들기의 과정으로 보았다. 제노사이드의 문학적 재현을 분석하기 위해 '가독성'과 '고백', '증언'이라는 하위개념을 통해 재구조화의 이론을 구성했다. 특정한 사회의 건설을 위해 단일한 목적하에 사회를 단순화하여 읽어내는 가독성 개념은 '전짓불'로 대표되는 한국 제노사이드의 성격을 드러낸다.

고백은 민주화 이전 가장 주요한 재현의 전략으로 반공국가의 시선을 의식하면서도 은폐된 기억을 재현하는 은닉대본의 한 형태이다. 민주화 이후 이행기 정의 국면이 본격화되면서 나타난 증언이라는 재현의 방식은 반공국가의 공식기억에 도전하면서 그 기억을 통해 만들어진 사회의 나눔을 바꾸려고 한다. 국가의 가독성 장치를 통해 만들어진 폭력의 구조를 고백과 증언이라는 재현의 전략을 통해 해체할 수 있다고 본다. 가독성, 고백, 증언이라는 제노사이드에 대한 재현의 전략은 제노사이드문학이 이행기 정의라는 사회적 변화에 동참하고 또 때로는 이보다 선행하면서 변화하는 양상을 설명하기 위한 개념이다.

2부는 민주화 이전의 제노사이드문학의 양상을 분석했다. 1972년의 7·4남북공동성명은 은폐되었던 과거사를 재현할 수 있다는 용기를 작가들에게 주었다. 제노사이드 사건을 경험했던 작가들은 희생된 가족의 이야기를 드러낼 수 있었으나, 그 재현의 범위나 소재, 방식 등에서는 상당한 제약이 따랐다. 이 시기에는 고백의 재현 전략이 제노사이드문학의 지배적인 형태였다. 1장에서는 제노사이드문학이 왜 가족소설의 형태를 띠게 되었는지, 그리고 왜 무덤과 제사라는 망자의례의 형식을 차용해왔는지를 살펴보았다. 가족 관계는 국민과 국가를 만들어내기 위해 반공국가가 의지한 가독성 단위였지만, 사건을 근대적 정치의 장에서 말할 수 없던 이들은 전근대적 가족의례를 소재로 제노사이드의 기억을 불러낸다. 문순태의 「말하는 돌」이나 임철우의 「아버지의 땅」, 현길언의 「집 없는 혼」처럼 온전히 매장되고 애도 받을 권리를 박탈당한 가족의 기억을 불러내는 소설은 근대적 정치의 장소를 들어내지 않고도 반공국가의 근대적 폭력에 대한 기억을 불러낼 수 있었다.

2장에서는 제노사이드 상황에서 여성이 경험한 폭력의 문제와 그 재현을 살펴보았다. 구조적 성폭력을 포함해 여성의 생존 위기는 제노사이드의 재현에서 주변화되거나 가족 서사의 한 부분으로 다루어져 왔다. 이러한 제한 속에서도 박완서 등의 작업에서는 전쟁 이후 정상가족을 재구성하려고 하는 국가의 기획과 생존을 위한 여성의 적응 과정이 가진 복합적인 양상이 포착된다. 「부처님 근처」에서 반공국가의 시선을 피하기 위해 가족의 죽음을 은폐해야 했던 괴로움은 동시에 살아남은 이들이 경험한 고통을 사회로부터 인정받지 못하는 고립의 다른 형태이기도 하다. 이러한 피해자의 사회적 고립은 「카메라와 워커」와 같이 적극적으로 반공국가의 질서에 순응하는 가족을 만들려는 과잉적응의 형태로 나타나기도 한다. 그러나 「그 가을의 사흘 동안」이 보여주듯 반공국가에 순응하여 가정주부로 재귀속된 여성은 동시에 가부장적 국가가 용인하지 않는 또 다른 욕망과 행위의 주체로 남아 있었다. 제노사이드와 같은 극한의 상황에서 여성이 경험한 폭력은 가족 집단을 지켜야 한다는 생계 부양자와 성적 폭력에 노출되는 사회적 취약성 그리고 이후 정상가족을 이룬 국민으로 인정받기 위한 고백의 과정이 뒤엉켜 있다. 이러한 여성의 경험은 제노사이드문학뿐 아니라 이행기 정의 국면에서도 주변화된 주제로 남아 있다는 점에서 더욱 문제적이다.

3장에서는 빨치산문학이라는 형태로 나타난 제노사이드 재현의 문제를 살펴보았다. 빨치산은 해방전후 과거사의 재현이 확장되는 과정에서 가장 먼저 나타난 재현의 영역이자 반공국가에 맞서는 민중·민족문학론의 분단문학을 대표하는 소재이기도 했다. 이 책에서는 80년대 중후반 빨치산문학의 재현이 오히려 반공국가와 타협적인 형태로 나타날 수밖에 없던 문순태와 김원일의 사례를 살펴보았다. 문순태는 『피아골』에서 빨치산을 가해자이자 피해자로서 죄의식에 시달리는 존재로 그려내지만 딸의 서사를 통해 그가 민족사의 저항적 주체로 복권될 수 있는 계보와 연결될 것임을 암시한다. 김원일은 거창양민학살사건이라는 당대 재현이 가능했던 제노사이드를 통해 자신의 가족사와 지역사의 문제를 다룰 수 있는 서사적 가능성을 점검한다. 김원일의 작업은『불의 제전』의 후반부로 이어질 빨치산 재현의 여러 가능성을 검토했다. 반공주의적 빨치산 재현의 논리를 부분적으로 수용하면서도 대안적 해석의 가능성을 찾는 이들의 작업은 고백의 재현 전략이 저항적 잠재력을 내재하고 있음을 보여준다.

3부는 민주화 직후 과거사 재현의 정치적 금제가 해소되기 시작하던 시점부터 제노사이드에 대한 정치적 · 학문적 접근이 본격화되기 시작한 2000년대까지를 분석했다. 1장에서는 복간 및 재창간 문예지에 발표된 과거사 소재 소설들을 중심으로 이행기 정의 국면이 본격화되던 시기를 살펴보았다. 88년 월북작가의 해금과 출판 자율화는 한국문학의 범주와 주체가 재구조화되는 격변의 상황이었으며, 이 과정에서 제노사이드 문제와 같은 과거사 재현이 새로운 문학 환경을 보여주는 주요한 사례로 전면화된다. 이순원의 「얼굴」처럼 가해자를 향한 사회적 압력이 형성되리라는 전망과 기대는 아직 제도적 이행기 정의에 대한 현실적 전망으로 인식되었다. 80년대 말에서 90년대 초 이러한 기억의 범람은 새로운 재현의 가능성에 대한 기대를 보여주기도 하지만, 동시에 당대의 한계 영역을 확인시켜주기도 했다. 과거사 재현에 집중하던 이러한 흐름은 그러나 소련 붕괴와 탈냉전의 세계사적 전환과 맞물리면서 문학장의 주요 담론에서는 밀려나고 만다. 하지만 이행기 정의 국면의 전개와 맞물려 제노사이드문학은 새로운 재현의 전략을 고민한다.

2장에서는 증언의 전략이 본격화되는 90년대 김원일, 박완서, 현기영의 자전 서사를 분석했다. 김원일은 『마당 깊은 집』에서 이전까지의 자전적 소설들에서 다루지 않았던 전후 가족사의 문제를 전면으로 내세운다. 전후 소년의 성장 과정을 통해 작가적 자의식이 형성되는 과정을 보여주면서 동시에 신념을 유지하는 사회주의자로서 비전향 장기수를 통해 이후 그의 소설 속 좌익 재현이 변화해가는 방향을 암시했다. 박완서는 90년대 두 편의 자전적 장편소설을 통해 고백의 전략으로 재현했던 가족사를 새롭게 썼다. 그의 자전적 장편은 고백의 전략을 활용했던 전작들에 등장했던 사건이나 장면을 다르게 그림으로써 재현하는 자신을 서사의 전면으로 내세웠다. 그는 전작 등에서 반공국가에 순응하는 생존 전략으로 그려지던 결혼을 오히려 독립적 주체로 거듭나는 서사로 다시 쓰면서 증언의 재현 전략이 기존의 사회적 나눔을 새롭게 하는 과정임을 보여주었다. 현기영은 『지상에 숟가락 하나』를 통해서 제주4·3을 경험한 역사적 주체로서 제주 공동체를 전면에 내세움으로써 집단에 대한 파괴인 제노사이드적 폭력의 경험을 살펴보았다. 특히 개발의 문제를 제노사이드의 연속으로 파악함으로써 제주4·3이 남긴 상처를 현재까지 이어지는 제주 공동체의 삶의 조건과 연결했다는 점에서 공동체주의자로서의 문학적 방향성을 완성했다.

3장에서는 민주화 이후 임철우의 소설이 제노사이드와 한국사의 비극들을 역사적 계보로 구성하는 작업을 검토했다. 한국전쟁기 제노사이드와 광주민주화운동을 자신의 소설 속에서 계속 탐구했던 임철우는 이 사건들을 하나의 계보로 연결하여 설명하려고 했다. 이 계보화 작업 과정에서 그는 리얼리즘적인 소설 문법을 버리고 환상성을 전면에 내세운『백년여관』을 쓰면서 전환점을 맞는다. 식민지배부터 전쟁, 광주까지 한국사 100년의 비극을 연결하는『백년여관』의 환상성은 이행기 정의 국면이 본격화됨에 따라 과거사에 대한 사실적 재현이 역사 연구와 진상 조사로 그 초점이 옮겨가면서 문학적 재현의 방식을 고민한 결과였다. 이러한 계보화 작업을 통해 그는 기억의 주체로서 작가의 위치를 회복할 수 있었다. 임철우의 계보화 작업은 이후 세월호 참사까지 그 범위가 확대되기도 했지만, 갈등의 해소가 점차 외부화되면서 소설적 긴장을 잃기도 했다.

4부에서는 제도적 이행기 정의 국면의 전개와 이를 수용하거나 부정하는 두 사례, 그리고 그 경계에 포착되지 않는 지점들과 이를 새롭게 갱신하려는 사례를 살펴보았다. 2000년대 들어 국가적 차원의 이행기 정의 과정은 입법과 공식 보고서 등을 통해서 과거사 문제에 대한 기존의 공식기억이었던 반공국가의 시선을 대체한다. 공식기억의 교체라는 현상은 그동안 한국문학 연구에서 거의 주목받지 못했다. 하지만 이행기 정의 국면에서 이루어진 공식기억의 교체와 그에 저항하는 역사부정론의 대두는 한국문학장에서 과거사의 재현이 가지는 역동성을 이해하기 위해서 필수적으로 검토해야 할 사건이다.

1장에서는 외국과 외부, 내부와 내면이라는 제도적 이행기 정의의 작업에서 접근할 수 없었던 여러 문제를 주목한 네 사람의 소설가의 사례를 살펴보았다. 노근리사건을 다룬 『노근리 아리랑』은 한국전쟁에서 한국전쟁을 지원하고 1세계의 가치와 질서를 대표해온 미국이 가해자가 되는 상황에 대한 재현의 혼란상을 포착한다. 『노근리 아리랑』은 노근리에 대한 이행기 정의 국면을 상세하게 소개하지만, 미국과의 관계와 냉전적 대립 구도 속에서 이 사건을 어떻게 가치 판단할 것인가에 대한 혼란 속에서 길을 잃는다. 황석영의 『손님』은 휴전선에 의해서 분할된 한반도에 따라 형성된 분단체제 속 제노사이드 기억을 무속적 형식을 통해 수평적 대화로 전환하려고 한다. 『손님』은 한국의 공식기억뿐 아니라 북한의 공식기억도 함께 해체하면서 분단의 기억 질서를 재편하고자했다. 조갑상의 『밤의 눈』은 제도적 이행기 정의가 진전이 된 이후에도 문화적 부인과 사회적 무관심 속에서 주변화되었던 보도연맹사건을 둘러싼 기억의 지형을 그린다. 특히 문화적 부인에 의한 역사적 망각의 기제가 지속되고 있다는 사실을 보여준다는 점에서 이행기 정의 국면에 대한 문학적 이해를 다층화한다. 이청준은 가해자의식을 통해서 제노사이드로 인해 훼손당한 주체를 윤리적 주체로 복권하려는 기획을 오랜 시간 이어왔다. 이는 『신화를 삼킨 섬』에서 애도와 추모의 주체로 전환되지만, 내면으로만 향하는 주체의 반성은 폭력의 구조를 전환하는 이행기 정의의 과제에 대해서는 답하지 못했다.

2장은 80년대까지 현기영, 오성찬과 함께 제주4·3을 대표하는 작가로 손꼽히던 현길언의 2000년대 행보는 이행기 정의 국면에 이루어진 공식기억의 교체로 반공주의적인 역사 해석과 역사부정론이 새로운 대항기억으로 구성되었음을 보여주는 사례였다. 스스로를 제주4·3의 우익 피해자로 정체화한 현길언은『제주4·3 진상조사보고서』로 대표되는 새로운 공식기억의 등장이 자신과 같은 이들이 소외되는 경험으로 받아들인다. 집단의 역사에 맞서 개인의 진실을 강조해온 현길언의 문학적 시각은 제주4·3에 대한 새로운 공식기억을 권력의 폭압으로, 공산 폭동이라는 반공국가의 주장을 반복하는 자신을 개인적 진실을 규명하려는 노력으로 정당화하는 근거가 된다. 현길언은 이행기 정의 국면에 저항하는 역사부정론에 동조하면서, 당대의 권력자에게 오히려 희생자 정체성을 부여하는 등 대항기억을 형성해온 문학적 전략이 오히려 역사부정론에서 활용될 수 있음을 보여주었다. 현길언의 사례는 지배적 기억과 대항기억의 관계가 결코 단선적인 형태로 이해될 수 없음을 보여준다.

3장에서는 90년대 이후 김원일의 소설 개작 사례를 분석했다. 김원일의 소설 개작은 월북한 좌익 지식인이었던 아버지 김종표를 어떻게 재현할 것인가에 대한 고민을 반영한다. 91년 그의 대표작인『노을』의 개작을 시작으로 2010년대까지 그는 한국전쟁과 분단, 가족사를 소재로 한 자신의 소설에 대한 광범위한 개작을 진행했고 최종적으로 이 작업을 통해 소설의 '정본'을 완성했다.『노을』과『불의 제전』의 사례에서 볼 수 있듯 김원일의 개작 작업은 그의 고향인 진영읍에서 발생했던 국민보도연맹원학살이나 부역자 학살 등과 같이 반공국가의 공식기억에 의해 억압되어 있던 사건들에 대한 구체화와 재현의 확대가 두드러졌다. 이는 이행기 정의 국면에서 진행된 역사 연구와 진상 조사 등에 영향을 받았으며, 이행기 정의의 진전과 함께 그 재현의 양상 역시 더욱 선명해졌다. 이러한 재현을 통해 그는 남과 북의 두 국가를 폭력의 가해자로 비판할 수 있었으며 자신의 아버지와 같은 해방기 좌익 지식인들을 새로운 민주적 사회를 건설하기를 꿈꾸었던 또 다른 사회의 기획자로서 복권한다. 이러한 김원일의 작업은 사회에 대한 전망을 독점하는 제노사이드의 반대항으로서 이행기 정의가 다른 사회적 주체들을 복원하는 양상과 과정을 문학적 작업을 통해 보여주었으며, 이를 통해 반공국가가 만든 지배적 서사를 해체하고 배제된 이들을 복권하는 서사의 재구조화가 이루어졌다.

이행기 정의 국면에서 한국의 제노사이드문학의 전개는 제노사이드라는 폭력의 논리와 정면으로 대결하는 역사적 과정이었다. 과거사에 대한 접근이 허용되는 작은 틈부터 시작해 민주화 이후 제도화된 이행기 정의 과정과 경합하기도 하고 협력하기도 하면서 문학의 역할을 확대해갔다. 민주화 이후 한국문학장의 변화에 대한 연구와 담론에서 제노사이드문학의 역할은 소외되어 왔지만, 한국문학을 구성하는 역사적 경험으로써 전쟁의 충격과 한국사회의 문화적 응전의 과정을 분석할 때 이를 떼어놓고 분석할 수는 없다. 제노사이드문학은 한국문학과 한국사회의 구조를 결정한 사회 구성적 폭력이었던 제노사이드에 맞서 문학적 주체들을 복권하고 새로운 기억을 구성한다. 본 연구는 이러한 제노사이드문학을 통해 분단문학이라는 광의의 범주로 호명되었던 전쟁기 경험에 대한 문학적 재현에 대한 새로운 접근이 필요하다고 주장한다.

다시,
살아남은 자의 글쓰기

그날은 이 책의 원고를 마무리 작업하던 밤 중 하루였다. 늦은 밤, 집으로 돌아가는 열차에서 뒤늦게 어떤 소식을 접했다. 각각의 단어들은 모두 익숙한 말들이었다. 그러나 한참 동안 무슨 말인지 이해할 수 없었다. 잘못 들었나 생각해서 몇 번을 다시 들었다. 그제야 한 가지 단어가 분명하게 들렸다. '계엄'. 나는 계엄령이 내려지던 그 밤 두려운 마음으로 집에 가고 있었다. 늦은 밤에 많은 이들에게 전화를 돌렸다. 집이라면 밖으로 나가지 말고, 서울 밖이라면 들어오지 말라고. 미친 사람처럼 군대가 이동하는 경로에 대한 소식을 찾고, 위험하다고 연락했다. 계엄의 밤이 끝날 때까지 나는 전화를 붙들고 있었다. 계엄의 밤이 끝난 뒤에 그 시간을 기억하는 여러 사람과 이야기를 나눴다. 어떤 사람은 그저 황당해했다. 어떤 사람은 일상이 돌아왔다는 사실에 안도했다. 그리고 어떤 용기 있는 이들은 그 밤에 집을 나서 국회로 향했다. 그러나 그 밤의 나는 두려워하고 있었다. 40여 년 전 마지막으로 울려 퍼졌던 계엄이라는 무서운 말이 너무나 익숙했던 나는 말이다.

제노사이드문학을 연구하는 과정은 세계의 어두운 장막 속으로 자꾸 고개를 들이미는 일이다. 내가 펼쳐보는 책마다, 죽음과 파괴의 이야기가 등장한다. 그렇게 수십, 수백 페이지에 걸쳐서 이어지는 참혹한 말들을 넘어간 뒤에야 책을 덮고 현재로 돌아올 수 있다. 이행기 정의의 국가기구들, 진실화해위원회를 연구한 프리실라 B. 헤이너는 위원회에서 일하는 조사관들이 겪는 트라우마를 대처하는 일이 중요하다고 강조했다. 그 많은 죽음과 폭력에 대한 이야기가 듣는 이의 마음도 잠식해가기 때문이다.

인류학자 매기 팩슨은 어느 날 그런 어둠이 자신의 마음을 잠식하고 있다는 것을 깨닫는다. 매일 같이 죽음과 폭력에 대해서 읽고, 이야기를 듣는다. 살아남은 자와 마주하고 그들에게서 죽은 자에 대한 이야기를 듣는다. 놀람과 비통함의 감정을 견디며 읽고, 또 읽다 보면 그보단 작은 비극에 무감각해질 줄도 알게 된다. 어떤 사람에게는 평생 지워지지 않을 고통이겠지만, 그래도 살아남았거나 모든 것을 잃지 않은 사람의 이야기에는 이전처럼 놀라지 않는다. 하지만 보이지 않아도, 마음에는 조금씩 금이 가고 있었다. 이 어둠을 관찰하던 많은 연구자가 비슷한 일을 겪는다. "그리고 이런 충격적인 이야기들이 아주 오랜 시간 쌓이다가, 결국 어느 시점에 당신이 툭 부러져 버"리는 일이 온다면, "당신은 더 이상 전쟁을 연구하고 싶지 않"[191]을 때가 올 것이라고 팩슨은 경고한다. 그는 고통으로 무너지기 전에 전쟁과 폭력으로 미끄러지는 인간의 마음이 아니라, 그럼에도 다른 이들을 도운 선함에 대해서 묻기로 했다. 폭력의 시대를 오래 지켜본 나도 그 순간이 다가오고 있음을 느꼈다. 죽음이 책과 증언, 자료 속의 이야기가 아니라 내 일상으로 넘어오려고 했던 그 계엄의 밤에 말이다.

계엄의 밤은 어처구니없는 미숙함으로 금방 끝났다. 그러나 오랜 시간 어두운 장막 너머를 지켜봐온 사람들이라면 잘 알 것이다. 전쟁도 학살도, 폭력도 모두 사람이 하는 일이다. 그래서 어이없고 어설픈 순간과 한심한 방식으로 진행되기도 한다. 그 어설픈 행동에 웃을 수 있지만, 그런 어리숙함이 쌓아 올린 주검을 보면 누구도 웃을 수 없다. 계엄의 밤은 언제든 다시 일어날 수 있던 일을, 어리숙하지만 확고한 신념을 가진 누군가가 밀어붙인 결과였을 뿐이다. 이번에는 운이 좋았다. 하지만 다음은 다를 수도 있다. 폭력의 구조는 아주 오래전부터 크게 변한 적이 없으니까. 그저 그 일들이 이제는 지나갔다고 믿었을 뿐이다.

2016년 박근혜 전 대통령의 탄핵 정국으로 뜨거웠던 광화문 광장에 갔던 어느 날이 기억났다. 광장에는 민주주의를 지키기 위해 나선 많은 이들이 모였다. 너무 많은 인파 때문에 평소에는 가지 않던 길로 들어섰다. 미국 대사관 뒤편의 골목에서 어떤 노인들이 서명을 받고 있었다. 한국전쟁 피학살자 유족 단체였다. 얼마나 많은 사람이 그들에게 관심을 보였는지는 잘 모르겠다. 제노사이드 사건에 대한 사회적 관심은 그리 크지 않았고, 학살의 피해자였지만 가해자가 된 독재자의 딸을 탄핵하던 당시에도 다르지 않았다. 조심스레 제노사이드 문제를 공부하고 있는 연구자라고 밝히며 서명을 했다. 누군가는 기억하고 있다고 말해주고 싶었다. 탄핵 이후 진실화해위원회 2기가 출범하며 제도적 지원이 있었지만, 지나간 일로 여기는 사람들의 모습은 변하지 않았다. 그리고 몇 년이 지나고 계엄의 밤이 찾아왔다. 두려움과 무기력에서 헤쳐나오기 쉽지 않았다.

　문학 연구자는 현장이나 생존자를 인터뷰할 일이 거의 없다. 그런데도 많은 유족을 만났다. 강의를 듣고, 책으로 읽던 연구자 중에도 학살 유족이 있었다. 연구했던 작가들 대다수가 유족이었다. 생각을 못했던 사람에게 들은 고백도 있었다. 가까운 동료 연구자 중 한 사람은 알게 된 지 몇 년이 지난 뒤 자기 아버지의 이야기를 말해주었다. 전쟁 중 억울하게 돌아가신 할아버지를 뒤늦게 피해자로 인정받기 위해서 백방으로 노력했지만, 이루어지지 않았던 일에 대해서 말이다. 그는 그런 좌절과 한으로 헌 가슴을 술로 가득 채우던 자신의 아버지에 대해서 원망과 연민 사이의 어떤 감정을 말해주었다. 있을 수 있는 사연이었지만, 또래 친구의 이야기로 듣게 될 것이라고는 생각하지 못했다. 그 기억은 항상 우리의 곁에 있었다. 그리고 이번에는 다시 반복될 뻔했다. 마음의 어떤 부분이 무너지고 있음을 느꼈다.

이젠 더 이상 못하겠다는 생각이 들 때도 있었다. 그러나 다시 바라본다. 새롭게 집은 책에서도, 죽은 자의 이야기가 펼쳐진다. 그래도 읽어야 한다. 누군가는 살아남아서 그들의 이야기를 썼으므로. 이 책은 2023년 발표했던 나의 박사학위 논문인 『한국 이행기 정의 국면의 제노사이드문학 연구』를 연구서로 수정한 것이다. 학위 취득 이후 진행한 연구 논문도 중간에 수록하여 일부 보충하기도 했다. 학위 논문 심사가 끝난 직후인 2023년 여름에 4·3의 작가이자, 한국 제노사이드문학의 대가인 현기영 소설가가 신작을 발표했다. 그의 책 『제주도우다』에 대해서 이 책에서 다루고 싶었다. 그러고 싶었다는 마음보다 의무감에 가까웠다. 『제주도우다』는 현기영 선생이 작품 활동을 해온 지 48년이 되는 해에 출간했는데 그의 작품 중에서 많은 분량을 가진 대작이다. 동시에 『제주도우다』는 현기영의 문학이 4·3의 정명을 위해 열어준 더 큰 길이기도 하다. 욕심으로는 이 책의 마지막 장은 『제주도우다』와 정명에 대한 논의가 되어야 했다. 그러나 제노사이드문학의 계보를 다루는 연구의 흐름에서는 4부의 시기와 담론에서 바로 『제주도우다』로 넘어가기에는 채워야 할 많은 단계가 있었다. 시차는 크지 않지만, 담겨야 할 이야기가 많았다. 제노사이드문학은 지금도 계속 쓰이고 있기 때문이다.

주로 비평을 통해서 다루었지만 2020년대에 들어서 한국전쟁과 제노사이드 사건에 대한 재현들이 연속적으로 나타났다. 한강의 4·3소설인 『작별하지 않는다』가 유명한 이 시기 작품이지만,

강화길, 정세랑, 최은영, 한정현, 황정은 등이 여성 가계와 전쟁의 기억을 이야기했다.[192] 2010년대 페미니즘 리부트와 박완서 작가의 계보가 이어지는 흐름 속에서 제노사이드는 가족 서사의 형식 안에 크지 않더라도 포함되고 있다. 동시에 문단에서의 논의가 충분하지 않았지만, 제노사이드문학의 작가들 역시 비슷한 시기에 연이어 신작을 발표했다. 현기영의 『제주도우다』가 발표된 시점을 전후해서 고시홍과 조갑상의 장편들이 출간되었다. 『제주도우다』는 대가의 작가적 열정뿐 아니라, 2020년대에도 계속되는 이행기 정의의 장기적 국면 속에서 등장했다. 마지막 장이 아니라, 책의 5부이거나 새로운 책이 필요해 보였다. 내년을 목표로 준비 중인 다음 책은 현기영에 대한 이야기로 시작할 것이다.

　책의 쓰지 못한 부분을 길게 이야기하는 경우는 흔하지 않다. 그러나 약속해두고 싶었다. 연구를 계속 이어가고 있고, 다음을 준비하고 있음을 말이다. 살아남은 작가들이 쓴 소설을 붙잡고서 여기까지 왔다. 지금도 그들은 쓰고 있다. 그렇다면 나도 살아남은 자들을 계속 읽어야 한다. 내가 계엄의 밤이 남긴 무력감과 두려움에서 벗어나는 길은, 숱한 죽음을 넘어선 이들이 남긴 발자국을 뒤따르는 것이리라 믿는다. 나의 밤이 그들이 견딘 밤보다 어둡지 않았으니, 그 길이 선명하게 보이리라.

　책을 준비하면서 감사한 이들이 참 많다. 제노사이드문학 연구는 망각과 부인과 싸우며 글을 써온 작가들 없이는 존재할 수 없었다. 제노사이드문학에 대해 내가 쓴 첫 번째 글은 조갑상과 한강

작가에 대해서 쓴 평론이었다. 특히 소설가 조갑상의 『밤의 눈』을 읽기 시작하면서 이행기 정의 국면을 통해 작품들을 바라보려는 계획을 세울 수 있었다. 이 책에서는 많은 분량을 할애하지 못했지만, 이후 작업들에서는 조갑상 선생의 문학사에서의 역할을 충분히 반영할 수 있는 글을 쓰고 싶다. 소설가 임철우 선생의 작업도 제노사이드문학사를 구성하는 데 중요한 부분이었다. 그의 작업을 검토하며 파편화되어 있던 논의들이 체계를 갖출 수 있었다. 박완서 선생의 작품에도 많은 빚을 졌다. 그의 작품을 분석하지 않았다면 이 책의 논의가 얼마나 부실해졌을지, 생각만 해도 아찔하다. 특히 제노사이드문학 연구에서 젠더에 대한 논의는 박완서 선생의 작품 없이는 성립할 수 없었을 것이다. 김승옥, 이청준, 황석영 등 그 문학적 위상에 비해 이 책에서 소략하게 논의된 내용은 오로지 필자의 부족한 역량 때문이다. 이 빚은 연구를 이어가며 갚을 수 있기를 희망한다.

제노사이드문학 연구에 본격적으로 나선 것은 석사 학위 논문이었던 『김원일·현기영 소설의 학살서사 연구』를 통해서였다. 부족한 논문이었지만, 그 두 분의 작가를 통해 이 책과 제노사이드문학 연구의 기반을 다질 수 있었다. 김원일 선생의 개작 작업을 알게 되었을 때, 경험한 긴장과 전율을 아직도 잊을 수 없다. 그 엄혹한 시대에 수만 매에 달하는 원고를 계속 고쳐가며, 한 걸음씩 내딛은 김원일 선생의 작업은 경이롭기까지 했다. 한 번도 만나 뵌 적 없는 선생을 찾아뵙고서 이 책을 드릴 수 있기를 오랜 시간 바

　　　　　저자 후기

랬다.

현기영 선생은 운이 좋게도 만나 뵙고서 석사 논문과 박사 논문을 드릴 수 있는 기회가 있었다. 어설픈 연구임에도 웃으시며 격려해주셨던 선생께는 항상 감사한 마음뿐이다. 이 책에서는 많은 분량을 할애하지 못했지만, 현기영 선생의 제주 역사소설인『변방에 우짖는 새』와『바람 타는 섬』은 그가 반공국가의 논리에 얼마나 치밀하고 치열하게 맞서며 4·3의 역사를 복권해갔는가를 보여주는 중요한 작품이었다. 그 소설들을 거쳐『제주도우다』로 4·3 정명의 과제가 이어지고 있는 것을 동시대에 볼 수 있어 감사하다. 현기영 선생의 소설이 나아간 길 없이는 한국의 제노사이드문학을 설명할 수 없었다. 두 대가, 김원일 선생과 현기영 선생의 작품을 읽는 것이 이 책의 시작점이었다고 말해도 과언이 아니다. 이 책의 제목인 '살아남은 자의 글쓰기'는 제주4·3 70주년 전국작가대회 학술행사에서 석사 학위 논문을 요약 정리한 발표문의 제목에서 따왔다.

제노사이드문학 연구를 위해 많은 선배와 동료 연구자들의 작업에 빚을 졌다. 김윤식 선생과 백낙청 선생의 분단문학과 분단체제에 대한 연구와 평론은 제노사이드문학을 주장하기 위해 계속 의식해야 했던 큰 산이었다. 그들의 작업에 대한 다소의 비판이나 한계를 논한 지점은 문학사에서 이 연구의 위치를 가늠하기 위해 거인을 올려다본 일이었다. 제노사이드문학이라는 개념을 세우기 위해서 4·3문학에 대한 논의를 많이 참고했다. 한국 제노사이드문학에서 가장 체계화된 논의의 지형이 4·3문학 담론이었기 때문이다. 4·3문학의 주요한 연구자인 고명철, 김동윤, 김동현, 홍기돈 선생님의 작업에 많이 의존했다. 특히 가톨릭대학교 국문과 재학 시절부터 많은 애정과 관심으로 비문투성이의 글을 당당하게 들고 찾아가던 부족한 제자가 한 사람의 평론가이자, 연구자가 되는 과정을 계속 바라봐주신 홍기돈 선생님께는 감사하다는 말만으로는 많이 부족할 것이다.

제노사이드문학은 문학 연구에서 아직 충분히 정립된 개념이 아니다. 한국문학사뿐 아니라, 세계문학사에서 살펴보아도 그렇다. 그럼에도 풋내기 연구자가 이런 큰 주제를 기획하고 이를 진지하게 들어주었던 성균관대학교의 자유로운 학풍은 연구에서 정말 소중한 기반이었다. 석사 논문과 박사 논문 모두를 심사해주시고, 부족한 연구에 조언을 아끼지 않아 주신 이봉범, 이혜령 선생님께 감사드린다. 논문의 심사를 맡아주시고 많이 격려해주신 경남대의 이미선 선생님께도 감사한 마음이다. 하지만 고집불통인 제자를 인내심을 가지고 타이르며 지도해주신 지도교수 황호덕 선생님의 도움이 없었다면 아직도 논문을 끝내지 못했을 것이다. 학자가 되는 과정에서 선생님께 빚진 것이 너무나 많다.

이 책은 법적·역사적·사회학적 개념인 제노사이드를 핵심 개념으로 내세웠다. 자연히 해당 분야의 연구자들에게도 많은 도움을 받았다. 한국의 대표적인 제노사이드 연구자, 강성현 선생님께 제노사이드 사회학 수업을 들을 수 있었던 것이 큰 도움이 되었다.

항상 지지와 격려를 해주시고, 덜컥 국문학과 학위 논문 심사까지 맡아주신 선생님께 감사하다. 몇 번 뵌 적이 없으나, 역사학자 김득중 선생과 종교인류학자 김성례 선생의 작업에도 정말 많은 부분을 의지했다. 권헌익 선생의 연구는 이 책뿐 아니라, 다른 연구 논문과 비평들에서도 빼놓고는 글을 쓸 수 없는 핵심적인 문헌이었다. 한번도 뵙지 못했으나, 이 지면을 빌려서라도 감사를 표한다. 사회학자 김동춘 선생과 역사학자 박명림 선생의 한국전쟁 연구에도 많은 도움을 받았다. 대부분의 국가 사정이 비슷하지만, 한국도 제노사이드 연구자가 많지 않다. 그런 척박한 환경에서도 이재승 선생, 정근식 선생과 최호근 선생 같은 분들의 연구가 있어서 이런 논의를 펼쳐볼 수 있었다. 또 독일 사학자이자 주요한 홀로코스트 연구서들의 훌륭한 번역자이신 김학이 선생은 한번도 뵙지 못했지만, 그분의 작업 덕에 라울 힐베르크를 접할 수 있어서 이 연구의 방향을 잡을 수 있었다.

공부는 혼자서는 할 수 없는 일이다. 비평과 연구 모두에서 함께해준 여러 동료가 없었다면 글을 제대로 마무리할 수는 없었을 것이다. 이 책의 근간이 되는 박사 학위 논문을 몇 년간 함께 준비했던 김복희, 박동억, 양순모, 조대한, 최가은에게 감사의 말을 전한다. 특히 어느덧 10년 가까이 함께 공부하고 글을 써온 조대한 형께는 학술적으로나 인간적으로나 많은 도움을 받았다. 그리고 불안정한 직업을 선택한 나를 항상 응원하고 지지해준 가족들, 어머니와 아버지, 형 그리고 우리 조카 현서에게도 고맙다. 현서가 이 딱딱한 책을 읽을 만큼 자랄 때는 함께 읽을 수 있는 좋은 책을 여러 권 더 쓴 사람이 될 수 있도록 더 노력하고 싶다.

제노사이드를 막기 위해 모든 걸 희생했던 사람,
라파엘 렘킨[1900~1959]을 기리며.

참고문헌

기본자료

고시홍, 「도마칼」, 『4·3島 유채꽃』, 전예원, 1988.

김영현, 「목격자」, 『문학과사회』 겨울호, 문학과지성사, 1989.

김원일, 『노을』, 문학과지성사, 1978.

김원일, 『노을』, 문학과지성사, 1991.

김원일, 『노을』, 문학과지성사, 1997.

김원일·김윤식·윤흥길·전상국, 「통시적 시각과 가족구조」, 『문예중앙』 여름호, 중앙일보사, 1984.

김원일, 『겨울 골짜기』 1~2, 민음사, 1987.

김원일, 『겨울 골짜기』 1~2, 도서출판 둥지, 1994.

김원일, 『겨울 골짜기』, 이룸, 2004.

김원일 「분단 시대를 관통하며」, 『문학과사회』 겨울호, 문학과지성사, 1992.

김원일, 「인간과 문학의 심오한 본질을 향한 도전」, 『말·삶·글』, 열림원, 1992.

김원일, 「마지막 연재분을 다시 시작하여」, 『삶의 결, 살림의 질』, 세계사, 1993.

김원일, 『노을』, 문학과지성사, 1997.

김원일, 「깨끗한 몸」, 『마음의 감옥』, 문이당, 1997.

김원일, 『불의 제전』 1~7, 문학과지성사, 1983.

김원일, 『불의 제전』 1~5, 강, 2010.

김원일, 『마당 깊은 집』, 문학과지성사, 1998.

김원일·권오룡, 「열정으로 지켜온 글쓰기의 세월」, 『김원일 깊이 읽기』, 문학과지성사, 2002.

김원일, 「자전 에세이 1」, 『김원일 깊이 읽기』, 문학과지성사, 2002.

김원일, 『도요새에 관한 명상/환멸을 찾아서 외』, 강, 2012.

김원일,『아들의 아버지』, 문학과지성사, 2013.

김원일,『비단길』, 문학과지성사, 2016.

김정한, 임철우,「역사의 비극에 맞서는 문학의 소명」,『실천문학』겨울호, 실천문학사, 2013.

노순자,「산울음」,『산울음 – 거창양민학살사건의 민중문학적 성과』, 전예원, 1989.

노순자,「진달래 산천」,『91 우수중편모음』, 문성, 1991.

문순태,『인간의 벽』, 나남, 1984.

문순태,『피아골』, 정음사, 1985.

문순태,『41년생 소년』, 랜덤하우스코리아, 2005.

문순태 · 박성천,「해한의 세계를 넘어 소통의 세계로」,『해한의 세계 – 문순태 문학연구』, 박문사, 2012.

박완서 외,「6 · 25 분단문학의 민족동질성 추구와 분단극복 의지」,『한국문학』6월호, 한국문학사, 1985.

박완서,「복원되지 못한 것들을 위하여」,『창작과비평』여름호, 창작과비평사, 1989.

박완서,『엄마의 말뚝』, 세계사, 2002

박완서,『그 많던 싱아는 누가 다 먹었을까』, 세계사, 2012.

박완서,『그 산이 정말 거기에 있었을까』, 세계사, 2012.

박완서,『목마른 계절』, 세계사, 2012.

박완서,『나의 가장 나종 지니인 것』, 문학동네, 2013

박완서,『부끄러움을 가르칩니다』, 문학동네, 2013.

박완서,『배반의 여름』, 문학동네, 2013.

박완서,『지금 여기 박완서 – 문인사기획전 4』, 성북문화재단, 2019.

서영채, 임철우, 은희경,「임철우 은희경, 고향에 가다」,『문학동네』봄호, 문학동네, 2005.

이동희,『노근리 아리랑』, 풀길, 2007.

이순원,「얼굴」,『문학과사회』가을호, 문학과지성사, 1990.

이창동,『소지』, 문학과지성사, 2003.

이청준,『소문의 벽』, 문학과지성사, 2011.

이청준,『신화를 삼킨 섬』, 문학과지성사, 2011.

이청준,『가해자의 얼굴』, 문학과지성사, 2019.

임철우,『그리운 남쪽』, 문학과지성사, 1985.

임철우,「물 그림자」,『현대소설』4호, 현대소설, 1990.

임철우,『붉은 山 흰 새』, 문학과지성사, 1990.

임철우,『아버지의 땅』, 문학과지성사, 1996.

임철우,「낙서, 길에 대하여」,『문학동네』봄호, 문학동네, 1998.

임철우,『황천기담』, 문학동네, 2014.

임철우,『백년여관』, 문학동네, 2017.

임철우,『연대기, 괴물』, 문학과지성사, 2017.

정지아,『빨치산의 딸』상, 실천문학사, 1990.

정지아,『빨치산의 딸』1, 필맥, 2005.

조갑상,『다시 시작하는 끝』, 세계일보, 1990.

조갑상,『밤의 눈』, 산지니, 2012.

조갑상,『병산읍지 편찬약사』, 2017.

현기영,『바람 타는 섬』, 창작과비평사, 1989.

현기영,「순이 삼촌」,『순이 삼촌』, 창비, 2015.

현기영,「잃어버린 시절」,『아스팔트』, 창비, 2015.

현기영,「목마른 신들」,『마지막 테우리』, 창비, 2015.

현기영,『바다와 술잔』, 화남, 2002.

현기영,『젊은 대지를 위하여』, 화남, 2004.

현기영,『지상에 숟가락 하나』, 실천문학사, 1999.

현기영·이산하,「삶과 문학 : "4·3 트라우마"를 위한 기억 투쟁 작가 인터뷰 : 현기
    영」,『계간 민주』6권, 민주화운동 기념사업회, 2013.

현길언,「집 없는 魂」,『우리들의 조부님』, 고려원, 1990.

현길언,「껍질과 속살」,『껍질과 속살』, 나남, 1993.

현길언,「주변인의 삶과 글쓰기」,『21세기 문학』봄호, 21세기 문학, 2010.

현길언,「저항에서 수난사로」,『본질과현상』28호, 본질과현상사, 2012.

현길언, 「과거사 청산과 역사 만들기」, 『본질과현상』 32호, 본질과현상사, 2013.

현길언, 『섬의 반란, 1948년 4월 3일』, 백년동안, 2014.

현길언, 『정치권력과 역사왜곡』, 태학사, 2016.

현길언, 「언어 왜곡설」, 『언어 왜곡설』, 문학과지성사, 2019.

황석영, 『손님』, 창비, 2001.

국내 논저

① 단행본

강성현, 『탈진실의 시대, 역사부정을 묻는다』, 푸른역사, 2020.

강성현, 『다시, 제노사이드란 무엇인가』, 푸른역사, 2024.

강인철, 『전쟁과 희생』, 역사비평사, 2019.

김광기, 『이방인의 사회학』, 글항아리, 2014.

김기진, 『끝나지 않은 전쟁 국민보도연맹』, 역사비평사, 2002.

김동춘, 『전쟁과 사회』, 돌베개, 2000.

김동춘, 『이것은 기억과의 전쟁이다』, 사계절출판사, 2013.

김동춘, 『전쟁정치』, 길, 2013.

김동춘, 『반공자유주의』, 필요한책, 2021.

김득중, 『'빨갱이'의 탄생』, 선인, 2009.

김상기, 『제노사이드 속 폭력의 법칙』, 선인, 2008.

김상숙, 『10월 항쟁』, 돌베개, 2016.

김성례, 『한국 무교의 문화인류학』, 소나무, 2018.

김영수, 『과거사 청산, '민주화'를 넘어 '사회화'로』, 메이데이, 2008.

김윤식, 정호웅, 『한국소설사』, 문학동네, 2013.

김정인, 『역사전쟁, 과거를 해석하는 싸움』, 책세상, 2015.

김정한, 『비혁명의 시대』, 빨간소금, 2020.

김재웅, 『고백하는 사람들』, 푸른역사, 2022.

김춘경 외, 『상담학 사전』 3, 학지사, 2016.

김항, 『종말론 사무소』, 문학과지성사, 2016.

노용석, 『박희춘1933년2월26일생』, 눈빛, 2005.

노용석, 『국가폭력과 유해발굴의 사회문화사』, 산지니, 2019.

박명림, 『역사와 지식과 사회』, 나남, 2011.

박찬식, 『4·3과 제주역사』, 각, 2018.

박찬승, 『마을로 간 한국전쟁』, 돌베개, 2010.

박찬승, 『민족·민족주의』, 삼화, 2016.

배하은, 『문학의 혁명, 혁명의 문학』, 소명출판, 2021.

백낙청, 『흔들리는 분단체제』, 창비, 1998.

백낙청, 『한반도식 통일, 현재 진행형』, 창비, 2006.

백조일손유족회, 『백조일손 영령 60년사 – 섯알오름의 한』, 제주4·3연구소, 2010.

비교역사문화연구소, 『기억과 전쟁』, 휴머니스트, 2009.

서영채, 『죄의식과 부끄러움』, 나무나무, 2017.

서중석, 『조봉암과 1950년대』 하, 역사비평사, 2000.

수류산방 편집부 엮음, 『박완서朴婉緖』, 수류산방, 2012.

안연선, 『성노예와 병사 만들기』, 삼인, 2003.

오성찬 채록, 『한라의 통곡소리』, 소나무, 1988.

유임하, 『반공주의와 한국문학』, 글누림, 2020.

윤대선, 『레비나스의 타자철학』, 문예출판사, 2009.

윤택림 외, 『여성(들)이 기억하는 전쟁과 분단』, 아르케, 2013.

윤택림, 『역사와 기록 연구를 위한 구술사 연구방법론』, 아르케, 2019.

이양호, 『여기원1933년10월24일생』, 눈빛, 2005.

이영진 외, 『애도의 정치학』, 길, 2017.

이영훈, 『'해방 전후사의 재인식' 강의』, 기파랑, 2007.

이임하, 『계집은 어떻게 여성이 되었나』, 서해문집, 2004.

임지현, 『기억전쟁』, 휴머니스트, 2018.

임지현, 『희생자의식 민족주의』, 휴머니스트, 2021.

조효제, 『에코사이드』, 창비, 2022.

중앙일보사, 『민족의 증언』 3, 을유문화사, 1972.

제주4·3연구소, 『폭압을 넘어, 침묵을 넘어 – 제주4·3연구소 30년, 서른 해의 기록』, 제주4·3연구소, 2019.

최봉영, 『주체와 욕망』, 사계절, 2000.

최원식 외, 『4월 혁명과 한국문학』, 창비, 2002.

최호근, 『제노사이드』, 책세상, 2022.

최학림, 『문학을 탐하다』, 산지니, 2013.

한국전쟁전후민간인희생자경남유족회, 『70년만의 증언 – 한국전쟁 전후 민간인 희생자 경남유족 증언집 1』, 도서출판 피플파워, 2021.

한성훈, 『가면권력』, 후마니타스, 2014.

한성훈, 『학살, 그 이후의 삶과 정치』, 산처럼, 2018.

허은, 『냉전과 새마을』, 창비, 2022.

현기영 외, 『기억과 기억들』, 씽크스마트, 2017.

홍소연, 『젠더 관점에 따른 제노사이드규범의 재구성』, 경인문화사, 2011.

② 학위 논문

강성현, 『한국 사상통제기제의 역사적 형성과 '보도연맹 사건', 1925-50』, 서울대학교 사회학과 박사 학위 논문, 2012.

권명아, 『한국전쟁과 주체성의 서사 연구』, 연세대학교 국문학과 박사 학위 논문, 2001.

김명훈, 『김원일 소설에 나타난 '문학적 증언'의 미학과 윤리 연구』, 서울대학교 국문학과 박사 학위 논문, 2018.

김은아, 『한국 분단소설 연구』, 홍익대학교 국어국문학과 박사 학위 논문, 2013.

노용석, 『민간인 학살을 통해 본 지역민의 국가인식과 국가권력의 형성』, 영남대학교 문화인류학과 박사 학위 논문, 2005.

배하은, 『1980년대 문학의 수행성 연구』, 서울대학교 대학원 박사 학위 논문, 2017.

이창현, 『1960년대 초 피학살자유족회 연구』, 성균관대학교 사학과 박사 학위 논문, 2018.

③ 학술지 논문

강성현, 『제주4·3과 민간인학살 메커니즘의 형성』, 『역사연구』 제11호, 선인, 2002.

강성현, 「'아카'(アカ)와 '빨갱이'의 탄생」, 『사회와 역사』 100호, 한국사회사학회, 2013.

강성현, 「'난민'이라는 존재의 인식과 삶」, 『한국현대 생활문화사 1950년대』, 창비, 2016.

강용운, 「박완서 작품에 나타난 한국전쟁의 기억과 주체의 형성」, 『인문학술』 1호, 순천대학교 인문학술원, 2018.

강진호, 「반공주의와 자전소설의 형식」, 『국어국문학』 133, 2003.

강진호, 「전쟁기 증언과 반공주의의 규율 – 박완서 『목마른 계절』의 개작 양상」, 『인문과학연구』 40집, 성신여자대학교 인문과학연구소, 2019.

고명철, 「이념의 장벽을 넘어선 4·3소설의 새로운 지평 – 1987년 6월항쟁 이후 발표된 4·3소설을 중심으로」, 『비평의 잉걸불』, 새미, 2002.

고명철, 「4·3소설의 현재적 좌표」, 『역사적 진실과 문학적 진실』, 각, 2004.

고성만, 「4·3 과거청산과 '희생자'」, 『탐라문화』 38호, 제주대학교 탐라문화연구원, 2011.

고지현, 「조르조 아감벤의 '호모 사케르' 읽기」, 『인문과학』 93호, 연세대학교 인문학연구원, 2011.

권영민, 『태백산맥』 다시 읽기』, 해냄출판사, 1996.

권헌익, 「전쟁과 민간신앙 : 탈냉전시대의 월남조상신과 잡신」, 『民族과 文化』 12, 한양대학교 민족학연구소, 2003.

권헌익, 「냉전의 다양한 모습」, 『역사비평』 겨울호, 역사비평사, 2013.

권헌익, 「냉전의 개념사적 이해」, 『글로벌 냉전과 동아시아』, 서울대학교출판문화원, 2019.

권귀숙, 「제주4·3의 진상규명과 젠더 연구」, 『탐라문화』, 탐라문화연구원, 2014.

권김현영, 「민족주의 이념논쟁과 후기 식민 남성성」, 『문화과학』 49, 문화과학사, 2007.

김귀옥, 「한국 구술사 연구 현황, 쟁점과 과제」, 『사회와 역사』 71호, 한국사회사학회, 2006.

김귀옥, 「한국전쟁기 한국군에 의한 성폭력의 유형과 함의」, 『구술사연구』 3권 2호, 한국구술사학회, 2012.

김동윤, 「20세기 제주문학사 서설」, 『영주어문』 3집, 영주어문학회, 2001.

김동현, 「가라앉은 기억들 – 반공주의와 개발이라는 쌍생아」, 『비판적 4·3 연구』, 한그루, 2023.

김동춘, 「분단이 낳은 한국의 국가폭력」, 『민주사회와 정책연구』 23, 한신대학교 민주사회정책연구원, 2013.

김미지, 「월북문인 해금의 이면」, 『구보학보』 20집, 구보학회, 2018.

김명훈, 「'학살은 재현될 수 있는가'라는 질문을 역사화하기」, 『동악어문학』 79, 동악어문학회, 2019.

김명훈, 「'87년 체제'와 지연된 전향의 완수」, 『상허학보』 60집, 상허학회, 2020.

김명희, 「한국의 국민 형성과 '가족주의'의 정치적 재생산」, 『기억과 전망』 21호, 한국민주주의연구소, 2009.

김무용, 「한국전쟁 시기 민간인 학살 유족의 자서전 분석」, 『일기를 통해 본 전통과 근대, 식민지와 국가』, 소명출판, 2013.

김봉국, 「이승만 정부 초기 애도 – 원호정치」, 『애도의 정치학』, 도서출판 길, 2017.

김성례, 「제주 무속」, 『종교신학연구』 4권, 서강대학교 신학연구소, 1991.

김성례, 「국가폭력의 성정치학」, 『흔적』 2호, 문화과학사, 2001.

김성례, 「근대성과 폭력 – 제주4·3의 담론정치」, 『근대를 다시 읽는다 2』, 역사비평사, 2006.

김영삼,「재현 너머의 5·18, '타자-되기'의 글쓰기 – 임철우의『백년여관』을 중심으로」,『한국문학이론과 비평』제79집, 한국문학이론과 비평학회, 2018.

김윤식,「6·25와 우리 소설의 내적 형식」,『현대문학』6월호, 한국문학사, 1985.

김윤식,「문학사적 개입과 논리적 개입」,『문학과사회』겨울호, 문학과지성사, 1991.

김윤식,「6·25전쟁문학 – 세대론의 시각」,『문학사와비평』1집, 문학사와비평학회, 1991.

김윤식,「지리산의 사상 – 이병주의『지리산』론」,『문학사와비평』1, 문학사와비평학회, 1991.

김윤식,「우리 문학의 샤머니즘적 체질 비판 : 세 가지 도식과 관련하여」,『운명과 형식』, 솔, 1992.

김원,「1950년 완도와 1980년 광주 : 죽음과 기억을 둘러싼 현지 조사」,『구술사연구』3권 2호, 한국구술사학회, 2012.

김은희,「한국의 부계친족 집단과 친족이론」,『한국가족과 친족의 인류학』, 서울대학교출판문화원, 2018.

김정인,「정치적 무기로서의 역사, 역사전쟁의 다섯 국면」,『白山學報』117, 백산학회, 2020.

김주선,「임철우 초기 중·단편 소설 연구」,『인문학연구』55, 인문학연구원, 2018.

김주선,「소설에 나타난 5·18과 사적 복수」,『국가폭력과 정체성』, 역락, 2022.

김재용,「폭력과 권력, 그리고 민중 – 4·3문학, 그 안팎의 저항적 목소리」,『역사적 진실과 문학적 진실』, 각, 2004.

김창후,「4·3진상규명운동 50년사로 보는 4·3의 진실」,『4·3과 역사』11호, 제주4·3연구소, 2011.

김태우,「제노사이드의 단계적 메커니즘과 국민보도연맹사건」,『동북아연구』제30권 1호, 조선대학교 사회과학연구원 부설 동북아연구소, 2015.

김태현,「반공문학의 양상」,『실천문학』봄호, 실천문학사, 1988.

김학이,「홀로코스트와 근대성」,『독일연구』제12호, 한국독일사학회, 2006.

김학이,「홀로코스트와 학살자들의 양심」,『독일연구』제16호, 한국독일사학회, 2007.

김학재, 「자유진영의 최전선에 선 국민」, 『한국현대 생활문화사 1950년대』, 창비, 2016.

노태훈, 「80년대를 건너가는 방식과 문학 체제 재편 - 『창작과비평』, 『문학과사회』의 복·창간 전후를 중심으로」, 『한국현대문학연구』 61집, 한국현대문학회, 2020.

류동규, 「김승옥 소설에 나타난 유년기 경험과 감정의 윤리학」, 『어문학』 145집, 한국어문학회, 2019.

박상란, 「제주4·3에 대한 여성의 기억서사와 '순경 각시'」, 『Journal of Korean Culture』 45, 한국어문학국제학술포럼, 2019.

박숙자, 「'빨치산'은 어떻게 '빨갱이'가 되었나」, 『대중서사연구』 27권 2호, 대중서사학회, 2021.

박찬모, 「『겨울 골짜기』의 개작 양상 고찰」, 『현대문학이론연구』 41호, 현대문학이론학회, 2010.

박찬식, 「한국전쟁과 제주지역사회의 변화 : 4·3사건과 전쟁의 연관성을 중심으로」, 『지역과 역사』 제27호, 부경역사연구소, 2010.

박찬효, 「김원일의 『노을』에 나타난 '죽은' 아버지의 귀환과 이중 서사 전략」, 『문학이론과비평』 58, 한국문학이론과비평학회, 2013.

박철, 「스산한, 그리고 따듯한」, 『실천문학』 여름호, 실천문학사, 1995.

백윤경, 「분단의 경험과 여성의 시선」, 『현대문학이론연구』 51, 현대문학이론학회, 2012.

서경석, 「빨치산의 딸에서 작가가 되기까지 - 정지아의 「빨치산의 딸」에 대한 단상」, 『실천문학』 봄호, 실천문학사, 1991.

서경석, 「『태백산맥』론 - 비극적 역사의 전환을 위하여」, 『문학사와비평』 1, 문학사와비평학회, 1991.

서동수, 「한국전쟁기 반공 텍스트와 고백의 정치학」, 『한국현대문학연구』 20, 한국현대문학회, 2006.

서중석, 「사실, 이렇게 본다 2 - 보도연맹」, 『내일을 여는 역사』 7호, 내일을 여는 역사, 2012.

소영현, 「전쟁 경험의 역사화, 한국사회의 속물화 - '헝그리 정신'과 시민사회의 불가능성」,『한국학연구』32, 인하대학교 한국학연구소, 2014.

손미란, 「遺産되는 상처, 遺産되는 트라우마」,『인문연구』82호, 영남대학교 인문과
학연구소, 2018.

손미란, 「5월 18일까지의 시간과 공간, '봄날'의 정치학-임철우의 장편소설『봄날』
을 중심으로」,『어문학』142, 한국어문학회, 2018.

신샛별, 「정치적 텍스트로서의 박완서 소설」,『동악어문학』제72집, 동악어문학회,
2017.

안태윤, 「후방의 '생계전사'가 된 여성들 : 한국전쟁과 여성의 경제활동」,『중앙사론』
33, 한국중앙사학회, 2011.

안현효, 「『해방전후사의 재인식』에서『반일종족주의』까지」,『기억과 전망』45, 민주
화운동기념사업회, 2021.

양문규, 「현기영론-수난으로서의 4·3 형상화의 의미와 문제」,『현대문학의 연구』
11집, 한국문학연구학회, 1998.

양순모, 「이행기 정의와 비극-「저기 소리 없이 한 점 꽃잎이 지고」 다시 읽기」,『현
대소설연구』제81호, 한국현대소설학회, 2021.

양진오, 「'좌익'의 인간화, 그 문학적 방식과 의미」,『우리말글』35호, 우리말글학회,
2005.

유철인, 「구술된 경험과 서사적 주체성 : 여성 사업가의 구술생애사 읽기」,『한국여
성학』제 33권 3호, 한국여성학회, 2017.

이강은, 「빨치산의 문학적 형상화」,『실천문학』12, 실천문학사, 1988.

이내관, 「분단소설에 나타난 가족서사와 화해의 논리」,『한국문예비평연구』48, 한
국현대문예비평학회, 2015.

이동진, 「국민과 비국민의 경계 : 피학살자 유족회 사건을 중심으로」,『사회와 역사』
101호, 한국사회사학회, 2014.

이선미, 「세계화와 탈냉전에 대응하는 소설의 형식 : 기억으로 발언하기」,『상허학
보』12집, 상허학회, 2004.

이선미, 「박완서 소설과 '비평' : 공감과 해석의 논리」,『여성문화연구』제25호, 한국
여성문학학회, 2011.

이선미, 「냉전과 소설의 형식, '(경남)진영'의 장소성과 사회주의자 서사(1)」, 『한국 문학논총』 제87집, 한국문학회, 2021.

이선미, 「'부역(혐의)자' 서사와 냉전의 마음」, 『한국문학연구』 65집, 동국대학교 한 국문학연구소, 2021.

이소, 「죄의식의 남성성, 해원의 여성성」, 『요즘비평들 1호』, 자음과모음, 2021.

이소영, 「역사부정 규제를 둘러싼 기억의 정치」, 『법과 사회』 61, 법과사회이론학회, 2019.

이승수, 高波, 최한영, 우미영, 「소설가 현길언론」, 『한국언어문화』 77, 한국언어문 화학회, 2022.

이영재, 「이행기 정의의 본질과 형태에 관한 연구」, 『민주주의와 인권』 12권 1호, 전 남대학교 5·18연구소, 2012.

이영재, 「다층적 이행기 정의의 포괄적 청산과 화해 실험」, 『정신문화연구』 141호, 한국학중앙연구원, 2015.

이재승, 「기억과 법 : 홀로코스트 부정」, 『법철학연구』 11권 1호, 한국법철학회, 2008.

이현승, 「이용악 시 연구의 제문제와 극복 방안」, 『한국문학이론과비평』 제 62집, 한 국문학이론과비평학회, 2014.

이혜령, 「해방(기) : 총든 청년의 나날들」, 『상허학보』 27, 2009.

이혜령, 「빨치산과 친일파」, 『大東文化硏究』 100, 성균관대학교 대동문화연구원, 2017.

정근식, 「한국에서의 사회적 기억 연구의 궤적」, 『민주주의와 인권』 제13권 2호, 전 남대학교 5·18 연구소, 2013.

정민, 「『상찬계시말(相贊契始末)』을 통해본 양제해 모변사건의 진실」, 『한국실학연 구』 15, 한국실학학회, 2008.

정명중, 「지속의 시간 그리고 고통의 연대 – 임철우의 『백년여관』론」, 『작문연구』 제 12집, 한국작문학회, 2011.

정일준, 「탈수정주의를 넘어서 한국 근현대사 이해하기」, 『한국사회』 제 8집 2호, 고 려대학교 한국사회연구소, 2007.

정종현, 「4·3과 제주도 로컬리티」, 『현대소설연구』 58, 한국현대소설학회, 2015.

정종현, 「'해금' 전후 금서의 사회사」, 『구보학보』 20집, 구보학회, 2019.

정병준, 「공포와 관용 : 한국전쟁기 부역자 처벌의 이중성과 그 유산」, 『역사와 현실』 123, 한국역사연구회, 2022.

정학진, 「김원일의 의식 변화 연구」, 『우리말글』 58, 우리말글학회, 2013.

정호웅, 「분단극복의 새로움을 넘어서」, 『분단문학비평』, 청하, 1987.

조구호, 「문순태 분단소설 연구」, 『한국언어문학』 76, 한국언어문학회, 2011.

조미숙, 「박완서 소설의 전쟁 진술 방식 차이점 연구」, 『한국문예비평연구』 24, 한국현대문예비평학회, 2007.

차미령, 「생존과 수치 : 1970년대 박완서 소설과 생존주의의 이면(1)」, 『한국현대문학연구』 47, 한국현대문학회, 2015.

차미령, 「박완서 소설에 나타난 '주술'과 '생존'의 문제」, 『대중서사연구』 제22권 3호, 대중서사학회, 2016.

차미령, 「한국전쟁과 신원 증명 장치의 기원 – 박완서 소설에 나타난 주권의 문제」, 『구보학보』 18집, 구보학회, 2018.

차선일, 「이병주의 『지리산』에 나타난 한국전쟁의 재현 양상」, 『高凰論集』 45, 慶熙大學校 大學院, 2009.

최선영, 「한국소설에 나타난 5·18 이행기 정의의 흐름과 소외 양상」, 『인문학연구』 64권, 2022.

최창근, 「문순태 소설의 탈향 모티프와 서사성」, 『어문논총』 16권, 전남대학교 한국어문학연구소, 2005.

표인주, 「전쟁 경험과 공동체문화」, 『전쟁과 사람들』, 한울아카데미, 2003.

표인주, 「한국전쟁 희생자들의 죽음 처리방식과 의미화 과정에 관한 고찰」, 『민속학연구』 15호, 국립민속박물관, 2004.

한순미, 「주변부의 역사 기억과 망각을 위한 제의 – 임철우의 소설에서 역사적 트라우마를 서사화하는 방식과 그 심층적 의미」, 『한국민족문화』 38, 부산대학교 한국민족문화연구소, 2010.

한순미, 「치유 의례로서의 '접속'」, 『인문학연구』 제64집, 조선대학교 인문학연구원, 2022.

하웅백, 「장자(長子)의 소설, 소설의 장자(長者)」, 『김원일 깊이 읽기』, 문학과지성
  사, 2002.

하정일, 「『태백산맥』과 '빨치산문학'」, 『원우논집』 17, 연세대 대학원, 1990.

한혜경·김석윤·허윤순, 「제주4·3사건 직계 부재 희생자에 대한 방계혈족의 기념
  의례와 인정투쟁」, 『민주주의와 인권』 19권 2호, 전남대학교 5·18연구소, 2019.

허상수, 「그들의 역사 왜곡은 진실을 이길 수 없다」, 『4·3과 역사』 14호, 제주4·3연
  구소, 2015.

허민, 「6월항쟁과 문학장의 민주화 – 해금 전후(사)의 역사 인식과 항쟁 이후의 문학
  (론)」, 『기억과 전망』 41호, 한국민주주의연구소, 2019.

허윤, 「한국전쟁과 히스테리의 전유」, 『여성문학연구』 21, 한국여성문학회, 2009.

홍기돈, 「제주 공동체문화와 4·3항쟁의 발발 조건」, 『탐라문화』 49권, 제주대학교
  탐라문화연구원, 2015.

홍기돈, 「근대 이행기 민족국가의 변동과 호모 사케르의 공간」, 『한국언어문화』 64
  집, 한국언어문화학회, 2017.

홍기돈, 「자연아의 정동(情動)과 오래된 미래로서의 공동체주의」, 『춘원연구학보』
  제16호, 춘원연구학회, 2019.

홍승권·배병욱, 「한국전쟁 전후 김해지역 민간인학살의 실태와 성격」, 『제노사이드
  연구』 4호, 한국제노사이드연구회, 2008.

황광수, 「빨치산 기록물과 그 소설화」, 『창작과비평』 겨울호, 창비, 1988.

황호덕, 「피와 문체, 종이 위의 전쟁 – 중일전쟁에서 한국전쟁까지, 덧씌어진 일기장
  을 더듬어」, 『동악어문학』 제54집, 동악어문학회, 2010.

④ **보고서**

제주4·3사건 진상규명 및 희생자 명예회복 위원회, 『제주4·3사건 진상조사보고서』,
  제주 4·3사건 진상규명 및 희생자 명예회복위원회, 2003.

제주4·3평화재단, 『제주 4·3사건 추가진상조사보고서 1』, 제주 4·3평화재단, 2019.

진실·화해를위한과거사정리위원회, 『2007년 하반기 조사보고서』, 진실·화해를위
　　한과거사정리위원회, 2007.

진실·화해를위한과거사정리위원회, 『2008년 하반기 조사보고서』 3권, 진실·화해
　　를위한과거사정리위원회, 2008.

진실화해를위한과거사진상규명위원회, 『2009년 하반기 조사보고서』 6권 , 진실화해
　　를위한과거사진상규명위원회, 2010.

⑤ 국외 논저

권헌익, 유강은 옮김, 『학살, 그 이후』, 아카이브, 2012.

권헌익, 이한중 옮김, 『또 하나의 냉전』, 민음사, 2013.

권헌익, 박충환·이창호·홍석준 옮김, 『베트남전쟁의 유령들』, 산지니, 2016.

권헌익, 정소영 옮김, 『전쟁과 가족』, 창비, 2020.

노다 마사아키, 서혜영 옮김, 『전쟁과 인간』, 길, 2000.

도날드 G. 더튼, 신기철 옮김, 『제노사이드와 대량학살, 극단적 폭력의 심리학』, 인권
　　평화연구소, 2022.

데틀레프 포이케르트, 김학이 옮김, 『나치 시대의 일상사』, 개마고원, 2003.

라울 힐베르크, 김학이 옮김, 『홀로코스트 유럽 유대인의 파괴』 1, 개마고원, 2008.

라울 힐베르크, 김학이 옮김, 『홀로코스트 유럽 유대인의 파괴』 2, 개마고원, 2008.

로렌 켄달, 김성례·김동규 옮김, 『무당, 여성, 신령들』, 일조각, 2016.

마르틴 브로샤트, 김학이 옮김, 『히틀러 국가』, 문학과지성사, 2011.

미셸 푸코, 오생근 옮김, 『감시와 처벌』, 나남, 2003.

볼프강 조프스키, 이한우 옮김, 『폭력사회』, 푸른숲, 2010.

베네딕트 앤더슨, 윤형숙 옮김, 『상상의 공동체』, 나남, 2004.

벤자민 발렌티노, 장원석·허호준 옮김, 『20세기의 대량학살과 제노사이드』, 제주대
　　학교 출판부, 2006.

사만다 파워, 김보영 옮김, 『미국과 대량학살의 시대』, 에코리브르, 2004.

세실 도팽 외, 이은민 옮김, 『폭력과 여성들』, 동문선, 2002.

스탠리 밀그램, 정태연 옮김, 『권위에 대한 복종』, 에코리브르, 2009.

스탠리 코언, 조효제 옮김, 『잔인한 국가, 외면하는 대중』, 창비, 2009.

아이리스 매리언 영, 허라금 외 옮김, 『정의를 위한 정치적 책임』, 이화여자대학교출판문화원, 2018.

알비 삭스, 김신 옮김, 『블루 드레스』, 일월서각, 2012.

어빙 고프먼, 심보선 옮김, 『수용소』, 문학과지성사, 2018.

앤서니 D. 스미스, 김인중 옮김, 『족류 – 상징주의와 민족주의』, 아카넷, 2016.

오드 아르네 베스타, 옥창준 옮김, 『냉전의 지구사』, 에코리브르, 2020.

우에노 치즈코 외, 서재길 옮김, 『전쟁과 성폭력의 비교사』, 어문학사, 2020.

이남희, 이경희·유리 옮김, 『민중 만들기』, 후마니타스, 2015.

이시도르 왈리만, 마이클 돕코우스키, 장원석·강경희·허호준·현신웅 옮김, 『현대 사회와 제노사이드』, 각, 2005.

이졸데 카림, 이승희 옮김, 『나와 타자들』, 민음사, 2019.

자크 랑시에르, 진태원 옮김, 『불화』, 길, 2015.

자크 랑시에르, 양창렬 옮김, 『정치적인 것의 가장자리에서』, 길, 2013.

제임스 도즈, 변진경 옮김, 『악한 사람들』, 오월의 봄, 2020.

제임스 C. 스콧, 전상인 옮김 『국가처럼 보기』, 에코리브르, 2010.

제임스 C. 스콧, 전상인 옮김, 『지배, 그리고 저항의 예술 – 은닉대본』, 후마니타스, 2020.

조르조 아감벤, 박진우 옮김, 『호모 사케르』, 새물결, 2008.

조르조 아감벤, 양창렬 옮김, 『목적 없는 수단』, 난장, 2009.

조르조 아감벤, 김항 옮김, 『예외상태』, 새물결, 2009.

조르조 아감벤, 정문영 옮김, 『아우슈비츠의 남은 자들』, 새물결, 2012.

조르조 아감벤, 정문영 옮김, 『언어의 성사』, 새물결, 2012.

조르조 아감벤, 이경진 옮김, 『도래하는 공동체』, 꾸리에, 2014.

조르조 아감벤, 박진우·저문영 옮김, 『왕국과 영광』, 새물결, 2016.

조르주 디디 위베르만, 김홍기 옮김, 『반딧불의 잔존』, 길, 2012.

조르주 디디 위베르만, 오윤성 옮김, 『모든 것을 무릅쓴 이미지들』, 레베카, 2017.

조지 L. 모스, 『전사자 숭배』, 오윤성 옮김, 문학동네, 2015.

주디스 루이스 허먼, 최현정 옮김, 『트라우마』, 사람의 집, 2022.

주디스 버틀러, 윤조원 옮김, 『위태로운 삶』, 필로소픽, 2018.

칭케 나이첼, 하랄트 벨처, 김태희 옮김, 『나치의 병사들』, 민음사, 2015.

지그문트 바우만, 이일수 옮김, 『액체근대』, 강, 2009.

지그문트 바우만, 정일준 옮김, 『현대성과 홀로코스트』, 새물결, 2013.

카를 슈미트, 김항 옮김, 『정치신학』, 그린비, 2010.

크리스토퍼 R. 브라우닝, 이진모 옮김, 『아주 평범한 사람들』, 책과함께, 2010.

토마스 렘케, 심성보 옮김, 『생명정치란 무엇인가』, 그린비, 2015.

티모시 스나이더, 조행복 옮김, 『블랙 어스』, 열린책들, 2018.

티모시 스나이더, 『피에 젖은 땅』, 글항아리, 2021.

필립 샌즈, 정철승·황문주 옮김, 『인간의 정의는 어떻게 탄생했는가』, 더봄, 2019.

프리모 레비, 이소영 옮김, 『가라앉은 자와 구조된 자』, 돌베개, 2014.

프리실라 B. 헤이너, 주혜경 옮김, 『국가폭력과 세계의 진실위원회』, 역사비평사, 2008.

한나 아렌트, 김선욱 옮김, 『예루살렘의 아이히만』, 한길사, 2006.

허버트 허시, 강성현 옮김, 『제노사이드와 기억의 정치』, 책세상, 2009.

Mbembe, Achille. "Necropolitics," Public Culture 15(1), 2003.

Wolf, Linda M. & Michael R. Hulsizer, "Psychosocial roots of genocide: risk, prevention, and intervention." Journal of Genocide Research, 7(1), 2005.

⑥ 기타 자료

「김성동 "아버지는 박헌영 비선… 정체 안 밝히고 수면 밑서 싸워"」, 《중앙일보》, 2018. 9. 7.

「노무현 대한민국 부정발언 근거는? 이명회 "잘 모르겠다"」, 《미디어오늘》, 2013.

10. 9.

「돌아와 안겨라! 전향자여 『보련원』 포섭심사요강결정」,《동아일보》, 1952. 3. 23.

「무크지 「실천문학」 계간허가 80년대 들어 순수문학지론 처음」,《동아일보》, 1985.

　　2. 8.

「문창극 '4·3 망언' 일파만파… 지명 철회 여론 비등」,《제주의소리》, 2014. 6. 12.

「祕話 第一共和國(234) 第九話 「居昌事件」」,《동아일보》, 1974. 3. 25.

「박정희의 전화 "내가 점심 사면 안 되겠심니꺼?"」,《오마이뉴스》, 2020. 11. 30.

「소설의 새 광맥 – 해방전후사」,《동아일보》, 1987. 4. 9.

조갑제, 「깽판의 윤리도 없는 민주당」,《조갑제닷컴》, 2009. 7. 29.

「아버지는 평생 화두요, 창작의 샘물이다 – 분단문학의 대사, 김원일 선생을 만나다」,

　　《오마이뉴스》, 2009. 3. 30.

「이병주 장편 『지리산』 자료 시비 "내 원본 8백20매 그대로"」,《경향신문》, 1988. 8.

　　25.

「'제주4·3 정립 연구·유족회' 성황리 창립」,《조갑제닷컴》, 2013. 11. 7.

미주

여는 글

1) 지나이다 기삐우스 외, 『레퀴엠 – 혁명기 러시아 여성시인 선집』, 고려대학교 출판부, 2004, 69~70쪽.

2) 최호근, 『제노사이드』, 책세상, 2022, 11쪽.

3) 최초의 근대적 제노사이드로 평가받는 아르메니아인 제노사이드에 대한 국제사회의 개입을 촉구했던 미국의 주 오스만제국 대사였던 헨리 모겐소는 제노사이드가 "그 어떤 군사 작전도 행해지지 않는 지역 내에서 군사적 필요성이라는 이름으로" 자행되고 있다면서 이를 전쟁과는 전혀 다른 형태의 폭력이라고 인식했다.(사만다 파워, 김보영 옮김, 『미국과 대량학살의 시대』, 에코리브르, 2004, 34쪽)

4) 최호근은 렘킨이 제시한 제노사이드의 양상을 '부드러운' 제노사이드와 '강경한' 제노사이드로 나누면서 정치, 사회, 문화, 경제, 종교, 도덕에 대한 공격을 전자로, 물리적 파괴와 생물적 제한 등을 후자로 나누었다.(최호근, 위의 책, 27쪽)

5) 서경식은 제노사이드에 대한 문학적 재현에서 홀로코스트에 대한 작품이 절대 다수를 차지하게 된 요인이 서구의 문학·미디어·교육 제도 등 사회적 격차에서 비롯되었음을 날카롭게 지적했다.(서경식, 한승동 옮김, 「'증언 불가능성'의 현재 – 아우슈비츠와 후쿠시마를 잇는 상상력」, 『아시아저널』 제5호, 5·18기념재단, 2012, 55쪽)

6) 일란 파페, 유강은 옮김, 『팔레스타인 종족 청소』, 교유서가, 2024, 101쪽.

7) 제주4·3사건 진상규명 및 희생자 명예회복 위원회, 『제주4·3사건 진상조사보고서』, 2003, 3쪽.

8) 김민환, 위의 글, 129쪽.

9) 강성현, 『다시, 제노사이드란 무엇인가』, 푸른역사, 2024, 183~186쪽.

10) 물론 여기에는 홀로코스트와 그 생존자들의 세계를 어떻게 이해할 것인가를 둘

러싼 오래된 논쟁이 내재해 있다. 프리모 레비는 생존자들이 오히려 드문 기회를 얻는 특권 계층이라 보았으며, 그들이 생존을 도모하기 위한 사회적 활동들을 비판적으로 보았다.

11) 필립 샌즈, 정철승, 황문주 옮김, 『인간의 정의는 어떻게 탄생했는가』, 더봄, 2019, 428쪽.

12) Lemkin, Raphael, Axis Rule in Occupied Europe(Washington, D.C : Carnegie Endowment for World Peace, 1944), pp79~80. 허버트 허시의 『제노사이드와 기억의 정치』(책세상, 2008, 313쪽)에서 재인용.

13) 서경식, 한승동 옮김, 「'증언 불가능성'의 현재 – 아우슈비츠와 후쿠시마를 잇는 상상력」『아시아저널』제5호, 518기념재단, 2012, 55쪽.

제1부 서론

1) 백낙청, 「분단체제의 인식을 위하여」, 『창작과비평』 겨울호, 창비, 1992, 296쪽.

2) 이종석, 「분단체제」, 『한국학 학술용어』, 한국학중앙연구원출판부, 2020, 530쪽.

3) 강진호, 『탈분단 시대의 문학 논리』, 새미, 2001, 106쪽.

4) 김승환, 「분단문학과 분단시대」, 『분단문학비평』, 청하, 1987, 33쪽.

5) 정호웅, 「소설사의 전환과 새로운 상상력의 태동」, 『한국현대문학사』, 현대문학, 2005.

6) 김은아, 『한국 분단소설 연구』, 홍익대학교 국어국문학과 박사 학위 논문, 2013, 27쪽.

7) 김윤식, 「문학사적 개입과 논리적 개입」, 『문학과사회』 91년 겨울호, 문학과지성사, 1991, 1505쪽.

8) 김윤식, 위의 책, 1514쪽.

9) 김윤식, 「6·25와 우리 소설의 내적 형식」, 『현대문학』 6월호, 한국문학사, 1985, 285~286쪽.

10) 분단문학에 나타난 가족 문제를 근대적 이데올로기와의 대립물 혹은 다른 충위

로 해석하는 입장이 김윤식만의 것은 아니었다. 분단문학을 민족통일을 위한 민중적인 문학적 실천으로 인식했던 임헌영 역시 가족사적 시각을 분단 문제에서 변혁 주체로서의 민중의 시각을 제시하지 못하는 '무이념형 민중 수난자상'이라고 분석한 바 있다.(임헌영, 「분단소설 변천사」, 『분단시대의 문학』, 태학사, 1992, 234쪽)

11) 김원일·김윤식·윤흥길·전상국, 「통시적 시각과 가족구조」, 『문예중앙』 여름호, 중앙일보사, 1984, 190쪽.

12) 권헌익, 정소영 옮김, 『전쟁과 가족』, 창비, 2020, 37쪽.

13) 국가폭력에 의해서 살해된 이들의 매장이 국가권력에 의해 금지되기도 하였고, 피해자들 역시 이를 의식하여 은밀하게 행동하는 경우가 많았다.(표인주, 「한국전쟁 희생자들의 죽음 처리 방식과 의미화 과정에 관한 고찰」, 『민속학연구』 15호, 국립민속박물관, 2004, 176~177쪽)

14) 한성훈, 『가면권력』, 후마니타스, 2015, 289쪽.

15) 지그문트 바우만, 정일준 옮김, 『현대성과 홀로코스트』, 새물결, 2013, 129쪽.

16) 지그문트 바우만, 정일준 옮김, 『현대성과 홀로코스트』, 새물결, 2013, 129쪽.

17) 표인주, 「전쟁 경험과 공동체문화」, 『전쟁과 사람들』, 한울아카데미, 2003, 154~166쪽.

18) 김성례, 「근대성과 폭력 – 제주4·3의 담론정치」, 『근대를 다시 읽는다 2』, 역사비평사, 2006, 522~523쪽.

19) 권헌익, 이한중 옮김, 『또 하나의 냉전』, 민음사, 2013, 129~131쪽.

20) 정근식, 「한국에서의 사회적 기억 연구의 궤적」, 『민주주의와 인권』 제13권 2호, 전남대학교 5·18 연구소, 2013.

21) 김동춘, 『이것은 기억과의 전쟁이다』, 사계절출판사, 2013, 32쪽.

22) 정호기, 「한국 과거청산의 성과와 전망」, 『역사비평』 69호, 2004, 242~243쪽.

23) 이선미, 「냉전과 소설의 형식, '(경남) 진영'의 장소성과 사회주의자 서사(1)」, 『한국문학논총』 제87집, 한국문학회, 2021, 378~379쪽.

24) 백낙청, 『흔들리는 분단체제』, 창비, 1998, 21쪽.

25) 백낙청, 『한반도식 통일, 현재 진행형』, 창비, 2006, 46쪽.

26) 이종석, 앞의 책, 531쪽.

27) 고명철, 「이념의 장벽을 넘어선 4·3소설의 새로운 지평 – 1987년 6월항쟁 이후 발표된 4·3소설을 중심으로」, 『비평의 잉걸불』, 새미, 2002.

— 고명철, 「4·3소설의 현재적 좌표」, 『역사적 진실과 문학적 진실』, 각, 2004.

— 고명철, 「새로운 세계문학 구성을 위한 4·3문학의 과제」, 『비교어문연구』 40, 비교어문학회, 2015.

— 고명철, 「4·3문학, 팔레스타인문학, 그리고 혁명으로서의 문학적 실천」, 『한민족문화연구』 65, 한민족문학회, 2019.

— 고명철, 「탈식민 냉전 속 동아시아 하위주체의 '4·3 증언서사'」, 『탐라문화』 67, 제주대학교 탐라문화연구원, 2021.

28) 김동윤, 「한국전쟁기의 제주문학」, 『지역문학연구』 6, 경남부산지역문학회, 2000.

— 김동윤, 「20세기 제주소설의 흐름」, 『白鹿語文』 17, 제주대학교 사범대학 국어교육과 국어교육연구회, 2001.

— 김동윤, 「현길언 소설의 제주설화 수용 양상과 그 의미」, 『한국언어문화』 31, 한국언어문학회, 2006.

— 김동윤, 「2000년대 4·3문학의 양상과 의미」, 『인문학연구』 12, 제주대학교 인문과학연구소, 2012.

— 김동윤, 「제주 소설의 4·3 난민 형상화 양상과 그 한계」, 『영주어문』 50, 영주어문학회, 2022.

29) 김동현, 『로컬리티의 발견과 내부 식민지로서의 '제주'』, 국민대학교 대학원 박사 학위 논문, 2014.

— 김동현, 「김석범 문학과 제주 – 장소의 탄생과 기억(주체)의 발견」, 『영주어문』 35, 영주어문학회, 2017.

— 김동현, 「반공주의와 '개발'의 정치학」, 『한민족문화연구』 65, 한민족문화학회, 2019.

— 김동현, 「냉전의 지속과 지역의 상상력」, 『한국언어문화』 72, 한국언어문학회, 2020.

—— 손지연, 김동현,「개발과 근대화 프로젝트 : 제주와 오키나와가 만나는 방식」, 『翰林日本學』 36, 한림대학교 일본학연구소, 2020.

30) 홍기돈,「近代的 民族國家와 4·3소설」,『어문연구』 33권 2호, 한국어문교육연구 회, 2005.

—— 홍기돈,「제주 공동체 문화와 4·3항쟁의 발발 조건」,『탐라문화』 49, 탐라문화 연구원, 2015.

—— 홍기돈,「근대 이행기 민족국가의 변동과 호모 사케르의 공간」,『한국언어문 화』 64, 한국언어문학학회, 2017.

—— 홍기돈,「근대적 민족국가와 타자(他者)의 시선으로 재현된 제주 공동체의 면 모」,『우리문학연구』 59, 우리문학회, 2018.

31) 양순모,「이행기 정의와 비극 -「저기 소리 없이 한 점 꽃잎이 지고」다시 읽기」, 『현대소설연구』 제81호, 한국현대소설학회, 2021.

—— 김주선,「소설에 나타난 5·18과 사적 복수」,『국가폭력과 정체성』, 역락, 2022.

—— 최선영,「한국소설에 나타난 5·18 이행기 정의의 흐름과 소외 양상」,『인문학 연구』 64권, 2022.

32) 배하은,『1980년대 문학의 수행성 연구』, 서울대학교 대학원 박사 학위 논문, 2017.

—— 김명훈,「'87년 체제'와 지연된 전향의 완수 -1980~90년대 김원일, 이문구, 이 문열 소설의 변화를 중심으로」,『상허학보』 60권, 상허학회, 2020.

—— 허민,『민주화 이행기 한국소설의 서사구조 재편 양상 연구』, 성균관대학교 일 반대학원 박사 학위 논문, 2022.

33) '빨갱이'라는 적대적 타자를 구성적 외부로 설정함으로써 한반도 이남의 반공국 가가 국민 형성의 정치적 수단을 획득했다는 관점을 보이는 주요 연구로는 박명 림의 「국민 형성과 내적 평정 : '거창사건'의 사례 연구」(『한국정치학보』 36, 한국 정치학회, 2002)와 김득중의 『빨갱이의 탄생』(선인, 2009) 등을 들 수 있다.

34) 강성현,『다시 제노사이드란 무엇인가』, 푸른역사, 2024, 226쪽.

35) 사회학자 김동춘은 한국사회에서 발생한 국가폭력의 피해 형태를 1, 2, 3차 피해 로 나눈다. 1차 피해는 국가의 직접적인 가해에 의한 물리적 피해, 2차 피해는 폭

력의 후유증과 정신적 고통, 가난, 이혼 등에 의한 피해, 3차 피해는 가해 세력이 폭력을 부인하거나 진상규명 이후에도 사과를 거부하면서 발생하는 정치 사회적 상황 속에서 겪게 되는 피해다.(김동춘, 『전쟁정치』, 길, 2013, 73쪽) 제노사이드로 인한 폭력의 경험은 일회적 사건이 아니라 반공국가의 구조와 이행기 정의의 과정을 거치면서 겪게 되는 사회적 위기 등 장기적인 경험이다.

36) 작가들의 한국전쟁 체험 시기를 기준으로 세대론적인 분할을 시도하는 대표적인 연구자는 김윤식으로 그는 전쟁 당시 작가의 연령에 따라 체험세대와 유년기 체험 세대, 미체험 세대로 구분한다.(김윤식, 「6·25전쟁문학 – 세대론의 시각」, 『문학사와비평』 1집, 문학사와 비평학회, 1991, 15쪽)

37) 빨갱이가 아니라는 자기 증명은 적극적으로 반공국가의 국민임을 입증하려는 시도로 나타난다. 현기영의 소설 「아스팔트」에서 주인공 '창주'는 빨갱이가 아님을 입증하기 위해서 한국전쟁에 군인으로 참전해야 했다. 이는 4·3항쟁을 체험한 많은 제주인들이 취한 생존 전략이기도 한데 한국전쟁 발발 직후 3,000명가량의 제주 청년들이 해병대에 자원 입대를 했던 것은 이를 잘 보여준다. 제주도인들 뿐 아니라 다른 지역의 학살 유가족들에게서도 나타나는 현상이었다. 이들은 자신들이 '국민'임을 증명하기 위해서 정부를 구성하는 집권당에 몰표를 주는 방식으로 자신을 증명하려고 했으며(한성훈, 위의 책, 209쪽) 철저한 반공 투사가 되려고 하는 등 과잉적응의 양상(김무용, 「한국전쟁 시기 민간인 학살 유족의 자서전 분석」, 『일기를 통해 본 전통과 근대, 식민지와 국가』, 소명출판, 2013, 416쪽)을 보이는 경우가 많았다. 자신이 제거되어야 할 대상이 아님을 증명하는 일이란 곧 국가가 만들어내고자 하는 바로 그 인간형이 될 수 있음을 증명하는 것이다.

38) 박완서 외, 「6·25분단문학의 민족동질성 추구와 분단 극복의지」, 『한국문학』 6월호, 한국문학사, 1985, 49쪽. 인민군을 가해자로 설정하는 문제는 특히 박완서가 오빠의 죽음을 재현할 때 두드러진다. 「엄마의 말뚝 2」(1981)에서는 오빠를 심문하던 인민군의 총격 때문에 죽음을 맞이한 것으로 서술되었던 데 반해서 『그 산이 정말 거기에 있었을까』(1995)에서는 한국군 의용병의 총기 오발과 피난 과정이 사인으로 등장한다.

39) 임헌영은 『노을』이 분단 후 처음으로 민중의식의 미학론이 구체화한 시기에 "처

음으로 지식인 계층이 아닌 빈농 또는 천민 출신의 공산주의자상"을 그렸다는 점
에서 이 작품을 고평한다.(임헌영, 위의 책, 233쪽)

40) 김원일·권오룡, 「열정으로 지켜온 글쓰기의 세월」, 『김원일 깊이 읽기』, 문학과
   지성사, 2002, 36쪽.

41) 『노을』보다 앞서 발표된 단편 「갈증」(1973)에서도 진영읍이 전쟁에서 안전한 후
   방 공간으로 재현되기도 했다.

42) 특히 김윤식은 가족 관계와 가족의례(제사) 등을 소재로 한 임철우 등의 소설을
   한국문학의 샤머니즘적 체질을 보임으로써 근대문학에 미달했다고 강하게 비판
   했다.(김윤식, 「우리 문학의 샤머니즘적 체질 비판 : 세 가지 도식과 관련하여」, 『운
   명과 형식』, 솔, 1992, 217쪽)

43) 이러한 입장을 견지하는 주요한 연구로 김성례의 『한국 무교의 문화인류학』(소
   나무, 2018), 강인철의 『전쟁과 희생』(역사비평사, 2019), 권헌익의 『전쟁과 가족』
   (창비, 2020) 등이 있다.

44) 김승환, 앞의 책, 24쪽.

45) 강진호(「민족사로 승화된 가족사의 비극」, 『탈분단 시대의 문학 논리』, 새미,
   2001)와 양진오(「좌익의 인간화, 그 문학적 방식과 의미」, 『우리말글』 35권, 우리
   말글학회, 2005), 박찬효(「김원일의 노을에 나타난 '죽은' 아버지의 귀환과 이중
   서사 전략」, 『한국문학이론과 비평』 58권, 한국문학이론과비평학회, 2013) 등의
   논문에서 그러한 경향을 확인할 수 있다.

46) 권헌익, 『전쟁과 가족』, 98쪽.

47) 권헌익, 이한중 옮김, 『또 하나의 냉전』, 민음사, 2013, 116~122쪽.

48) 조르조 아감벤, 『아우슈비츠의 남은 자들』, 새물결, 2012, 112쪽.

49) 조르조 아감벤, 위의 책, 241쪽.

50) 조지 L. 모스, 오윤 옮김, 『전사자 숭배』, 문학동네, 2015, 108쪽.

51) 강인철, 『전쟁과 희생』, 역사비평사, 2019, 54쪽.

52) 김득중, 『빨갱이의 탄생』, 선인, 2009, 605쪽.

53) 최호근, 『제노사이드』, 책세상, 2005, 21~23쪽.

54) 필립 샌즈, 정철승, 황문주 옮김, 『인간의 정의는 어떻게 탄생했는가』, 더봄, 2019,

428쪽.

55) Lemkin, Raphael, Axis Rule in Occupied Europe(Washington, D.C : Carnegie Endowment for World Peace, 1944), pp79~80. 허버트 허시, 『제노사이드와 기억의 정치』, 책세상, 2008, 313쪽에서 재인용.

56) 커크 조나슨, 프랭크 초크, 「제노사이드 유형과 인권 의제」, 『현대사회와 제노사이드』, 각, 2005, 57쪽.

57) 강성현, 「제노사이드와 한국현대사」, 『역사연구』 18호, 역사학연구소, 2008, 104~105쪽.

58) 홀로코스트 연구의 대가였던 라울 힐베르크는 홀로코스트와 같은 모든 파괴의 과정에는 정의(Definition)의 과정이 선행해야만 한다고 지적한다. 피해자가 될 이들이 누구인지 가해자 집단에 의해서 정의되어야만 폭력을 수행할 수 있는 연속적인 단계들이 진행될 수 있다는 것이다.(라울 힐베르크, 김학이 옮김, 『홀로코스트 유럽 유대인의 파괴』 2권, 개마고원, 2009, 1396쪽)

59) 데틀레프 포이케르트, 김학이 옮김, 『나치 시대의 일상사』, 개마고원, 2003, 319~334쪽.

60) 지그문트 바우만, 정일준 옮김, 『현대성과 홀로코스트』, 새물결, 2013, 165쪽.

61) 김득중, 「여순사건에 대한 언론보도와 반공담론의 창출」, 『죽엄으로써 나라를 지키자』, 선인, 2007, 69~70쪽.

61) 김득중, 『빨갱이의 탄생』, 선인, 2009, 604쪽.

63) 이동진, 「국민과 비국민의 경계 : 피학살자 유족회 사건을 중심으로」, 『사회와 역사』 101호, 한국사회사학회, 2014, 147쪽.

64) 권헌익, 『또 하나의 냉전』, 129쪽.

65) 권헌익, 『학살, 그 이후』, 262쪽.

66) 벤자민 발렌티노, 『20세기의 대량학살과 제노사이드』, 제주대학교 출판부, 2006, 129~131쪽.

67) 전향자 단체 국민보도연맹과 대화숙 사이의 영향 관계에 대해서는 강성현의 『한국 사상통제기제의 역사적 형성과 '보도연맹사건', 1925-50』(서울대학교 사회학과 박사 학위 논문, 2012) 참조. 강성현의 연구는 식민지기 일본제국이 운영한 사

상 사법과 전향자 관리의 정책이 한국전쟁기 제노사이드에 끼친 영향을 실증적으로 분석하였다.

68) 이미 상당한 규모의 학살이 자행된 이후인 1952년에도 보도연맹원에 대한 전향 조치들은 행정부뿐 아니라 국회 차원에서도 제도적으로 정비되고 있었다.(「돌아와 안겨라! 전향자여『보련원』포섭 심사요강 결정」,《동아일보》, 1952. 3.23.)

69) 박찬식, 「한국전쟁과 제주 지역사회의 변화 : 4·3사건과 전쟁의 연관성을 중심으로」, 『지역과 역사』 제27호, 부경역사연구소, 2010, 93~97쪽.

70) 강성현, 위의 책, 142쪽.

71) 지그문트 바우만, 위의 책, 195~196쪽.

72) 권헌익, 『전쟁과 가족』, 142~143쪽.

73) 권헌익, 『전쟁과 가족』, 164쪽.

74) 김동춘, 『전쟁과 사회』, 돌베개, 2000, 272~282쪽.

75) 최철영, 「한·일 과거사 청산과 이행기 정의 개념의 적용」, 『성균관법학』 제23권 2호, 2011, 239쪽.

76) 이영재, 「이행기 정의의 본질과 형태에 관한 연구」, 『민주주의와 인권』 12권 1호, 전남대학교 5·18연구소, 2012, 138쪽.

77) 이영재, 위의 글, 139~140쪽.

78) 김득중, 앞의 책, 412~413쪽.

79) 조르조 아감벤, 김상운·양창렬 옮김, 『목적 없는 수단』, 난장, 2009, 44~45쪽.

80) 역사학자 박찬승은 한국전쟁기에 일어난 학살과 같은 국가폭력과 전쟁 경험을 마을이라는 공간 내에 존재해왔던 관계와 대립의 문제로 설명한다. 그는 신분과 계급, 친족 집단 내 갈등과 마을 간 알력, 종교와 이념 등을 둘러싼 주민들 사이의 갈등 요인이 전쟁기 폭력의 전개에 있어 영향을 끼쳤음을 분석한다.(박찬승, 『마을로 간 한국전쟁』, 돌베개, 2010, 25~40쪽)

81) 조르조 아감벤, 박진우 옮김, 『호모 사케르』, 새물결, 2008, 159쪽.

82) 프랑스의 미학자 조르주 디디 위베르만이 아우슈비츠의 수용자들이 남긴 4장의 사진을 해석하는 과정에서 벌인 논쟁에서 그는 '쇼아에는 이미지가 있을 수 없다'는 란츠만의 문제의식을 속류화한 주장들과 싸우기도 했다.(조르주 디디 위베르

만, 오윤성 옮김,『모든 것을 무릅쓴 이미지들』, 레베카, 2017, 109쪽) 란츠만과 레비의 재현(증언) 불가능성에 대한 핵심적 논의가 증언자의 자격과 능력의 문제였음을 생각한다면 이미지가 있을 수 없는 것이라는 식의 접근은 논의의 핵심을 비켜난 것으로 보인다.

83) 조르조 아감벤, 정문영 옮김,『아우슈비츠의 남은 자들』, 새물결, 2012, 91쪽.

84) 프리모 레비, 이소영 옮김,『가라앉은 자와 구조된 자』, 돌베개, 2014, 24쪽.

85) 스탠리 코언, 조효제 옮김,『잔인한 국가 외면하는 대중』, 창비, 2009 191쪽.

86) 김동춘은 이러한 부정의 문제를 한국사회에서 국가폭력 희생자들이 겪는 3차적 피해라 설명했다.(김동춘,『전쟁정치』, 73쪽)

87) 권헌익,「냉전의 개념사적 이해」,『글로벌 냉전과 동아시아』, 서울대학교출판문화원, 2019, 119쪽.

88) 서중석,『조봉암과 1950년대·하』, 역사비평사, 1999, 739쪽.

89) 서중석, 위의 책, 710쪽.

90) 라울 힐베르크, 김학이 옮김,『홀로코스트, 유럽 유대인의 파괴』2, 개마고원, 2009, 1392쪽.

91) 니콜라이 호바니시안, 이현숙 옮김,『아르메니아인 제노사이드』, 한국학술정보, 2011, 150~151쪽.

92) 사만다 파워, 앞의 책, 56쪽.

93) 최호근,『제노사이드』, 책세상, 2022, 21~23쪽.

94) 김상기,『제노사이드 속 폭력의 법칙』, 선인, 2008, 120~121쪽.

95) 8가지 항목에 대해서 최호근은 다음과 같이 설명한다. ① 정치 : 창씨개명, 모든 정당의 해산, 자국민의 점령 지역 이주, 점령 지역에 살고 있는 자국민들에게 특권을 부여하고 그들을 통치의 앞잡이로 활용 ② 사회 : 저항의 구심점이 될 수 있는 지식인들과 성직자 제거, 점령국의 법체계 이식 ③ 문화 : 모국어 사용 금지, 초등교육과 직업 교육에 바탕을 둔 우민화 정책, 자국민 교사를 통해 점령국의 이데올로기 주입, 일체의 문화 활동 통제, 민족적 전통을 상기시키는 모든 기념비의 파괴와 문화 기관 폐쇄 ④ 경제 : 경제적 생존의 토대를 파괴하기 위해 토지와 기업 몰수, 일체의 상업 활동 금지, 은행 장악 ⑤ 종교 : 민족정신을 함양하는 종교 기관 탄

압, 성직자 제거, 청소년들에게 점령국의 대체 종교(이데올로기) 보급 ⑥ 도덕 : 포르노 책자와 영화 유포, 주류의 염가 보급, 도박 시설 조성 ⑦ 물리 : 식량 배급상의 차별, 의복·담요·난방 연료·의약품 공급의 엄격한 제한, 게토와 강제수용소 건설을 통한 거주 이전의 자유 박탈, 강제 이송과 집단학살 ⑧ 생물 : 혼인 허가제 도입, 노동 능력과 생식 능력을 갖고 있는 남성들의 타 지역 강제 이송, 강제 불임수술 시행. (최호근, 앞의 책, 26~27쪽)

96) 최호근, 앞의 책, 31쪽.

97) 최호근, 위의 책, 35~36쪽.

98) 필립 샌즈, 정철승·황문주 옮김, 『인간의 정의는 어떻게 탄생했는가』, 더봄, 2019, 180쪽. 악명 높은 나치 전범이었던 아돌프 아이히만이 인도에 반한 범죄로 처벌되었기 때문에 이를 제노사이드 처벌로 이해하는 경우가 많지만, 실제 두 법은 그 기본 전제가 크게 상충했다.

99) 김상기, 앞의 책, 125~126쪽.

100) 서중석, 「사실, 이렇게 본다 2 - 보도연맹」, 『내일을 여는 역사』 7호, 내일을여는 역사, 2012, 89~90쪽.

101) 최호근, 위의 책, 398~403쪽.

102) 김득중, 앞의 책, 561~573쪽.

103) 김득중, 위의 책, 402~405쪽.

104) 박명림, 「국민 형성과 내적 평정」, 『한국정치학회보』 36권 2호, 한국정치학회, 2002, 87~88쪽.

105) 힐베르크는 홀로코스트와 같은 제노사이드를 '파괴(Destruction)'로 명명하고, 이를 수행하였던 국가와 사회를 '파괴기계'라 이름 붙였다. 그는 '파괴기계' 개념을 홀로코스트 과정에 대한 독일의 전 사회가 연관되어 있다는 의미로 사용했지만 이를 곧 파괴기계와 독일 정부를 완전한 일치로 설명했다고 이해해서는 안 된다. 파괴기계에 의해서 수행된 '파괴'란 정부의 포괄적 행정 기능 중 일부이기에 이를 수행하는 핵심 기관과 역할, 기여도는 정부의 일반행정을 수행하는 조직 구성과 관계와는 구분된다고 보았기 때문이다. 즉 파괴기계는 그 기능과 역할에 최적화되어 "파괴라는 특정한 역할을 수행하는 정부"다.(라울 힐베르크, 김학이 옮김, 『홀로코

스트 유럽 유대인의 파괴』1, 개마고원, 2009, 106쪽)

106) 라울 힐베르크, 위의 책, 104~105쪽.

107) 라울 힐베르크,『홀로코스트 유럽 유대인의 파괴』2, 1453쪽.

108) 제노사이드를 5단계로 구분한 에릭 와이츠는 '주민의 범주화'를 두 번째 단계로 배치했으며, 8단계로 나눈 그레고리 스탠튼은 첫 번째 단계로 '분류(Classification)'를 제시한다. 7단계 분류를 사용한 울프와 헐시저도 제노사이드 진행의 첫 단계를 '외부 집단의 설정과 우월주의의 발흥'으로 제시했다. 김태우의 지적처럼 단계적 메커니즘을 제시한 학자들은 공통적으로 특정한 외부 집단을 상정하고 이를 타자화하는 과정을 제노사이드의 초기 단계로 보고 있다.(김태우,「제노사이드의 단계적 메커니즘과 국민보도연맹사건」,『동북아연구』제30권 1호, 2015, 조선대학교 사회과학연구원 부설 동북아연구소, 177~179쪽)

109) 지그문트 바우만, 정문영 옮김,『현대성과 홀로코스트』, 새물결, 2013, 104~116쪽.

110) 라울 힐베르크,『홀로코스트 유럽 유대인의 파괴』1, 125~132쪽. 나치당과 국가에 대한 공헌과 능력, 그리고 고위 인사들과의 관계 등 총통의 결정(또는 법원의 판단)에 의해 유대인이 민족성으로부터 '해방'될 수 있었다는 점은 피해자 집단의 정체성이 가해자에 의해 통제되고 만들어질 수 있음을 보여주는 대표적 사례다. 물론 이러한 조치는 주로 유대인 혼혈들이 그 대상이 되었지만, 민족적으로 명확하게 유대계이지만 기독교로 개종한 동유럽의 소수민족이 유대인이 아닌 것으로 분류된 사례도 있었다. 민족이란 속성조차 실은 전향의 논리처럼 제노사이드 과정에서 가해자에 의해 규정되고 통제될 수 있는 무언가였다.

111) 데틀레프 포이케르트, 김학이 옮김,『나치 시대의 일상사』, 개마고원, 2003, 319~334쪽.

112) '의학'은 제노사이드를 정당화하는 수사로서 활용되었는데, 홀로코스트는 독일의 정신병 환자와 장애인에 대한 안락사 계획과 연속되어 있었으며, 아이히만의 변호사 역시 제노사이드가 의학적 관점에서 수행되었다는 점을 지적했다.(한나 아렌트, 김선욱,『예루살렘의 아이히만』, 한길사, 2006, 130~131쪽)

113) 지그문트 바우만, 앞의 책, 166쪽.

114) 지그문트 바우만, 위의 책, 291~328쪽.

115) 조르조 아감벤, 박진우 옮김, 『호모 사케르』, 새물결, 2008, 38쪽.

116) 조르조 아감벤, 위의 책, 49쪽.

117) 조르조 아감벤, 김항 옮김, 『예외상태』, 새물결, 2009, 18~19쪽.

118) 카를 슈미트, 김항 옮김, 『정치신학』, 그린비, 2010, 16~26쪽.

119) 조르조 아감벤, 정문영 옮김, 『아우슈비츠의 남은 자들』, 새물결, 2012, 126~129쪽.

120) 김학재, 「한국전쟁기 대통령 긴급명령과 예외상태의 법제화」, 『사회와 역사』 91호, 한국사회사학회, 2011, 248~249쪽.

121) 토마스 렘케, 심성보 옮김, 『생명정치란 무엇인가』, 그린비, 2015, 105쪽.

122) 조르조 아감벤, 『아우슈비츠의 남은 자들』, 138~140쪽.

123) 허버트 허시, 앞의 책, 122~124쪽.

124) 푸코의 『광기와 처벌』과 같은 해에 출간되었던 미국의 사회작자 어빙 고프먼의 저서인 『수용소』가 이러한 수감자의 지하세계와 사회적 행위를 주목하는 대표적 연구이다.

125) 조르주 디디 위베르만, 김홍기 옮김, 『반딧불의 잔존』, 길, 2012, 71쪽.

126) 조르주 디디 위베르만, 위의 책, 99쪽.

127) 조르조 디디 위베르만, 오윤성 옮김, 『모든 것을 무릅쓴 이미지들』, 레베카, 2017, 70~72쪽.

128) 조르주 디디 위베르만, 『반딧불의 잔존』, 145쪽.

129) 박찬승, 앞의 책, 24쪽.

130) 박찬승, 위의 책, 49~51쪽.

131) 티모시 스나이더, 조행복 옮김, 『블랙 어스』, 열린책들, 2018, 222쪽.

132) 크리스토퍼 R. 브라우닝, 이진모 옮김, 『아주 평범한 사람들』, 책과함께, 2010, 261쪽.

133) 죙케 나이첼, 하랄트 밸처, 김태희 옮김, 『나치의 병사들』, 민음사, 2015, 485~486쪽.

134) 권헌익, 유강은 옮김, 『학살, 그 이후』, 아카이브, 2012, 36~39쪽.

135) 권헌익, 『학살, 그 이후』, 54쪽.

136) 다카하시 히데토시, 「'야스쿠니'와 '히로시마'」, 『기억과 전쟁』, 휴머니스트,

2009, 285쪽.

137) 권헌익, 박충호·이창호 옮김, 『베트남전쟁의 유령들』, 산지니, 2016, 126쪽.

138) 권헌익, 『학살, 그 이후』, 130쪽.

139) 권헌익, 『베트남전쟁의 유령들』, 49쪽.

140) 권헌익, 「전쟁과 민간신앙 : 탈냉전시대의 월남 조상신과 잡신」, 『民族과 文化』 12, 한양대학교 민족학연구소, 2003, 46~49쪽.

141) 권헌익, 『베트남전쟁의 유령들』, 23쪽.

142) 권헌익, 「냉전의 다양한 모습」, 『역사비평』 겨울호, 역사비평사, 2013, 226~227쪽.

143) 권헌익, 이한중 옮김, 『또 하나의 냉전』, 민음사, 2013, 112~119쪽.

144) 권헌익, 『베트남전쟁의 유령들』, 63~64쪽.

145) 권헌익, 『학살, 그 이후』, 191~220쪽.

146) 권헌익, 『또 하나의 냉전』, 121쪽.

147) 베네딕트 앤더슨, 윤형숙 옮김, 『상상의 공동체』, 나남, 2003, 58~63쪽.

148) 박찬승, 『민족·민족주의』, 삼화, 2016, 36~37쪽.

149) 앤서니 D. 스미스, 김인중 옮김, 『족류 – 상징주의와 민족주의』, 아카넷, 2016, 32~33쪽.

150) 앤서니 D. 스미스, 위의 책, 89쪽.

151) 앤서니 D. 스미스, 위의 책, 77~80쪽.

152) 데틀레프 포이케르트, 앞의 책, 255~256쪽.

153) 권헌익, 『또 하나의 냉전』, 28쪽.

154) 이영진, 「근대성과 유령」, 『애도의 정치학』, 도서출판 길, 2017, 29쪽.

155) 데틀레프 포이케르트, 앞의 책, 331~333쪽. 바우만은 홀로코스트의 실행을 위해 대다수 독일인들이 인종주의의 문화적 차별을 내면화하는 것이 필연적이진 않았다고 지적하지만(지그문트 바우만, 『현대성과 홀로코스트』, 138~139쪽) 인종주의의 문화적 전파에 대한 사회의 침묵을 필요로 했던 것 또한 사실이다. 극단화된 국가의 폭력은 저항의 역량을 보존하던 사회문화적 연대구조를 파괴해야만 했다.(데틀레프 포이케르트, 위의 책, 122쪽)

156) 노용석, 『국가폭력과 유해발굴의 사회문화사』, 산지니, 2019, 243~244쪽.

157) 권헌익, 정소영 옮김, 『전쟁과 가족』, 창비, 2020, 250쪽.

158) 조르주 디디 위베르만, 『반딧불의 잔존』, 85쪽.

159) 권헌익, 『또 하나의 냉전』, 119쪽.

160) 권헌익, 『학살, 그 이후』, 103~105쪽.

161) 정치적 기획에 의해서 규정되기 이전의 인간을 랑시에르는 '데모스(Demos)'라고 규정한다. 데모스는 정치에 의해서 경계가 그려진 공동체의 내부자인 오클로스가 될 수도 있고 그 경계 밖의 존재로 남을 수도 있다.(자크 랑시에르, 진태원 옮김, 『정치적인 것의 가장자리에서』, 길, 2013) 랑시에르는 데모스를 사회와 국가의 경계를 다시 그려낼 수 있는 능동적 주체로 그려낸다는 점에서 아감벤의 생명정치적 신체와 구분된다. 위베르만은 랑시에르의 정치적 주체가 가진 능동성을 아감벤의 반대편에 세우는데(조르주 디디 위베르만, 『반딧불의 잔존』, 109쪽) 본고에서도 이러한 관점을 받아들여서 인간을 능독적인 주체로서의 '데모스'로 정의할 것이다.

162) 권헌익, 『베트남전쟁의 유령들』, 185쪽.

163) 권헌익, 『베트남전쟁의 유령들』, 332쪽.

164) 권헌익은 이러한 변화를 90년대 이후 냉전사와 전쟁에 대한 새로운 관점이 구축되고 빨치산 등 반공국가에 의해서 배제되었던 이들이 복권되는 역사적 과정과 연결하여 설명하고 있는데, 이는 이 책이 설정하고 있는 이행기 정의 국면의 변화라는 인식을 공유하고 있다.(권헌익, 『전쟁과 가족』, 191~197쪽)

165) 권헌익, 『베트남전의 유령들』, 332쪽.

166) 지그문트 바우만, 『현대성과 홀로코스트』, 299쪽.

167) 바우만은 '타자와의 함께 있음'의 문제를 레비나스의 철학에 기대서 사유하려고 한다.(바우만, 『현대성과 홀로코스트』, 304~305쪽) 그러나 타자를 사유하는 레비나스의 철학은 유대교의 선험적 논리를 윤리적 실천의 차원으로 드러낸다는 점(윤대선, 『레비나스의 타자철학』, 문예출판사, 2009, 62~63쪽)에서 기성의 체계를 흔들고 변형시키는 타자의 근접성을 설명하는 데 적합하지 않다. 인간적 근접성에 의해서 기성의 공동체의 논리를 동요시키는 타자의 모습은 레비나스적인 '무한자로서의 타자'보다 오히려 알프레드 슐츠가 공동체에 이질적인 정체성을 가

지고 편입됨으로써 집단의 '자연적 태도'를 교란시킨다고 말한 이방인 개념에 가깝다.(김광기, 『이방인의 사회학』, 글항아리, 2014, 93쪽)

168) 지그문트 바우만, 『현대성과 홀로코스트』, 328쪽.

169) 제임스 C. 스콧, 전상인 옮김, 『지배, 그리고 저항의 예술』, 후마니타스, 2020, 31~32쪽.

170) 자크 랑시에르, 진태원 옮김, 『불화』, 길, 2015, 73쪽.

171) 벤자민 발렌티노, 장원석, 허호준 옮김, 『20세기의 대량학살과 제노사이드』, 제주대학교출판부, 2006, 129~131쪽.

172) 최호근, 『제노사이드 – 학살과 은폐의 역사』, 책세상, 2022, 12쪽.

173) 냉전 사학자 베스타는 이데올로기의 대립으로 흔히 이해되었던 냉전이 미국과 소련이라는 두 국가가 유럽적 근대성의 적자로서 근대화 기획을 확장시키기 위한 경쟁으로서의 성격이 있었다고 지적한다.(오드 아르네 베스타, 옥창준 옮김, 『냉전의 지구사』, 에코리브르, 2020, 24쪽)

174) 스탈린 시대의 대숙청과 기근은 국내를 향해 가해진 제노사이드였다.(최호근, 위의 책, 242~263쪽)

175) 허은, 『냉전과 새마을』, 창비, 2022.

176) 허은, 위의 책, 창비, 2022, 28~29쪽.

177) 제임스 C. 스콧, 전상인 옮김, 『국가처럼 보기』, 에코리브르, 2010, 24쪽.

178) 제임스 C. 스콧, 위의 책, 188쪽.

179) 스콧의 논의는 20세기 국가의 유토피아적 사회 기획이 실패한 이유를 하이 모더니즘의 문제에서 분석했지만, 이러한 태도를 보이는 사회적 주체를 국가로 한정한 것은 아니다. 그가 주목한 20세기의 사례에서 국가가 주도적 역할을 했을 뿐이며, 냉전 종식 이후 세계화 국면에서는 그와 같은 역할이 기업에 넘어갔다고 지적한다.

180) 미셸 푸코, 오생근 옮김, 『감시와 처벌』, 나남, 2003, 59~60쪽.

181) 제임스 C. 스콧, 앞의 책, 26쪽.

182) 이청준, 「소문의 벽」, 『소문의 벽』, 문학과지성사, 2011, 219쪽.

183) 권헌익, 『전쟁과 가족』, 창비, 2020, 143쪽.

184) 지그문트 바우만,『현대성과 홀로코스트』, 291쪽.

185) 지그문트 바우만, 위의 책, 194쪽.

186) 제임스 C. 스콧,『국가처럼 보기』, 508쪽.

187) 제임스 C. 스콧, 전상인 옮김,『지배, 그리고 저항의 예술 – 은닉대본』, 후마니타
스, 2020, 69쪽.

188) 제임스 C. 스콧, 위의 책, 12쪽.

189) 제임스 C. 스콧, 위의 책, 380쪽.

190) 박완서 소설의 자기 재현 문제에 대해서는 3부 2장에서 주요하게 다룰 것이다.

191) 제임스 C. 스콧, 위의 책, 259쪽.

192) 김재웅,『고백하는 사람들』, 푸른역사, 2020, 17쪽.

193) 김재웅, 위의 책, 76쪽.

194) 황호덕,「피와 문체, 종이 위의 전쟁 – 중일전쟁에서 한국전쟁까지, 덧씌워진 일
기장을 더듬어」,『동악어문학』제54집, 동악어문학회, 2010, 168쪽.

195) 제임스 C. 스콧, 위의 책, 374쪽.

196) 노용석,『박희춘1933년2월26일생』, 눈빛, 2005, 246~247쪽.

197)「겨울 골짜기 1, 2〈金源一 지음〉」,《매일경제》, 1994. 7. 3.

198) 대표적인 사례가 정지아의 장편소설『빨치산의 딸』이다. 소설이 출간된 직후인
1991년에 작가뿐 아니라 출판사까지 표적이 되어 실천문학사가 압수수색을 당하
고 이석표 사장이 구속되고 책이 압수당하는 등 이적표현물로 지정되어 고초를
겪었다. 91년 당시 90~91년 사이에 출판인과 예술인이 구속된 사례가 42명에 달
했다는 사실(「구속 藝術人 출판인 文化部 발족후 42명」,《동아일보》, 1991.09.16)
은 민주화 이후에도 재현에 대한 반공국가의 탄압이 일거에 사라진 것이 아님을
잘 보여준다.

199) 4·3항쟁의 재평가는 1980년대 중반부터 민중운동과 긴밀하게 결합되어서 민
중운동의 주요 의제인 '민주화', '자주 국가', '남북통일'의 문제와 연결된 민중운동
의 직접 사례로 의미화되었다.(이남희, 이경희·유리 옮김,『민중 만들기』, 후마니
타스, 2015, 112~113쪽)

200) "어떤 사람이 국가의 봉쇄 대상과 혈연관계라서 불법적인 존재가 된다면, 그 사

람의 시민으로서의 법적 지위에 대한 요구는 그 관계를 합법화하는 일과 관련이 있다. 이러한 합법화를 위해 친족이 세계의 접경에서 양극화 세계를 해체하는 중심이자 관용적이고 민주적인 사회를 만들어 나가는 강력한 힘으로서 부각되는 것이다."(권헌익, 『또 하나의 냉전』, 139~140쪽)

201) 자크 랑시에르, 『정치적인 것의 가장자리에서』, 양창렬, 길, 2013, 225쪽.

202) 프리모 레비, 앞의 책, 24쪽.

203) 스탠리 코언, 앞의 책, 59~62쪽.

204) 허버트 허시, 앞의 책, 70~71쪽.

205) 엘리자베스 로즈너, 서정아 옮김, 『생존자 카페』, 글항아리, 2021, 321쪽.

206) 허호준, 『4·3, 19470301-19540921』, 혜화1117, 2023, 331쪽.

207) 고성만, 「4·3 과거청산과 '희생자'」, 『탐라문화』 38권, 제주대학교 탐라문화연구소, 2011, 261~269쪽.

208) 지그문트 바우만, 『현대성과 홀로코스트』, 277~278쪽.

제2부 문학적 이행기 정의의 형성기 : 1972~1987

1) '손가락총'에 의해 지명된 이들이 당한 처형은 정식적인 재판이나 조사 절차 없이 법적 효력이 없는 즉결심판·즉결처형이었다.(정병준, 「공포와 관용 : 한국전쟁기 부역자 처벌의 이중성과 그 유산」, 『역사와 현실』 123, 한국역사연구회, 2022, 359쪽)

2) 제노사이드가 어떠한 경로를 거쳐서 이루어졌는가를 연구하는 단계적 연구를 해온 연구자들 역시 대부분 '정의' 개념과 유사한 '주민의 범주화', '분류' '외부 집단 (out-group)의 설정' 등을 제노사이드의 진행으로 가는 첫 번째에서 두 번째 단계로 보고 있다.(김태우, 「제노사이드의 단계적 메커니즘과 국민보도연맹사건」, 『동북아연구』 제30권 1호, 조선대학교 사회과학연구원 부설 동북아연구소, 2015, 177~179쪽)

3) 노순자, 「산울음」, 『산울음 – 거창양민학살사건의 민중문학적 성과』, 전예원, 1989, 25~26쪽.

4) 현기영, 「순이 삼촌」, 『순이 삼촌』, 창비, 2015, 66쪽.

5) 이졸데 카림, 이승희 옮김, 『나와 타자들』, 민음사, 2019.

6) 김명희, 「한국의 국민형성과 '가족주의'의 정치적 재생산」, 『기억과 전망』 21호, 한국민주주의연구소, 2009, 254쪽.

7) 김동춘, 『전쟁과 사회』, 돌베개, 2000, 276~277쪽.

8) 김명희, 위의 책, 254쪽.

9) 권헌익, 정소영 옮김, 『전쟁과 가족』, 창비, 2020, 143쪽.

10) 김동춘, 『반공자유주의』, 필요한책, 2021, 40~41쪽.

11) 강성현, 『한국 사상통제기제의 역사적 형성과 '보도연맹 사건', 1925-50』, 서울 대학교 사회학과 박사 학위 논문, 2012, 170쪽.

12) 김재웅, 『고백하는 사람들』, 푸른역사, 2020, 76쪽.

13) 권헌익, 『전쟁과 가족』, 147쪽.

14) 현기영, 『지상에 숟가락 하나』, 실천문학사, 1999, 53쪽.

15) 제임스 C. 스콧, 전상인 옮김 『국가처럼 보기』, 에코리브르, 2010, 137쪽.

16) 최봉영, 『주체와 욕망』, 사계절, 2000, 274~276쪽.

17) 제임스 C. 스콧, 위의 책, 112~118쪽. 한국사회에서는 특히 본관이라는 개념이 유교 국가의 행정체계와 긴밀하게 결합되어 있었다.(김은희, 「한국의 부계친족 집 단과 친족이론」, 『한국가족과 친족의 인류학』, 서울대학교출판문화원, 2018, 68 쪽)

18) 최원식 외, 『4월 혁명과 한국문학』, 창비, 2002, 41~42쪽.

19) 류동규, 「김승옥 소설에 나타난 유년기 경험과 감정의 윤리학」, 『어문학』 145집, 한국어문학회, 2019, 286쪽.

20) 유임하, 「공포증과 마음의 검열관」, 『반공주의와 한국문학』, 글누림, 2020, 137쪽.

21) 80년대의 한 대담에서 박완서는 자신이 한국전쟁기에 목격한 모든 죽음을 인민 군에 의한 가해행위로 그려왔다고 고백한다.(박완서 외, 「6·25 분단문학의 민 족동질성 추구와 분단극복 의지」, 『한국문학』 6월호, 한국문학사, 1985, 49쪽)

22) 강용운, 「박완서 작품에 나타난 한국전쟁의 기억과 주체의 형성」, 『인문학술』 1호, 순천대학교 인문학술원, 2018, 152쪽.

23) 권명아, 『한국전쟁과 주체성의 서사 연구』, 연세대학교 대학원 박사 학위 논문, 2001, 133쪽.

24) 김원일, 권오룡, 「열정으로 지켜온 글쓰기의 세월」, 『김원일 깊이 읽기』, 문학과 지성사, 2002, 36쪽.

25) 박찬효, 「김원일의 『노을』에 나타난 '죽은' 아버지의 귀환과 이중 서사 전략」, 『문학이론과비평』 58, 한국문학이론과비평학회, 2013, 242~245쪽.

26) 김윤식, 「문학사적 개입과 논리적 개입」, 『문학과사회』 겨울호, 문학과지성사, 1991, 1515쪽.

27) 피학살 유가족들 사이에서 자신이 (반공) 국민이라는 사실을 증명하기 위해서 반공국가와 정권에 적극적으로 협력하는 모습을 보이던 사례는 상당히 빈번했다.(한성훈, 『가면권력』, 후마니타스, 2014, 209쪽)

28) 현기영, 「잃어버린 시절」, 『아스팔트』, 창비, 2015, 39쪽.

29) 김명희, 위의 책, 258쪽.

30) 김명희, 위의 책, 278쪽.

31) 권헌익은 바우만이 홀로코스트에 대한 연구에서 원예사 국가에 대한 가장 큰 위협으로 여겼던 양가적 성격이 냉전기 국가폭력에 맞서는 가족의례가 가진 주요한 성격이라고 지적했다.(권헌익, 유강은 옮김, 『학살, 그 이후』, 아카이브, 2012, 161쪽)

32) 권헌익, 『학살, 그 이후』, 26쪽.

33) 조지 L. 모스, 『전사자 숭배』, 오윤성 옮김, 문학동네, 2015, 13쪽.

34) 강인철, 『전쟁과 희생』, 역사비평사, 2019, 68~69쪽.

35) 강인철, 위의 책, 54쪽.

36) 표인주, 「한국전쟁 희생자들의 죽음 처리방식과 의미화 과정에 관한 고찰」, 『민속학연구』 15호, 국립민속박물관, 2004, 176~177쪽.

37) 지그문트 바우만, 위의 책, 166쪽.

38) 강성현, 「'아카'(アカ)와 '빨갱이'의 탄생」, 『사회와 역사』 100호, 한국사회사학회, 2013, 263쪽.

39) 4·19혁명 이전에도 제노사이드 희생자들을 공적 애도의 대상으로 회복시키려

는 노력이 없었던 것은 아니다. 이승만의 정적이었던 조봉암은 빨갱이로 몰려 희생된 이들을 '피해 대중'이라고 호명하면서 이념적 기준 대신에 피해자의 성격을 부각하며 정치적으로 이들의 애도 받을 권리를 회복하고자 했다.(서중석, 『조봉암과 1950년대 하』, 역사비평사, 2000, 531~539쪽)

40) 조르조 아감벤, 정문영 옮김, 『아우슈비츠의 남은 자들』, 새물결, 2012, 108~109쪽.

41) 표인주, 「전쟁경험과 공동체문화」, 『전쟁과 사람들』, 한울아카데미, 2003, 155쪽.

42) 이동진, 「국민과 비국민의 경계 : 피학살자 유족회 사건을 중심으로」, 『사회와 역사』 101호, 한국사회사학회, 2014, 164쪽.

43) 권헌익, 박충환·이창호·홍석준 옮김, 『베트남전쟁의 유령들』, 산지니, 2016, 178쪽.

44) 이남희, 이경희·유리 옮김, 『민중 만들기』, 후마니타스, 2015, 299~337쪽.

45) 권헌익, 이한중 옮김, 『또 하나의 냉전』, 민음사, 2013, 129쪽.

46) 임철우·윤여환, 「산 자와 죽은 자, 과거와 현재」, 『기억과 기억들』, 씽크스마트, 2017, 144~145쪽.

47) 임철우, 「개도둑」, 『아버지의 땅』, 문학과지성사, 1996, 264쪽.

48) 표인주, 위의 책, 166~169쪽.

49) 권헌익, 『학살, 그 이후』, 154쪽.

50) 문순태 외, 「상처의 기억과 공동체적 삶」, 『기억과 기억들』, 88~98쪽.

51) 최창근, 「문순태 소설의 탈향 모티프와 서사성」, 『어문논총』 16권, 전남대학교 한국어문학연구소, 2005, 283~284쪽.

52) 최창근, 위의 책, 281쪽.

53) 문순태, 「이어의 눈」, 『인간의 벽』, 나남, 1984, 142쪽.

54) 문순태, 「거인의 밤」, 위의 책, 179~180쪽.

55) 지그문트 바우만, 위의 책, 243쪽.

56) "홀로코스트의 여파 속에서 법률 관행도, 따라서 도덕 이론도 도덕(성) 그 자체가 사회적으로 지지 받는 원칙들에 대한 불복종으로, 그리고 사회연대 및 사회합의를 공개적으로 부정하는 행동으로 자신을 드러낼 가능성에 직면했다."(지그문트 바우만, 위의 책, 296쪽.)

57) 제주4·3으로 직계혈족이 부재한 상황에서 제사의 의무를 대신했던 방계혈족 (먼 친척이나 때로는 외가 등)들은 이후 국가로부터 유가족의 자격을 확인받는다. 가부장적 국가의 시선에서 인정되어 왔던 직계가족의 범주가 제사와 매장이라는 가족의례를 통해 재구조화된 것이다.(한혜경, 김석윤, 허윤순,「제주4·3사건 직계 부재 희생자에 대한 방계혈족의 기념의례와 인정투쟁」,『민주주의와 인권』19권 2호, 전남대학교 5·18연구소, 2019, 145~146쪽)

58) 권헌익,『베트남전쟁의 유령들』, 329쪽.

59) 주디스 버틀러, 윤조원 옮김,『위태로운 삶』, 필로소픽, 2018, 13쪽.

60) 이창현,『1960년대 초 피학살자유족회 연구』, 성균관대학교 사학과 박사 학위 논문, 2018, 69~70쪽.

61) 한성훈, 위의 책, 295쪽.

62) 한성훈, 위의 책, 304~305쪽.

63) 김기진,『끝나지 않은 전쟁 국민보도연맹』, 역사비평사, 2002, 281쪽.

64) 이창현, 위의 책, 172~175쪽.

65) 김기진, 위의 책, 282쪽.

66) 이창현, 위의 책, 203쪽.

67) 박정희의 형인 박상희는 1946년 10월 대구10월항쟁 당시 선산군 인민위원회 간부로 그 지역에서 지역민들의 항쟁을 주도했다가 경찰 진압부대에 사살당했다.(김상숙,『10월 항쟁』, 돌베개, 2016, 156쪽) 박정희는 1960년에 마산 유족회에 전화를 하여 "내도 유족인데, 점심 사면 안 되겠심니꺼?"라며 유족회 간부와 만나려고 했었다는 증언이 있고 형수 조귀분의 유족회 활동을 돕기 위해서 유해 발굴 과정에 군 트럭을 보내주기도 했었다.(「박정희의 전화 "내가 점심 사면 안 되겠심니꺼?"」,《오마이뉴스》, 2020.11.30.) 이러한 증언을 살펴볼 때 박정희는 스스로를 반공국가에 의한 피학살 유족으로 인식했던 것으로 보인다.

68) 박상희의 아내이고 김종필의 장모였던 조귀분은 대구의 피학살자유족회 간부로 활동했는데, 사형 판결을 받은 이원식과 같은 단체에서 활동했었다. 그래서 이원식의 가족이 조귀분을 찾아와 도움을 구하기도 했었다.(한성훈, 위의 책, 313쪽)

69) 김명훈,「'학살은 재현될 수 있는가'라는 질문을 역사화하기」,『동악어문학』79,

동악어문학회, 2019, 26쪽.

70) 한성훈, 위의 책, 195쪽.

71) 삼월은 자신의 기도가 어떤 신적 존재를 향하고 있는지 구체적으로 생각하지 않는다. "절을 올리는 대상은 하느님이나 조물주 혹은 천지신명, 그러니까 이 세상 모든 것을 주관하고 섭리하시는 분"(186)이라 모호하게 생각할 뿐이다.

72) 「산울음」과 「분노의 메아리」를 거창사건을 소재로 한 다른 작품들과 비교하여 분석한 김명훈은 노순자가 역사적 사건으로서의 학살에 대한 재현을 "인간의 존재론적인 윤리로 초월"하는 것이 문학적 작업으로써 적절했는지 비판적으로 묻는다.(김명훈, 위의 책, 32~33쪽)

73) 노순자의 전작인 「분노의 메아리」에서는 진상조사를 방해하기 위한 군의 공작으로 시신을 유기하거나 폭탄 등으로 파괴하는 과정이 나온다. 학살 희생자들은 죽은 자로서 누려야 할 최소한의 권리조차 박탈당한 것이다.

74) 정종현, 「4·3과 제주도 로컬리티」, 『현대소설연구』 58, 한국현대소설학회, 2015, 41쪽.

75) 제주4·3사건 진상규명 및 희생자 명예회복 위원회, 『제주4·3사건 진상조사보고서』, 제주4·3사건 진상규명 및 희생자 명예회복 위원회, 2003, 433쪽.

76) 당시 학살 사건의 피해를 입었던 지역인 한림면 용수리의 이름을 바꾼 것으로 추정된다.

77) 제주4·3평화재단, 『제주 4·3사건 추가진상조사보고서 1』, 제주4·3평화재단, 2019, 479쪽.

78) 백조일손유족회, 『백조일손 영령 60년사 - 섯알오름의 한』, 제주4·3연구소, 2010.

79) 권헌익, 『전쟁과 가족』, 221쪽.

80) 표인주, 앞의 글, 170쪽.

81) 군부 세력에 의해 4·3유족회 간부들이 구금되었던 사례는 있지만 실제 처벌까지 이어지지는 않았다. 실제 군부의 표적이 되었던 단체는 '제주4·3사건규명동지회'로 이 단체의 간부 4명이 구금되었다.(이창현, 위의 책, 174~203쪽)

82) 현재 백조일손지지 옆에는 당시 군부가 파괴한 묘비가 조각난 상태로 보존되어

당시의 폭력을 보여주는 증거로 전시되고 있다.

83) 노용석, 『국가폭력과 유해발굴의 사회문화사』, 산지니, 2019, 112쪽.

84) 현기영, 「목마른 신들」, 『마지막 테우리』, 창비, 2015, 99쪽.

85) 홍기돈, 「자연아의 정동(情動)과 오래된 미래로서의 공동체주의」, 『춘원연구학보』 제16호, 춘원연구학회, 2019, 343쪽.

86) 현기영, 『바다와 술잔』, 화남, 2002, 193쪽.

87) 권헌익, 위의 책, 101쪽.

88) 자크 랑시에르, 진태원 옮김, 『불화』, 길, 2015, 73쪽.

89) 김윤식, 정호웅, 『한국소설사』, 문학동네, 2013, 395쪽.

90) 홍소연, 『젠더 관점에 따른 제노사이드 규범의 재구성』, 경인문화사, 2011, 70쪽.

91) 베로니크 나움-그라프, 이은민 옮김, 「전쟁과 성의 차이 : 체계적인 강간」, 『폭력과 여성들』, 동문선, 2002, 174쪽.

92) 죙케 나이첼, 하랄트 벨처, 김태희 옮김, 『나치의 병사들』, 민음사, 2015, 254~268쪽. 특히 전쟁으로 인한 '성적 기회'는 남성 군인들에게는 당연한 것이지만, 독일의 여성들이 이를 활용하려고 할 경우 '번개녀'라는 꼬리표가 붙고 비난의 대상이 되기도 했다. 전쟁과 학살 과정에서 수행된 성적 폭력은 가부장제적 성윤리가 만들어낸 성별 위계를 가해자들 사이에서도 재확인했다.

93) 김귀옥, 「한국전쟁기 한국군에 의한 성폭력의 유형과 함의」, 『구술사연구』 3권 2호, 한국구술사학회, 2012, 13~23쪽.

94) 김귀옥, 위의 책, 27~28쪽.

95) 현기영, 『순이 삼촌』, 79~80쪽.

96) 권귀숙, 「제주4·3의 진상규명과 젠더 연구」, 『탐라문화』, 탐라문화연구원, 2014, 177~181쪽. 권귀숙은 성폭력이 피해의 유형화에서 배제되는 경향이 4·3특별법과 같은 한국의 이행기 정의 법률뿐 아니라 해외의 사례에서도 마찬가지라는 점을 지적했다.

97) 권귀숙, 위의 책, 182쪽.

98) 박상란, 「제주4·3에 대한 여성의 기억 서사와 '순경 각시'」, 『Journal of Korean Culture』 45, 한국어문학국제학술포럼, 2019, 311~312쪽.

99) 박상란, 위의 책, 318~323쪽.

100) 김원일의 소설 등에서 좌익이었던 가족 때문에 경찰에 붙잡혀가서 고문당하는 여성이 등장하기도 했지만, 이 고문의 서사에서는 성적 폭력의 맥락들이 등장하지 않는다. 이는 실제 사건의 성격을 반영한 것일 수도 있지만, 여성을 향한 폭력에서 성적 요소를 지우고 재현하는 경향이 반영된 것일 수도 있다.

101) 국민보도연맹 사건의 유가족들이 경험한 연좌제 피해에서 「소지」의 성국이 경험한 사관학교와 같은 입학시험에서의 차별과 취직이나 승진에서의 불이익, 국내외 여행 및 출입국 좌절, 일상생활 감시 등은 전체 피해 신고 사례의 50%에 해당할 정도로 빈번하게 있었다.(김동춘, 「분단이 낳은 한국의 국가폭력」, 『민주사회와 정책연구』 23, 한신대학교 민주사회정책연구원, 2013, 129쪽)

102) 이창동, 「소지」, 『소지』, 문학과지성사, 2003, 112쪽.

103) 한국전쟁기에 발생한 국가폭력 등을 소재로 한 이창동의 소설 속에서 가족의 위기는 제사와 같은 제의의 형식을 통해서 치유를 향해 나아가는 전환을 맞는다.(이내관, 「분단소설에 나타난 가족서사와 화해의 논리」, 『한국문예비평연구』 48, 한국현대문예비평학회, 2015, 134쪽)

104) 이성숙, 「한국전쟁에 대한 젠더별 기억과 망각」, 『여성(들)이 기억하는 전쟁과 분단』, 아르케, 2013, 61쪽.

105) 권귀숙, 위의 책, 182쪽.

106) 자크 랑시에르, 위의 책, 73쪽.

107) 허윤, 「한국전쟁과 히스테리의 전유」, 『여성문학연구』 21, 한국여성문학회, 2009, 98쪽.

108) 김연주·이재경, 「근대 '주부' 주체의 구성과 갈등」, 『여성(들)이 기억하는 전쟁과 분단』, 아르케, 2013, 172~173쪽.

109) 권명아, 위의 책, 112쪽.

110) 박완서, 「카메라와 워커」, 『부끄러움을 가르칩니다』, 문학동네, 2013, 365쪽.

111) 이선미, 「'부역 (혐의)자' 서사와 냉전의 마음」, 『한국문학연구』 65집, 동국대학교 한국문학연구소, 2021, 368쪽.

112) 박완서, 「카메라와 워커」, 379~380쪽.

113) 70년대 박완서의 다른 작품들에서도 좌익 가족이기 때문에 안정된 사회적 삶이 방해를 받는 상황이 반복적으로 등장한다. 「세상에서 가장 무거운 틀니」에서는 전쟁 때 인민군 의용군으로 올라갔다가 행방불명이 된 오빠가 남파 간첩으로 내려올 것이라는 소식에 '나'의 남편은 해직될 것을 불안해하고, 「돌아온 땅」에서 '나'의 자녀들은 월북한 삼촌 때문에 연좌제에 묶여서 취업과 결혼에 큰 장벽을 경험한다.

114) 권명아, 위의 책, 124쪽.

115) 고시홍, 「도마칼」, 『4·3島 유채꽃』, 전예원, 1988, 315~316쪽.

116) 이창동, 「친기(親忌)」, 『소지』, 문학과지성사, 2003, 75~76쪽.

117) 로렌 켄달, 김성례·김동규 옮김, 『무당, 여성, 신령들』, 일조각, 2016, 72쪽.

118) 권헌익, 『전쟁과 가족』, 225쪽.

119) 이창동, 「친기」, 83쪽.

120) 작품 속에서 구체적으로 언급되지 않지만 실제 박완서의 경험처럼 1972년 7·4 남북공동성명이 그 시점일 것이라 추정된다.

121) 백윤경, 「분단의 경험과 여성의 시선」, 『현대문학이론연구』 51, 현대문학이론학회, 2012, 251~252쪽.

122) 박완서, 「세상에서 제일 무거운 틀니」, 『부끄러움을 가르칩니다』, 문학동네, 2013, 88쪽.

123) 박완서, 「겨울 나들이」, 『배반의 여름』, 문학동네, 2013, 29쪽.

124) 신샛별, 「정치적 텍스트로서의 박완서 소설」, 『동악어문학』 제72집, 동악어문학회, 2017, 218~219쪽.

125) 박완서, 「돌아온 땅」, 『배반의 여름』, 문학동네, 2013, 160쪽.

126) 차미령, 「박완서 소설에 나타난 '주술'과 '생존'의 문제」, 『대중서사연구』 제22권 3호, 대중서사학회, 2016, 90~99쪽.

127) 김성례, 「국가폭력의 성정치학」, 『흔적』 2호, 문화과학사, 2001, 285쪽.

128) 김성례, 위의 책, 288~289쪽.

129) 소설에서 집으로 돌아온 노파가 마을 여자들에게 하는 이야기는 오히려 미군과 성폭력의 공포를 분리하려고 한다. 그는 자신이 미군을 따라갔으니 망정이지

일본군이나 소련군이 상대였다면 성폭력을 당했거나 살해당했을 것이라고 말한다. 이 이야기를 전하는 소설의 화자는 노파의 말이 "그 정도의 세계관은 이 땅에 태어난 사람의 기본적인 상식"(박완서, 「그 살벌했던 날의 할미꽃」, 293쪽)이라 덧붙인다. 소련군에 비해 미군의 정당성을 보여주는 이러한 일화의 삽입은 동맹인 미군 성폭력의 위협에 대한 고발과 비판의 강도를 낮추는 소설적 장치로 보인다. 90년대에 발표한 작품에서는 오히려 정반대로 성폭력 문제에 있어서는 인민군보다는 미군과 한국군이 더 위험했다고 이야기한다.(박완서, 『그 산이 정말 거기에 있었을까』, 웅진, 2005, 이선숙, 위의 책에서 재인용)

130) 이선숙, 위의 책, 73쪽.

131) 한국전쟁을 기점으로 한국 정부와 군은 미군을 대상으로 한 성매매 여성, 즉 '미군 위안부'들에 대한 관리와 통제를 시행했으며 전후 미군기지촌의 형성과 함께 '묵인-관리 체제'를 90년대 중반까지 수십 년간 유지해왔다.(박정미, 「한국 기지촌 성매매정책의 역사사회학, 1953~1995년」, 『한국사회학』 제49집 2호, 한국사회학회, 2015, 9~13쪽)

132) 문승숙, 이현정 옮김, 『군사주의에 갇힌 근대』, 또 하나의 문화, 2007, 119~125쪽. 피임 및 불임수술은 남성을 대상으로도 적극 권장되었지만, 이러한 인구통계학적 관리정책이 가부장제 가족을 회복하기 위해 일하는 여성을 가정주부로 귀속시킨 이후 군부의 사실상 유일한 국가적 과제로서의 여성 정책이었다는 점에서 중요했다.

133) 김은하, 「젠더화된 전쟁과 여성의 흔적 찾기」, 『여성문학연구』 43, 한국여성문학학회, 2018, 324~325쪽.

134) 전쟁의 기억과 미군 기지촌을 중심으로 한 성산업을 소설 속에서 반복적으로 그려온 박완서의 문학에서 성산업에 대한 공포와 함께 미군 PX와 같은 '별세계'를 자신의 욕망을 충족시킬 수 있는 공간으로 활용하려는 여성의 양가적 마음이 함께 그려진다. 이는 가부장제 성윤리의 이분법적 도식(순결한 여성 대 그렇지 않은 여성)이 여성의 현실적 삶에 적용될 수 없음을 보여준다.

135) 니콜 페이야드, 「강간, 트라우마, 그리고 수치심」, 『여성의 수치심』, 글항아리, 2022, 96쪽.

136) 박명림은 2019년 UN본부에서 진행된 '제주4·3 UN인권 심포지엄'에서 4·3
의 대립을 극복하기 위해 마을 단위의 상생과 해원을 위한 합동 위령 시설을 건립
한 애월읍 하귀마을의 사례를 '제주 화해상생 모델'으로 명명하면서 한국에서뿐
아니라 전세계의 이행기 정의 과정에서 참고할 수 있는 보편적 화해 모델로 제시
했다.(박명림, 「'제주4·3 화해 모델'의 전국화, 보편화, 항구화」, 『제주4·3 UN인
권 심포지엄』, 주UN대한민국대표부, 2019, 136~139쪽)

137) 홍소연, 위의 책, 156~157쪽.

138) 김은실, 「국가폭력과 여성 : 죽음 정치의 장으로서의 4·3」, 『4·3과 역사』, 제주
4·3연구소, 2018, 213쪽.

139) 반면에 민주화 이후 성폭력 문제에 대한 사회적 기억을 성공적으로 구축한 사
례로 일본군 '위안부' 운동과 일본군 '위안부' 피해자들의 증언의 사례가 있다. 일
본군 '위안부' 운동은 한국의 이행기 정의 뿐 아니라 탈냉전기 전쟁 기억의 전환에
서 있어서도 중대한 변화를 가져온 사건이었다. 제노사이드문학에서의 증언·재
현과 일본군 '위안부' 운동의 증언·재현은 한국의 이행기 정의 국면과 문학이 만
나는 지점을 해명하기 위해 향후 연구해야 할 과제로 남겨져 있다.

140) 하정일, 「『태백산맥』과 '빨치산문학'」, 『원우논집』 17, 연세대 대학원, 1990,
87쪽.

141) 「소설의 새 광맥 – 해방전후사」, 《동아일보》, 1987.4.9.

142) 1980년부터 1995년까지 연재의 중단과 재개가 반복되었던 『불의 제전』은 85
년까지 연재된 1부와 이후 2, 3분에서 소설의 초점이 상당히 달라졌다.(김명훈,
『김원일 소설에 나타난 '문학적 증언'의 미학과 윤리 연구』, 서울대학교 국문학과
박사 학위 논문, 2018, 145쪽) 전쟁의 총체성을 보여주려고 했다는 점에서 『태백
산맥』과 비교하는 하정일의 평가는 1980년대 중반까지 발표된 『불의 제전』의 내
용을 바탕으로 한 것이다. 『불의 제전』의 시기별 내용 변화와 개작에 대해서는 4
부 3장에서 상세히 다룰 것이다.

143) 김원일·김윤식·윤흥길·전상국, 「통시적 시각과 가족구조」, 『문예중앙』 여름
호, 중앙일보사, 1984, 191쪽.

144) 박숙자, 「'빨치산'은 어떻게 '빨갱이'가 되었나」, 『대중서사연구』 27권 2호, 대중

서사학회, 2021, 145~146쪽.

145) 김윤식, 「지리산의 사상 – 이병주의 《지리산》론」, 『문학사와 비평』 1, 문학사와 비평학회, 1991, 235쪽.

146) 박명림, 『역사와 지식과 사회』, 나남, 2011, 90~91쪽.

147) 차선일, 「이병주의 『지리산』에 나타난 한국전쟁의 재현 양상」, 『高凰論集』 45, 慶熙大學校 大學院, 2009, 67쪽.

148) 이강은, 「빨치산의 문학적 형상화」, 『실천문학』 12, 실천문학사, 1988, 444쪽.

149) 권영민, 『『태백산맥』 다시 읽기』, 해냄출판사, 1996, 118쪽.

150) 서경석, 「『태백산맥』론 – 비극적 역사의 전환을 위하여」, 『문학사와 비평』 1, 문학사와 비평학회, 1991, 277~280쪽.

151) 이혜령, 「빨치산과 친일파」, 『大東文化硏究』 100, 성균관대학교 대동문화연구원, 2017, 454쪽.

152) 출판자율화조치 이후 복간 및 재창간된 문예지들 다수는 빨치산이나 좌익가족사, 한국전쟁기의 학살 등 반공국가의 공식기억에 의해 억압된 과거사를 소환하는 작품들을 경쟁적으로 발표하는 장이었다. 민주화 이후 문예지에서의 과거사 재현에 대해서는 3부 1장에서 자세히 다룰 것이다.

153) 1989년에 『실천문학』에 연재하던 당시에는 '연재실록'으로 표기되었다.

154) 정지아, '작가의 말', 『빨치산의 딸』 상, 실천문학사, 1990, 6쪽.

155) 서경석은 빨치산 인물에 대한 작가의 비판적 거리감이 이문열의 『영웅시대』뿐 아니라, 조정래의 『태백산맥』에서조차 나타난다고 지적하면서 그 시선의 일치가 정지아가 가진 주요한 특징이라 설명했다. 서경석, 「빨치산의 딸에서 작가가 되기까지」, 『실천문학』 봄호, 1991, 262쪽.

156) 정지아, 『빨치산의 딸』 1, 필맥, 2005, 63쪽.

157) 정지아, 「복간본을 내며」, 『빨치산의 딸』 1, 필맥, 2005, 6쪽.

158) 이혜령, 위의 글, 454쪽.

159) 김원일, 『겨울 골짜기』 1, 민음사, 1987, 6쪽.

160) 김명훈, 「'학살은 재현될 수 있는가'라는 질문을 역사화하기」, 『동악어문학』 79, 동악어문학회, 2019, 19쪽.

161) 김원일은 자신이 진보와 보수 어느 쪽도 아닌 중도적 입장에서 평생 글을 써왔
다고 밝힌다.(김원일, 「머리글」, 『아들의 아버지』, 문학과지성사, 2013, 8~9쪽)

162) 이는 그의 또 다른 대표작인 장편소설 『노을』(1978)이 민족·민중문학 진영의
비평가들로부터 반공문학이라 비판받았던 것과 대조적이다.(홍정선, 「기억의 굴
레를 벗는 통과 제의」, 『노을』, 문학과지성사, 1997, 367~368쪽)

163) 1990년대 이후 김원일은 『노을』의 1991년 판의 출간을 시작으로 2010년까지
좌익 가족사와 한국전쟁의 문제를 다룬 작품들을 꾸준히 수정해갔다. 김원일의 소
설 개작에 관해서는 4부 2장에서 자세히 다룰 것이다.

164) 박숙자, 위의 글, 159쪽.

165) 문순태 외, 「상처의 기억과 공동체적 삶」, 『기억과 기억들』, 씽크스마트, 2017,
88쪽.

166) 박숙자, 위의 글, 172쪽.

167) 최창근, 「문순태 소설의 탈향 모티프와 서사성」, 『어문논총』 16, 전남대학교 한
국어문학연구소, 2005, 279쪽.

168) 문순태·박성천, 「해한의 세계를 넘어 소통의 세계로」, 『해한의 세계 – 문순태
문학연구』, 박문사, 2012, 329쪽.

169) 문순태 외, 위의 책, 97쪽.

170) 김성례, 「국가폭력의 성정치학」, 『흔적』 2호, 문화과학사, 2001, 288쪽.

171) 볼프강 조프스키, 이한우 옮김, 『폭력사회』, 푸른숲, 2010, 216쪽.

172) 「곡두 운동회」를 비롯한 임철우 소설에서 반복되는 모티프이기도 한 좌익으로
위장한 군경의 주민학살은 제주4·3에서도 유사하게 수행되었을 만큼 광범위하
게 나타났던 사례였다.

173) 문순태, 『41년생 소년』, 랜덤하우스, 2005, 40쪽.

174) 조구호, 「문순태 분단소설 연구」, 『한국언어문학』 76, 한국언어문학회, 2011,
366쪽.

175) 지그문트 바우만, 정일준 옮김, 『현대성과 홀로코스트』, 새물결, 2013, 110~113쪽.

176) 이혜령, 「해방(기) : 총든 청년의 나날들」, 『상허학보』 27, 2009, 17~20쪽.

177) 역사학자 김득중은 여순사건에 대한 반공국가의 폭력적 진압 과정에서 사용된

물리적·법적·문화적 폭력이 국민 형성의 역사적 기제였다고 설명한다.(김득중, 『'빨갱이'의 탄생』, 선인, 2009, 562쪽)

178) 이혜령, 위의 글, 44쪽.

179) 김성례는 무속이 국가폭력에 맞서는 대항담론이 형성되는 공론장으로 기능했음을 밝힌다. 김성례, 「제주 무속 : 폭력의 역사적 담론」, 『종교신학연구』 4권 1호, 서강대학교 비교사상연구원, 1991, 22~26쪽.

180) 한성훈, 위의 책, 139쪽.

181) 박명림, 「국민 형성과 내적 평정 : '거창사건'의 사례 연구」, 『한국정치학회보』 36(2), 한국정치학회, 2002, 87쪽.

182) 김원일은 70년대 중앙일보의 「민족의 증언」과 1982년 부산일보의 「임시수도 천일」을 보고 거창사건에 대해서 소설을 쓸 수 있다는 용기를 얻었다고 밝힌다.(김원일, '작가의 말', 『겨울 골짜기』, 민음사, 1987, 5쪽)

183) 『겨울 골짜기』의 공간적 배경인 대현리를 장악한 빨치산 유격대는 315부대가 아니라 308부대였다. (한성훈, 위의 책, 143쪽)

184) 노순자, 「분노의 메아리」, 『산울음』, 도서출판 전예원, 1989, 65쪽.

185) 「祕話 第一共和國(234) 第九話 「居昌事件」, 《동아일보》, 1974. 3. 25.

186) 김원일, 『겨울 골짜기』 2, 451쪽. 부대의 정치부 요원들도 "남반부 종자는 어느 한 놈 믿을 수가 없"(김원일, 『겨울 골짜기』 2, 374쪽)다며 강한 불신을 내비친다는 점에서 남한의 사회주의자와 점령지 주민들을 향한 북로당계의 불신의 시선이 작품 속에 일관되게 나타난다.

187) 김원일·김윤식·윤흥길·전상국, 위의 글, 192쪽.

188) 김원일, 「분단시대를 관통하며」, 『문학과사회』 겨울호, 문학과지성사, 1992, 1497쪽.

189) 거창사건의 이행기 정의 모델에서 유족 등은 반공국가의 가해 사실 인정과 희생된 이들을 모범적인 국민·시민의 자리로 복권하는 데 집중할 뿐, 빨치산 유격대의 점령기에 일어난 일들에 대해서는 별다른 관심을 보이지 않는다.(한성훈, 위의 책, 209~210쪽)

190) 박명림, 위의 글, 75쪽.

191) 김재웅, 『고백하는 사람들』, 푸른역사, 2020, 76쪽.

192) 김원일, 『겨울 골짜기』 2, 319쪽.

193) "또한 동생과 자형과, 예비검속으로 죽은 형의 이름을 팔아야 한다."(김원일, 『겨울 골짜기』 2, 391쪽)

194) "성제들간이 나라의 죄인이라 놔서 저만이라도 대한민국에 열심히 충성을 할라고 노력하고 있습미다. 앞으로도 차석님이 자알 살펴주이소." (김원일, 『겨울 골짜기』 1, 166쪽)

195) 진실화해를위한과거사진상규명위원회, 『2009년 하반기 조사보고서』 6, 진실화해를위한과거사진상규명위원회, 2010, 484쪽.

196) 김원일, 『불의 제전』 6, 문학과지성사, 1997, 181쪽.

197) 『불의 제전』의 조민세 역시 80년대 중후반 연재 분량에서 남로당의 전세 예측에 부정적인 판단을 내렸다가 숙청의 위기에 몰리는 상황이 그려진다는 점에서 『겨울 골짜기』가 『불의 제전』의 후반부로 가기 위한 서사적 징검다리 역할을 했음을 보여주는 부분이다.

198) 『겨울 골짜기』가 1990년대와 2000년대에 작품 개작이 이루어지는 과정에서 김익수의 정치적 입장은 인민군 동조자에서 끝내 공산주의에 대한 신념을 잃지 않는 인물로 바뀌게 된다. 자세한 내용은 4부 2장 참조.

199) 김원일, 『겨울 골짜기』 1, 82쪽.

200) 김원일, 『겨울 골짜기』 1, 245쪽.

201) 허은, 『냉전과 새마을』, 창비, 2022, 84~117쪽. 특히 미군의 대유격전 전술은 일본군뿐 아니라 2차 대전 당시의 독일군의 대유격전 전술까지 참조했다. 한국군의 대 빨치산 군사전략은 냉전기 국제적 군사 지식이 교차되며 형성된 셈이다.

202) 지역 통제에 기반한 대게릴라 전술이 학살로 극단화되는 과정은 4·3에 대한 소설들에서도 반복되어 나타나지만, 미라이 학살과 같은 베트남전쟁에서의 학살극에서도 반복되었던 냉전기 제노사이드의 한 형태였다. 『겨울 골짜기』에서 등장하는 '수어 이론'은 베트남전쟁에서도 주민을 학살하는 명분으로 쓰였다.(권헌익, 유강은 옮김, 『학살 그 이후』, 아카이브, 2012, 60~63쪽)

203) 음벰베는 국가권력이 자행하는 살해야말로 생명에 대한 국가의 근원적인 힘을

확인하는 형태로서 시신정치(necropolitics)라고 명명했다.(Mbembe, Achille. "Ne-cropolitics," Public Culture 15(1), 2003, pp12~13)

204) 소설에서는 병사들 간의 긴 대화를 통해서 학살의 군사주의적 맥락을 설명한다.(김원일, 『겨울 골짜기』 2, 590~592쪽)

205) 김원일, 『겨울 골짜기』 2, 556쪽.

206) 박명림, 위의 글, 77쪽.

207) 허은, 위의 책, 28~31쪽. 다만 허은은 새마을운동과 같은 모델이 하이 모더니즘적 접근이 아니라 "지역사회의 자율적인 정치·경제·사회적 변화를 중시하는 '로 모더니즘'(low modernism)노선"(허은, 위의 책, 32쪽)의 결과로 보았다는 점에서 제임스 C. 스콧과는 관점이 달랐다.

208) 제임스 C. 스콧, 전상인 옮김, 『국가처럼 보기』, 에코리브르, 2010, 290쪽.

209) 죙케 나이첼과 하랄트 벨처는 홀로코스트의 수행 과정에서 반유대주의에 대한 동의와 관계없이 군사주의, 군대와 전쟁의 프레임만으로도 이에 가담할 수 있었다고 주장했다.(죙케 나이첼, 하랄트 벨처, 김태희 옮김, 『나치의 병사들』, 민음사, 2015, 351쪽)

210) 김원일, 『겨울 골짜기』 1, 219쪽.

제3부 민주화 이후 제도적 이행기 정의와 문학의 재현

1) 「무크지 「실천문학」 계간 허가 80년대 들어 순수문학지론 처음」, 《동아일보》, 1985. 2. 8.

2) 정종현, 「'해금' 전후 금서의 사회사」, 『구보학보』 20집, 구보학회, 2019, 12쪽.

3) 이내영과 박은홍은 노태우 정권의 유화적인 조치, 특히 국가폭력의 과거사에 대한 일련의 조치들이 시민사회와 야당의 요구를 무마하고 정권의 정당성을 유지하기 위한 예방적 조치였다고 설명한다.(이내영, 박은홍, 『동아시아의 민주화와 과거청산』, 아연출판부, 2004, 63~66쪽) 납·월북작가에 대한 해금조치가 남북대화와 북방정책의 추진, 동서화합의 장으로 규정해온 서울올림픽 개최라는 전후 맥

락 속에서 이루어졌다는 김미지의 지적(김미지, 「월북문인 해금의 이면―'불화'의 소멸 그 이후」, 『구보학보』 20집, 구보학회, 2019, 87쪽)도 이를 잘 보여준다.

4) 고명철, 「이념의 장벽을 넘어선 4·3소설의 새로운 지평―1987년 6월항쟁 이후 발표된 4·3소설을 중심으로」, 『비평의 잉걸불』, 새미, 2002, 341쪽.

5) 허민, 「6월 항쟁과 문학장의 민주화―해금 전후(사)의 역사 인식과 항쟁 이후의 문학(론)」, 『기억과 전망』 41호, 한국민주주의연구소, 2019, 238쪽.

6) 『문사』라는 새잡지를 창간하면서 문학의 자율성에 대해 강조해온 『문지』 동인들의 세대교체와 함께 80년대라는 시대상이 요구하는 문학의 사회적 역할에 대한 강조가 특히 두드러졌다.(노태훈, 「80년대를 건너가는 방식과 문학 체제 재편―『창작과비평』, 『문학과사회』의 복·창간 전후를 중심으로」, 『한국현대문학연구』 61집, 한국현대문학회, 2020, 295~296쪽) 『문사』의 창간호에 수록된 모든 작품을 과거사 관련으로 선택했다는 것은 사회변혁으로서의 문학의 역할을 보여주는 한 방식으로 이를 이해했음을 보여준다.

7) 김정한, 『비혁명의 시대』, 빨간소금, 2020, 47~48쪽.

8) 임지현, 『희생자의식 민족주의』, Humanist, 2021, 48쪽.

9) 노태훈, 「80년대를 건너가는 방식과 문학 체제 재편―『창작과비평』, 『문학과사회』의 복·창간 전후를 중심으로」, 『한국현대문학연구』 61집, 한국현대문학회, 2020, 309쪽.

10) 김성환, 「1960-70년대 계간지의 형성과 특성 연구」, 『한국현대문학연구』 30집, 한국현대문학회, 2010, 425쪽.

11) 「김성동 "아버지는 박헌영 비선…정체 안 밝히고 수면 밑서 싸워"」, 《중앙일보》, 2018. 9. 7.

12) 홍희담의 「깃발」의 노동자의 주체성을 강조해온 것을 주목한 당대의 주요 평론으로는 최원식의 「광주항쟁의 소설화」(『창작과비평』 여름호, 창비, 1988)와 김병익의 「'노동'문학과 노동'문학'」(『문학과사회』 여름호, 문학과지성사, 1988) 등이 있다.

13) 정지아, 「빨치산의 딸」 1, 『실천문학』 봄호, 실천문학사, 1989, 44쪽.

14) 서경석, 「빨치산의 딸에서 작가가 되기까지―정지아의 「빨치산의 딸」에 대한 단

상」, 『실천문학』 봄호, 실천문학사, 1991, 262~264쪽.

15) 김승환, 「분단문학과 분단시대」, 『분단문학비평』, 청하, 1987, 33쪽.

16) 김태현, 「반공문학의 양상」, 『실천문학』 봄호, 실천문학사, 1988, 28쪽.

17) 홍정선, 「기억의 굴레를 벗는 통과제의」, 『노을』, 문학과지성사, 1997, 367~368쪽.

18) 김윤식, 「문학사적 개입과 논리적 개입」, 『문학과사회』 겨울호, 문학과지성사, 1991, 1505쪽.

19) 김윤식, 위의 책, 1514쪽.

20) 서경석, 앞의 글, 269쪽.

21) 이내영, 박은홍, 앞의 책, 70~85쪽.

22) 김영현, 「목격자」, 『문학과사회』 겨울호, 문학과지성사, 1989, 1497쪽.

23) 「복원되지 못한 것들을 위하여」의 주인공 소설가 '나'는 박완서 자신을 모델로 하고 있으며 송사묵의 모델은 그의 숙명여고 시절 스승인 소설가 박노갑이다. 이 단편을 발표하기 몇 년 전에 그는 어느 대담에서 자신이 한국전쟁 중에 목격했던 살인을 모두 좌익에 의해서 자행된 것으로 써왔다는 사실을 고백한다. 이는 정치적 불안감에 의한 작가의 자기 검열을 잘 보여준다.(박완서 외, 「6·25분단문학의 민족동질성 추구와 분단 극복 의지」, 『한국문학』, 한국문학사, 1985, 49쪽)

24) 김동춘, 『이것은 기억과의 전쟁이다』, 사계절출판사, 2013, 32쪽.

25) 제임스 C. 스콧, 전상인 옮김, 『지배, 그리고 저항의 예술』, 259쪽.

26) 김동춘, 『이것은 기억과의 전쟁이다』, 사계절출판사, 2013, 32쪽.

27) 김은아, 『한국 분단소설 연구』, 홍익대학교 국어국문학과 박사 학위 논문, 2013, 27쪽.

28) 백낙청, 「분단체제의 인식을 위하여」, 『창작과비평』 겨울호, 창비, 1992, 296쪽.

29) 이내영, 박은홍, 앞의 책, 100~104쪽.

30) 하지만 과거사에 대한 시민사회의 입장은 단일하지 않았는데, 피해자들의 기억 투쟁이 국가폭력에 대한 복수심이나 억울함에 근거했으나, 사회운동 진영은 민주화운동의 일환이거나 정의감으로 이 문제에 접근했다.(최정기, 「과거청산에서의 기억전쟁과 이행기 정의의 난점들」, 『지역사회연구』 제14권 제2호, 한국지역사학회, 2006, 6쪽)

31) 이재승, 「과거청산과 인권」, 『민주법학』 제24호, 민주주의법학연구회, 2003, 22쪽.

32) 김한수, 「성장」, 『창작과비평』, 창비, 1988, 264쪽.

33) 강인철, 『전쟁과 희생』, 역사비평사, 2019, 176쪽.

34) 김석희 「땅울림」, 『실천문학』 여름호, 실천문학사, 1988, 156쪽.

35) 김석희, 위의 글, 186쪽.

36) 고명철, 앞의 책, 342쪽.

37) 김동윤, 「김석희 소설 「땅울림」에 나타난 독립적 자치주의」, 『영주어문』 제24집, 영주어문학회, 2012, 85쪽.

38) 배하은, 『문학의 혁명, 혁명의 문학』, 소명출판, 2021, 108쪽.

39) 오성찬 채록, 『한라의 통곡소리』, 소나무, 1988, 74쪽.

40) 김무용, 「한국전쟁 시기 민간인 학살 유족의 자서전 분석」, 『일기를 통해 본 전통과 근대, 식민지와 국가』, 소명출판, 2013, 424쪽.

41) 한성훈, 『학살, 그 이후의 삶과 정치』, 산처럼, 2018, 283쪽.

42) 오성찬, 앞의 책, 16쪽.

43) 오성찬, 위의 책, 16쪽.

44) 『이제사 말햄수다』는 구술 채록을 진행한 면담자들의 실명은 공개하지 않고, '제주4·3연구소 엮음'으로 출간되었다. 또 거의 대부분의 증언자들 역시 익명이었는데 이는 정보기관으로부터 이들을 보호하기 위한 조치였다. 이는 80년대 말 과거사 구술 작업이 직면한 공통적인 위협이었다.(김귀옥, 「한국 구술사 연구 현황, 쟁점과 과제」, 『사회와 역사』 71호, 한국사회사학회, 2006, 324쪽) 당시 조사를 맡았던 이들은 김창후, 양성장, 이석문, 홍만기였다.(제주4·3연구소, 『폭압을 넘어, 침묵을 넘어 – 제주4·3연구소 30년, 서른 해의 기록』, 제주4·3연구소, 2019, 121~123쪽) 반면에 『한라의 통곡 소리』는 대부분의 증언자의 실명을 공개했다는 점에서 대조적이었다.

45) 제주4·3연구소, 위의 책, 124쪽.

46) 제주4·3연구소, 위의 책, 139쪽.

47) 2000년대 구술사 연구는 과거사위원회와 같이 국가기구가 역사적 사실을 확인하기 위한 증언을 수집하는 사업 등으로 활성화되기도 했지만, 동시에 중앙의 역

사에서 잊힌 주변적 주체들인 지방·여성·노동·생활을 해명하기 위해 시도하고, 다양한 연구성과들을 내었다. 구술 생애사는 이 시기 구술사 연구의 변화를 잘 보여주는 대표적인 사례였다.(윤택림, 『역사와 기록 연구를 위한 구술사 연구방법론』, 아르케, 2019, 54~57쪽)

48) 세계적인 이행기 정의 국면에서 나타난 진실위원회 모델을 연구했던 프리실라 B. 헤이너는 진실 규명 과정에서 증언의 역할과 성격에 대해 다양하게 검토하면서도, 진실위원회 조직이 방대한 증언 자료를 정리하는 데만 모든 역량이 집중될 가능성이 높다는 점을 지적한다. 증언 청취라는 진상규명 방법이 진실위원회들의 운영에서 그만큼 중요성이 높았기 때문이다.(프리실라 B. 헤이너, 주혜경 옮김, 『국가폭력과 세계의 진실위원회』, 역사비평사, 2008, 156쪽)

49) 한성훈, 위의 책, 261쪽.

50) 유철인, 「구술된 경험과 서사적 주체성 : 여성 사업가의 구술 생애사 읽기」, 『한국여성학』 제33권 3호, 한국여성학회, 2017, 428쪽.

51) 이양호, 『여기원1933년10월24일생』, 눈빛, 2005, 89~90쪽.

52) 김무용, 앞의 책, 415쪽.

53) 박희춘은 한국전쟁 중 자신이 충무은성무공훈장을 받았다고 기억(노용석, 『박희춘1993년2월26일생』, 눈빛, 2005, 166쪽)하고 있지만, 훈장의 정식 명칭은 은성충무무공훈장이었다.

54) 제임스 스콧은 반란이나 혁명과 같은 정치적 격변으로 인해 지배자의 헤게모니가 흔들리는 순간에 은닉대본은 더는 비공개적인 형태로 남지 않고 공개적으로 선포될 수 있다고 지적한다. 은닉대본의 공개적 선포는 사회의 전면적 전환을 알리는 전조이자 피지배자들을 이 변혁의 과정에 동원하는 힘을 보이기도 한다.(제임스 C. 스콧, 위의 책, 380쪽) 민주화운동과 발맞추어 과거사의 재현이 변해갔던 과정은 은닉대본의 공개적 선포라는 저항의 형식으로 설명할 수 있을 것이다.

55) 노용석, 『박희춘1933년2월26일생』, 눈빛, 2005, 246~247쪽.

56) 노용석, 위의 책, 261쪽.

57) 권헌익, 『또 하나의 냉전』, 민음사, 2013, 129쪽.

58) 김원일이 고향과 아버지의 문제를 전면적으로 다룬 대하소설 『불의 제전』의 경

우 민주화 이전까지 발표된 1권과 2권 분량은 한국전쟁 발발 이전까지였다. 김원일이 살았던 지역들에서 반공국가의 폭력이 극단화되는 기점이 한국전쟁이었다는 점을 감안한다면 그가 직간접적으로 경험했던 폭력을 자신의 생애사 안에서 전면적으로 다룬 시기가 민주화 이후라는 사실을 주목해야 한다.

59) 거창양민학살사건을 소재로 한 장편소설 『겨울 골짜기』에 등장하는 빨치산 김익수가 김종표를 모티프로 했던 사례가 대표적이다. 자세한 내용은 2부 3장을 참조.

60) 김원일, 「불러보고 싶은 말, 아버지」, 『겨울 골짜기』, 이룸, 2004, 447쪽.

61) 하응백, 「장자(長子)의 소설, 소설의 장자(長者)」, 『김원일 깊이 읽기』, 문학과지성사, 2002, 122쪽.

62) 『노을』에서 김원일은 아버지 김종표를 모티프로 한 인물을 잔인하고 교육 수준은 낮은 백정으로 그렸는데, 이는 반공국가의 공식대본을 따라야 한다는 즉 "인물을 그릴 때에도 그렇게 폭력적이고 무식한 사람 정도로 그려야 반공 논리에서 조금 비껴 나갈 수 있지 않을 하는 고려가 크게 작용"했기 때문이다.(권오룡, 김원일, 「열정으로 지켜온 글쓰기의 세월」, 『김원일 깊이 읽기』, 문학과지성사, 2002, 36쪽)

63) 권오룡, 김원일, 위의 책, 42쪽.

64) 김기진, 『끝나지 않은 전쟁, 국민보도연맹』, 역사비평사, 2002, 149~150쪽.

65) "이 자석이, 말이라 카모 다 말인 줄 아나? 순사나 남조선 군대는 좌익하는 사람 안 쥑이더나? 남조선 개놈들, 해방되고 좌익하는 사람들 오죽 많이 쥑있나. 좌익하는 사람 근처에만 가도 헴을 잡아서 고문하고 쥑이고 안 했나. 그래 쥑인 사람이 수만명도 넘을 끼라."(김원일, 『노을』, 문학과지성사, 1997, 278~279쪽) 밑줄이 그어진 부분은 초판 『노을』(1978)에는 없었던 내용으로 90년대에 개정판을 내면서 김원일이 추가한 내용들로, 수만 명 이상의 사망자를 발생시킨 반공국가의 제노사이드를 간접적으로 언급하고 있다.

66) 김원일, 「인간과 문학의 심오한 본질을 향한 도전」, 『말·삶·글』, 열림원, 1992, 96쪽.

67) 하응백은 이러한 김원일의 인식을 근거로 『마당 깊은 집』이 김원일이 가족사를

비틀지 않고 사실적으로 재현하기 시작한 전환점이라 설명한다.(하응백, 앞의 책, 127쪽)

68) 김원일은 「어둠의 혼」 이후 한국문단에서 대표적인 좌익 2세 작가로 인식되었다. 그러나 그의 작품 속 아버지가 분명하게 사회주의자로 그려진 작품은 의외로 80년대까지 많지 않았다. 「어둠의 혼」의 아버지는 반공국가에 의해 살해당하지만, 그의 이념이나 신념은 설명되지 못한 것으로 남겨진다. 『노을』에서는 좌익 폭동에 가담한 백정인 아버지를 보여주지만, 그는 이념을 구체적으로 이해하지 못하는 자였다. 「가을볕」(1984)에서는 아버지는 좌익도 아니고, 호열자에 의해 죽은 인물로 그려진다. 『겨울 골짜기』 속 지식인 빨치산 김익수 역시 1987년에 간행된 초판에서는 사회주의자가 아니라 이승만 정권에 대한 반감 때문에 가담한 것으로 그려진다. 김원일이 아버지를 신념을 가진 좌익으로서 명확하게 그린 것은 80년대까지는 『불의 제전』이 사실상 유일했다. 김원일에 대한 대부분의 비평과 연구에서는 '빨갱이'로 낙인이 찍힌 소설 속 인물과 사회주의자를 동일시하지만, '빨갱이'라는 낙인이 반공국가에서 사용된 방식은 오히려 권력과 맞서던 이들 전반에 광범위하게 사용되었다는 사실을 염두에 두고서 인물의 이념에 대해 섬세히 나눌 필요가 있다.

69) 김봉국, 「이승만 정부 초기 애도 – 원호정치」, 『애도의 정치학』, 도서출판 길, 2017, 142쪽.

70) 이러한 입장을 잘 보여주는 이가 양진오다. 그는 악마적 타자화에서 좌익을 구하는 재현의 전략을 '좌익의 인간화'와 '좌익의 주체화'로 나누면서, 전자가 "좌익을 보편적 휴머니즘을 구현하는 존재, 즉 궁극적으로 좌익을 탈정치적인 휴머니스트"로 그린다면 후자는 "좌익을 역사적 모순에 민감하게 반응하면서 진보적 정치성을 구현하는 존재"로 그린다고 분류하였다. 그는 김원일이 좌익의 인간화를 일관된 재현의 전략으로 삼았다고 지적한다.(양진오, 「'좌익'의 인간화, 그 문학적 방식과 의미」, 『우리말글』 35호, 우리말글학회, 2005, 275쪽)

71) 『불의 제전』(1997) 1권에는 사회주의자들에 대한 박도선과 심찬수의 대화 중에 "그들 입장에서 보면 인민을 살리는 절대적인 민족주의의 길일 수도 있겠지"(김원일, 『불의 제전』 1, 문학과지성사, 1997, 231쪽)라며 그들의 진정성에 대해서는

긍정하는 말이 나온다. 이는 『불의 제전』의 1987년 판에는 없던 내용이다. 그 이외에도 좌익과 사회주의자에 대한 강한 반감을 보이던 표현이 삭제되거나 그들을 존중하는 식의 대화로 변경된 부분이 적지 않다.

72) 김원일, 『겨울 골짜기』, 이룸, 2004, 53쪽.

73) 이 책에서 '고백'은 국가의 식별장치를 우회하기 위해 은닉대본을 통해 모범적 국민의 형상으로 자신과 그 주변의 관계를 재현하는 전략을 의미한다. 이에 대한 상세한 설명은 이 책의 1부 3장 참조.

74) 수류산방 편집부 엮음, 『박완서朴婉緒』, 수류산방, 2012, 191쪽.

75) 박완서, '작가의 말', 『그 많던 싱아는 누가 다 먹었을까』, 세계사, 2012, 8쪽.

76) 『목마른 계절』의 잡지 연재본이었던 『한발기』에는 오빠의 죽음을 보여주는 장면이 등장하지 않는다. 『목마른 계절』에는 『한발기』에는 없던 마지막 장 '5월'이 추가되었는데, 이 장에서 오빠가 살해당하는 사건이 추가된다.(강진호, 「전쟁기 증언과 반공주의의 규율 – 박완서 『목마른 계절』의 개작 양상」, 『인문과학연구』 40집, 성신여자대학교 인문과학연구소, 2019, 102~103쪽) 또 『목마른 계절』에서 오빠의 죽음은 1951년 5월의 일로 그려지지만 실제로는 51년 7월의 일이었다.

77) 박완서 외, 「6·25 분단문학의 민족동질성 추구와 분단극복 의지」, 『한국문학』 6월호, 한국문학사, 1985, 49쪽.

78) 기존 연구들에서는 박완서가 정치적 금기를 넘어서 가족사를 재현할 수 있게 했던 맥락을 민주화와 그로 인한 탈냉전, 세계화의 흐름으로 설명한다.(이선미, 「세계화와 탈냉전에 대응하는 소설의 형식 : 기억으로 발언하기」, 『상허학보』 12집, 상허학회, 2004 참조) 이러한 흐름은 당대의 시대 전환 양상을 잘 보여주지만, 국가폭력의 과거사가 조명받는 국면을 충분히 구체화시키지는 못했다. 이 책에서 이행기 정의 개념을 통해 소설의 변화를 설명하는 것은 과거사 재현의 변천과 탈냉전기 세계사적 전환을 좀 더 명확하게 짚어내기 위함이다.

79) 7·4남북공동성명은 반공주의의 공식대본 속에서 악마화되었던 '좌익'을 인간적으로 묘사할 수 있는 전환점이었는데, 이러한 영향은 박완서뿐 아니라 김원일의 「어둠의 혼」이나 현기영의 「아버지」, 황석영의 「한씨 연대기」 등의 작품에도 나타났다.(이선미, 「'부역(혐의)자' 서사와 냉전의 마음」, 『한국문학연구』 65집, 동국대

학교 한국문학연구소, 2021, 350~351쪽)

80) 조미숙, 「박완서 소설의 전쟁 진술 방식 차이점 연구」, 『한국문예비평연구』 24, 한국현대문예비평학회, 2007, 17쪽.

81) 권헌익, 『전쟁과 가족』, 창비, 2020, 151쪽.

82) 김동춘, 『전쟁과 사회』, 돌베개, 2000, 273쪽.

83) 김동춘, 위의 책, 105쪽.

84) 서동수, 「한국전쟁기 반공 텍스트와 고백의 정치학」, 『한국현대문학연구』 20, 한국현대문학회, 2006, 90~94쪽.

85) 유임하, 「반공 텍스트의 기원과 유통」, 『반공주의와 한국문학』, 글누림, 2020, 65쪽.

86) 이선미, 「'부역 (혐의)자' 서사와 냉전의 마음」, 57쪽.

87) 강진호, 「반공주의와 자전소설의 형식」, 『국어국문학』 133, 2003, 326쪽.

88) 강진호, 「전쟁기의 증언과 반공주의의 규율」, 108쪽.

89) 박완서, 「엄마의 말뚝 · 2」, 『엄마의 말뚝』, 세계사, 2002, 108쪽.

90) 박완서, 「복원되지 못한 것들을 위하여」, 『나의 가장 나종 지니인 것』, 문학동네, 2013, 175쪽.

91) 진실 · 화해를위한과거사정리위원회와 같은 국가적 기구의 활동이 아직 본격화되지 않았던 90년대 한국사회도 이행기 정의 국면을 진행하고 있던 동아시아의 다른 국가들과 비교했을 때 과거사 청산의 노력과 성과가 상당히 성공적으로 평가받았다. 이내영과 박은홍은 90년대 한국사회의 과거사 청산 과정이 군부의 정치적 퇴장, 야당 세력의 성장, 시민사회의 결집력과 과거사 청산의 요구 등이 고조되며 (일정한 한계에도 불구하고) 비교적 성공적으로 진행되었다고 분석한다.(이내영 · 박은홍, 앞의 책, 106~107쪽)

92) 제임스 C. 스콧, 위의 책, 259쪽.

93) 역사학자 라울 힐베르크는 홀로코스트와 같은 제노사이드가 자행되기 위해서는 폭력의 대상이 누구인지 결정하는 '정의(Definition)'의 과정이 항상 선행되어야 하는 기본 구조를 제시했다.(라울 힐베르크, 김학이 옮김, 『홀로코스트 유럽 유대인의 파괴』 2, 개마고원, 2008, 1396쪽)

94) 박완서, 「나는 왜 작가이고 가톨릭 신자인가?」, 『지금 여기 박완서 – 문인사기획

전 4』, 성북문화재단, 2019, 10. 3.

95) 한국전쟁 중 피난민에 대한 한국 정부의 첫 조치는 피난민 내 사상 불온자의 잠입을 방지하기 위해 신분을 조사하고 사상에 대한 심사를 통해 피난민 증명서를 교부하는 조치였다.(강성현, 「'난민'이라는 존재의 인식과 삶」, 『한국현대 생활문화사 1950년대』, 창비, 2016, 91쪽)

96) 김학재, 「자유 진영의 최전선에 선 국민」, 『한국현대 생활문화사 1950년대』, 창비, 2016, 51쪽.

97) 차미령, 「한국전쟁과 신원 증명 장치의 기원 – 박완서 소설에 나타난 주권의 문제」, 『구보학보』 18집, 구보학회, 2018, 474쪽.

98) 차미령, 위의 책, 469~470쪽.

99) 자크 랑시에르는 『불화』에서 주체가 '치안'의 논리와 실제 사회에서의 나눔 사이의 모순과 괴리를 제기하는 방식으로 등장한다고 주장한다.(자크 랑시에르, 진태원 옮김, 『불화』, 길, 2015, 72~73쪽) 반공주의 국가의 공식적 논리에서 결코 유사하거나 동일한 것이 될 수 없는 인민공화국과 반공국가의 통치를 겹쳐놓는 박완서 소설 속 재현의 주체는 랑시에르가 이야기한 정치성을 발현하는 주체이다.

100) 전쟁으로 인해 남성 가족 구성이 부재하거나 장애, 실업과 같이 무능력해지는 경우가 늘어나면서, 50년대 한국사회는 여성에게 가족의 생계를 책임져야 할 역할을 부여한다.(김연주·이재경, 「근대 '주부' 주체의 구성과 갈등」, 『여성(들)이 기억하는 전쟁과 분단』, 아르케, 2013, 168쪽)

101) 김양선, 「증언의 양식, 생존·성장의 서사」, 『한국문학이론과 비평』 6권 2호, 한국문학이론과비평학회, 2002, 157쪽.

102) 이성숙, 「한국전쟁에 대한 젠더별 기억과 망각」, 『여성(들)이 기억하는 전쟁과 분단』, 아르케, 2013, 60~61쪽.

103) 강용운, 「박완서 작품에 나타난 한국전쟁의 기억과 주체의 형성」, 『인문학술』 1호, 순천대학교 인문학술원, 2018, 141쪽.

104) 안태윤, 「후방의 '생계전사'가 된 여성들 : 한국전쟁과 여성의 경제활동」, 『중앙사론』 33, 한국중앙사학회, 2011, 263쪽.

105) 안태윤, 위의 책, 267쪽.

106) 안태윤, 위의 책, 270쪽.

107) 차미령, 「생존과 수치 : 1970년대 박완서 소설과 생존주의의 이면(1)」, 『한국현대문학연구』 47, 한국현대문학회, 2015, 469쪽.

108) 이선미, 「박완서 소설과 '비평' : 공감과 해석의 논리」, 『여성문화연구』 제25호, 한국여성문학학회, 2011, 48쪽.

109) 차미령, 앞의 책, 470쪽.

110) 소영현, 「전쟁 경험의 역사화, 한국사회의 속물화 – '헝그리 정신'과 시민사회의 불가능성」, 『한국학연구』 32, 인하대학교 한국학연구소, 2014, 296~298쪽.

111) 전쟁으로 인한 남성부재 상황에서 경제활동에 나섰던 여성들을 '가정주부'라는 역할로 다시 가정에 종속시키는 것은 전후 한국사회가 설정한 사회재건과 근대화, 계층 상승의 방향성이었다.(김주연, 이재경, 「근대 '주부' 주체의 구성과 갈등」, 『여성(들)이 기억하는 전쟁과 분단』, 아르케, 2013, 173쪽)

112) 권명아, 『한국전쟁과 주체성의 서사 연구』, 연세대학교 국문학과 박사 학위 논문, 2002, 116~124쪽.

113) 이임하, 『계집은 어떻게 여성이 되었나』, 서해문집, 2004, 45~47쪽.

114) 권명아, 위의 책, 112쪽.

115) 권명아, 위의 책, 133쪽.

116) 현기영, 『지상에 숟가락 하나』, 실천문학사, 1999, 291쪽. 4·3에서 정부와 대립했던 무장대의 지도부를 민란의 장두로 이해하는 경향은 현기영만의 시각은 아니었다. 4·3 당시 제주민들 대다수는 김달삼이나 이덕구를 공산주의 정치 세력의 지도자보다는 민란을 이끄는 장두에 가까운 이들로 인식했다.(최호근, 『제노사이드』, 책세상, 2022, 402쪽)

117) 현기영, 『바람 타는 섬』, 창작과비평사, 1989, 394쪽.

118) 현기영, 『바다와 술잔』, 화남, 2002, 151쪽.

119) 현기영, 위의 책, 154쪽.

120) 70~80년대의 마당극 운동가들은 민중의 정신을 체현하는 장르로 보았으며, 마당극 운동을 공동체적 삶을 회복하기 위한 활동으로 인식했다.(이남희, 유리·이경희 옮김, 『민중 만들기』, 후마니타스, 2015, 316~317쪽)

121) 1947년 3월 1일에 제주에서 경찰이 시위대를 향해 발포하여 6명이 사망한 사건은 제주4·3으로 저항이 확대되는 촉매가 되었다.

122) 김재용, 「폭력과 권력, 그리고 민중 – 4·3문학, 그 안팎의 저항적 목소리」, 『역사적 진실과 문학적 진실』, 각, 2004, 265쪽.

123) 양문규, 「현기영론 – 수난으로서의 4·3 형상화의 의미와 문제」, 『현대문학의 연구』 11집, 한국문학연구학회, 1998, 208~210쪽.

124) 김재용은 현기영의 4·3소설이 기본적으로 피해자로서의 '양민', 즉 군경의 진압과 무장대의 폭력 양쪽을 모두 피했던 '도피자'의 시각이라 지적하지만, 그가 민중적 입장을 강조한다는 점에서 이데올로기적 양비론이 아니라는 점을 지적한다.(김재용, 앞의 책, 255쪽)

125) 현기영이 민주화 직후인 1989년에 제주4·3에 대해서 자신이 어떻게 이해하고 있는지를 설명한 글에서 항쟁 지도부의 모험주의를 전통적인 장두의 희생정신과 비교한다. 전통적인 장두가 스스로를 희생하여 민중을 보호한 것과 달리, 4·3의 지도부들은 그 의도와 달리 민중을 파국으로 몰고 갔다고 본다.(현기영, 2002, 105쪽)

126) 현기영이 태어난 고향 마을인 노형리는 4·3 당시에 참혹한 피해를 입었으며, 그의 고향집도 그때 불타버렸다. 그래서 노형리가 불타버린 기억은 그에게 고향을 상실했다는 감각을 남긴다.(이산하, 「삶과 문학 : "4·3트라우마"를 위한 기억 투쟁 작가_인터뷰: 현기영」, 『계간 민주』 6권, 민주화운동기념사업회, 2013, 229쪽)

127) 현기영 외, 『기억과 기억들』, 씽크스마트, 2017, 23~24쪽.

128) 정종현, 「4·3과 제주도 로컬리티」, 『현대소설연구』 58, 한국현대소설학회, 2015, 59쪽.

129) 정종현, 위의 책, 63쪽.

130) 홍기돈, 「제주 공동체문화와 4·3항쟁의 발발 조건」, 『탐라문화』 49권, 제주대학교 탐라문화연구원, 2015, 143~148쪽.

131) 현기영, 『젊은 대지를 위하여』, 화남, 2004, 101쪽.

132) 현기영, 위의 책, 102쪽.

133) 역사학자 최호근의 제노사이드로서 제주4·3의 성격을 분석하면서 가해자였던 국가권력이 제주를 다른 곳과는 구분되는 특수한 지역으로 인식했으며, 중앙

대 지방이라는 대립 구도 안에서 폭력의 대상이 특정되었다고 설명한다.(최호근, 앞의 책, 398~401쪽) 지역성이란 대립 구도는 한국전쟁기 다른 지역의 학살과 4·3의 폭력이 작동한 방식에서 가장 뚜렷한 차이점이었다.

134) 제주4·3의 희생자들을 추모하기 위한 공동체의 의례인 제사와 굿의 과정에 민주화운동과 같은 정치적 의제나 단체가 함께 참여하고, 상호 간의 인정을 교환하는 것은 80년대부터 현재까지 이어지고 있는 중요한 현상이다.(권헌익, 『또 하나의 냉전』, 민음사, 2013, 129쪽)

135) 정종현, 앞의 책, 61쪽.

136) 정종현, 위의 책, 62쪽.

137) 강성현은 한국에서 자행된 학살이 생물학적 차이가 없는 집단을 비인간화하기 위해서 이데올로기를 통해서 인종화하고 이를 적대적 종자로 재현해왔다고 지적한다.(강성현, 「제주4·3과 민간인학살 메커니즘의 형성」, 『역사연구』 제11호, 선인, 2002, 207쪽)

138) 현기영, 2002, 173쪽.

139) 제주에서 무속신앙은 육지에 비해서 그 영향력이 훨씬 강했으며, 지역공동체를 결속하는 강력한 문화적 힘이었다. 이는 혈연 공동체로서의 마을이 신앙 공동체로 묶이는 제주 전통사회의 경향과 조선시대의 출륙 금지령으로 인해 유교의 영향이 상대적으로 제한되어 무속신앙이 유지될 수 있었기 때문이다.(홍기돈, 앞의 책, 142~143쪽)

140) 제주4·3사건 진상규명 및 희생자 명예회복 위원회, 『제주4·3사건 진상조사보고서』, 2003, 512쪽.

141) 허은, 『냉전과 새마을』, 창비, 2022, 86쪽.

142) 허은, 위의 책, 28~29쪽.

143) 이산하, 앞의 책, 229쪽.

144) 조효제, 『에코사이드』, 창비, 2022, 119쪽.

145) 고명철, 「4·3소설의 현재적 좌표」, 『역사적 진실과 문학적 진실』, 각, 2004, 306쪽.

146) 지그문트 바우만은 현대사회는 이전 시대와 달리 사회적 힘들이 국가기구에 집중되는 경향이 있으며, 이로 인해 국가 엘리트들의 정치적 목적에 맞설 수 있는 사

회적 규제의 역량이 상실했다는 점이 극단화된 현대적인 제노사이드가 가능해진 이유라고 설명한다. 현대사회는 그가 정치적 목적을 수행하기 위한 학살, 홀로코스트와 같이 '원예사의 전망'이 관철되는 핵심적 조건이다.(지그문트 바우만,『현대성과 홀로코스트』, 새물결, 2013, 194~196쪽)

147) 권헌익,『전쟁과 가족』, 211쪽.

148) 1950년 7월 22일에 '영광작전'에 실패하고 퇴각하던 완도, 해남 지역의 나주부대는 7월 26일에 인민군으로 위장하여 완도중학교에서 주민들을 대량학살했으며, 1950년 10월에서 1951년 봄까지 완도군 일대에서는 피난민 등을 부역자로 몰아가 경찰과 의용경찰, 대한청년단 등이 자행한 학살이 이어졌다.(김원,「1950년 완도와 1980년 광주 : 죽음과 기억을 둘러싼 현지 조사」,『구술사연구』3권 2호, 한국구술사학회, 2012, 137쪽)

149) 서영채, 임철우, 은희경,「임철우 은희경, 고향에 가다」,『문학동네』봄호, 문학동네, 2005 참조.

150) 임철우,「작가 후기」,『붉은 山 흰 새』, 문학과지성사, 1990, 290~291쪽.

151) 서영채,『죄의식과 부끄러움』, 나무나무, 2017, 339쪽.

152) 김정한, 임철우,「역사의 비극에 맞서는 문학의 소명」,『실천문학』겨울호, 실천문학사, 2013, 80쪽.

153) 김윤식,「6·25전쟁문학 – 세대론의 시각」,『문학사와 비평』1집, 문학사와비평학회, 1991, 38쪽.

154) 손미란,「遺産되는 상처, 遺産되는 트라우마」,『인문연구』82호, 영남대학교 인문과학연구소, 2018, 218쪽.

155) 손미란,「5월 18일까지의 시간과 공간, '봄날'의 정치학 – 임철우의 장편소설『봄날』을 중심으로」,『어문학』142, 한국어문학회, 2018, 338쪽.

156) 현기영 외,『기억과 기억들』, 썽크스마트, 2017, 141~146쪽.

157) 임철우,『붉은 山 흰 새』, 14쪽.

158) 물론 베트남전 참전자인 '허문태'의 경우 선임들의 강요로 학살에 가담하기도 했고, 점차 그 폭력의 구조에 적응한 인물이다. 그러나 폭력에 동원된 병사들 역시 피해자로 바라보는 임철우의 시각("저들이 과연 진짜 우리의 '적'이 맞는 건가? 자

기 의사와 무관하게 징집되어 지금 저 포위망 바깥에서 총을 겨누고 있는 저 군복 차림의 청년들이?"(341쪽)을 고려할 때 그 역시 피해자 형 인물로 분류할 수 있다. 그리고 그는 영도 안에서 가해자로서 대립하는 명확한 인물을 가지지 않는다. 또한 전투로 인해서 그가 입은 신체적 장애는 임철우의 소설에서 훼손된 신체가 피해자성을 구성하는 재현의 장치(한순미, 「주변부의 역사 기억과 망각을 위한 제의―임철우의 소설에서 역사적 트라우마를 서사화하는 방식과 그 심층적 의미」, 『한국민족문화』 38, 부산대학교 한국민족문화연구소, 2010, 171쪽)라는 점을 고려할 때 같은 맥락에서 설명될 수 있다.

159) 서영채, 임철우, 은희경, 위의 글.

160) 김정한, 임철우, 위의 책, 87쪽.

161) 군부 세력은 진상규명에 나섰던 피학살 유족들을 기소하고, 그들이 만든 자료와 위령비, 무덤들을 파괴했을 뿐 아니라 가족을 매장하고 추모하려는 그들의 행위를 범죄시했다.(한성훈, 『가면권력』, 후마니타스, 2014, 307~323쪽)

162) 김성례, 「제주 무속」, 『종교신학연구』 4권, 서강대학교 신학연구소, 1991, 21쪽.

163) 2000년대 초반까지 광주민주화운동과 제주4·3, 거창 등 일부 사건을 제외하고는 본격적인 진상 조사 작업이 이루어지지 못했으며, 국가 차원에서 종합적으로 과거사 사건들을 다루게 된 것은 2005년에 진실화해를위한과거사정리위원회가 설립된 이후였다.

164) 한국전쟁 중 기독교계 민병대 조직이 좌익과 그 가족 등을 학살한 신천양민학살사건을 다룬 황석영의 장편 『손님』이 한국전쟁기 반공주의적 기독교의 이념 대립 문제를 보여주는 대표적인 작품이다.

165) 이영재, 「다층적 이행기 정의의 포괄적 청산과 화해 실험」, 『정신문화연구』 제38권 4호, 한국학중앙연구원, 2015, 128~130쪽.

166) 광주민주화운동의 가해자들에 대한 응보적 정의의 요구는 한국문학 속에서는 '사적 복수'에 대한 열망이라는 형태로 나타나기도 했는데 손홍규의 「최후의 테러리스트」(2008) 같은 소설이 대표적이다. 광주에 대한 사적 복수의 문제를 다루는 소설은 최선영의 지적처럼 이는 "끝내 제도 안으로 밀어 넣을 수 없으며 누군가의 삶에 끝까지 따라붙고 유전"되는 분노의 감각이 이행기 정의 국면에서도 결코 사

라지지 않음을 보여준다.(최선영, 「한국소설에 나타난 5·18 이행기 정의의 흐름과 소외 양상」, 『인문학연구』제64집, 조선대학교 인문학연구원, 2022, 254쪽)

167) 제도적 이행기 정의의 진행에 따라 신 공식기억이 형성된 이후 이에 대한 역사 부정론이라는 구 공식기억의 반격에 대해서는 4부 1장에서 상세하게 다룰 것이다.

168) 김영삼, 「재현 너머의 5·18, '타자-되기'의 글쓰기 - 임철우의 『백년여관』을 중심으로」, 『한국문학이론과 비평』제79집, 한국문학이론과 비평학회, 2018, 121~124쪽)

169) 김영삼, 위의 책, 127쪽.

170) 김주선, 「임철우 초기 중·단편 소설 연구」, 『인문학연구』55, 인문학연구원, 2018, 249쪽.

171) 아이리스 매리언 영, 허라금 외 옮김, 『정의를 위한 정치적 책임』, 이화여자대학교출판문화원, 2018, 195~200쪽.

172) 김주선, 위의 책, 250쪽.

173) 스탠리 코언, 조효제 옮김, 『잔인한 국가 외면하는 대중 : 왜 국가와 사회는 인권 침해를 부인하는가』, 창비, 2009, 64~65쪽.

174) 김태우, 「제노사이드의 단계적 메커니즘과 국민보도연맹사건」, 『동북아연구』제30권 1호, 2015. 조선대학교 사회과학연구원 부설 동북아연구소, 177~179쪽. 단 부인이 마지막 단계라고 해서 이것이 제노사이드가 끝나는 시점은 아니다. 오히려 부인을 통해 은폐된 과거는 새로운 제노사이드가 발생할 수 있는 위험한 출발선이기도 하다.

175) 박완서, 『그 산이 정말 거기에 있었을까』, 9쪽.

176) 『백년여관』의 주요한 서술 전략으로 평가되는 '중음(中陰)'의 문제는 산 자와 죽은 자의 세계가 겹쳐져 있는 공간성을 보여준다. 이는 『백년여관』에서는 무당 조천댁을 통해서 연결되는 무속적 세계이기도 하지만, 동시에 청자로서의 작가가 듣게 되는 세계이기도 하다. 『백년여관』 속 중음의 세계는 무속적 외형을 취하고 있으나 동시에 소설가 주체에 의해 종합된다는 점에서 일반적인 무속적 대화의 구조와는 이질적이다. 무속에서 무당의 입을 통해 발화하는 망자의 목소리는 가족 등에게 자신에 대한 기억을 요청하면서, 집단 내 주변적인 이들의 소통 채널에

서 공식기억의 외부에 있는 구술문화적 특징을 가진다는 점(김성례, 『한국 무교의 문화인류학』, 소나무, 2018, 177쪽)에서 소설가 주체에 의해 기술되기 위해 종합되는 『백년여관』의 중음의 전개 방식과 구분된다. 소설가 주체가 핵심적 청자로 설정되어 있다는 점은 망자와 그 가족들 사이의 대화적 관계를 중시한 다른 무속 소재 소설들과 『백년여관』이 뚜렷하게 갈라지는 지점이다. 특히 비슷한 시기에 발표된 작품으로 황해도 진지노귀굿의 형식을 가져왔던 황석영의 장편 『손님』의 소통 구조와 비교한다면 그 차이는 더욱 분명해진다.

177) 자크 랑시에르, 진태원 옮김, 『불화』, 길, 2015, 73쪽.

178) 자크 랑시에르, 양창렬 옮김, 『정치적인 것의 가장자리에서』, 길, 2013, 225쪽.

179) 정명중, 「지속의 시간 그리고 고통의 연대―임철우의 『백년여관』론」, 『작문연구』 제 12집, 한국작문학회, 2011, 134쪽.

180) 임철우, 「낙서, 길에 대하여」, 『문학동네』 봄호, 문학동네, 1998.

181) 임철우, 「직선과 독가스」, 『그리운 남쪽』, 문학과지성사, 1985, 136쪽.

182) 제임스 C. 스콧, 전상인 옮김, 『국가처럼 보기』, 에코리브르, 2010, 173~177쪽.

183) 제임스 C. 스콧, 위의 책, 147쪽.

184) 김동현, 「가라앉은 기억들」, 『비판적 4 · 3 연구』, 한그루, 2023, 89쪽.

185) 김동현, 위의 책, 102쪽.

186) 근대화론을 미국이 내세운 냉전의 주요 이데올로기라는 측면에 대해서는 마이클 레이섬(권혁은 · 김도민 · 류기현 · 신재준 · 정무용 · 최혜린 옮김, 『근대화라는 이데올로기』, 그린비, 2021) 참조.

187) 임철우, 「연대기, 괴물」, 『연대기, 괴물』, 문학과지성사, 2017, 81~82쪽.

188) 극우 반공주의 폭력집단이었던 서북청년단의 복권 시도가 이루어지던 박근혜 정권 당시의 역사교과서 국정화 파동 같은 과거사 갈등이 첨예하게 전개되었다. 이행기 정의 국면에서 형성된 역사 인식에 대한 정치적 반격은 과거사진상규명위원회가 활동했던 노무현 정권 후기에 『해방 전후사의 재인식』 발간을 기점으로 한다. 이러한 국가폭력의 과거사에 대한 정치적 백래시의 흐름에 대해서는 4부 2장에서 현길언의 후기 소설 작업과 함께 다룰 것이다.

189) 한순미, 「치유 의례로서의 '접속'」, 『인문학연구』 제64집, 조선대학교 인문학연

구원, 2022, 228쪽.

190) 김성례, 『한국 무교의 문화인류학』, 176쪽.

191) 이소, 「죄의식의 남성성, 해원의 여성성」, 『요즘비평들 1호』, 자음과모음, 2021, 198쪽.

192) 서영채, 위의 책, 341쪽.

193) 아이리스 M. 영, 위의 책, 195쪽.

제4부 공식기억의 교체와 주체의 복권

1) 국가 차원의 보상과 피해자 인정 절차는 탈정치적 피해자로서의 '양민'이라는 형상을 연장하여 '희생자'라는 탈이념적·탈정치적 정체성을 구성하고 이에 부합하는 주체로 스스로를 신고하게 했다. 이러한 희생자 정체성의 형성과 제도의 작동 방식에 대해서는 고성만의 「4·3 과거청산과 '희생자'」(『탐라문화』 38권, 제주대학교 탐라문화연구소, 2011) 참조.

2) 고성만, 「4·3특별법의 고도화, 과거사청산의 편협화」, 『비판적 4·3연구』, 한그루, 2023, 246쪽.

3) 일본4·3유족회는 재외국민 등록을 하지 않았거나 '조선적'을 가진 재일 제주인 등이 희생자 조사 대상에서 제외되었다고 주장하면서 실제 희생자의 상당수가 조사조차 되지 않았다고 비판했다.(「4·3희생자 조사 재일 제주인 놓쳤다… 목숨 건 지려 일본 밀항 택해」, 《한겨레》, 2022. 4. 3.)

4) W. G. 제발트, 이경진 옮김, 『공중전과 문학』, 문학동네, 2018.

5) 제2차 세계대전에 참전했던 커트 보니것은 드레스덴 폭격 당시에 독일군의 포로로 드레스덴에 있었다. 그는 참혹한 폭격의 기억과 전쟁으로 인한 무기력감을 SF 소설인 『제5도살장』을 통해서 그렸다.

6) 이지영, 「일본 원폭피해자의 고통의 감정과 일본의 피해자 정체성」, 『日本學』 51호, 동국대학교 일본학연구소, 2020, 269쪽. 일본 사회 특히 일본 대중문화 속에서 폭격의 기억은 일본 사회의 피해자 정체성을 구성하는 기억으로 지속적으로 전용

되고 변주되고 있는데, 태평양 전쟁기 고베공습으로 가족을 잃은 주인공을 다룬 노사카 아키유키의 「반딧불의 묘」가 지브리 스튜디오에서 애니메이션화된 이후 작가의 의도와 달리 국가적 피해 서사로 재구성된 사례가 대표적이다.(조정민, 「내셔널 내러티브에 대한 욕망」, 『일본연구』 24집, 중앙대학교 일본연구소, 2008)

7) 「72년간 1달러도 받지 못한 노근리사건 피해자들」, 《시사인》 776호, 2022. 8. 2.

8) 이동희, 「서문 헌사」, 『노근리 아리랑』, 풀길, 2007, 6쪽.

9) 현기영, 「쇠와 살」, 『마지막 테우리』, 창비, 2015, 153~154쪽.

10) 한성훈, 『가면권력』, 후마니타스, 2014, 132~133쪽.

11) 사만다 파워, 김보영 옮김, 『미국과 대량학살의 시대』, 에코리브르, 2004, 12~13쪽.

12) 바바라 하프, 「제노사이드의 발생 원인」, 『현대사회와 제노사이드』, 각, 2005, 93쪽.

13) 김태우는 노근리사건이 한국전쟁기 미공군의 폭격 수행 과정에서 예외적인 사건이 아니라 오히려 보편적 현상이었다고 지적한다.(김태우, 『폭격』, 창비, 2013, 166쪽)

14) 황석영, 『사람이 살고 있었네』, 시와사회사, 1993, 278쪽. 호구별성은 '마마'와 '손님'과 함께 조선시대에 천연두를 부르던 호칭 중 하나다.

15) 김옥자, 「북한의 반미선전·선동과 신천박물관에 대하여」, 『한국정치연구』 28권 1호, 서울대학교 한국정치연구소, 2019, 351쪽.

16) 한모니까, 「'봉기'와 '학살'의 간극 : 황해도 신천사건」, 『이화사학연구』 제46집, 이화여자대학교 이화사학연구소, 2013, 98쪽.

17) 다만 『손님』에서는 신천 지역에 미군이 주둔하지 않았던 것으로 묘사되고 있지만 이는 실제 역사적 사실과 맞지 않다. 황석영에게 신천에서의 자기 경험을 알려주었던 재미동포 유태영 목사가 그의 고향인 신천군 남부면의 사례를 소설에서는 지역 일반의 사례로 확대해석한 것으로 추정된다.(한모니까, 위의 글, 98~99쪽)

18) 김태우, 『냉전의 마녀들』, 창비, 2021, 234쪽.

19) 백낙청은 황석영의 『손님』이 서구적 근대를 외부에서 온 손님이라 표상하지만 동시에 누적된 한반도 내부 요인들에 의해서 분단체제가 형성·유지되었음을 보여주고 있다고 평가한다.(백낙청, 「황석영의 장편소설 『손님』」, 『통일시대 한국문학의 보람』, 창비, 2006, 338쪽)

20) 알라이다 아스만은 기억을 재생산하는 공간들을 '기록물보관소(Archive)'라 명명한다. 기록물보관소는 그 사회가 공유하는 공통의 기억을 구성하고 통제하는 장치로 기능한다.(알라이다 아스만, 채현수, 변학수 옮김, 『기억의 공간』, 그린비, 2011, 471~473쪽)

21) 김옥자는 북한의 반미선전·선동에서 신천박물관의 역할과 변천을 분석하면서 미국과 국제사회와의 관계 등에 대응하는 과정에서 신천에 대한 기억이 지속적으로 변형·재구성되었음을 밝히고, 이를 통해 사회 내부의 통합을 강화하는 '반미교양'을 학습하는 핵심 거점이었다고 평가했다.(김옥자, 앞의 글, 361쪽)

22) 강용훈, 「황석영의 전쟁 소재 중·장편 소설에 나타난 공간 표상」, 『Journal of Korean Culture』 27, 고려대학교 한국언어문화학술확산연구소, 2014, 142~143쪽.

23) 아스만은 전체적 국가의 기록물보관소는 기억을 둘러싼 사회적 대화의 가능성을 차단하는 폐쇄적인 권력의 기획 속에 닫혀 있게 된다고 보았다.(알라이다 아스만, 앞의 책, 473쪽)

24) 로렌 켄달, 김성례, 김동규 옮김, 『무당, 여성, 신령들』, 일조각, 2016, 72쪽.

25) 김성례, 「제주 무속 : 폭력의 역사적 담론」, 『종교신학연구』 4권 1호, 서강대학교 비교사상연구원, 1991, 22~26쪽.

26) 김동춘, 『이것은 기억과의 전쟁이다』, 사계절, 2013, 62쪽.

27) 김동춘, 위의 책, 50~51쪽.

28) 최학림, 『문학을 탐하다』, 산지니, 2013, 124쪽.

29) 한성훈, 앞의 책, 339쪽.

30) 조갑상, 「사라진 하늘」, 『다시 시작하는 끝』, 세계일보사, 1990, 231~233쪽.

31) 김요섭, 「역사의 눈과 말해지지 않은 소년」, 『창작과비평』 가을호, 창비, 2015, 470쪽.

32) 4·19 직후 제노사이드 사건 유족회 결성과 진상규명의 시도를 보여주는 다른 작품으로는 제주4·3의 피해를 입은 백조일손지회를 다룬 현길언의 「집 없는 혼」(1988)과 거창양민학살사건 유족의 위령비 건설을 문제를 다룬 노순자의 「진달래 산천」(1990) 등이 있다.

33) 강성현, 『한국 사상통제 기제의 역사적 형성과 '보도연맹 사건', 1925-50』, 서울

대학교 사회학과 박사 학위 논문, 2012, 316~318쪽.

34) 김종곤, 「골짜기의 비탄을 기억하라!」, 『기억과 증언』, 씽크스마트, 2020, 157쪽.

35) 해석적 부인은 일어난 사건을 없었다고 부정하지는 않지만 전혀 다른 방식으로 해석하는 방식으로 사건의 인지적 의미를 부정하면서 그 범주를 다른 것으로 바꾸어 버린다.(스탠리 코언, 앞의 책, 58~59쪽)

36) 이청준, 「소문의 벽」, 『소문의 벽』, 문학과지성사, 2011, 219쪽.

37) 임유경, 「문학이라는 행위―1960~70년대 문학과 이청준의 「소문의 벽」」, 『사이 間SAI』 34호, 국제한국문학문화학회, 2023, 240쪽.

38) 이청준·권오룡 대담, 「시대의 고통에서 영혼의 비상까지」, 『이청준 깊이 읽기』, 문학과지성사, 1999, 26쪽.

39) 이영재, 「다층적 이행기 정의의 포괄적 청산과 화해 실험」, 『정신문화연구』 제38권 4호, 한국학중앙연구원, 2015, 128~130쪽.

40) 초기 제주4·3 구술을 대표하는 『이제사 말햄수다』에서 이러한 인식을 찾을 수 있는데, 광주의 경우와 달리 4·3은 진상규명을 해도 (가해자들이 이미 사망한 이후임으로) 책임자 처벌과 보복 문제 등에서 비롯되는 갈등을 우려할 필요가 없다는 인식이 나타나기도 한다.(제주4·3연구소 편, 『이제사 말햄수다』 1, 한울, 1989, 65쪽)

41) 서영채, 『죄의식과 부끄러움』, 나무나무출판사, 2017, 219~221쪽.

42) 지그문트 바우만, 정일준 옮김, 『현대성과 홀로코스트』, 새물결, 2013, 242~243쪽.

43) 서영채, 앞의 책, 225쪽.

44) 한순미, 「역사적 물음을 구조화하는 이미지의 위상학」, 『현대문학이론연구』 39, 현대문학이론학회, 2009, 244쪽.

45) 이청준·권오룡, 위의 책, 28쪽.

46) 칼 야스퍼스, 이재승 옮김, 『죄의 문제』, 앨피, 2014, 87~91쪽.

47) 아이리스 매리언 영, 허라금·김양희·천수정 옮김, 『정의를 위한 정치적 책임』, 이화여자대학교출판문화원, 2018, 195쪽.

48) 김창후, 「4·3 진상규명운동 50년사로 보는 4·3의 진실」, 『4·3과 역사』 11호, 제주4·3연구소, 2011, 159쪽.

49) 제주4·3사건 진상규명및회생자명예회복위원회, 『제주4·3사건 진상조사보고서』, 제주4·3사건 진상규명및회생자명예회복위원회, 2003, 36쪽.

50) '진실화해위원회'는 과거에 이루어진 인권유린이나 폭력 양상을 조사하기 위해 특정한 기간 동안에 운영되는 국가기구들로 1974년 이후 20여 개 국가 이상에서 운영 활동한 대표적인 이행기 정의를 위한 모델이다.(프리실라 B. 헤이너, 『국가폭력과 세계의 진실위원회』, 역사비평사, 2008, 47~48쪽)

51) 김영수, 『과거사 청산, '민주화'를 넘어 '사회화'로』, 메이데이, 2008, 91쪽.

52) 김창후, 위의 글, 185~189쪽.

53) 김동윤, 「20세기 제주문학사 서설」, 『영주어문』 3집, 영주어문학회, 2001, 208쪽.

54) 이승수, 高波, 최한영, 우미영, 「소설가 현길언 론」, 『한국언어문화』 77, 한국언어문화학회, 2022, 150쪽.

55) 정종현, 「4·3과 제주도 로컬리티」, 『현대소설연구』 58, 한국현대소설학회, 2015, 52쪽.

56) 김영수, 『과거사 청산, '민주화'를 넘어 '사회화'로』, 32쪽.

57) 김정인, 『역사전쟁, 과거를 해석하는 싸움』, 책세상, 2015, 22~23쪽.

58) '역사부정' 혹은 '역사부정론'은 홀로코스트의 존재를 부정하는 주장들을 분석하면서 등장한 개념이다. 'Denial' 또는 'Negation' 등으로 쓰이는 이 용어는 한국에서는 일반적으로 역사부정 또는 역사부정론으로 번역되어 사용되고 있다. 역사부정론은 홀로코스트의 사회적 기억에 대한 위협으로 인식되어 법률적인 처벌이 이루어지기도 한다. 유럽에서의 법률에 의해 처벌하는 역사부정은 '(사실의) 부정', '제노사이드의 정당화', '제노사이드의 사소화' 등 3가지 유형이다.(이재승, 「기억과 법 : 홀로코스트 부정」, 『법철학연구』 11권 1호, 한국법철학회, 2008, 226~227쪽) 한국에서 역사부정은 학술적으로는 일본군 '위안부' 문제에 대한 한·일 극우파의 부정, 5·18광주민주화운동에 대한 한국 극우의 부정 등에 대한 논의와 관련되어 있다. 특히 한국 이행기 정의에서 핵심적인 문제였던 광주민주화운동에 대한 부정을 유럽의 홀로코스트 부정 처벌법과 같은 방식으로 처벌하려는 입법 논의가 반복되고 있다.(이소영, 「역사부정 규제를 둘러싼 기억의 정치」, 『법과 사회』 61, 법과사회이론학회, 2019, 159쪽)

59) 김정인, 「정치적 무기로서의 역사, 역사전쟁의 다섯 국면」, 『白山學報』117, 백산학회, 2020, 10쪽.

60) 김정인, 위의 글, 12쪽.

61) 박명림, 『역사와 지식과 사회』, 나남, 2011, 51쪽.

62) 권김현영, 「민족주의 이념논쟁과 후기 식민 남성성」, 『문화과학』49, 문화과학사, 2007, 43쪽.

63) 안현효, 「『해방전후사의 재인식』에서 『반일종족주의』까지」, 『기억과 전망』45, 민주화운동기념사업회, 2021, 395쪽.

64) 이영훈, 「'해방 전후사의 재인식' 강의」, 기파랑, 2007, 6쪽.

65) 정일준, 「탈수정주의를 넘어서 한국 근현대사 이해하기」, 『한국사회』제8집 2호, 고려대학교 한국사회연구소, 2007, 62~63쪽.

66) 강성현, 『탈진실의 시대, 역사부정을 묻는다』, 푸른역사, 2020, 53쪽.

67) 임지현, 『희생자의식 민족주의』, Humanist, 2021, 486~492쪽.

68) 김정인, 앞의 글, 15쪽.

69) 강성현, 『탈진실의 시대, 역사부정을 묻는다』, 61~63쪽.

70) 전강수, 『반일종족주의의 오만과 거짓』, 한겨레출판, 2020, 39쪽, 안현효, 위의 글 399쪽에서 재인용.

71) 강성현, 앞의 책, 69쪽.

72) 현길언, 「과거사 청산과 역사 만들기」, 『본질과현상』32, 본질과현상사, 2013, 122쪽.

73) 현길언, 위의 글, 153쪽.

74) 「문창극 '4·3 망언' 일파만파… 지명 철회 여론 비등」, 《제주의소리》, 2014. 6. 12.

75) 『정치권력과 역사왜곡』과 같은 현길언의 후기 4·3 연구 작업에서는 대학교수라는 그의 이력에 어울리지 않게 학술적 전문성이나 체계성이 갖추지 못한 경우가 적지 않다. 기초적인 인용 방식에서조차 문제가 있는 경우가 더러 발견되기까지 한다. 그런데 이러한 체계적이지 못한 서술은 현길언에게만 나타나는 것은 아니었다. 제노사이드의 재현 과정에서 공적 기억과 사적 기억 사이의 관계가 혼란에 빠져 있는 사례들에서 이처럼 비전문적인 것처럼 보이는 서술이 나타나는데, 이

를 의도된 비체계성이라고 분석했던 바가 있다.(김요섭, 「두 갈래의 기억」, 『한국문학논총』 97, 한국문학회, 2024, 36~39쪽)

76) 현길언, 『정치권력과 역사왜곡』, 태학사, 2016, 53쪽.

77) 현길언, 위의 책, 224쪽.

78) 「노무현 대한민국 부정발언 근거는? 이명희 "잘 모르겠다"」, 《미디어오늘》, 2013.10.9. https://www.mediatoday.co.kr/news/articleView.html?idxno=112362

79) 조갑제, 「깽판의 윤리도 없는 민주당」, 《조갑제닷컴》, 2009. 7. 29. https://www.chogabje.com/board/view.asp?C_IDX=28431&C_CC=AZ

80) 현길언, 『정치권력과 역사왜곡』, 537쪽.

81) 임지현은 역사부정론을 기억을 거짓으로 단정하는 '단도직입적 부정'과 증언자에게 적대적인 혐의를 씌워 그 신뢰성을 공격하는 '혐의(嫌疑)의 부정', 증언 내용 속의 잘못된 사실을 과장함으로써 증언의 의미를 격하고 공식 문서만을 유일한 사료로 강조하는 '실증주의적 부정론'이라는 3가지 유형으로 구분한다.(임지현, 『기억전쟁』, Humanist, 2018, 61~65쪽) 그는 그중에서 특히 실증주의적 부정론을 가장 위험한 형태로 인식하는데 이는 학문적 실증주의의 형태를 취하고 있지만 실상은 "희생자의 기억이 부정확하고 정치적으로 왜곡되거나 조작되었다는 인상을 주기 위해 자주 소환되는 이데올로기"일 뿐이라고 지적한다. 실증주의적 부정론은 국가폭력의 가해자였던 국가에 배타적인 발언권을 주고, 증거를 인멸한 국가의 행위에 동조한다. 이러한 실증주의적 부정론은 홀로코스트 부정을 시작으로 여러 역사부정론의 주요한 레토릭으로 활용되었다.(임지현, 『희생자의식 민족주의』, 479~485쪽)

82) 박찬식, 『4·3과 제주역사』, 각, 2018, 615쪽.

83) 윤택림, 『역사와 기록 연구를 위한 구술사 연구방법론』, 아르케, 2019, 56쪽.

84) 프리실라 B. 헤이너, 『국가폭력과 세계의 진실위원회』, 240~243쪽.

85) 스탠리 코언, 『잔인한 국가, 외면하는 대중』, 창비, 2009, 288~297쪽.

86) 현길언, 『정치권력과 역사왜곡』, 115쪽.

87) 현길언, 『정치권력과 역사왜곡』, 102~107쪽.

88) 현길언, 『정치권력과 역사왜곡』, 105쪽.

89) 정종현, 앞의 글, 42쪽.

90) 정민, 「『상찬계시말(相贊契始末)』을 통해본 양제해 모변 사건의 진실」, 『한국실학연구』 15, 한국실학학회, 2008, 276~278쪽.

91) 그는 방성칠의 난이 현실 논리에 입각하지 않은 승산 없는 싸움을 통해 몰락했던 민란이라고 비판한다.(현기영, 『젊은 대지를 위하여』, 화남, 2004, 143쪽) 방성칠의 난에 대한 이러한 평가는 그가 4·3 당시 무장대를 비판하는 논리로도 활용되었다.

92) 이승수 외, 「소설가 현길언론」, 162쪽.

93) 보수 기독교 교회 목사인 이선교는 정치범으로 분류되는 수형자 등이 『4·3보고서』에서 희생자로 분류되었다며 위헌이라고 주장하며 헌법 소원을 청구하기도 했고, 이후 보고서를 비판하는 책을 쓰고 4·3평화공원 등에 가짜 희생자 위패가 있다고 주장했다. 현길언은 이선교 목사의 주장과 저서 등을 참고하여 가짜 위패 주장을 반복한다.(현길언, 『정치권력과 역사왜곡』, 18쪽)

94) 현길언, 『정치권력과 역사왜곡』, 62쪽.

95) 현길언, 『정치권력과 역사왜곡』, 134쪽.

96) 박찬식, 앞의 책, 663쪽.

97) 「'제주4·3 정립 연구·유족회' 성황리 창립」, 《조갑제닷컴》, 2013.11.07.
https://www.chogabje.com/board/view.asp?C_IDX=53480&C_CC=AZ

98) 현길언, 『섬의 반란, 1948년 4월 3일』, 백년동안, 2014, 149~150쪽.

99) 허상수, 「그들의 역사왜곡은 진실을 이길 수 없다」, 『4·3과 역사』 14호, 제주4·3연구소, 2015, 192쪽.

100) 제주4·3사건 진상규명및희생자명예회복위원회, 위의 책, 537쪽.

101) 권헌익, 『전쟁과 가족』, 창비, 2020, 229쪽.

102) 현길언, 『정치권력과 역사왜곡』, 208~209쪽.

103) 이재승, 「제주4·3사건, 민족자결권과 저항권」, 『비판적 4·3 연구』, 한그루, 2023, 17~39쪽.

104) 4·3 당시에 사망한 외숙부가 좌익 성향인 것에 대해 현길언은 남로당 골수분자로부터 허황된 교육을 받았으리라고 단정한다. 그리고 당시 중산간 부락이 큰

피해를 입은 것 역시 남로당원들의 교육과 선동에 취약했기 때문이라 추측한다.(현길언,『정치권력과 역사왜곡』, 263쪽)

105) 현길언은 제주 사회의 지식인, 특히 교사들의 역할을 중요한 문제로 보고 있다. 그는 4·3의 실상을 확인하기 위한 자료 중 하나로 "좌익계 교사들의 학교 교육 활동의 실상"(현길언,『정치권력과 역사왜곡』, 56쪽)을 조사해야 한다고 주목했는데, 그의 소설에서 좌익 교사들은 4·3의 기억을 구성하는 주요한 인물형으로 반복해 등장한다. 80년대 작품인 「불과 재」와 「未明」에서 주인공에게 동경과 적대의 이중적 감정을 느끼게 하는 좌익 교사 '고성만'과 '송광천'이 등장한다. 2000년대 초반에 발표한 소설『그때 나는 열한 살이었다』를 개작한 중편 「뿔 달린 아이들」(2018)에도 주인공인 나를 매혹시키는 좌익 교사 '고민정'이 등장하는데 그가 붙잡히지 않았다는 점을 제외하고는 「불과 재」 속 고성만과 상당히 유사하게 그려진다. 현길언이 좌익 교사 문제를 주목하는 것은 그가 남원초 재학 시절 은사였던 담임교사인 '오기옥'의 영향으로 보인다. 오기옥이 4·3 직전 경찰을 피해 사라졌다는 사실은 그의 자전적 에세이인 「주변인의 삶과 글쓰기」(현길언, 「주변인의 삶과 글쓰기」,『21세기 문학』 봄호, 21세기 문학, 2010, 86쪽)에서나 「한 작가가 겪은 제주4·3」(현길언,『섬의 반란, 1948년 4월 3일』, 101쪽)에서 반복적으로 등장하는 장면이며, 소설 속 좌익교사들처럼 오기옥은 현길언 삼촌의 친구이기도 했다.

106) 홍기돈, 「근대 이행기 민족국가의 변동과 호모 사케르의 공간」,『한국언어문화』 64집, 한국언어문화학회, 2017, 258쪽.

107) 권헌익, 위의 책, 164쪽.

108) 80년대 현길언의 소설에서도 제주4·3이 남로당 중앙에 의해 기획된 사건이라는 인식이 나타나기도 했다. 1987년 작 단편 「未明」의 주인공 지혁은 좌익 교사인 송명철에게 포섭된 뒤 고향인 제주도로 파견되는데 제주에서 일어날 봉기를 "단순한 소요가 아니라 혁명의 계기로 발전"시키려는 남로당의 계획을 위해서다.(현길언, 「未明」,『우리들의 조부님』, 고려원, 1990, 107쪽) 이러한 인식은『4·3보고서』 이후 극단화되면서 역사부정론으로 이어진 것으로 보인다.

109) 「껍질과 속살」에서 송순녀의 남편을 서북청년단 간부가 살해하는데, 이 역시 아내를 성적으로 착취한 것을 항의한 데 대한 사적 보복이었다.

110) 현길언, 『정치권력과 역사왜곡』, 208~209쪽.

111) 현길언, 『정치권력과 역사왜곡』, 275쪽. 오성찬과 현기영 같은 제주4·3의 대표 작가들도 공동체적 삶의 파괴를 중요한 피해로 이해했지만, 이를 무장대의 탓으로 한정하지는 않았다. 3부 2장에서 살펴보았듯이 현기영은 4·3에서 제주 공동체의 파괴가 직접적인 폭력뿐 아니라 개발의 논리를 통해 연장되고 있다는 점을 주목하면서 에코사이드로서 4·3을 재구성한다. 오성찬 역시 「땅울림」에서 제주 공동체의 파괴를 4·3 이후에도 이어지는 개발의 논리와 연결한다.

112) 현길언, 「저항에서 수난사로」, 『본질과현상』 28호, 본질과현상사, 2012, 168쪽.

113) 현길언, 위의 글, 176~177쪽.

114) 현길언, 『정치권력과 역사왜곡』, 131~132쪽.

115) 현길언 자신은 『4·3보고서』나 특별법이 탈이념적인 개인의 피해자로서의 위치를 훼손했다고 주장(특별법에서의 '희생자' 개념이 이념화되어 있다는 그의 주장에서 드러난다. 현길언, 『정치권력과 역사왜곡』, 33쪽)했다. 그러나 이행기 정의 국면에서 국가가 제시한 희생자 범주는 당시 국가의 이념과 대립했던 무장대 등의 피해를 비가시화하면서 사건을 수난사로 규정했다고 비판받았다.(고성만, 「4·3 과거청산과 '희생자'」, 『탐라문화』 38호, 제주대학교 탐라문화연구원, 2011, 260쪽)

116) 김원일·정호웅, 「『불의 제전』, 작가에게 듣는다」, 『불의 제전』 1, 강, 2010, 402~403쪽.

117) 소설 『겨울 골짜기』의 제목 표기는 판본마다 『겨울 골짜기』와 『겨울골짜기』로 띄어쓰기의 차이가 있다. 이 책에서는 최종 정본판을 따라 『겨울 골짜기』로 표기했다.

118) 박찬모, 「『겨울 골짜기』의 개작 양상 고찰」, 『현대문학이론연구』 41호, 2010, 현대문학이론학회, 259쪽.

119) 『노을』 출간 이후 비평가들 사이에서는 이 작품을 반공주의 문학으로 봐야 하느냐에 대한 입장이 나뉘었다. 예를 들어 김태현은 반공주의 이념이 인물을 형상화하는 데 개입했다는 점에서 반공주의적 소설이라고 비판했다.(김태현, 「반공문학의 양상」, 『실천문학』 봄호, 실천문학사, 1988, 29쪽) 이러한 시각은 반공국가의

공식대본이 소설에 끼친 영향은 짚어주지만 그 재현을 통해 작가가 의도한 효과, 즉 과잉적응의 형태로 나타난 은닉대본의 작동을 설명하지는 못했다. 『노을』속 가족사의 재현이 전작인 「어둠의 혼」과도 이질적이었고, 2년 뒤 발표한 『불의 제전』과도 상당한 차이를 보인다는 점은 이 시기 김원일이 아버지를 어떻게 소설화할 것인지에 대해 다양한 방식으로 탐구하고 있었음을 보여준다.

120) 김원일, 『노을』, 문학과지성사, 1991, 250쪽.

121) 김원일은 그가 발표한 장편소설 중 대표작으로 『바람과 강』, 『마당 깊은 집』, 『늘푸른 소나무』, 『불의 제전』과 함께 『노을』을 꼽는다.(김원일·정호웅, 위의 책, 421쪽) 그는 또 『노을』을 쓰면서 자신의 문학세계에 분단의 문제를 끌어들일 수 있었다고 말하며, 이 소설을 작품세계의 전환점으로 꼽기도 했다.(김원일, 『사랑하는 자는 괴로움을 안다』, 문이당, 1991, 214쪽)

122) 김원일·권오룡, 「열정으로 지켜온 글쓰기의 세월」, 『김원일 깊이 읽기』, 문학과지성사, 2002, 36쪽.

123) 정학진, 「김원일의 의식 변화 연구」, 『우리말글』 58, 우리말글학회, 2013, 472~473쪽.

124) 김원일, '작가의 말', 『불의 제전』 1, 강, 2010, 7쪽.

125) 김원일, 「개정판에 부쳐」, 『겨울 골짜기』 1, 도서출판 둥지, 1994, 3쪽.

126) 김원일, 위의 책, 4쪽.

127) 김원일, 「불러보고 싶은 말, 아버지」, 『겨울 골짜기』, 이룸, 2004, 447쪽.

128) 『불의 제전』 개정판 1권은 다음과 같은 문장으로 시작한다. "이 장편소설은 1950년 1월부터 그해 10월까지의 기록으로, 분단과 전쟁의 격류에 휩쓸려 숨진 그 시대의 모든 영혼과 당대를 정면으로 관통한 아버지 김, 종, 표,(金鐘杓) 님께 바칩니다."(김원일, 『불의 제전』 1, 2010, 5쪽)

129) 김원일, 『겨울 골짜기』, 2004, 447쪽.

130) 김원일, 『겨울 골짜기』, 2004, 5쪽.

131) 김원일, 「인간과 문학의 심오한 본질을 향한 도전」, 『말·삶·글』, 열림원, 1992, 96쪽.

132) 『불의 제전』은 1980년에 연재가 시작된 작품이지만, 그 구상은 1962년부터였

으며, 그가 가족사를 처음 밝힌 단편 「어둠의 혼」은 『불의 제전』의 초고를 수정한 작품이었다.(김원일·정종훈, 위의 책, 403~404쪽) 김원일에게 『불의 제전』은 전쟁과 가족사를 연결하는 소설쓰기의 출발점이자 완결이었던 셈이다.

133) "80년대 후반부터 구소련의 페레스트로이카 영향으로 동구권 공산주의가 무너지고 독일이 통일되었다. 동서냉전이 벽을 허물자 이데올로기가 갑자기 회석되었다. 국내의 좌파 진보세력도 휴면기로 들어갔다. 『불의 제전』이 1950년대의 한국전쟁 전후를 다루는 소설이라 이념을 앞세워 투쟁하던 주인공들이 나에게는 공중분해한 듯 느껴졌다. 『불의 제전』의 완성 의미 역시 낡은 구헌법을 뒤지듯 퇴색되어버렸다. (중략) 나는 『불의 제전』이 내 문학 필생의 역작이 되리라 생각지 않고 소설이 한국문학에 크게 기여하리라는 소명감을 포기한 지도 오래다. 그러나 나에게 '글쓰기'란 어쩔 수 없는 숙명이고, 『불의 제전』이 그 일부임을 깨닫는다."(김원일, 「마지막 연재분을 다시 시작하여」, 『삶의 결, 살림의 질』, 세계사, 1993, 174~175쪽)

134) 김윤식, 「문학사적 개입과 논리적 개입」, 『문학과사회』 겨울호, 문학과지성사, 1991, 1505쪽.

135) 김명훈, 「'87년 체제'와 지연된 전향의 완수」, 『상허학보』 60집, 상허학회, 2020, 255~256쪽.

136) 김명훈, 위의 책, 221~222쪽.

137) 이내영·박은홍, 『동아시아의 민주화와 과거청산』, 아연출판부, 2004, 72~87쪽.

138) 2020년 국회에서 '진실·화해를 위한 과거사정리 기본법 개정안'이 통과되면서 그해 겨울 진화위 2기가 출범했지만, 정권 교체 이후 5·18광주민주화운동에 북한군 개입설을 주장하는 진화위 위원장 임명 등의 파행 상황은 이행기 정의 국면에서의 대립이 여전히 지속되고 있음을 보여준다.

139) "좌익폭동으로 죽은 사람이 마흔에 가깝고, 전경대가 난리를 평정하자 좌익패를 잡아들였는데 그 인원이 칠팔십 명도 더 된다고 삼촌이 말했다."(김원일, 『노을』, 문학과지성사, 1997, 294쪽)

140) 김윤식, 위의 책, 1512쪽.

141) 한국전쟁전후민간인희생자경남유족회, 『70년만의 증언―한국전쟁 전후 민간

인 희생자 경남 유족 증언집 1』, 도서출판 피플파워, 2021, 246쪽. 『70년만에 증언』에서는 김해 일대 750여 명, 진영읍 251명의 보도연맹학살사건의 피해자 숫자를 진실화해위원회에서 확인했다고 적고 있으나 이 숫자는 추정치다. 진실화해위원회에서 김해 지역에서 학살 희생자로 신원을 확인한 인권은 총 272명으로 750명이라는 희생자 숫자는 그 지역에서 발굴된 유골의 숫자를 통해 추정된 수이며, 진영에서의 희생자 251명은 1960년에 피학살자 유족회인 '금창(金昌)지구피학살자합동장의위원회'에서 활동한 안임진, 김영욱의 진술로 확인한 숫자다. 진실화해위원회는 실제 피해자 규모가 이보다 더 많을 것이라 추정한다.(진실·화해를위한과거사정리위원회, 『2008년 하반기 조사보고서』 3권, 진실·화해를위한과거사정리위원회, 2008, 857~858쪽)

142) 김원일, 『노을』, 1997, 225쪽.

143) 이선미, 「냉전과 소설의 형식, '(경남) 진영'의 장소성과 사회주의자 서사(1)」 『한국문학논총』 제87집, 한국문학회, 2021, 371~372쪽.

144) 김원일, 권오룡, 위의 책, 36쪽.

145) 김원일, 「자전 에세이 1」, 『김원일 깊이 읽기』, 문학과지성사, 2002, 54쪽. 「자전 에세이 1」은 원래 1996년에 출간된 『세월의 너울』에 수록된 글이었지만 2002년에 개고한다.

146) 김원일, '작가의 말', 『도요새에 관한 명상/환멸을 찾아서 외』, 강, 2012, 418쪽.

147) 『아들의 아버지』에서는 이 인물을 'S'라고 부르고 있는데, 김종표보다 열 살 연하의 연락부 지도원 출신으로 기록하고 있다. 그는 국가안전기획부에 의해 보호받으며 촉탁 근무 중인, 전향한 간첩으로 설명된다.(김원일, 『아들의 아버지』, 182쪽)

148) 이 소설은 김원일이 대한적십자사 총재 서영훈의 도움으로 2003년 10월 북한에서 열린 '손정도 목사의 독립운동과 사상' 기념학술제에 참석하는 과정을 쓴 작품이다. 2009년 한 인터뷰를 통해 김원일이 아버지의 소식을 알기 위해 적십자사에 제출한 서류 속 인적 사항을 파악할 수 있는데 이는 「아버지의 나라」 속 아버지의 행적 거의 동일하다. "김종표(金鍾杓·94) 일제 때 마산상업고등학교 졸업. 한국전쟁 전 남조선노동당 경상남도 부위원장. 1950년 한국전쟁 직후 인민군 서울

점령 때, 성동 구역 임시 인민위원회 위원장을 거쳐 서울시당 재정경리부 부부장 역임. 연합군 인천 상륙 때 구로 지역 방위선 전투지휘 후방부 부책임자로 있다가 인민군이 서울 철수할 때 단신 월북. 이후 의용군으로 유격대를 조직하여 남하. 1954년 스위스 제네바에서 열린 남북회의에 북한 측 대표 일원으로 참가. 연락부 대남사업 책임지도원. 1968년 무렵 해운총국 간부를 지냄."(「아버지는 평생 화두요, 창작의 샘물이다 – 분단문학의 대사, 김원일 선생을 만나다」,《오마이뉴스》, 2009. 3. 30.)

149) 김원일, 「아버지의 나라」,『비단길』, 문학과지성사, 240~243쪽.

150) 김원일,『아들의 아버지』, 321~322쪽.

151) 한성훈,『가면권력』, 후마니타스, 2014, 78쪽.

152) 김기진,『끝나지 않은 전쟁 국민보도연맹』, 역사비평사, 2002, 141쪽.

153) 김원일,『노을』, 1978, 301쪽.

154) 이선미, 위의 책, 389쪽.

155) 1946년 당시 미군은 대구10월항쟁의 희생자 규모를 "경찰과 국방경비대 측 피해자 수가 사망 82명, 부상 129명, 실종 및 포로 151명"이고 "시위대 측은 사망 88명, 부상 55명, 체포 33명"으로 집계했다.(김상숙,『10월 항쟁』, 돌베개, 2016, 156쪽) 이는 민간인 피해자 규모가 상당히 축소된 숫자로 추정이 되지만 김삼조의 발언과 같은 수만 단위의 피해자가 발생한 것은 아니었다. 제주4·3도 10월경부터 피해 규모가 급속하게 늘어나서 대부분의 피해자가 1948년 10월에서 1949년 3월 사이에 집중되었다.(제주4·3사건진상규명및희생자명예회복위원회,『제주4·3사건 진상조사보고서』, 제주4·3사건진상규명및희생자명예회복위원회, 2003, 371쪽)

156) 평론가 정호웅은 그런 점에서 1985년 연재본까지의『불의 제전』을『태백산맥』과 유사한 계열의 작품으로 평한다. 또 80년대 중반 한 대담에서 작가 김원일은『불의 제전』을 식민지 잔재와 이데올로기, 농지개혁, 봉건 잔재와 서구 문물의 충돌 등을 통해 한국전쟁의 기원을 보여주려고 했다고 밝히기도 했다.(정호웅, 「분단극복의 새로움을 넘어서」,『분단문학비평』, 청하, 1987, 95쪽)

157) 김원일,『불의 제전』2, 1983, 305쪽.

158) 이외에도 『불의 제전』 후반부에는 피난민을 의심의 정도에 따라 A, B급으로 나눠서 처리하려는 장면이 등장(김원일, 『불의 제전』 6, 168쪽) 이후 예비검속 과정에서도 A, B급이라는 기준이 적용되는 장면(김원일, 『불의 제전』 6, 209쪽), 피난여부에 따른 잔류파와 도강파 차별(김원일, 『불의 제전』 6, 172쪽) 등 가독성 장치를 보여주는 장면이 여러 번 반복된다.

159) 『불의 제전』 전집판에 추가된 서울 함락 시기 학살 사건에 대한 설명은 『아들의 아버지』에서도 김원일 가족의 서울살이 상황과 아버지의 생존과 관련되어 거의 비슷하게 반복되고 있다.(김원일, 『아들의 아버지』, 288~289쪽)

160) 김원일, 『불의 제전』 5, 2010, 211~212쪽.

161) 한성훈, 위의 책, 75~77쪽.

162) 한성훈, 위의 책, 301쪽.

163) 김원일, 『아들의 아버지』, 318쪽.

164) 김원일은 부산·경남 지역 보도연맹사건을 조사할 때 주로 참고했다고 밝힌 책은 《부산일보》 기자였던 김기진의 『끝나지 않은 전쟁, 국민보도연맹』(역사비평사, 2002)였다.(김원일, 『아들의 아버지』, 311쪽)

165) 김명훈, 『김원일 소설에 나타난 '문학적 증언'의 미학과 윤리 연구』, 서울대학교 박사 학위 논문, 2018, 145쪽. 하지만 김명훈은 오히려 이러한 변화가 "생활의 감각과 윤리를 상실하지 않은 인물들을 조명할 수 있었"다고 고평한다.

166) 김명훈, 위의 책, 145쪽.

167) 김원일 「분단시대를 관통하며」, 『문학과사회』 겨울호, 문학과지성사, 1992, 1498~1499쪽.

168) 김원일, 『불의 제전』 6, 1997, 213쪽.

169) 토지개혁 문제뿐 아니라 추곡 수매 등에 여러 경제적 현안에서 농민들과 미군정이 충돌했던 사실에 대한 서술이 1947년 진영의 추곡 수매를 둘러싼 대립이다. 『불의 제전』의 83년 판에서는 조민세 등 지역 좌익들의 이력을 설명하면서 그들이 지역에서 폭동을 주도하고 도망쳤다는 내용이 나온다. 이 과정에서 농민들은 "그들의 선동에 혹하여 개값도 못하고 죽은 몽매한"(김원일, 『불의 제전』 2, 1983, 355쪽) 이들로 언급된다. 97년 판에서는 '추곡 수매 폭동'이 있었다고 언급되며 그

과정에서 농민 20여 명이 사망했다는 구체적 숫자가 언급된다.(김원일,『불의 제전』3, 1997, 102쪽) 그런데 전집판에서는 폭동과 선동, 몽매한 농민 등 부정적 표현이 사라지고 대신 '집단항쟁'이라는 표현이 등장한다. "그들은 1947년 추곡 수매에 따른 정부 시책을 두고 소작인들의 집단항쟁을 지도하다 출동한 미군과 경찰의 총질로 목숨을 잃었고 우익단체 맹원들에게 끌려가 타살되거나 감옥으로 넘어가기도 했다."(김원일,『불의 제전』2, 2010, 271쪽)

170) 김원일,『불의 제전』1, 1983, 82쪽.

171) 김원일,『불의 제전』1, 1983, 205쪽.

172) 김원일,『불의 제전』2, 1983, 91쪽.

173) 김원일,『불의 제전』1, 1997, 214쪽.

174) 김미지,「월북 문인 해금의 이면」,『구보학보』20집, 구보학회, 2018, 92쪽,

175) 김원일,『불의 제전』5, 2010, 336쪽.

176) 이현승,「이용악 시 연구의 제문제와 극복 방안」,『한국문학이론과 비평』제62집, 한국문학이론과 비평학회, 2014, 258쪽.

177) 김원일,『불의 제전』1, 1983, 38쪽.

178) 노용석,『민간인 학살을 통해 본 지역민의 국가인식과 국가권력의 형성』, 영남대학교 문화인류학과 박사 학위 논문, 2005, 80~88쪽.

179) "그런 애젊은 여성 동지의 목숨을 내건 순결한 혁명 정신을 봐서라도 조국 통일 앞당겨 실현해야 한다는 사명감을 그는 다시 마음에 심는다. 그러나 아직 여명이 보이지 않으니 답답하다."(김원일,『불의 제전』3, 1997, 268쪽)

180) 김원일,『아들의 아버지』, 375쪽.

181) 김원일,『아들의 아버지』, 359쪽.

182) 김원일,『겨울 골짜기』1, 1987, 73~74쪽.

183) 김원일,『겨울 골짜기』2, 2004, 53쪽.

184) 김원일,『겨울 골짜기』1, 1994, 68~69쪽.

185) 김원일,『겨울 골짜기』1, 1987,

186) 박찬모, 위의 책, 271쪽.

187) 김원일,「불러보고 싶은 말, 아버지」,『겨울 골짜기』, 2004, 447쪽.

188) 김원일,『아들의 아버지』, 8쪽.

189) 김원일,『아들의 아버지』, 378쪽.

190) 이재승, 앞의 책, 17쪽.

191) 매기 팩슨, 김하현 옮김,『비바레리뇽 고원』, 생각의힘, 2023, 16쪽.

192) 김요섭,「제사의 행방」,『계간 작가들』봄호, 인천작가회의, 2023.

316

643